A história da
HUMANIDADE

Eternidade

A história da HUMANIDADE

A história clássica de todas as eras para todas as eras, atualizada em nova versão para o século XXI

HENDRIK WILLEM van LOON
Atualizada por MERRIMAN

Tradução
MARCELO BRANDÃO CIPOLLA

Martins Fontes
São Paulo 2004

Esta obra foi publicada originalmente em inglês com o título
THE STORY OF MANKIND.
Copyright © 1999, 1984 by Liveright Publishing Corporation.
Copyright © 1972, 1984 by Henry B. van Loon and Gerard W. van Loon.
Copyright © 1921, 1926 by Boni & Liveright, Inc.
Copyright renovado 1948 by Helen C. van Loon.
Copyright renovado 1954 by Liveright Publishing Corporation.
Copyright 1936, 1938, 1951, © 1967 by Liveright Publishing Corporation.
Copyright © 2004, Livraria Martins Fontes Editora Ltda.,
São Paulo, para a presente edição.

1ª edição
abril de 2004
2ª tiragem
novembro de 2004

Tradução
MARCELO BRANDÃO CIPOLLA

Acompanhamento editorial
Luzia Aparecida dos Santos
Revisões gráficas
Renato da Rocha Carlos
Lilian Jenkino
Dinarte Zorzanelli da Silva
Produção gráfica
Geraldo Alves
Paginação/Fotolitos
Studio 3 Desenvolvimento Editorial

Dados Internacionais de Catalogação na Publicação (CIP)
(Câmara Brasileira do Livro, SP, Brasil)

Van Loon, Hendrik Willem, 1882-1944.
  A história da humanidade : a história clássica de todas as eras para todas as eras, atualizada em nova versão para o século XXI / Hendrik Willem Van Loon ; atualizada por Merriman ; tradução. Marcelo Brandão Cipolla. – São Paulo : Martins Fontes, 2004.

  Título original: The story of mankind.
  ISBN 85-336-1969-3

  1. Civilização – História 2. História universal I. Merriman. II. Título.

04-1503   CDD-909

Índices para catálogo sistemático:
  1. História mundial   909
  2. História universal   909
  3. Humanidade : História   909

Todos os direitos desta edição para o Brasil reservados à
Livraria Martins Fontes Editora Ltda.
Rua Conselheiro Ramalho, 330/340 01325-000 São Paulo SP Brasil
Tel. (11) 3241.3677 Fax (11) 3105.6867
e-mail: info@martinsfontes.com.br http://www.martinsfontes.com.br

Sumário

Prefácio XIX
Lista de ilustrações XXIII
1. **Para preparar o caminho** 3
2. **Nossos antepassados mais remotos** 9
3. **O homem pré-histórico**
   O homem pré-histórico começa a fazer objetos para si 13
4. **Os hieróglifos**
   Os egípcios inventam a arte da escrita e começa o registro
   da história 17
5. **O vale do Nilo**
   Os primórdios da civilização no vale do Nilo 22
6. **A história do Egito**
   Ascensão e queda do Egito 27
7. **A Mesopotâmia**
   A Mesopotâmia – o segundo centro da civilização oriental 29
8. **Os sumérios**
   Os sumérios, que escreviam com estiletes, e cujas placas de
   argila nos contam a história da Assíria e da Babilônia, o
   grande cadinho semítico 31
9. **Moisés**
   A história de Moisés, líder do povo judeu 37
10. **Os fenícios**
    Os fenícios, que nos deram o nosso alfabeto 41
11. **Os indo-europeus**
    Os persas indo-europeus conquistam o mundo semítico e
    egípcio 43

12. O mar Egeu
Os povos do mar Egeu levaram a civilização da velha Ásia para os ermos da Europa 47

13. Os gregos
Enquanto isso, a tribo indo-européia dos helenos tomava posse da Grécia 53

14. As cidades gregas
As cidades gregas, que na verdade eram Estados 57

15. A autogestão grega
Os gregos foram os primeiros a dedicar-se ao difícil experimento da autogestão 61

16. A vida dos gregos
Como eles viviam 66

17. O teatro grego
As origens do teatro, a primeira forma de diversão pública. 70

18. As guerras persas
Como os gregos defenderam a Europa contra uma invasão asiática e repeliram os persas para a outra margem do mar Egeu 73

19. Atenas × Esparta
Como Atenas e Esparta enfrentaram-se em longa e desastrosa guerra pela soberania da Grécia 81

20. Alexandre Magno
Alexandre da Macedônia funda um império grego universal, e o que foi feito dessa elevada ambição 83

21. Um resumo
Um breve resumo dos Capítulos 1 a 20 85

22. Roma e Cartago
A colônia semítica de Cartago, no litoral norte da África, e a cidade indo-européia de Roma, na costa ocidental da Itália, lutaram pela posse do Mediterrâneo ocidental e Cartago foi destruída 88

23. A ascensão de Roma
Como Roma aconteceu.. 104

24. O Império Romano
Como a república de Roma tornou-se um império depois de séculos de turbulências e revoluções.................................... 108

25. Josué de Nazaré
A história de Josué de Nazaré, que os gregos chamaram de Jesus... 119

26. A queda de Roma
O crepúsculo de Roma.. 124

27. A ascensão da Igreja
Como Roma tornou-se o centro do mundo cristão................ 130

28. Maomé
Ahmed, o caravaneiro que se tornou o profeta do deserto da Arábia, e cujos seguidores quase conquistaram todo o mundo conhecido para a glória de Alá, o único Deus verdadeiro. 137

29. Carlos Magno
Como Carlos Magno, rei dos francos, veio a ser detentor do título de imperador e procurou ressuscitar o antigo ideal do império universal.. 143

30. Os normandos
Por que o povo do século X pedia a Deus que o protegesse da fúria dos normandos... 150

31. O feudalismo
Como a Europa Central, atacada em três frentes, tornou-se um quartel de guerra, e por que a Europa teria perecido sem esses soldados e administradores profissionais que constituíram o sistema feudal... 156

32. A cavalaria.. 160

33. Papa × imperador
Como era estranha a dupla fidelidade do povo da Idade Média, e como ela fomentou infindáveis disputas entre os papas e os sagrados imperadores romanos.. 163

34. As Cruzadas
Mas todas essas querelas foram esquecidas quando os turcos tomaram a Terra Santa, profanaram os lugares santos e prejudicaram seriamente o comércio entre o Oriente e o Ocidente. A Europa partiu para as Cruzadas 170

35. A cidade medieval
Por que o povo da Idade Média dizia que "o ar da cidade respira liberdade" 176

36. A autogestão na Idade Média
Como o povo das cidades fez valer o próprio direito de ter voz nos conselhos reais de seus países 187

37. O mundo medieval
O que as pessoas da Idade Média pensavam sobre o mundo em que viviam 193

38. O comércio medieval
Como as Cruzadas fizeram mais uma vez do Mediterrâneo um movimentado centro de comércio, e como as cidades da península italiana tornaram-se os grandes centros de distribuição do comércio com a Ásia e com a África 201

39. O Renascimento
As pessoas mais uma vez ousaram ser felizes pelo simples fato de estarem vivas. Procuraram resgatar os restos da antiga e agradável civilização dos gregos e romanos, e ficaram tão orgulhosas de suas realizações que começaram a falar de um "renascimento" da civilização 209

40. A era da expressão
O povo começou a sentir a necessidade de dar expressão a sua recém-descoberta alegria de viver. Expressou sua felicidade na poesia, na escultura, na arquitetura, na pintura e nos livros publicados 221

41. Os grandes descobrimentos
Quando as pessoas romperam os grilhões das estreitas limitações medievais, começaram a precisar de mais espaço. O mundo europeu ficou muito pequeno para suas ambi-

ções. Chegou a época das grandes navegações e dos grandes descobrimentos 227

42. Buda e Confúcio
A respeito de Buda e Confúcio 243

43. A Reforma
O progresso da raça humana pode ser comparado a um gigantesco pêndulo cujo movimento jamais cessa. À indiferença religiosa e ao entusiasmo artístico e literário do Renascimento seguiram-se a indiferença artística e literária e o entusiasmo religioso da Reforma 254

44. As guerras religiosas
A era das grandes controvérsias religiosas 264

45. A Revolução Inglesa
Como o conflito entre o "direito divino dos reis" e o "direito do parlamento", menos divino mas mais racional, terminou em desastre para o rei Carlos I 281

46. O equilíbrio de poder
Na França, por outro lado, o "direito divino dos reis" continuava forte como nunca, cheio de pompa e esplendor, e a ambição do soberano só era contida pela recém-inventada lei do "equilíbrio de poder" 297

47. A ascensão da Rússia
A história do misterioso império moscovita, que surgiu de repente na grande cena política da Europa 302

48. Rússia × Suécia
A Rússia e a Suécia fizeram muitas guerras para decidir quem seria a potência dominante no nordeste da Europa ... 309

49. A ascensão da Prússia
A extraordinária ascensão de um pequeno Estado num lúgubre recôndito da Alemanha setentrional: a Prússia 315

50. O sistema mercantil ou mercantilismo
Como os Estados nacionais ou dinásticos recém-fundados na Europa procuraram enriquecer, e qual foi o significado do sistema mercantil 319

51. A Revolução Norte-Americana
No final do século XVIII, chegaram à Europa os estranhos relatos de algo que acontecera no ermo continente norte-americano. Os descendentes dos homens que haviam castigado o rei Carlos pela sua insistência no "direito divino dos reis" acrescentaram uma nova página à antiga história da luta dos homens por sua independência............ 325

52. A Revolução Francesa
A grande Revolução Francesa proclama a todos os povos da terra os princípios da liberdade, da igualdade e da fraternidade 337

53. Napoleão............ 352

54. A Santa Aliança
Assim que Napoleão foi mandado para Santa Helena, os governantes que tantas vezes tinham sido batidos pelo odiado "corso" reuniram-se em Viena e tentaram desfazer as muitas mudanças provocadas pela Revolução Francesa............ 365

55. A grande reação
Eles tentaram garantir para o mundo uma era de paz imperturbável, e para isso suprimiram todas as novas idéias. Fizeram do espião policial o principal funcionário do Estado, e logo as prisões de todos os países estavam abarrotadas de pessoas que defendiam o direito de os povos se governarem segundo as próprias determinações............ 377

56. Independência nacional
O amor pela independência nacional, porém, era forte demais para ser destruído desse modo. Os sul-americanos foram os primeiros a rebelar-se contra as medidas reacionárias do congresso de Viena. A Grécia, a Bélgica, a Espanha e um grande número de outros países europeus seguiram o mesmo caminho e o século XIX se encheu dos rumores de muitas guerras de independência............ 384

57. A era do motor
Mas, enquanto os povos da Europa lutavam pela independência de suas nações, o mundo em que viviam foi completa-

mente mudado por uma série de invenções que fizeram do canhestro e deselegante motor a vapor do século XVIII o mais fiel e eficiente escravo do homem... 404

58. A revolução social
Porém, os novos motores eram muito caros e só os ricos podiam comprá-los. Os antigos carpinteiros e sapateiros que antes trabalhavam por conta própria em suas oficinas foram obrigados a vender seu trabalho aos proprietários das grandes ferramentas mecânicas, e, enquanto estes ganhavam mais dinheiro do que antes, aqueles perderam sua independência e não gostaram disso nem um pouco................ 415

59. Emancipação
O uso generalizado de máquinas não trouxe a era de felicidade e prosperidade que fora prevista pela geração que assistiu à substituição da diligência pela estrada de ferro. Vários remédios foram sugeridos, mas nenhum deles chegou a resolver o problema...................................... 421

60. A era da ciência
O mundo sofreu, porém, outra mudança, mais importante ainda do que as revoluções política e industrial. Depois de serem oprimidos e perseguidos por muitas gerações, os cientistas adquiriram enfim sua liberdade de ação e trabalharam para descobrir as leis fundamentais que regem o universo.... 428

61. A arte
Um capítulo sobre a arte....................................... 435

62. A expansão colonial e a guerra
Um capítulo que deveria lhe dar muitas informações sobre a política nos últimos cinqüenta anos, mas que na realidade consiste em várias explicações e alguns pedidos de desculpas 449

63. Um novo mundo
A Grande Guerra, que foi na verdade uma luta por um mundo novo e melhor... 458

64. Como sempre será.................................... 468

65. Depois de sete anos 469

66. **Os Estados Unidos chegam à maioridade**
O primeiro de vários capítulos de história contemporânea escritos pelo tio Willem para Piet, Jan, Dirk e Jane van Loon e seus coetâneos 485

67. **Os parceiros do "Eixo"**
A "quebra que se fez sentir no mundo inteiro" precipitou a ruína de uma paz erguida sobre fundamentos medievais 490

68. **Isolacionismo e apaziguamento**
Como os membros do Eixo começaram a repartir o mundo entre si, e por que conseguiram ir tão longe 500

69. **A Carta do Atlântico**
Como a "guerra de nervos" cedeu lugar à "guerra total", e como Hitler cometeu alguns graves erros de cálculo 507

70. **A guerra global**
Como o Eixo foi derrotado na "batalha da produção", mas a vitória final foi obtida por cientistas norte-americanos e ingleses e uma nova era raiou para toda a humanidade 516

71. **As Nações Unidas**
Como os Estados Unidos herdaram a liderança sobre o mundo e foram os anfitriões dos participantes de um grande experimento em relações internacionais 526

72. **Uma paz turbulenta**
Como a Guerra Fria se desenvolveu na Europa e conflitos sangrentos deflagraram-se em outros países 534

73. **O fim da velha ordem**
À medida que se apagam as lembranças das guerras da primeira metade do século XX, as novas gerações buscam "refrear a selvageria do homem e tornar mais suave a vida do mundo" 552

74. **A espaçonave Terra**
Temos de conservar os sistemas de sustentação da vida na Terra; se não o fizermos, pagaremos por isso 556

75. A Terra como uma aldeia global
  Como as maravilhas da ciência e da tecnologia diminuíram
  o tamanho de nosso planeta e irmanaram todos os homens   562

76. A passagem para a era da alta tecnologia
  A tecnologia avança e novas guerras se deflagram...............   565

77. Um novo milênio
  A nova liberdade e a interligação global   600

Uma cronologia animada   633

Índice remissivo..   639

NOTA DO EDITOR ACERCA DA VERSÃO ATUALIZADA

Em 1972, os editores atualizaram o livro com o auxílio do dr. Edward C. Prehn, do prof. Paul Sears da Universidade de Yale e do prof. Edwin C. Broome da Universidade de Nova York. Em 1984 realizou-se nova atualização, obra desta vez do prof. John Merriman, da Universidade de Yale. As ilustrações foram feitas por Adam Simon. Para essa atualização, o prof. Merriman acrescentou ao livro um novo capítulo e Dirk van Loon elaborou novas ilustrações.

A JIMMIE
Alice disse: "De que serve um livro sem figuras?"

PREFÁCIO

Para Hansje e Willem:
Quando eu tinha doze ou treze anos de idade, um tio meu, que foi quem despertou em mim o amor pelos livros e pelas pinturas, prometeu que me levaria para um passeio memorável. Eu iria com ele ao alto da torre da antiga igreja de São Lourenço, em Rotterdam.

E assim, num belo dia, um sacristão com uma chave tão grande quanto a de São Pedro abriu uma porta misteriosa. "Quando vocês voltarem e quiserem sair", disse ele, "toquem a campainha." E o ranger das dobradiças velhas e enferrujadas separou-nos dos ruídos das ruas movimentadas e trancou-nos num mundo novo e cheio de estranhas experiências.

Pela primeira vez na vida, deparei com o fenômeno do silêncio audível. Depois de subir o primeiro lance de escadas, acrescentei mais uma descoberta ao meu limitado conhecimento dos fenômenos naturais – a da escuridão tangível. Um fósforo aceso nos mostrou para onde ia o caminho ascendente. Passamos ao piso seguinte, ao próximo e ao outro e, de repente, vimo-nos banhados de luz. Esse piso ficava na mesma altura do telhado da igreja e era usado como depósito. Debaixo de uma grossa camada de poeira jaziam abandonados os símbolos de uma fé venerável que o bom povo da cidade descartara havia muitos anos. Objetos que significavam vida e morte para nossos antepassados estavam ali reduzidos à categoria de lixo e entulho. Os diligentes camundongos haviam construído seus ninhos por entre as imagens entalhadas, e uma aranha vigilante dispusera sua teia entre os braços abertos de um bondoso santo.

No piso seguinte ficamos sabendo de onde vinha toda aquela luz. Janelas enormes, sem vidros, fechadas apenas com pesadas barras de ferro, faziam daquela sala alta e árida o lar de centenas de pombos. O vento passava pelas barras de ferro, e o ar se enchia de uma melodia fantástica e agradável. Eram os ruídos da cidade que se estendia aos nossos pés, ruídos já limpos e purificados pela distância. O ranger das rodas das pesadas carroças, o bater das patas dos cavalos, os assovios dos guindastes e roldanas, o chiado do paciente vapor, posto para realizar de mil maneiras diferentes as obras dos homens – todos se fundiam num sussurro suave, farfalhante, que proporcionava um belo pano de fundo sonoro para os arrulhos tremulantes dos pombos.

Aí terminavam as escadarias de pedra e começavam as escadas de madeira, quase verticais. E depois da primeira escada (uma peça antiga e escorregadia, que nos obrigava a tatear cuidadosamente com os pés) havia algo novo e ainda mais maravilhoso, o relógio da cidade. Contemplei então o coração do tempo. Ouvia a pulsação pesada e rápida dos segundos: um, dois, três... até sessenta. Então, um repentino ruído palpitante no momento em que todas as engrenagens pareciam parar e mais um minuto era arrancado do seio da eternidade. Sem pausa, a pulsação começava de novo – um, dois, três – até que por fim, depois de um ribombo que nos serviu de alerta e do ranger de múltiplas engrenagens, uma voz tonitruante acima de nós contou ao mundo inteiro que já era meio-dia.

No piso seguinte ficavam os sinos: os simpáticos sininhos e seus terríveis irmãos mais velhos. No meio de todos ficava o grande sino, que me deixava paralisado de medo quando soava no meio da noite a contar suas histórias de incêndio ou inundação. Em solitária grandeza, ele parecia refletir os seiscentos anos durante os quais partilhara as alegrias e tristezas do bom povo de Roterdam. Ao seu redor, dispostos como as jarras azuis de uma farmácia antiga, estavam pendurados seus companheirozinhos, que duas vezes por semana tocavam uma melodia alegre para

A história da humanidade

entreter os camponeses que iam ao mercado comprar, vender e ficar sabendo das notícias do grande mundo. Mas num canto – completamente só e desprezado pelos demais – um grande sino negro, taciturno e silencioso, o sino da morte.

Depois mais escuridão e outras escadas, ainda mais verticais e mais perigosas do que as que já tínhamos subido, e de repente a aragem fresca do imenso céu. Havíamos chegado ao piso mais alto. Acima de nós, a abóbada celeste. Aos nossos pés, a cidade – uma cidadezinha de brinquedo onde atarefadas formigas rastejavam para cá e para lá, cada qual atenta aos seus próprios interesses; e, para além da massa amorfa de pedras, o infinito verdor dos campos.

Foi a primeira vez que vi o mundo.

De lá para cá, sempre que tive oportunidade, voltei ao alto da torre para lá passar bons momentos. A subida era penosa, mas o mero cansaço físico de subir alguns degraus era mais do que compensado.

Além disso, eu já sabia qual seria essa compensação. Eu contemplava a terra e o céu e ouvia os casos contados pelo meu bondoso amigo, o vigia que morava numa cabana construída num canto protegido da torre. Ele cuidava do relógio, era como um pai para os sinos e ficava à espreita de possíveis incêndios, mas tinha muitas horas livres nas quais acendia seu cachimbo e seguia pacificamente o curso de seus pensamentos. Fazia cinqüenta anos que tinha ido à escola e quase nunca abria um livro, mas habitara no alto da torre por tantos anos que chegara por fim a absorver a sabedoria do grande mundo que o rodeava por todos os lados.

Conhecia bem a história, que era uma realidade viva dentro dele. "Ali", dizia ele, apontando para uma curva do rio, "ali, meu filho, vê aquelas árvores? Foi lá que o príncipe de Orange derrubou os diques para inundar a terra e salvar Leyden." Ou senão me contava a história do velho Mosa, desde o passado distante até o momento em que o largo rio deixou de ser um porto conveniente e se tornou uma maravilhosa via fluvial, pela qual os navios de De Ruyter e Tromp partiram em sua famosa última viagem, na qual ambos deram a vida para que os mares fossem livres para todos.

Havia então os povoados que se apertavam ao redor da igreja protetora que, muitos anos atrás, fora o lar dos santos padroeiros do povo. À distância, vislumbrávamos a torre inclinada de Delft. À vista de seus altos arcos, Guilherme o Taciturno tinha sido assassinado; e lá Grócio aprendera a elaborar suas primeiras frases em latim. Mais longe ainda, a estrutura comprida e baixa da igreja de Gouda, o primeiro lar de um homem cuja inteligência se mostrou mais poderosa do que os exércitos de muitos imperadores, o menino pobre e desamparado que o mundo depois veio a conhecer como Erasmo.

Por fim, a linha prateada do mar infinito e, logo abaixo de nós, formando um contraste, a colcha de retalhos de telhados e chaminés, casas e jardins, hospitais, escolas e vias férreas que chamávamos de "nossa cidade". Porém, a torre nos mostrava essa cidade sob uma nova luz. A confusa comoção das ruas e praças, das fábricas e oficinas, manifestava-se como uma expressão ordenada da energia e da força de vontade do ser humano. E o melhor de tudo: a ampla vista do glorioso passado, que nos rodeava por todos os lados, dava-nos também uma nova coragem para enfrentar os problemas do futuro quando voltávamos às nossas atividades cotidianas.

A história é a grande torre da experiência que o tempo construiu em meio aos campos infinitos das eras passadas. Não é fácil chegar ao alto dessa antiga estrutura e ter uma vista desimpedida do terreno ao redor. A torre não tem elevador, mas os pés dos jovens são fortes, e a tarefa não é impossível.

Entrego-lhe agora a chave que vai lhe abrir a porta dessa torre.

Quando você voltar, vai compreender também o motivo do meu entusiasmo.

HENDRIK WILLEM VAN LOON

LISTA DE ILUSTRAÇÕES

Eternidade..	*Frontispício*
No extremo norte.......................................	2
Chovia incessantemente............................	4
A ascendência do homem..........................	6
Os vegetais saem do mar...........................	7
O crescimento do crânio humano.............	9
A pré-história e a história.........................	11
A Europa pré-histórica...............................	15
O vale do Egito...	23
A construção das pirâmides.....................	25
A Mesopotâmia, cadinho do mundo antigo...	30
A Torre de Babel..	33
Nínive..	34
Babilônia, cidade sagrada........................	35
Os deslocamentos dos judeus..................	38
Moisés avista a Terra Santa.....................	40
O mercador fenício....................................	42
A história de uma palavra........................	44
Os indo-europeus e os povos vizinhos...	45
O cavalo de Tróia.......................................	47
Schliemann desenterra Tróia...................	48
Micenas, na Argólida................................	49
O mar Egeu...	50
As pontes insulares entre a Ásia e a Europa...	51

Uma cidade egéia na Grécia continental	53
Os aqueus tomam uma cidade egéia	54
A queda de Cnossos	55
O monte Olimpo, morada dos deuses	58
O templo	62
Uma cidade-Estado grega	63
A sociedade grega	67
Destruição da frota persa ao largo do monte Atos	74
A batalha de Maratona	75
Termópilas	76
A batalha das Termópilas	77
Os persas incendeiam Atenas	78
A Grécia	79
Cartago	89
Esferas de influência	90
Como aconteceu a cidade de Roma	92
Uma rápida nau romana	97
Aníbal cruza os Alpes	100
As viagens de Aníbal	102
A morte de Aníbal	103
Como Roma aconteceu	104
A civilização ruma para o oeste	106
Roma	110
César parte para o Ocidente	114
O grande Império Romano	116
A Terra Santa	121
Uma cidade romana depois da passagem dos bárbaros	126
As invasões dos bárbaros	129
Um mosteiro	132
Os godos estão chegando!	133
A fuga de Maomé	139
A luta entre a cruz e o crescente	141
O Sacro Império Romano-Germânico	146
Um desfiladeiro	148
Os normandos estão chegando!	151
A pátria dos normandos	152
Os normandos vão à Rússia	153

O mundo normando	154
Os normandos contemplam o outro lado do canal	155
Henrique IV em Canossa	167
O castelo	168
A Primeira Cruzada	172
O mundo dos cruzados	173
Os cruzados tomam Jerusalém	174
O túmulo de um cruzado	175
O castelo e a cidade	182
O campanário	184
A cidade medieval	185
A pólvora	186
A difusão da idéia de soberania popular	188
A pátria da liberdade suíça	191
A abjuração de Filipe II	192
O mundo medieval	194
O comércio medieval	202
A grande Novgorod	205
Um navio da Hansa	206
O laboratório medieval	212
O Renascimento	214
Dante	215
Johannes Huss	222
O manuscrito e o livro impresso	224
A catedral	225
Marco Polo	228
Como o mundo ficou maior	231
O mundo de Colombo	233
Os grandes descobrimentos, hemisfério ocidental	236
Os grandes descobrimentos, hemisfério oriental	237
Magalhães	240
Um novo mundo	241
As três grandes religiões	245
Buda vai para as montanhas	250
Os grandes líderes morais	251
Lutero traduz a Bíblia	260
A Inquisição	265

A Noite de São Bartolomeu 270
Leyden libertada pelo rompimento dos diques 271
O assassinato de Guilherme, o Taciturno 272
A armada está chegando! 273
A morte de Hudson 276
A Guerra dos Trinta Anos 278
Amsterdam em 1648 279
A nação inglesa 282
A Guerra dos Cem Anos 283
Giovanni e Sebastiano Cabot avistam o litoral da Terra Nova 286
O palco elisabetano 287
O equilíbrio de poder 300
A origem da Rússia 304
Pedro, o Grande, num estaleiro holandês 309
Pedro, o Grande, constrói sua nova capital 312
Moscou 313
A viagem dos peregrinos 320
Como a Europa dominou o mundo 323
O poderio marítimo 324
A luta pela liberdade 326
Os peregrinos 327
Como o homem branco estabeleceu-se na América do Norte 328
Um pequeno forte em terras desabitadas 330
Na cabine do *Mayflower* 331
Os franceses exploram o Ocidente 332
O primeiro inverno na Nova Inglaterra 332
George Washington 334
A grande revolução norte-americana 335
A guilhotina 340
Luís XVI 343
A Bastilha 346
A Revolução Francesa invade a Holanda 350
A retirada de Moscou 358
A batalha de Waterloo 361
Zarpando para Trafalgar 362
Napoleão vai para o exílio 363
O espectro que assombrava a Santa Aliança 368
O verdadeiro Congresso de Viena 371

A Doutrina Monroe	388
Giuseppe Mazzini	398
A cidade moderna	409
O primeiro barco a vapor	410
A origem do barco a vapor	412
A origem do automóvel	413
Força humana e força mecânica	416
A fábrica	418
O filósofo	429
Galileu	430
O avião	433
A arquitetura gótica	440
O trovador	445
O pioneiro	450
A conquista do oeste	454
A guerra	459
A disseminação da idéia imperial	463
Um mundo em chamas	470
O poderio marítimo	472
Força humana	474
Propaganda	477
Os Estados Unidos partem para o estrangeiro	479
O Homem de Ferro	480
A corrida espacial	566
A era do botão	569
Chuva ácida	572
Falta de gasolina	576
O Vietnã	579
Explosão de uma bomba terrorista	597
Cai o Muro de Berlim	604
O movimento pela democracia na China	608
Refugiados	611
A Guerra do Golfo	616
Destruição do ozônio	625
A clonagem de Dolly	627
A *World Wide Web*	630

A história da
HUMANIDADE

No extremo norte, na terra chamada de Svithjod, há uma grande rocha. Ela tem 150.000 m de altura e 150.000 m de largura. Uma vez a cada mil anos, um passarinho pousa nela para afiar o bico.

Quando a rocha assim se desgastar, ter-se-á passado um único dia da eternidade.

1
PARA PREPARAR O CAMINHO

Vivemos sob a sombra de um gigantesco ponto de interrogação.
Quem somos?
De onde viemos?
Para onde vamos?

Lentamente, mas sem perder a coragem, temos feito recuar cada vez mais esse ponto de interrogação rumo àquela linha distante que fica além do horizonte, onde esperamos encontrar a resposta.

Não fomos muito longe.

O que sabemos ainda é pouco; mas chegamos enfim a um ponto em que podemos arriscar algumas explicações, com um grau razoável de precisão.

Neste capítulo vou lhe dizer como (segundo cremos) se preparou o caminho para o surgimento do ser humano.

Se representarmos por uma linha deste tamanho o tempo em que foi possível a existência de vida animal em nosso planeta,

a linhazinha abaixo dela representa o tempo em que o homem (ou uma criatura mais ou menos semelhante ao homem) viveu sobre a Terra.

O homem foi o último ser a chegar, mas o primeiro a usar o cérebro para dominar as forças da natureza. É por isso que vamos estudar o homem, e não os gatos, os cães, os cavalos e os outros animais, os quais, cada qual a seu modo, têm todos por trás de si uma interessante linha de desenvolvimento histórico.

No princípio, o planeta em que vivemos era (pelo que sabemos) uma grande esfera de matéria ígnea, uma minúscula nuvem de fumaça no oceano infinito do espaço. Aos poucos, no decorrer de milhões de anos, a superfície do planeta esfriou e cobriu-se de uma fina camada de rochas. Sobre essas rochas sem vida caía a chuva em infindas torrentes, desgastando o granito e conduzindo o seu pó para os vales que se escondiam em meio ao vapor, entre os altos penhascos de rocha.

Chovia incessantemente

Chegou por fim a hora em que os raios do Sol vararam as nuvens e atingiram a superfície deste pequeno planeta, coberta de pequenas poças d'água que viriam a se tornar os pujantes oceanos dos hemisférios oriental e ocidental.

Então, um belo dia, a grande maravilha aconteceu. Da matéria inanimada nasceu a vida.

A primeira célula surgiu nas águas do oceano.

Por milhões e milhões de anos, ela permaneceu à deriva, levada pelas correntes marítimas. Porém, no decorrer desse período, desenvolveu certos hábitos para poder sobreviver mais facilmente no inóspito planeta Terra. Algumas células sentiam-se mais à vontade nas profundezas escuras dos lagos e lagoas. Arraigaram-se nos sedimentos lodosos que haviam sido trazidos do alto das montanhas e tornaram-se vegetais. Outras preferiam a vida móvel; criaram em si estranhos pares de pernas articuladas, semelhantes às dos escorpiões, e começaram a arrastar-se nas profundezas do mar, entre as plantas e os seres verde-pálidos que se assemelhavam a águas-vivas. Outras ainda (cobertas de escamas) passaram a depender do seu próprio movimento natatório para deslocar-se de lugar em lugar em sua busca de alimento; e, aos poucos, o oceano povoou-se de miríades de peixes.

Enquanto isso, os vegetais aumentaram em número e tiveram de buscar novos lugares para viver. Já não havia espaço para todos no fundo do mar. Com relutância, saíram da água e estabeleceram-se nos brejos e mangues localizados ao pé das montanhas. Duas vezes por dia, a maré cheia banhava-os com sua salmoura. Nos demais momentos, as plantas procuravam aproveitar ao máximo sua incômoda situação e forcejavam por sobreviver na rarefeita camada de ar que pairava sobre a superfície do planeta. Depois de séculos e séculos de experiência, aprenderam a viver no ar tão bem quanto viviam na água. Aumentaram de tamanho, tornaram-se arbustos e árvores e, por fim, produziram formosas flores, as quais atraíram a atenção das abelhas e dos pássaros, que espalharam as sementes das plantas para bem longe; e assim a Terra inteira ficou coberta de relva verde ou protegida pela sombra de grandes árvores.

Enquanto isso, uns poucos peixes também saíram do mar; e, além de usar suas guelras para respirar, aprenderam o uso dos pulmões. A essas criaturas, damos o nome de anfíbios, o que significa que são igualmente capazes de viver na água e em terra. O primeiro sapo que cruzar seu caminho poderá lhe fazer um relatório completo sobre as vicissitudes da dupla existência do anfíbio.

Uma vez saídos da água, esses bichos foram aos poucos se adaptando à vida na terra. Alguns se tornaram répteis (criaturas rastejantes, como os lagartos) e foram partilhar com os insetos o silêncio das florestas. Para se deslocar mais rápido sobre o solo, incrementaram suas pernas e aumentaram de tamanho até o pon-

Hendrik Willem van Loon

A ascendência do homem

to em que o mundo ficou repleto de gigantescas formas vivas (que os compêndios de biologia apresentam sob os nomes de ictiossauro, megalossauro e brontossauro) que alcançavam de dez a quinze metros de comprimento e poderiam ter brincado com elefantes como uma gata adulta brinca com seus filhotinhos.

Alguns membros da família dos répteis começaram a viver no alto das árvores, que, naquela época, costumavam ter mais de trinta metros de altura. Esses bichos já não precisavam das pernas para caminhar, mas sim para pular rapidamente de galho em galho. Assim, parte de sua pele tornou-se uma espécie de pára-quedas esticado entre os lados de seu corpo e os dedos de suas patas dianteiras; aos poucos, esse pára-quedas de pele se cobriu de penas; a cauda desses animais virou uma espécie de leme; eles passaram a voar de árvore em árvore e transformaram-se em verdadeiros pássaros.

A história da humanidade

Os vegetais saem do mar

Então, uma coisa muito estranha aconteceu: todos os répteis gigantes pereceram num curto espaço de tempo. Não sabemos o porquê. Talvez o clima tenha mudado de repente; talvez eles tenham ficado tão grandes que já não conseguiam caminhar, nem nadar, nem arrastar-se, e assim morreram de inanição, contemplando os alimentos vegetais que já não podiam alcançar. Qualquer que tenha sido a causa, o fato é que o império, de um milhão de anos dos grandes répteis, repentinamente acabou.

O mundo passou então a ser ocupado por seres muito diferentes. Eram descendentes dos répteis, mas diferiam deles porque os jovens se alimentavam nas mamas de suas mães. É por isso que a ciência moderna chama esses animais de "mamíferos". Haviam deixado para trás as escamas dos peixes e não haviam adotado as penas das aves, mas tinham o corpo coberto de pêlos. Desenvolveram, porém, outros hábitos que deram enfim à sua raça uma grande vantagem sobre os outros animais. As fêmeas dos mamíferos levavam os ovos dentro do corpo até os filhotes nascerem; e ao passo que todos os demais seres vivos até então estavam acostumados a abandonar os filhotes, deixando-os expostos aos perigos do frio, do calor e dos predadores, os mamíferos mantinham os filhotes junto de si por muito tempo e protegiam-nos enquanto ainda eram fracos demais para combater os inimigos. Desse modo, os jovens mamíferos tinham mais possibilidade de sobreviver, pois aprendiam muitas coisas com suas mães, como você decerto já sabe, se é que já viu como a gata ensina seus gatinhos a cuidar de si, a lavar o rosto e a caçar ratos.

Porém, não preciso falar muito sobre esses mamíferos, uma vez que você já os conhece bem. Eles estão em toda parte ao seu redor. São seus companheiros em casa e nas ruas; quanto aos seus primos mais distantes, você pode vê-los por trás das grades das jaulas do zoológico.

E chegamos agora à separação dos caminhos, no momento em que o homem, pondo-se à parte da longa procissão de criaturas que viviam e morriam sem consciência, começa a usar a razão para moldar o destino de sua raça.

Um mamífero em particular parecia superar todos os outros em sua capacidade de encontrar alimento e abrigo. Aprendera a usar suas patas dianteiras para segurar as presas, e a experiência o dotara de garras semelhantes às nossas mãos. Depois de inúmeras tentativas, aprendera a equilibrar todo o seu peso sobre as patas traseiras. (Trata-se de uma tarefa difícil, que toda criança tem de aprender de novo, muito embora a raça humana já o faça desde há mais de um milhão de anos.)

Essa criatura, um primata intermediário entre os pequenos e os grandes macacos, mas superior a ambos, tornou-se o mais bem sucedido de todos os caçadores e habilitou-se a viver em todos os climas. Para sua maior segurança, geralmente vivia em comunidade. Aprendeu a soltar estranhos grunhidos para alertar dos perigos os jovens do bando; e, depois de muitas centenas de milhares de anos, começou a usar esses sons guturais para falar.

Acredite se quiser: esse ser foi o primeiro de nossos antepassados "hominídeos".

2
NOSSOS ANTEPASSADOS MAIS REMOTOS

É muito pouco o que sabemos a respeito dos primeiros homens "verdadeiros". Nunca os vimos representados em imagens. Nas mais profundas camadas de argila dos solos mais antigos, encontramos às vezes um ou outro de seus ossos, que jazem enterrados junto com os esqueletos de animais há muito desaparecidos da face da Terra. Os antropólogos (eruditos cientistas que dedicam a vida ao estudo do homem como membro

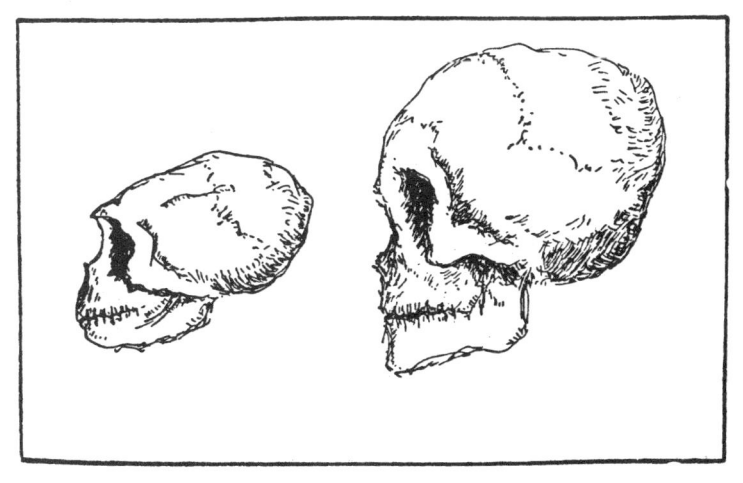

O crescimento do crânio humano

do reino animal) estudaram esses ossos e foram capazes de reconstituir nossos mais remotos antepassados com um razoável grau de precisão.

O tataravô da raça humana era um mamífero muito feio e sem graça. Era bastante pequeno, bem menor que os homens e mulheres de hoje. O calor do sol e o frio mordaz do inverno davam à sua pele uma tonalidade castanho-escura. Sua cabeça e a maior parte do seu corpo, inclusive os braços e as pernas, eram cobertas de pêlos longos e grossos. Tinha ele dedos finos e muito fortes, com o que suas mãos pareciam-se com as de um macaco. Sua testa era baixa; suas mandíbulas, semelhantes às mandíbulas de um animal selvagem que usa os dentes como garfo e faca. Ele não usava roupas. Não conhecia o fogo, exceto pelas chamas dos ferozes vulcões que enchiam a terra de fumaça e lava.

Morava na úmida escuridão das grandes florestas, como fazem até hoje os pigmeus da África. Quanto era acometido pelas cruciantes dores da fome, comia folhas e raízes cruas ou tomava os ovos de um inocente pássaro para dá-los aos seus próprios filhotes. De vez em quando, ao cabo de longa e paciente caçada, capturava um pardal ou um cãozinho selvagem, ou quem sabe um coelho. Desses bichos comia a carne crua, pois não sabia que o gosto da carne cozida era melhor.

Durante o dia, esse ser humano primitivo vagava em busca de alimento.

Quando a noite caía sobre a Terra, ele escondia sua esposa e filhos num oco de árvore ou atrás de grandes pedras, pois animais ferozes rodeavam-no por todos os lados e, no escuro, saíam de suas tocas em busca do que comer; e gostavam do sabor da carne humana. Naquele mundo, quem não comia era comido, e a vida era triste, cheia de medo e aflição.

No verão, o homem estava exposto aos abrasadores raios do sol; no inverno, via seus filhos morrer de frio em seus braços. Quando se machucava (e os animais predadores estão sempre fraturando um osso ou torcendo um tornozelo), não tinha quem dele cuidasse e estava condenado a morrer de uma morte horrível.

À semelhança de muitos animais cujos estranhos sons ouvimos no zoológico, o homem primitivo gostava de tagarelar. Ou

A história da humanidade

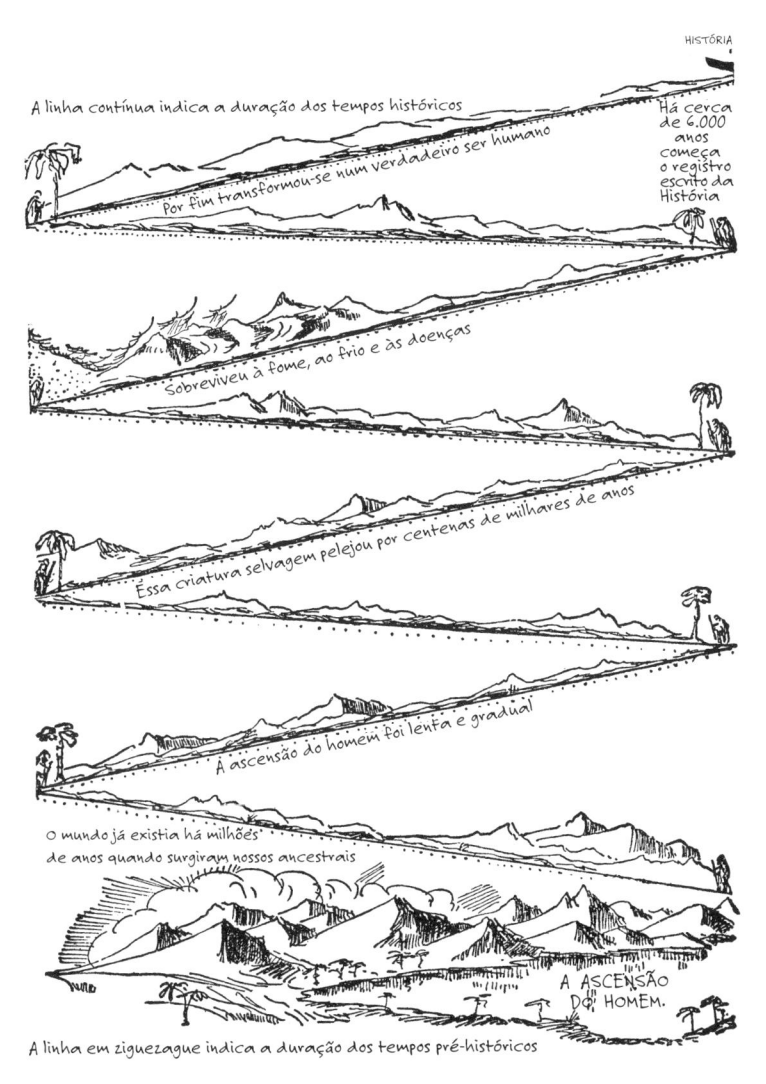

HISTÓRIA

A linha contínua indica a duração dos tempos históricos

Há cerca de 6.000 anos começa o registro escrito da História

Por fim transformou-se num verdadeiro ser humano

Sobreviveu à fome, ao frio e às doenças

Essa criatura selvagem pelejou por centenas de milhares de anos

A ascensão do homem foi lenta e gradual

O mundo já existia há milhões de anos quando surgiram nossos ancestrais

A ASCENSÃO DO HOMEM.

A linha em ziguezague indica a duração dos tempos pré-históricos

A pré-história e a história

seja, repetia indefinidamente a mesma algaravia ininteligível, pois agradava-se do som da própria voz. Com o tempo, aprendeu que os sons guturais que produzia podiam ser usados para avisar seus semelhantes da aproximação de perigos, e começou a emitir gritinhos que significavam "Cuidado com o tigre!" e "Aí vêm cinco elefantes!". Os outros então lhe respondiam com um grunhido que significava "Estou vendo", ou "Vamos correr para nos esconder". E foi provavelmente assim que se originou a linguagem falada.

Mas, como eu já disse, o que sabemos desses primórdios é muito pouco. O homem primitivo não tinha ferramentas e não construía casas para morar. Vivia, morria e não deixava vestígios da sua existência, com exceção de algumas clavículas e pedaços de crânio. Esses fragmentos ósseos nos dizem que, há muitos milhares de anos, o mundo era habitado por certos mamíferos totalmente diferentes de todos os outros animais – mamíferos que provavelmente descendiam de outro primata desconhecido que aprendera a andar sobre as patas traseiras e usava as dianteiras como mãos –, e dos quais provavelmente descenderam nossos ancestrais imediatos.

O que sabemos é pouco, e todo o restante permanece mergulhado na escuridão.

3
O HOMEM PRÉ-HISTÓRICO
O homem pré-histórico começa a fazer objetos para si

O homem primitivo não conhecia o significado do tempo. Não mantinha registros de aniversários de nascimento ou casamento, nem da hora em que as pessoas morriam. Não tinha idéia do que era um dia, uma semana ou mesmo um ano. Mas, de modo geral, acompanhava a sucessão das estações, pois notara que ao frio do inverno inevitavelmente seguia-se a suavidade da primavera; que a primavera transformava-se no verão calorento, quando os frutos amadureciam e as espigas dos cereais selvagens estavam prontas para ser comidas; e que o verão terminava quando súbitas rajadas de vento arrancavam as folhas das árvores e diversos animais se preparavam para o longo sono da hibernação.

Agora, porém, algo estranho e terrível estava acontecendo com o clima. Os dias quentes do verão demoravam a chegar. Os frutos não amadureciam. Os cumes das montanhas, antigamente cobertos de relva, achavam-se agora ocultos debaixo de uma grossa camada de neve.

Então, certa manhã, um grupo de selvagens, diferentes das demais criaturas que viviam por ali, desceu do alto das montanhas. Estavam descarnados e pareciam quase mortos de inanição. Produziam sons que ninguém conseguia compreender; pareciam querer dizer que estavam com fome. Não havia alimento suficiente para os antigos habitantes da região e para os recém-chegados. Quando estes se decidiram a permanecer lá por mais de uns poucos dias, ocorreu uma briga terrível, na qual as mãos e os pés serviam como garras, e famílias inteiras foram mortas.

Os sobreviventes fugiram de volta para as montanhas e morreram na seguinte nevasca.

Porém, o povo da floresta ficou muito assustado. A cada passo, os dias ficavam mais curtos e as noites, mais frias do que deveriam ser.

Por fim, numa garganta localizada entre dois grandes picos, apareceu uma fina lâmina de gelo esverdeado. Rapidamente, ela aumentou de tamanho. Uma geleira gigantesca desceu pela montanha, arrastando enormes pedregulhos para o vale. Com o ruído de dez tempestades, torrentes de gelo e lama e blocos de granito abateram-se sobre os povos da floresta, matando a maior parte deles enquanto dormiam. Árvores centenárias reduziram-se a montanhas de gravetos. Foi então que começou a nevar.

A nevasca durou meses e mais meses. Todos os vegetais morreram, e os animais partiram para o sul em busca do sol. Atrás deles foram os homens, com seus filhos nas costas. Porém, os homens não conseguiam viajar tão rápido quanto as criaturas mais selvagens e foram forçados a escolher entre pensar rápido e morrer rápido. Parece que preferiram a primeira alternativa, pois conseguiram sobreviver às terríveis eras glaciais que em quatro ocasiões ameaçaram exterminar os seres humanos da face da terra.

Antes de mais nada, era necessário que o homem se vestisse para não congelar. Aprendeu a cavar buracos e a cobri-los com ramos e folhas; nessas armadilhas, capturava ursos e hienas, que então matava por apedrejamento e com cujas peles fazia casacos para si e sua família.

Depois vinha o problema do abrigo, que foi fácil de resolver. Muitos animais tinham o hábito de dormir em cavernas sombrias. O homem seguiu o exemplo deles; expulsou os animais de suas tocas quentes e tomou-as para si.

Mesmo assim, o clima era demasiado severo para a maioria das pessoas, e jovens e velhos morriam a passo acelerado. Então, um gênio concebeu o uso do fogo. Certa vez, em meio a uma caçada, ele ficara preso no meio de um incêndio florestal. Lembrou-

A história da humanidade

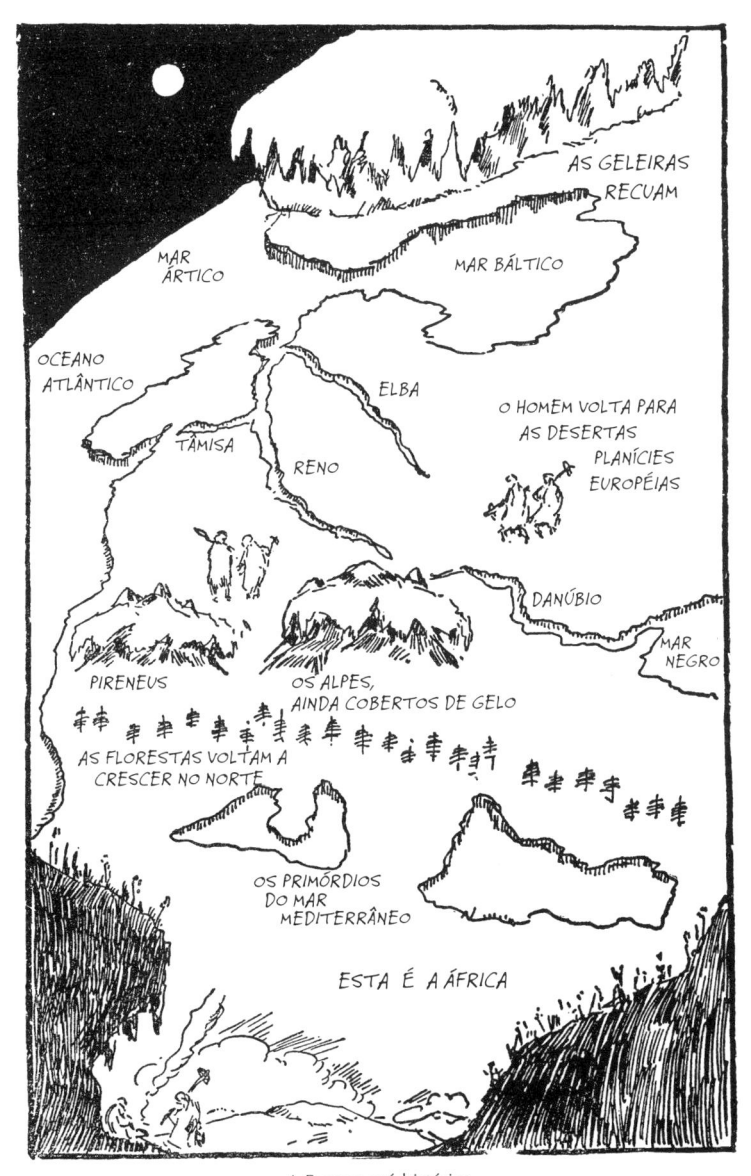

A Europa pré-histórica

se que as chamas quase o tinham assado vivo. Até então, o fogo fora um inimigo; agora se tornava amigo. Uma árvore morta foi arrastada para dentro da caverna e incendiada com um tição trazido da floresta. Com isso, a caverna se tornou um salão aconchegante.

Então, certa noite, uma galinha morta caiu no fogo e só foi recuperada depois de bem assada. O homem descobriu que a carne ficava mais palatável depois de cozida; na mesma hora descartou um dos seus hábitos mais antigos, que partilhava ainda com os outros animais, e começou a preparar o alimento antes de comer.

Assim passaram-se milhares de anos. Só as pessoas mais inteligentes sobreviveram. Elas tinham de travar uma batalha permanente contra a fome e o frio. Foram forçadas a inventar ferramentas; aprenderam a afiar pedras para fazer machados e a construir martelos. Obrigadas a acumular grandes estoques de alimento para os infindáveis dias de inverno, descobriram que a argila podia ser usada para fazer jarros e vasilhas, que eram endurecidos sob os raios do sol. E assim a era glacial, que ameaçara destruir a raça humana, tornou-se a sua maior mestra, pois forçou o homem a usar seu cérebro.

4
OS HIERÓGLIFOS
Os egípcios inventam a arte da escrita e começa o registro da história

Nossos antepassados remotos, que viviam na erma vastidão do continente europeu, aprenderam rapidamente muitas coisas novas. Podemos afirmar com segurança que, no decorrer do tempo, eles certamente teriam deixado de lado o modo de vida selvagem e desenvolvido uma civilização toda própria. Porém, o isolamento em que viviam terminou de repente. Foram descobertos.

Um viajante vindo do sul, de uma terra desconhecida, que tivera a coragem de atravessar o mar e os elevados passos das montanhas, chegou ao lugar onde viviam os povos selvagens do continente europeu. Ele vinha da África, e seu país de origem era o Egito.

O vale do Nilo atingiu um alto grau de civilização milhares de anos antes de o povo do Ocidente sequer começar a sonhar com o garfo, a roda ou a casa. Por isso, deixaremos por hora os nossos tataravós nas cavernas onde viviam e faremos uma visita às margens sul e leste do Mediterrâneo, onde se estabeleceu a primeira grande escola da raça humana.

Os egípcios nos ensinaram muitas coisas. Eram excelentes agricultores e conheciam tudo sobre a arte da irrigação. Construíram templos que depois foram copiados pelos gregos e que serviram como primeiros modelos para a construção das igrejas nas quais prestamos hoje o nosso culto. Inventaram um calendário que se mostrou tão útil para medir o tempo que existe até hoje, com poucas alterações. E, o mais importante, os egípcios aprenderam a preservar e fixar a fala para o benefício das gerações futuras: inventaram a arte da escrita.

Estamos tão acostumados com os jornais, livros e revistas que chegamos a pensar que os homens sempre souberam ler e escrever. A verdade, porém, é que a escrita – a mais importante de todas as invenções – é uma coisa bastante recente. Sem documentos escritos, seríamos como os cães e os gatos, que só sabem ensinar umas poucas coisas simples a seus filhotes e que, por não saber escrever, não possuem nenhum meio pelo qual possam se beneficiar da experiência das gerações caninas e felinas que os precederam.

No século primeiro antes da nossa era, quando os romanos chegaram ao Egito, encontraram o vale cheio de estranhas figurinhas desenhadas que pareciam ter alguma relação com a história do país. Porém, os romanos não se interessavam pelas "coisas do estrangeiro" e não buscaram conhecer a origem dessas figurinhas que cobriam as paredes dos templos e dos palácios e preenchiam uma quantidade imensa de folhas feitas da fibra do papiro. O último sacerdote egípcio que conhecia a arte sagrada da elaboração dessas figuras morrera alguns anos antes da chegada dos romanos. O Egito, privado da sua independência, tornara-se um armazém repleto de importantes documentos históricos que mais ninguém sabia decifrar e que já não tinham utilidade alguma, nem para os homens, nem para os animais.

Dezessete séculos se passaram e o Egito continuou sendo um país de mistérios. Porém, no ano de 1798, um general francês chamado Bonaparte passou pela África oriental, enquanto se preparava para atacar as colônias britânicas na Índia. Não chegou a ir muito além do Nilo e sua campanha fracassou; mas, por acidente, essa famosa expedição francesa terminou por resolver o problema da antiga escrita pictográfica egípcia.

Certo dia, um jovem oficial francês, entediado pela vida monótona que vivia num pequeno forte situado junto ao rio Roseta (um dos braços do delta do Nilo), decidiu passar algumas horas explorando as ruínas que por lá se encontravam. E veja só: encontrou um monumento de pedra que muito o impressionou.

A história da humanidade

Como todas as outras coisas no Egito, a pedra era coberta de figurinhas. Porém, esse pedaço em particular de basalto negro era diferente de todas as coisas que já tinham sido descobertas. Ele continha três inscrições, uma das quais em grego. A língua grega era conhecida. O oficial raciocinou: "Basta comparar o texto grego com as figuras egípcias, e elas nos revelarão seus segredos."

O plano parecia simples, mas vinte anos se passaram até que o enigma fosse decifrado. No ano de 1802, um professor francês chamado Champollion começou a comparar os textos grego e egípcio da famosa Pedra de Roseta. No ano de 1823, anunciou que descobrira o significado de quatorze figurinhas. Pouco tempo depois, morreu esgotado pelo excesso de trabalho, mas evidenciara os princípios básicos da escrita egípcia. Hoje em dia, a história do vale do Nilo nos é mais conhecida do que a história do vale do Mississipi. Os registros escritos referentes ao Egito cobrem um período de quatro mil anos de história.

Como os antigos hieróglifos (palavra que significa "escrita sagrada") do Egito desempenharam na história um papel tão importante (alguns deles, com algumas modificações, encontram-se presentes até no nosso alfabeto), é bom que você conheça um pouco desse engenhoso sistema que há cinqüenta séculos era usado para preservar a palavra falada para o bem das gerações seguintes.

Sem dúvida, você sabe o que é uma linguagem de sinais. Todas as histórias dos índios das planícies ocidentais norte-americanas têm pelo menos um capítulo dedicado às estranhas mensagens escritas sob a forma de figurinhas que contam quantos búfalos foram mortos e quantos caçadores participaram de uma determinada caçada. Via de regra, não é difícil entender o significado dessas mensagens.

A escrita do antigo Egito, porém, não era uma linguagem de sinais. O povo do Nilo, mais inteligente, já ultrapassara esse estágio havia muito tempo. Suas figuras significavam muito mais do que o objeto por elas representado, como vou tentar lhe explicar agora.

Suponhamos que você seja Champollion e que esteja examinando uma grande pilha de folhas de papiro cobertas de hieróglifos. De repente, encontra a figura de um homem com um

19

serrote (*saw*). "Muito bem", pensa você. "Isso significa, sem dúvida, que um lavrador saiu para cortar uma árvore." Então você pega outro papiro, que conta a história de uma rainha que morreu aos oitenta e dois anos de idade. No meio de uma frase aparece a figura do homem com o serrote. Nenhuma rainha de oitenta e dois anos trabalha com o serrote. Nesse caso, a figura deve significar outra coisa. Mas o quê?

Foi esse o enigma que o francês finalmente resolveu. Descobriu que os egípcios foram os primeiros a usar o que chamamos de "escrita fonética" – um sistema de caracteres que reproduzem o som (ou *fone*) da palavra falada e, com a ajuda de uns poucos pontos, traços e rabiscos, nos possibilitam traduzir todas as nossas palavras para a forma escrita.

Voltemos por um instante ao homenzinho com o serrote (*saw*). A palavra *saw* pode significar uma ferramenta que você encontra na loja de ferragens, mas pode significar também o pretérito perfeito do verbo "ver" (*to see* – *saw*).

Foi isso que aconteceu com a palavra no decorrer dos séculos. Primeiro, ela significa só a ferramenta específica representada no desenho. Depois, esse sentido se perdeu e ela passou a significar o pretérito perfeito de um verbo. Ao cabo de mais alguns séculos, os egípcios perderam de vista ambos esses significados e a figura [imagem] passou a significar uma única letra, a letra S. Uma frase curta vai servir para que você compreenda o que quero dizer. Eis uma frase do inglês moderno escrita em hieróglifos.

O [imagem] (*eye*) significa um desses dois objetos redondos que você tem no rosto e que permitem que você veja, mas pode significar também "eu" (I), a pessoa que está falando.

A história da humanidade

A ![bee] (*bee*) pode ser um inseto que fábrica mel, mas pode representar também o verbo *to be*, que significa "ser", "existir". Pode compor também a primeira parte de um outro verbo, como "*become*" ("vir a ser, tornar-se") ou "*be-have*" ("comportar-se").

Neste caso específico, essa partícula é seguida de ![leaf] *(leaf* – "folha"), que tem o mesmo som de *leave* ou *lieve*.

O "olho" (*eye*) você já conhece.

Por fim, temos a figura de uma ![giraffe]. É uma girafa. Faz parte da antiga linguagem de sinais a partir da qual desenvolveram-se os hieróglifos.

Agora você é capaz de ler essa frase sem grande dificuldade.
"*I believe I saw a giraffe*" – "Acho que vi uma girafa."

Depois de inventar esse sistema, os egípcios desenvolveram-no no decorrer de milhares de anos até conseguir escrever tudo o que queriam; e usaram essas "palavras enlatadas" para enviar mensagens a amigos, para manter seus registros financeiros e para conservar a história de seu país, a fim de que as gerações futuras aprendessem com os erros do passado.

5
O VALE DO NILO
Os primórdios da civilização no vale do Nilo

A história do homem é a história de uma criatura faminta em busca de alimento. Onde quer que houvesse alimentos em abundância, para aí seguia o homem a fim de se estabelecer. A fama do vale do Nilo deve ter se espalhado em data muito remota. Do interior da África, do deserto da Arábia e do oeste da Ásia, as pessoas iam ao Egito para tomar posse de suas ricas terras agrícolas. Juntos, esses invasores constituíram uma nova raça que se chamou de "Remi", ou "os Homens", como às vezes os norte-americanos chamam os Estados Unidos de "País de Deus". Aquele povo tinha bons motivos para ter gratidão pelo destino que os guiara a essa estreita faixa de terra. Todo ano, no verão, o Nilo transformava o vale num lago raso; quando as águas recuavam, os campos agrícolas e os pastos ficavam cobertos de uma boa camada de argila extremamente fértil.

No Egito, um rio bondoso fazia um trabalho equivalente ao de um milhão de homens e tornava possível que se alimentasse toda a população das primeiras grandes cidades de que temos notícia. É verdade que nem todas as terras aráveis estavam no vale; mas um complexo sistema de pequenos canais e estações elevatórias levava a água do nível do rio para o topo das suas mais altas margens, e um sistema ainda mais complexo de valas de irrigação a espalhava pela terra.

Enquanto o homem pré-histórico era obrigado a passar dezesseis horas por dia em busca de comida para si e para os mem-

A história da humanidade

O vale do Egito

bros de sua tribo, o habitante do Egito, camponês ou citadino, tinha um certo tempo livre à sua disposição e usava esse tempo livre para construir muitas coisas meramente ornamentais, que não tinham a menor utilidade prática.

E isso não é tudo. Certo dia, ele descobriu que seu cérebro era capaz de elaborar pensamentos que nada tinham a ver com os problemas de comer, dormir e encontrar abrigo para as crianças. O egípcio começou a especular sobre muitos problemas estranhos que o confrontavam. De onde vinham as estrelas? Quem produzia o som do trovão, que tanto medo lhe causava? Quem fazia subir o rio Nilo com uma regularidade tal que possibilitava que o calendário fosse baseado no surgimento e no desaparecimento das cheias anuais? E quem era ele, ele mesmo, uma estranha criaturinha rodeada de morte e doença por todos os lados, mas ainda assim capaz de rir e ser feliz?

Ele se fazia essas perguntas, e certas pessoas obsequiosamente se apresentavam para respondê-las da melhor maneira possível. Os egípcios chamavam essas pessoas de "sacerdotes"; elas se tornaram guardiãs dos seus pensamentos e granjearam o respeito da comunidade. Eram homens altamente instruídos, que tinham sob seus cuidados a tarefa sagrada de elaborar e conservar os registros escritos. Compreenderam eles que não convém ao homem pensar somente nas vantagens imediatas que pode adquirir neste mundo, e chamaram sua atenção para os dias futuros, em que sua alma transmigraria para além das montanhas do Ocidente e teria de prestar contas de seus atos a Osíris, o deus poderoso que regia os vivos e os mortos e julgava os atos dos homens segundo seus méritos. Com efeito, os sacerdotes atribuíram tamanha importância a esse dia futuro no reino de Ísis e Osíris que os egípcios passaram a considerar esta vida como não mais do que uma curta preparação para a outra vida, e transformaram o fértil vale do Nilo numa terra dedicada aos mortos.

Estranhamente, os egípcios chegaram a acreditar que alma alguma entraria no reino de Osíris sem o corpo que fora seu local de residência neste mundo. Por isso, logo que um homem morria, seus parentes mandavam embalsamar-lhe o cadáver. Este permanecia mergulhado durante semanas numa solução de natrão e depois era preenchido de piche. Na língua persa, o piche era chamado "mumiai", e o corpo embalsamado foi chamado de "múmia". Era envolvido em longas tiras de um linho especialmente preparado e depois colocado num caixão todo especial. Então, estava pronto para ser conduzido à sua morada derradeira. Porém, a tumba egípcia era uma verdadeira casa, na qual o corpo permanecia rodeado de peças de mobiliário, instrumentos musicais (para se distrair durante as difíceis horas de espera) e pequenas estátuas de cozinheiros, padeiros e barbeiros (a fim de que o ocupante dessa obscura morada pudesse comer bem e não tivesse de andar por aí sem barbear-se).

Originalmente, essas tumbas eram escavadas nos rochedos das montanhas ocidentais; mas, à medida que os egípcios foram

A história da humanidade

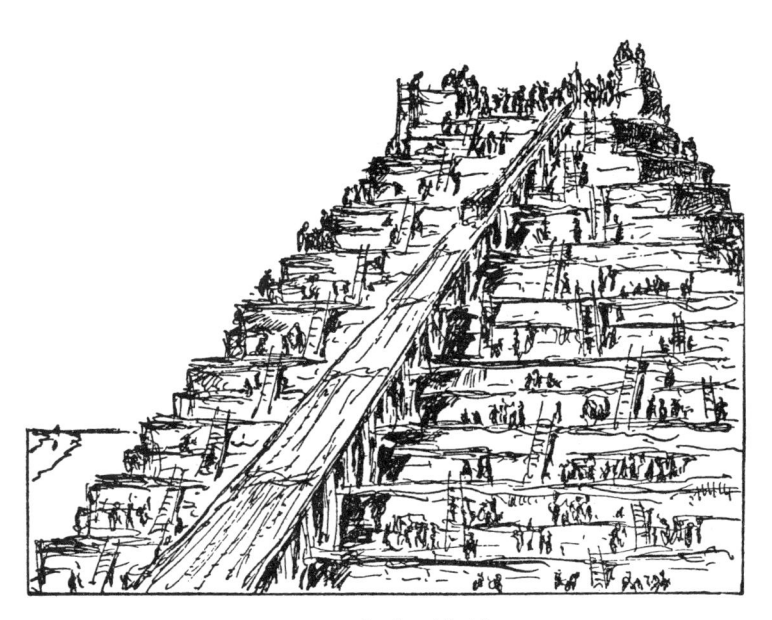

A construção das pirâmides

se deslocando para o norte, tiveram de começar a construir cemitérios no deserto. O deserto, porém, era cheio de animais selvagens e de ladrões e bandoleiros igualmente selvagens, que entravam nas tumbas e perturbavam a múmia ou roubavam as jóias que haviam sido enterradas com o cadáver. Para impedir uma tal profanação, os egípcios costumavam construir pequenos montes de pedra sobre suas tumbas. Esses montinhos foram aos poucos aumentando de tamanho, pois os ricos construíam montes maiores do que os pobres e havia muita concorrência para ver quem construía o monte maior. O campeão, enfim, foi o rei Khufu, que os gregos chamaram de Quéops e que viveu trinta séculos antes da nossa era. Seu monte, que os gregos chamaram de pirâmide (uma vez que a palavra egípcia que designava "alto" era "pir-em-us"), tinha mais de cento e cinqüenta metros de altura.

Cobria mais de cinqüenta mil metros quadrados de deserto, ou seja, três vezes o espaço ocupado pela Catedral de São Pedro, que é o maior edifício do mundo cristão.

Por vinte anos, mais de cem mil homens ocuparam-se de carregar as pedras necessárias para a sua construção – transportando-as desde a outra margem do Nilo (como eles conseguiram fazer isso, não sabemos), arrastando-as por grandes distâncias através do deserto e por fim içando-as até a posição correta. Mesmo assim, os arquitetos e engenheiros do rei cumpriram tão bem a sua tarefa que a estreita passagem que conduz à tumba real no meio desse monstro de pedra nunca chegou a cair em ruína devido ao peso das milhares de toneladas de pedras que a envolvem por todos os lados.

6
A HISTÓRIA DO EGITO
Ascensão e queda do Egito

O rio Nilo era um bom amigo, mas às vezes transformava-se num terrível feitor. Foi assim que ensinou aos povos ribeirinhos a nobre arte do "trabalho em equipe". Eles tinham de contar uns com os outros para construir as valas de irrigação e conservar os diques. Com isso, aprenderam a se relacionar amigavelmente entre si, e essa associação feita para o benefício comum facilmente se constituiu num Estado organizado.

Então, um homem ficou mais poderoso do que a maioria dos seus vizinhos. Tornou-se o líder de sua comunidade e também o seu chefe militar, quando os invejosos habitantes da Ásia ocidental invadiram o próspero vale. Com o tempo, tornou-se o rei do país e passou a governar todo o território compreendido entre o Mediterrâneo e as montanhas ocidentais.

Mas as aventuras políticas dos antigos faraós (palavra que significava "o morador da casa grande") praticamente não interessavam ao camponês que trabalhava pacientemente seus campos agrícolas. Desde que não tivesse de pagar mais impostos ao rei do que a quantia que lhe parecia justa, ele aceitava a soberania do faraó como aceitava a do poderoso Osíris.

Tudo mudou de figura, porém, quando um invasor estrangeiro chegou e o espoliou de suas propriedades. Depois de vinte séculos de vida independente, uma tribo selvagem de pastores árabes, os hicsos, atacou o Egito e por quinhentos anos reinou soberana no vale do Nilo. Os hicsos não eram nem um pouco populares, e o povo egípcio tinha também grande ódio pelos hebreus que, depois de vagar longamente pelo deserto, buscaram refúgio na terra de Goshem e colaboraram com os usurpadores estrangeiros, cumprindo as funções de coletores de impostos e funcionários públicos. Porém, pouco tempo depois de 1700 a.c., o povo de Tebas deu início a uma revolução, e, depois de prolongada luta, os hicsos foram expulsos do Egito e o país ficou novamente livre.

Mil anos depois, quando a Assíria conquistou e dominou todo o oeste da Ásia, o Egito passou a fazer parte do império de Sardanapal. No século VII a.c., tornou-se mais uma vez um Estado independente, governado pelo rei que vivia na cidade de Sais, no delta do Nilo. Porém, no ano de 525 a.c., Cambises, rei dos persas, tomou posse do Egito; e no século IV a.c., quando a Pérsia foi dominada por Alexandre Magno, também o Egito se tornou uma província da Macedônia. Conquistou novamente uma aparência de independência quando um dos generais de Alexandre se estabeleceu como rei do Estado egípcio e fundou a dinastia dos Ptolomeus, que tinham como capital a recém-construída cidade de Alexandria.

Por fim, em 39 a.c., chegaram os romanos. A última rainha egípcia, Cleópatra, fez o possível para salvar seu país. Sua beleza e seus encantos mostraram-se mais perigosos para os generais romanos do que meia dúzia de batalhões de soldados egípcios. Duas vezes ela obteve êxito em suas investidas contra o coração dos invasores. Mas, no ano 30 a.c., Augusto, sobrinho e herdeiro de César, aportou em Alexandria. Ele não partilhava da admiração de seu falecido tio pela bela princesa. Destruiu os exércitos egípcios, mas poupou a vida de Cleópatra a fim de fazê-la marchar à sua frente como seu triunfo, em meio aos espólios de guerra. Quando Cleópatra soube de seus intentos, tomou veneno e suicidou-se. E o Egito tornou-se uma província romana.

7
A MESOPOTÂMIA
A Mesopotâmia – o segundo centro da civilização oriental

Agora vou levar você ao alto da mais alta pirâmide e pedir que você se imagine dotado de olhos de águia. Longe, bem longe, muito além das areias amarelas do deserto, você verá um oásis verdejante, com reflexos de água brilhando em meio à vegetação. É um vale situado entre dois rios, o Paraíso do Antigo Testamento. É a terra de maravilha e mistério que os gregos chamaram de Mesopotâmia – o "país entre os rios".

Esses rios se chamam Eufrates (chamado pelos babilônios de Purattu) e Tigre (conhecido então como Diklat). Têm as suas nascentes nos picos nevados das montanhas da Armênia, onde a Arca de Noé encontrou seu lugar de repouso, e de lá correm suavemente pelas planícies do sul até chegar às barrancas lamacentas do golfo Pérsico. São utilíssimos, pois transformam as regiões áridas do oeste da Ásia num fértil jardim.

O vale do Nilo servira de chamariz para as pessoas porque lhes oferecia alimento sem exigir em troca um demasiado esforço. O "país entre os rios" era popular pelo mesmo motivo. Era uma terra promissora, e tanto os habitantes das montanhas do norte quanto as tribos que vagavam pelos desertos do sul procuraram a posse exclusiva desse território. A rivalidade irredutível entre os montanheses e os nômades do deserto provocava guerras intermináveis. Só os mais fortes e mais corajosos tinham a esperança de sobreviver, e isso explica por que a Mesopotâmia

A Mesopotâmia, cadinho do mundo antigo

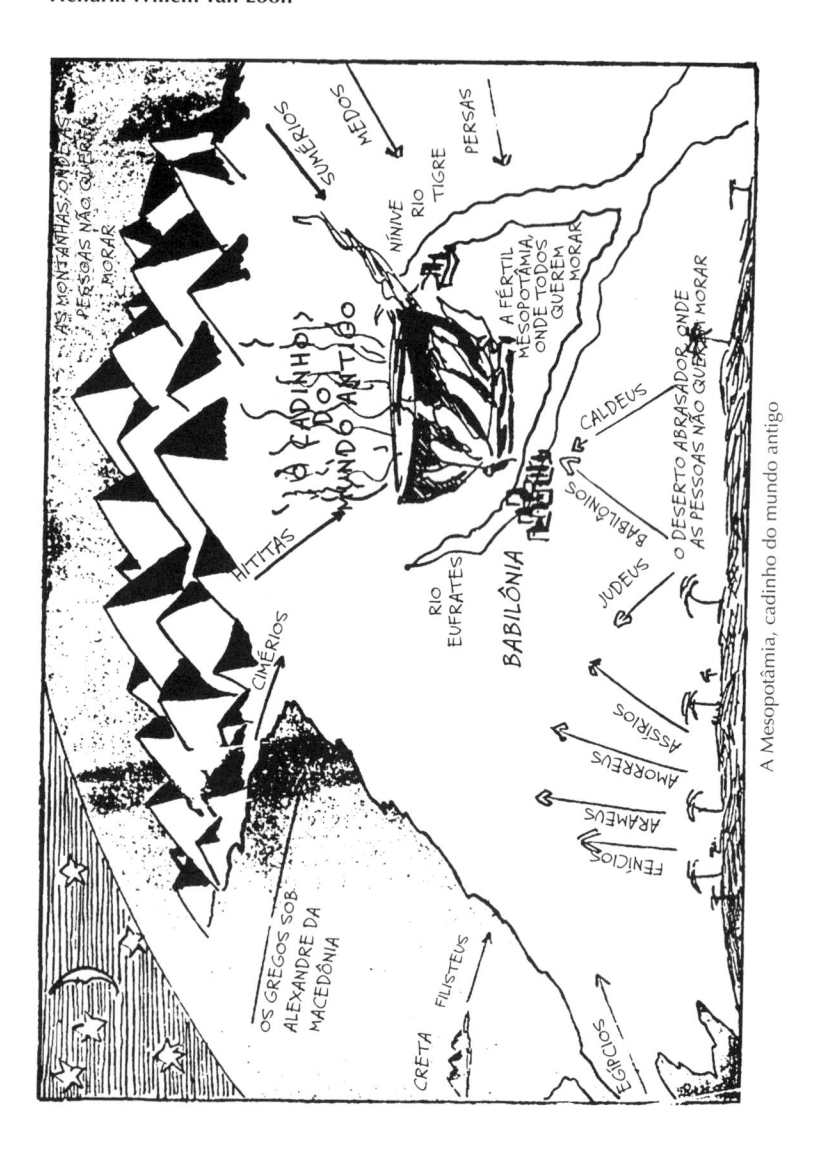

tornou-se o lar de uma raça de homens fortes e capazes de criar uma civilização que, sob todos os aspectos, foi tão importante quanto a do Egito.

8
OS SUMÉRIOS

Os sumérios, que escreviam com estiletes, e cujas placas de argila nos contam a história da Assíria e da Babilônia, o grande cadinho semítico

O século XV foi uma era de grandes descobrimentos. Colombo tentou encontrar um caminho para a ilha de Catai e deparou com um novo e insuspeito continente. Um bispo austríaco financiou uma expedição que tomasse o rumo leste para chegar à capital do grão-duque da Moscóvia, viagem essa que redundou em completo fracasso, pois Moscou só foi visitada por ocidentais na geração seguinte. Enquanto isso, um veneziano de nome Barbero explorou as ruínas da Ásia ocidental e trouxe os relatos de uma curiosíssima linguagem escrita que encontrara entalhada nas rochas dos templos do Shiraz e gravada em inúmeras peças de argila cozida.

Porém, a Europa estava então ocupada com muitos outros assuntos, e foi só no final do século XVIII que as primeiras "inscrições cuneiformes" (assim denominadas porque as letras tinham forma de cunha, e "cunha" em latim é *cuneus*) foram levadas ao continente europeu por um agrimensor dinamarquês de nome Niebuhr. Trinta anos se passaram; então, um paciente mestre-escola alemão chamado Grotefend decifrou as primeiras quatro letras, o D, o A, o R e o SH – o nome do rei persa Dario. Mais vinte anos tiveram de transcorrer para que um militar inglês, Henry Rawlinson, descobridor da famosa inscrição de Behistun, nos fornecesse a primeira chave operativa da escrita da Ásia ocidental.

Comparada ao problema de decifrar a escrita cuneiforme, a tarefa de Champollion fora relativamente fácil. Os egípcios usavam figuras. Mas os sumérios, os mais antigos habitantes da Mesopotâmia, que haviam concebido a idéia de escrever suas palavras em plaquetas de argila, abandonaram completamente as representações naturalistas e inventaram um sistema de linhas em forma de V que já pouco tinham a ver com as figuras a partir da qual tinham se desenvolvido. Uns poucos exemplos bastarão para você entender do que estou falando. No princípio, uma estrela, gravada com estilete num

pedaço de argila, tinha o seguinte aspecto: . Esse sinal, porém, era complexo demais; e algum tempo depois, quando o sentido de "céu" veio se acrescentar ao de "estrela", a figura simplificou-se da seguinte maneira: , o que a tornou ainda mais enigmática. Do mesmo modo, o boi mudou de para e o peixe, de para . O sol era originalmente um círculo simples e se tornou .

Se usássemos hoje em dia a escrita suméria, um seria . Esse sistema de registrar por escrito as idéias parece um pouco complicado, mas por mais de trinta séculos foi usado pelos sumérios, pelos babilônios, pelos assírios, pelos per-

A história da humanidade

A Torre de Babel

sas e por todas as diferentes raças que vieram a invadir o fértil vale.

A história da Mesopotâmia é um conto de intermináveis guerras e conquistas. Primeiro chegaram os sumérios, vindos do norte. Eram um povo de tez branca, habitantes das montanhas. Estavam acostumados a adorar seus deuses no alto das colinas e, depois que se estabeleceram na planície, construíram colinas artificiais no topo das quais erigiam seus altares. Não conheciam a escada de degraus, e por isso rodeavam suas torres de corredores que subiam em plano inclinado. Nossos engenheiros tomaram emprestada essa idéia, como você pode ver nas grandes estações ferroviárias, cujos diversos pavimentos são ligados por rampas. Pode até ser que tenhamos tomado ainda outras idéias emprestadas dos sumérios; mas, se isso aconteceu, não o sabemos. Os sumérios miscigenaram-se totalmente com as raças que penetraram no vale em data posterior. Suas torres, porém, ainda se destacam entre as ruínas da Mesopotâmia. Os judeus as viram quando foram para o exílio na terra da Babilônia e chamaram-nas de torres de Bab-Illi, ou torres de Babel.

Nínive

No século XL antes da nossa era, os sumérios já estavam na Mesopotâmia. Pouco tempo depois foram sobrepujados pelos acadianos, uma das muitas tribos do deserto da Arábia que falavam dialetos semelhantes e são conhecidas coletivamente como "semitas", pois antigamente as pessoas consideravam-nas descendentes diretos de Sem, um dos três filhos de Noé. Mil anos mais tarde, os acadianos foram forçados a submeter-se ao jugo dos amorreus, outra tribo semítica do deserto, cujo grande rei Hamurábi construiu para si um magnífico palácio na cidade sagrada de Babilônia e deu a seus súditos um conjunto de leis que fizeram do Estado babilônico o império mais bem administrado de todo o mundo antigo. Depois ainda vieram os hititas, que você também vai encontrar nas páginas do Antigo Testamento. Eles invadiram o fértil vale e destruíram tudo o que não podiam levar consigo. Foram vencidos por sua vez pelos seguidores de Assur, grande deus do deserto, que se denominavam assírios e fizeram de Nínive a capital de um império vasto e terrível, que se estendia por toda a Ásia ocidental e pelo Egito e cobrava impostos de inúmeros povos dominados, império que perdurou até o final do século VII a.C., quando os caldeus, outra tribo semítica, restabeleceram Babilônia e fizeram dessa cidade a mais importante capital da época. Nabucodonosor, seu rei mais conhecido, encorajou o estudo das ciências, e os modernos conhecimentos de astronomia e matemática são todos baseados em certos princípios descobertos pelos caldeus. No ano de 538 a.C., uma tribo selvagem de pastores persas invadiu esse antigo

Babilônia, cidade sagrada

país e derrubou o império caldeu. Duzentos anos depois, foram derrubados por Alexandre Magno, que transformou o vale fértil, antigo cadinho onde se haviam fundido tantas raças semíticas, numa província da Grécia. Depois dos gregos vieram os romanos; depois dos romanos, os turcos; e a Mesopotâmia, segundo centro civilizatório do mundo, tornou-se uma vasta região erma, onde gigantescos montes de entulho servem de lembrança de suas glórias passadas.

9
MOISÉS
A história de Moisés, líder do povo judeu

Em algum momento do século XX antes da nossa era, uma tribo de pastores semitas, pequena e pouco conhecida, saiu da sua terra natal, situada no país de Ur, perto da foz do Eufrates, e viajou em busca de novas pastagens dentro dos domínios dos reis da Babilônia. Perseguida pelos soldados do rei, caminhou para oeste à procura de um pedacinho de território desocupado onde seus membros pudessem levantar suas tendas. Esses pastores eram os hebreus, ou os judeus, como os chamamos hoje. Vagaram muito e por muitas terras, e depois de anos e anos de penosas peregrinações encontraram abrigo no Egito. Por mais de cinco séculos residiram entre os egípcios e, quando seu país de adoção foi dominado pelos bandoleiros hicsos (como já lhe disse ao contar a história do Egito), conseguiram mostrar-se úteis aos invasores estrangeiros e puderam reter sossegadamente a posse de suas pastagens. Porém, ao cabo de uma longa guerra de independência, os egípcios expulsaram os hicsos do vale do Nilo e tempos difíceis vieram para os judeus, que foram rebaixados à categoria de escravos comuns e forçados a trabalhar na construção das pirâmides e das estradas reais. Como as fronteiras eram guardadas por soldados egípcios, era impossível aos judeus escapar.

Depois de muitos anos de sofrimento, foram salvos do seu miserável destino por um jovem judeu chamado Moisés, que por muito tempo residira no deserto e lá aprendera a apreciar as vir-

Hendrik Willem van Loon

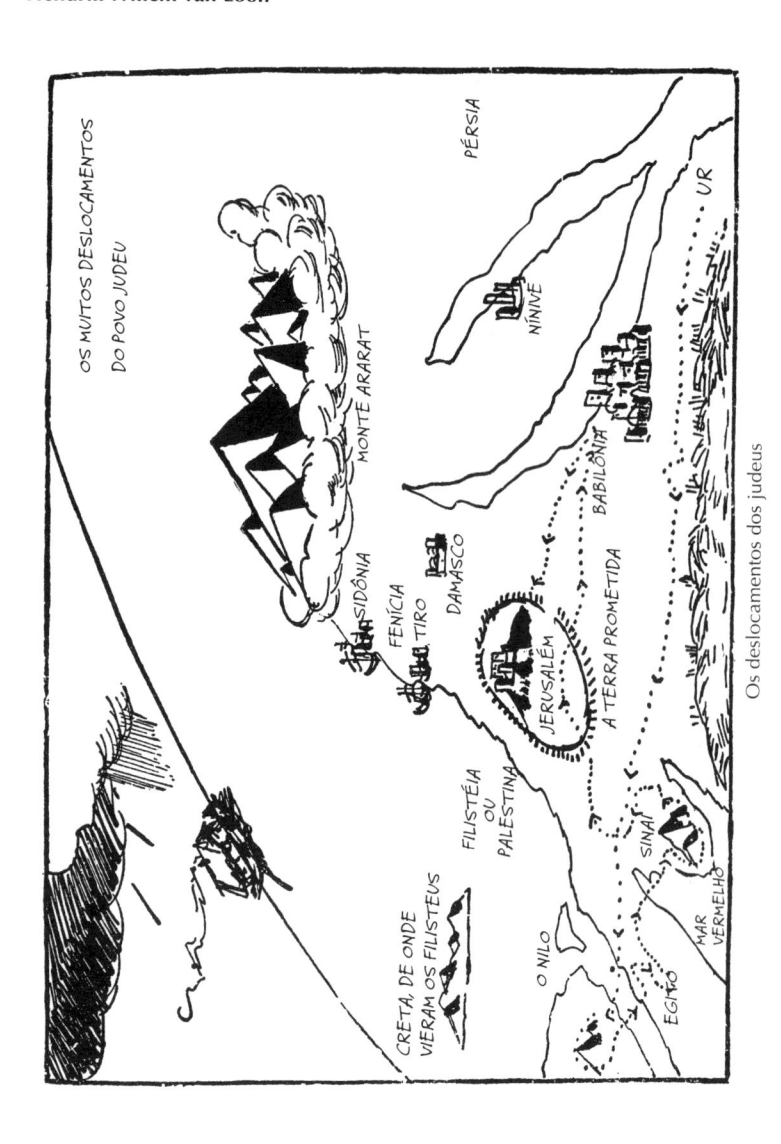

Os deslocamentos dos judeus

tudes simples dos seus mais remotos antepassados, que se mantinham afastados das cidades e da vida citadina e se recusavam a deixar-se corromper pelas facilidades e pelo luxo de uma civilização estrangeira.

Moisés decidiu reacender em seu povo o amor pelo modo de viver dos patriarcas. Conseguiu fugir das tropas egípcias que foram enviadas em seu encalço e conduziu sua tribo para o coração da planície situada aos pés do monte Sinai. Durante o longo período que passara sozinho no deserto, aprendera a venerar o poder do grande Deus do Trovão e das Tempestades, que regia os altos Céus e do qual recebiam os pastores a subsistência, a luz e o próprio sopro vital. Esse Deus, uma das muitas divindades que eram adoradas por toda a Ásia ocidental, era chamado Jeová; e, através dos ensinamentos de Moisés, tornou-se o Senhor único da raça hebraica.

Certo dia, Moisés desapareceu do acampamento dos judeus. Comentava-se à boca pequena que ele se fora levando nas mãos duas placas de pedra lascada. Naquela tarde, o topo da montanha se escondeu da vista das pessoas, ocultado pela escuridão de uma tempestade terrível. Mas, quando Moisés voltou, eis que estavam gravadas nas tábuas de pedra as palavras que Jeová dirigira ao povo de Israel entre o estrondo dos trovões e o fragor dos relâmpagos. E, a partir daquele momento, Jeová foi reconhecido por todos os judeus como o Senhor absoluto do seu destino, o único Deus verdadeiro, que lhes ensinara a viver uma vida santa, intimando-os a pautar sua conduta pelas sábias lições dos Dez Mandamentos.

Os israelitas seguiram Moisés quando este os chamou a continuar sua jornada pelo deserto. Obedeceram-no igualmente quando lhes ensinou o que comer, o que beber e o que evitar a fim de não caírem doentes com o clima quente. E por fim, ao cabo de muitos anos de peregrinação, chegaram a uma terra que parecia agradável e próspera. A terra se chamava Palestina, ou seja, o país dos "Pilistu", dos filisteus, uma pequena tribo de cretenses que se estabelecera no litoral depois de ter sido expulsa de sua ilha. Infelizmente, a Palestina já era habitada por outra tribo semítica, a dos cananeus. Mas os judeus entraram à força na queles vales, construíram cidades para si e edificaram um grande templo na cidade a que deram o nome de Jerusalém, a morada da paz.

Moisés avista a Terra Santa

Quanto a Moisés, já não era o comandante-chefe de seu povo. Só de longe pudera avistar as cadeias montanhosas da Palestina, e depois disso fechara os olhos para sempre. Esforçara-se e trabalhara com fidelidade para agradar a Jeová. Não só libertara seus irmãos da escravidão numa terra estrangeira como também os conduzira a uma vida livre e independente num país novo; e, acima de tudo, fez dos judeus a primeira de todas as nações a adorar um único Deus.

10
OS FENÍCIOS
Os fenícios, que nos deram o nosso alfabeto

Os fenícios, vizinhos dos judeus, eram uma tribo semítica que havia muito tempo se estabelecera nas margens do Mediterrâneo. Haviam construído para si duas cidades bem fortificadas, Tiro e Sidônia, e em pouco tempo garantiram o monopólio do comércio nos mares do Ocidente. Seus navios velejavam regularmente para a Grécia, a Itália e a Espanha, chegando até a aventurar-se para além do estreito de Gibraltar até as ilhas Scilly para comprar estanho. Aonde quer que fossem, os fenícios construíam pequenos postos comerciais, que chamavam de colônias. Muitas dessas colônias deram origem a cidades que existem até hoje, como Cádis e Marselha.

Os fenícios compravam e vendiam qualquer coisa, desde que tivessem lucro. Não eram atormentados por problemas de consciência. Se acreditássemos em todos os povos vizinhos, não conheciam o sentido das palavras "honestidade" e "integridade". Para eles, o ideal de todo bom cidadão era uma arca cheia de tesouros. Como não podia deixar de ser, eram um povo muito desagradável e não tinham um único amigo entre os outros povos. Não obstante, prestaram a todas as gerações posteriores um único serviço de valor inestimável. Foram eles que nos deram o nosso alfabeto.

Os fenícios conheciam a arte da escrita, inventada pelos sumérios. Porém, consideravam os garranchos destes últimos uma incrível perda de tempo. Eram homens práticos, homens de negócios, e não podiam se dar ao luxo de gastar horas e horas para escrever duas ou três letras. Puseram-se a trabalhar e inventaram um novo sistema de escrita, muito superior ao antigo. Tomaram emprestadas algumas figuras dos egípcios e simplificaram algumas das figuras cuneiformes dos sumérios. Sacrificaram a beleza do antigo sistema pela velocidade do novo e reduziram milhares de imagens a um alfabeto curto e prático, composto de vinte e duas letras.

Com o tempo, esse alfabeto cruzou o mar Egeu e penetrou na Grécia. Os gregos acrescentaram-lhe algumas letras e levaram à Itália o sistema melhorado. Os romanos modificaram um pouco a forma das letras e, por sua vez, ensinaram-nas aos bárbaros selvagens da Europa ocidental. Esses bárbaros selvagens eram os nossos antepassados, e é por isso que este livro é escrito em letras de origem fenícia, e não em hieróglifos egípcios nem na escrita cuneiforme dos sumérios.

O mercador fenício

11
OS INDO-EUROPEUS
*Os persas indo-europeus conquistam
o mundo semítico e egípcio*

O mundo do Egito, da Babilônia, da Assíria e da Fenícia já existia havia quase trinta séculos, e as raças veneráveis do vale fértil já estavam ficando velhas e cansadas. O destino delas foi selado quando uma raça nova e mais enérgica despontou no horizonte. Chamamo-la de raça indo-européia, pois ela não só dominou a Europa como também tornou-se a classe dominante do país ora conhecido como Índia britânica.

Esses indo-europeus eram, como os semitas, homens de pele branca, mas falavam uma língua diferente, considerada a ancestral comum de todas as línguas européias atuais, com exceção do húngaro, do finlandês e dos dialetos bascos da Espanha setentrional.

A primeira notícia que nos chega deles é a de que já viviam havia muitos séculos nas praias do mar Cáspio. Certo dia, porém, desmontaram suas tendas e partiram em busca de um novo lugar para viver. Alguns penetraram nas montanhas da Ásia central e por muitos séculos habitaram os picos que rodeiam o planalto do Irã, e é por isso que os chamamos de arianos. Outros seguiram o curso do sol poente e tomaram posse das planícies européias, como você verá quando eu lhe contar a história da Grécia e de Roma.

Por enquanto, vamos ficar com os arianos. Sob o comando de Zaratustra (ou Zoroastro), seu grande mestre, muitos deles abandonaram seus lares nas montanhas para seguir o curso do rio Indo, cujas águas correm rápidas em direção ao mar.

Outros preferiram ficar nas colinas da Ásia ocidental, onde fundaram as comunidades semi-independentes dos medos e dos persas, dois povos cujos nomes copiamos dos antigos livros gregos de história. No século VII a.c., os medos já haviam estabelecido um reino próprio, chamado Média; mas esse reino caiu quando Ciro, chefe de um clã chamado Anshan, se fez rei de todas as tribos persas e deu início a uma carreira de conquistas que logo fizeram dele e de seus filhos os senhores absolutos de toda a Ásia ocidental e do Egito.

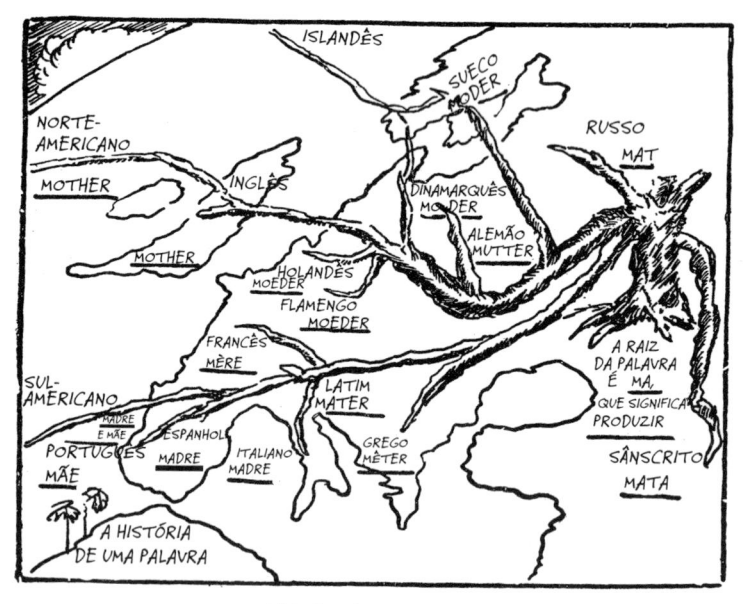

A história de uma palavra

E foi com tamanha energia que esses persas indo-europeus levaram a efeito suas triunfantes campanhas no Ocidente que logo se viram em sérias dificuldades com certas outras tribos indo-européias que havia séculos se tinham mudado para a Europa e tomado posse da península grega e das ilhas do mar Egeu.

Essas dificuldades geraram as três famosas guerras entre a Grécia e a Pérsia, nas quais os reis Dario e Xerxes, da Pérsia, in-

A história da humanidade

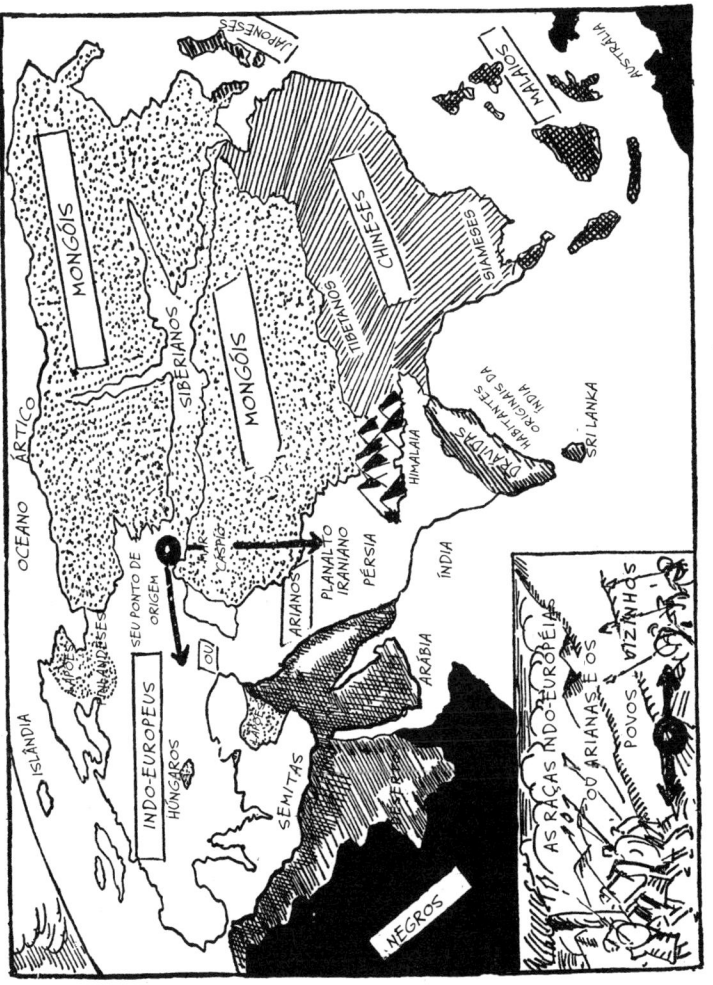

Os indo-europeus e os povos vizinhos

vadiram a porção norte da península. Devastaram as terras dos gregos e fizeram de tudo para estabelecer uma base firme no continente europeu.

Porém, não conseguiram seu intento. A marinha ateniense mostrou-se invencível. Cortando as linhas de suprimentos dos exércitos persas, os navegantes gregos sempre lograram enviar os senhores da Ásia de volta ao seu país de origem.

Foi esse o primeiro encontro entre a Ásia, essa antiga mestra, e a Europa, a discípula jovem e sedenta de conhecimento. Em muitos outros capítulos deste livro, vou lhe contar como essa batalha entre o Oriente e o Ocidente perdura até nossos dias.

12
O MAR EGEU
*Os povos do mar Egeu levaram a civilização
da velha Ásia para os ermos da Europa*

Quando Heinrich Schliemann era um menininho, seu pai contou-lhe a história de Tróia. Schliemann gostou mais dessa história do que de qualquer outra que já ouvira antes e decidiu que, assim que tivesse idade suficiente para sair da casa paterna, iria à Grécia para "encontrar Tróia". Não o incomodou o fato de ser filho de um pobre sacerdote de província, do pequeno povoado de Mecklenburg. Sabia que precisaria de dinheiro, mas decidiu-se a ganhar uma fortuna primeiro e deixar as escavações para depois. Com efeito, conseguiu ganhar uma grande fortuna em pouquíssimo tempo; e, logo que juntou dinheiro suficiente para equipar uma expedição, dirigiu-se à região noroeste da Ásia Menor, onde supunha que se localizasse Tróia.

O cavalo de Tróia

Naquele canto específico da Ásia Menor havia um alto monte coberto de campos de trigo. Segundo a tradição, ali fora a morada de Príamo, rei de Tróia. Schliemann, cujo entusiasmo era maior do que o conhecimento, não perdeu tempo com explorações preliminares. Começou a cavar de imediato; e cavou tão rápido e com tal zelo que suas valas vararam a cidade que ele estava procurando e o conduziram às ruínas de uma outra cidade soterrada, pelo menos mil anos anterior à Tróia sobre a qual escrevera Homero. Então, uma coisa muito interessante aconteceu. Se Schliemann tivesse encontrado alguns machados de pedra polida e talvez alguns cacos irregulares de cerâmica, ninguém teria se surpreendido. Mas em vez de descobrir esses objetos, costumeiramente associados aos homens pré-históricos que residiam nessas regiões antes da chegada dos gregos, Schliemann encontrou formosas estatuetas, jóias preciosas e vasos ornamen-

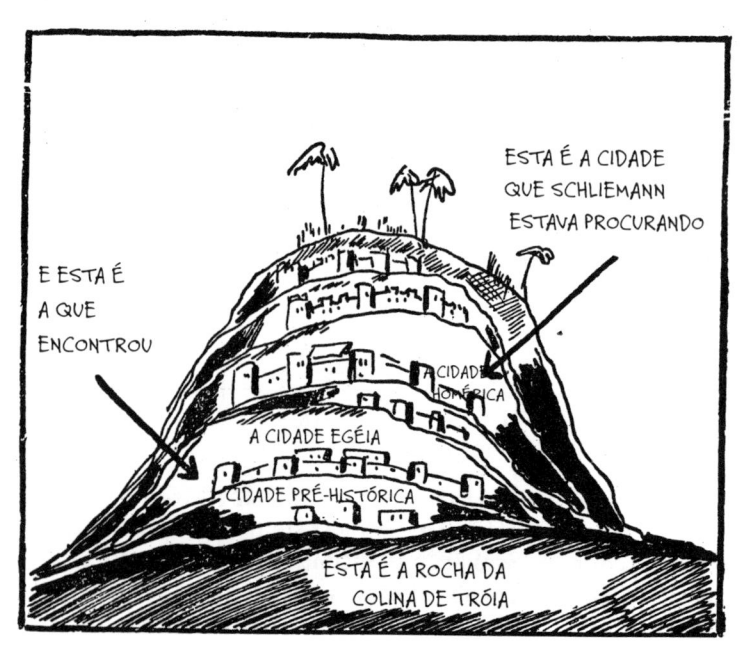

Schliemann desenterra Tróia

tados com desenhos que os gregos desconheciam. Propôs então a idéia de que, dez séculos antes da Guerra de Tróia, o litoral do mar Egeu fora habitado por uma misteriosa raça de homens que, sob diversos aspectos, eram superiores às selvagens tribos gregas que invadiram seu país e destruíram sua civilização ou a absorveram até destituir-lhe de todos os traços de originalidade. E de fato se constatou que isso tinha acontecido. No final da década de 1870, Schliemann visitou as ruínas de Micenas, ruínas tão

Micenas, na Argólida

antigas que os próprios romanos admiravam-se de sua antiguidade. Também lá, por baixo das lajes de pedra de um pequeno edifício redondo, Schliemann encontrou um fabuloso tesouro deixado ali pelos povos misteriosos que pontilharam de cidades todo o litoral grego e construíram muralhas tão fortes e pesadas que os gregos consideravam-nas obra dos Titãs, os gigantes semidivinos que costumavam brincar com as montanhas como se brinca de bola.

O estudo cuidadoso dessas muitas relíquias relegou à categoria de lendas alguns dos aspectos mais românticos da história. Os autores dessas antigas obras de arte e os construtores dessas poderosas fortalezas não eram feiticeiros, mas simples marujos e comerciantes. Habitavam a ilha de Creta e as muitas ilhotas do mar Egeu. Navegantes experimentados, haviam transformado o Egeu num centro de comércio dedicado ao escambo de mercadorias entre o Oriente altamente civilizado e o ermo continente europeu, que se desenvolvia paulatinamente.

Por mais de mil anos conservaram um império insular no qual se desenvolveu uma elevada forma de arte. Com efeito, a cidade mais importante desse império, Cnossos, situada no litoral norte da ilha de Creta, já era na época uma cidade totalmente moderna no que diz respeito à sua insistência na higiene e no conforto. O palácio era servido por uma adequada rede de drenagem, as casas tinham câmaras de calefação, e os cnossianos

O mar Egeu

A história da humanidade

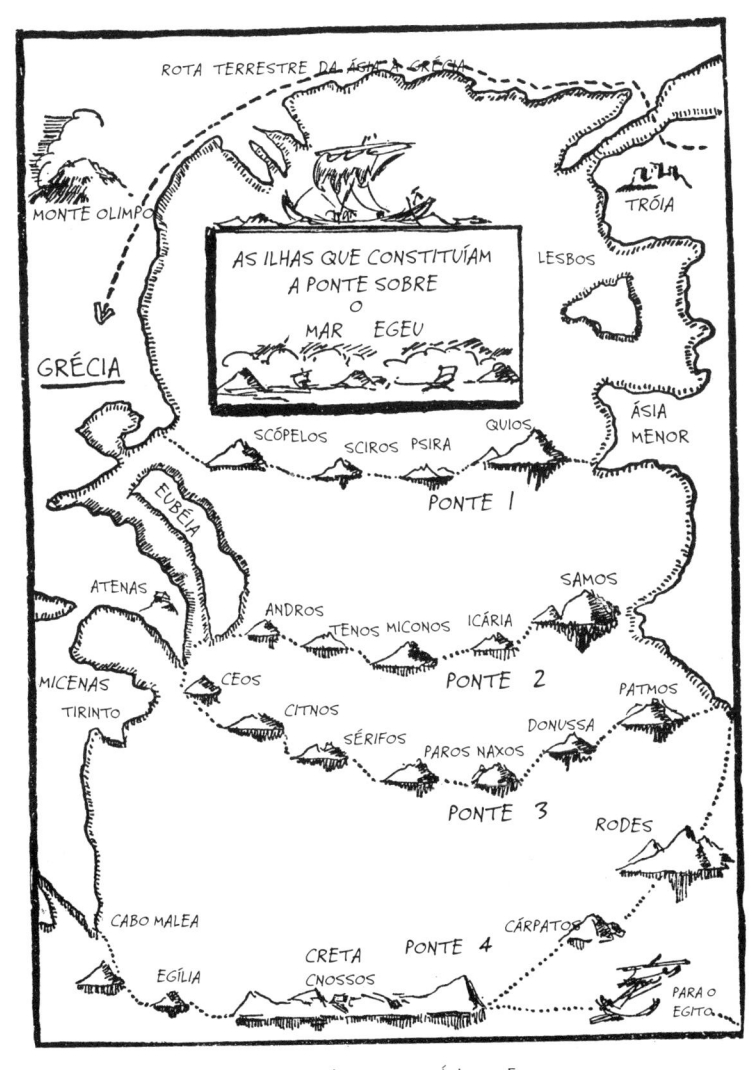

```
ROTA TERRESTRE DA ÁSIA À GRÉCIA

MONTE OLIMPO                              TRÓIA

                AS ILHAS QUE CONSTITUÍAM      LESBOS
                   A PONTE SOBRE
                         O
GRÉCIA                MAR EGEU
                                              ÁSIA
                                              MENOR
              SCÓPELOS  SCIROS  PSIRA  QUIOS

         EUBÉIA                PONTE 1

   ATENAS                                SAMOS
                    ANDROS
                       TENOS MICONOS ICÁRIA
MICENAS      CEOS               PONTE 2        PATMOS
  TIRINTO           CITNOS
                       SÉRIFOS         DONUSSA
                              PAROS NAXOS
                              PONTE 3    RODES


      CABO MALEA                  CÁRPATOS
                        CRETA  PONTE 4
             EGÍLIA    CNOSSOS
                                              PARA O
                                              EGITO
```

As pontes insulares entre a Ásia e a Europa

foram o primeiro povo da história a fazer uso cotidiano de uma invenção antes desconhecida, a banheira. O palácio do rei era famoso por suas escadarias em espiral e pelo grande salão dos banquetes. Os porões desse palácio, onde se guardavam o vinho, os cereais e o azeite, eram tão grandes e tanto impressionaram os primeiros visitantes gregos que deram origem à história do "labirinto", nome que damos a uma estrutura com tantas e tão complicadas passagens que, uma vez fechada a porta da frente, fica quase impossível encontrar a outra saída.

Porém, nada posso dizer a respeito de como terminou esse grande império egeu e do que causou a sua súbita ruína.

Os cretenses conheciam a arte da escrita, mas ainda ninguém foi capaz de decifrar suas inscrições. Por isso, a história deles nos é desconhecida. Temos de reconstruir o registro de suas aventuras a partir das ruínas deixadas pelos povos do Egeu. Essas ruínas deixam claro que o mundo egeu foi dominado de repente por uma raça menos civilizada vinda das planícies norte-européias. A menos que estejamos muito enganados, os selvagens responsáveis pela destruição da civilização cretense e egéia não eram outros senão as tribos de pastores errantes que haviam acabado de tomar posse da península rochosa localizada entre os mares Adriático e Egeu, e que nós chamamos de "gregos".

13
OS GREGOS
*Enquanto isso, a tribo indo-européia dos
helenos tomava posse da Grécia*

As pirâmides já tinham mil anos de idade e já apresentavam os primeiros sinais de abandono; Hamurábi, o sábio rei da Babilônia, já estava morto e enterrado havia séculos; foi então que uma tribo de pastores deixou sua terra natal às margens do rio Danúbio e dirigiu-se para o sul em busca de novas pastagens para o seu gado. Era a tribo dos helenos, que tomava o seu nome do

Uma cidade egéia na Grécia continental

Os aqueus tomam uma cidade egéia

de Heleno, filho de Deucalião e Pirra. Segundo os antigos mitos, foram eles os dois únicos seres humanos que escaparam do grande dilúvio que, num passado remotíssimo, destruíra todos os povos do mundo quando estes se tornaram maus e rebeldes a ponto de provocar a ira de Zeus, o poderoso deus que habitava o monte Olimpo.

Nada sabemos acerca desses primeiros helenos. Tucídides, historiador da queda de Atenas, ao falar sobre esses seus antepassados, nos diz que eles "não valiam muita coisa", o que provavelmente é verdade. Não conheciam as mínimas regras de boas maneiras, viviam como porcos e atiravam os corpos dos inimigos para serem comidos pelos cães selvagens que guardavam seus rebanhos. Não tinham respeito pelos direitos dos outros povos; chacinaram os nativos da península grega (chamados pelasgos), tomaram posse de suas fazendas, roubaram seu gado, fizeram suas esposas e filhas de escravas e compuseram um sem-número de canções louvando a coragem do clã dos aqueus, que comandara a vanguarda helênica no avanço sobre as montanhas da Tessália e o Peloponeso.

Mas aqui e ali, no alto dos promontórios rochosos, eles viam os castelos dos povos do Egeu. Não atacavam esses castelos,

A história da humanidade

pois tinham medo das espadas e lanças de metal dos soldados egeus e sabiam que não tinham esperança de derrotá-los com suas canhestras machadinhas de pedra.

Por muitos séculos continuaram vagando de vale em vale e de encosta em encosta, até que ocuparam todos os cantos daquela terra e a migração terminou.

Foi nesse momento que começou a civilização grega. O camponês grego, vivendo à sombra das colônias egéias, foi finalmente movido pela curiosidade de visitar seus altivos vizinhos. Descobriu que tinha muito que aprender com os homens que faziam morada por trás das altas muralhas de pedra de Micenas e Tirinto.

Ele se mostrou um aluno inteligente. Em pouco tempo dominou a arte de manipular as estranhas armas de ferro que os egeus haviam trazido da Babilônia e de Tebas. Compreendeu também os mistérios da navegação e começou a construir pequenos barcos para seu próprio uso.

E, quando aprendeu tudo o que os egeus tinham a lhe ensinar, voltou-se contra seus mestres e enxotou-os de volta às ilhas de onde eles tinham vindo. Pouco tempo depois, fez-se à vela e conquistou todas as cidades do mar Egeu. Por fim, no século XV

A queda de Cnossos

antes de nossa era, tomou e saqueou Cnossos. Dez séculos depois de surgirem pela primeira vez no espetáculo da história, os helenos eram os senhores absolutos da Grécia, do mar Egeu e das regiões costeiras da Ásia Menor. Tróia, a última grande fortaleza comercial da antiga civilização, foi destruída no século XI a.C. Começava então, a sério, a história da Europa.

14
AS CIDADES GREGAS
As cidades gregas, que na verdade eram Estados

Nós, povos modernos, adoramos o que lembra a palavra "grande". Orgulhamo-nos de residir no "maior" país do mundo, que possui a "maior" marinha e produz as "maiores" laranjas e batatas, e adoramos morar em cidades de "milhões" de habitantes. Depois de mortos, somos enterrados no "maior cemitério do estado".

Um cidadão da Grécia antiga, se nos ouvisse falar, não nos entenderia. A "moderação em todas as coisas" era o seu ideal de vida, e a força bruta e o tamanho corpóreo não o impressionavam. O amor pela moderação não era apenas uma simples frase que ele usava em ocasiões especiais: influenciava toda a vida dos gregos, desde o dia do nascimento até a hora da morte. Estava gravado em sua literatura e os fez construir templos pequenos e perfeitos. Encontrou expressão nas vestimentas usadas pelos homens e nos anéis e braceletes de suas esposas. Acompanhava as multidões que iam ao teatro e obrigava-as a vaiar qualquer dramaturgo que ousasse pecar contra as leis férreas do bom gosto e do bom senso.

Os gregos chegavam a exigir essa qualidade dos seus políticos e dos seus atletas mais populares. Quando um famoso corredor chegou a Esparta e se gabou de ser capaz de passar mais tempo sobre um só pé do que qualquer outro homem da Hélade, o povo da cidade o pôs para correr, pois ele se orgulhava de um feito que poderia ser superado por um ganso qualquer.

"Muito bonito", dirá você, "e sem dúvida é uma grande virtude ter tanto gosto pela moderação e pela perfeição; mas por que foram os gregos o único povo a desenvolver essa qualidade na época antiga?" Para responder a essa pergunta, vou falar sobre o modo como eles viviam.

O monte Olimpo, morada dos deuses

Os povos do Egito e da Mesopotâmia eram "súditos" de um misterioso governante supremo que morava a quilômetros e quilômetros de distância num palácio obscuro e que quase nunca era visto pela massa da população. Os gregos, por outro lado, eram "cidadãos livres" de uma centena de pequenas "cidades" independentes, a maior das quais tinha menos habitantes do que qualquer vilarejo de hoje em dia. Quando um camponês de Ur intitulava-se babilônio, queria dizer que era mais um entre milhões de outros homens que pagavam tributo ao rei que, naquele momento específico, era por acaso o senhor supremo da Ásia ocidental. Porém, quando um grego afirmava com orgulho que era ateniense ou tebano, estava falando de uma cidade pequena, ao mesmo tempo seu lar e seu país, que não re-

A história da humanidade

conhecia outra vontade soberana senão a do povo reunido em assembléia.

Para o grego, sua terra natal era o local onde nascera; o local onde passara a infância, brincando de esconde-esconde entre os rochedos proibidos da Acrópole; o local onde chegara à mocidade na companhia de um milhar de outros rapazes e moças, cujos apelidos eram-lhe todos tão familiares quanto são para você os dos seus colegas de escola. Sua terra natal era o solo sagrado onde jaziam sepultados seu pai e sua mãe; era a casa pequena onde sua esposa e seus filhos viviam em segurança, rodeados pelas altas muralhas da cidade. Era, enfim, um mundo completo que não se estendia por mais de dois ou três hectares de terra pedregosa. Não percebe você como essa vida deve ter influenciado todos os atos, palavras e pensamentos dos homens que a levavam? Os habitantes da Babilônia, da Assíria e do Egito faziam parte de uma infinita multidão, no meio da qual se perdiam. O grego, por outro lado, nunca perdeu o contato com seu meio ambiente imediato. Nunca deixou de fazer parte de uma pequena cidade onde todos se conheciam. Sentia que seus inteligentes vizinhos a todo momento o observavam. O que quer que fizesse – quer escrevesse peças de teatro, quer cinzelasse estátuas de mármore, quer compusesse canções –, sabia que seus esforços seriam julgados por todos os cidadãos livres da sua cidade natal, que eram entendidos dessas coisas. Essa noção o forçou a buscar a perfeição; e a perfeição, como lhe haviam ensinado desde a mais tenra infância, não era possível sem moderação.

Nessa dura escola, os gregos atingiram a excelência em muitos campos. Criaram novas formas de governo, novos gêneros literários e novos ideais artísticos que nunca fomos capazes de superar. Operaram esses milagres em pequenas aldeias, cuja área total não superava a de quatro ou cinco quarteirões das cidades modernas.

Mas veja só o que por fim aconteceu!

No século IV antes da nossa era, Alexandre da Macedônia conquistou o mundo inteiro. Quando por fim depôs a espada, decidiu estender a todo o gênero humano os benefícios do gênio grego. Retirou esse gênio das cidadezinhas e vilarejos e procu-

Hendrik Willem van Loon

rou fazê-lo florescer e frutificar em meio aos palácios principescos do seu recém-construído império. Mas os gregos, longe do aspecto familiar dos seus próprios templos, longe dos sons e aromas conhecidos de suas ruas estreitas e sinuosas, perderam de imediato a alegria contagiante e o maravilhoso senso de moderação que inspiravam as obras de suas mãos e do seu cérebro quando eles batalhavam pela glória de suas antigas cidades-Estado. Tornaram-se artesãos baratos, que se contentavam com obras de segunda categoria. No dia em que as pequenas cidades-Estado da velha Hélade perderam sua independência e foram forçadas a integrar-se numa grande nação, o antigo espírito grego morreu para nunca mais ressuscitar.

15
A AUTOGESTÃO GREGA
Os gregos foram os primeiros a dedicar-se ao difícil experimento da autogestão

No princípio, todos os gregos eram igualmente ricos e igualmente pobres. Cada homem era dono de um certo número de vacas e ovelhas. Sua cabana de pau-a-pique era o seu castelo, e ele tinha liberdade para ir e vir aonde bem entendesse. Sempre que se fazia necessário discutir questões de importância coletiva, todos os cidadãos se reuniam na praça do mercado. Um dos homens mais velhos do vilarejo era eleito presidente e tinha o dever de garantir que todos tivessem oportunidade de expressar seus pontos de vista. Em caso de guerra, um dos aldeões mais enérgicos e autoconfiantes era escolhido como comandante-chefe, mas os mesmos homens que voluntariamente lhe davam o direito de liderá-los guardavam para si o direito de destituí-lo de seu posto assim que o perigo fosse afastado.

Porém, o vilarejo transformou-se aos poucos numa cidade. Algumas pessoas trabalharam com afinco, ao passo que outras permaneceram no ócio. Algumas tinham tido muito azar, e outras ainda haviam sido simplesmente desonestas no trato com seus vizinhos, e assim acumularam riquezas. Em conseqüência disso, a cidade já não era composta de vários homens igualmente abastados. Pelo contrário, era habitada por uma pequena classe de pessoas muito ricas e uma grande classe de gente muito pobre.

Uma outra mudança também acontecera. O antigo comandante-chefe, que fora voluntariamente reconhecido como "capi-

Hendrik Willem van Loon

O templo

A história da humanidade

tão" ou "rei" por saber levar seus homens à vitória, desaparecera de cena. Seu lugar fora tomado pelos nobres – uma classe de pessoas ricas que, no decorrer do tempo, tomaram posse de uma fatia desigual das terras agrícolas e bens imóveis. Esses nobres gozavam de muitas vantagens a que não tinha acesso a turba comum de homens livres. Tinham condições de adquirir as melhores armas, encontradas nos mercados do Mediterrâneo oriental. Dispunham de muito tempo livre, que podiam empregar para a prática das artes da luta. Residiam em casas fortificadas e podiam contratar soldados que lutassem por eles. Brigavam constantemente entre si para decidir a quem pertenceria o governo da cidade. O nobre vitorioso assumia então uma espécie de poder régio sobre todos os seus concidadãos e reinava sobre a cidade até ser morto ou expulso por outro nobre ainda mais ambicioso.

Tal rei, assim denominado por obra e graça dos seus soldados, era chamado "tirano"; e, durante os séculos VII e VI antes da nossa era, todas as cidades gregas foram temporariamente regidas por tiranos – muitos dos quais, aliás, eram homens de altíssima capacidade. Porém, com o passar do tempo, esse estado

Uma cidade-Estado grega

de coisas ficou insuportável. Fizeram-se várias tentativas de reforma, e dessas reformas nasceu o primeiro governo democrático de que se tem notícia.

Foi no começo do século VII que o povo de Atenas decidiu arrumar a casa e devolveu à multidão dos homens livres o direito de opinar sobre assuntos de governo, direito que supostamente detinham na época dos seus antepassados aqueus. Pediram a um homem chamado Drácon que lhes fornecesse um conjunto de leis para proteger os pobres contra a cobiça dos ricos. Drácon pôs mãos à obra mas, por infelicidade, era um advogado profissional que não tinha muito contato direto com a realidade cotidiana. Aos seus olhos, um crime era um crime e assunto encerrado; mas, quando ele terminou de redigir seu código, o povo ateniense constatou que as leis draconianas eram tão severas que jamais poderiam ser postas em vigor. Não haveria corda suficiente para enforcar todos os criminosos, assim julgados por um sistema de jurisprudência que fazia do roubo de uma maçã um crime punível com a pena capital.

Os atenienses saíram em busca de um reformador mais misericordioso e encontraram por fim um homem mais capacitado do que qualquer outro para cumprir essa tarefa. Seu nome era Sólon. De ascendência nobre, viajara pelo mundo inteiro e estudara as formas de governo de muitos outros países. Depois de dedicar cuidadosa reflexão ao tema em pauta, Sólon deu a Atenas um conjunto de leis que manifestavam em alto grau o maravilhoso princípio de moderação que fazia parte do caráter grego. Ele procurou melhorar a condição dos camponeses sem, porém, abalar a prosperidade dos nobres que eram (ou melhor, poderiam ser) tão úteis à nação em caso de guerra. Para proteger as castas mais pobres do abuso por parte dos juízes (que eram sempre eleitos da casta dos nobres, uma vez que não recebiam salário), Sólon deu aos cidadãos envolvidos em processos judiciais o direito de expor sua defesa ou fazer suas alegações perante um júri de trinta compatriotas atenienses.

E o mais importante: Sólon forçou o comum dos homens livres a interessar-se direta e pessoalmente pelos assuntos da cidade. Já ninguém podia ficar em casa e dizer: "Estou muito ocupado hoje" ou "Está chovendo, é melhor não sair". Esperava-se de cada qual que fizesse a sua parte; que estivesse presente na reunião da assembléia municipal; e que levasse sobre os ombros parte da responsabilidade pela segurança e prosperidade do Estado.

Esse governo do "demos", do povo, nem sempre foi bem-sucedido. Abundavam as palavras ociosas e os lamentáveis episódios de rancor entre rivais na luta pela obtenção dos cargos oficiais. Porém, a democracia ensinou o povo grego a ser independente e a contar somente consigo mesmo para alcançar seus objetivos, e isso foi uma coisa muito boa.

16
A VIDA DOS GREGOS
Como eles viviam

Mas como, você há de perguntar, os gregos da Antiguidade tinham tempo de trabalhar e cuidar de suas famílias se tinham a todo momento de correr ao mercado para discutir assuntos de Estado? Vou responder a essa sua pergunta neste capítulo.
Em todos os assuntos referentes ao governo, a democracia grega só reconhecia uma classe de cidadãos – os homens livres. Toda cidade grega era composta de um pequeno número de cidadãos livres, de um grande número de escravos e de um número exíguo de estrangeiros.
Muito raramente (em geral durante as guerras, quando eram necessários homens para o exército) os gregos se dispunham a conceder direito de cidadania aos "bárbaros", nome pelo qual chamavam os estrangeiros. Mas essa era a exceção. A cidadania era hereditária. Você só era ateniense se seu pai e seu avô tivessem sido atenienses. Por mais que você se destacasse no comércio ou no exército, se não fosse nascido de pais atenienses, continuaria sendo "estrangeiro" até o fim dos tempos.
Portanto, sempre que a cidade grega não era governada por um rei ou um tirano, ela era regida pelos homens livres e para os homens livres, e isso jamais teria sido possível sem um enorme exército de escravos, que superavam em número os homens livres à razão de cinco ou seis para um e se dedicavam às tarefas a que nós, modernos, temos de dedicar a imensa maior parte do nosso tempo e energia se quisermos sustentar nossa família e pagar o aluguel do nosso apartamento.

A história da humanidade

Eram os escravos que cozinhavam, faziam pão e fabricavam velas para toda a cidade. Eram eles os alfaiates, os carpinteiros, os joalheiros, os mestres-escola e os contadores, e eram eles que cuidavam da loja e da fábrica enquanto o senhor se dirigia à assembléia dos cidadãos para discutir questões de guerra e paz, ou ia ao teatro para assistir à mais recente tragédia de Ésquilo ou ouvir uma discussão sobre as idéias revolucionárias de Eurípides, que ousara expressar certas dúvidas sobre a onipotência do grande Zeus.

Com efeito, a antiga Atenas assemelhava-se a um clube moderno. Todos os cidadãos livres eram membros hereditários, e todos os escravos eram serventes hereditários, sempre atentos às necessidades dos seus senhores; e era muito agradável ser membro dessa organização.

Mas, quando falamos dos escravos gregos, não estamos nos referindo a pessoas como aquelas sobre as quais você leu em *A cabana do Tio Tom*. É verdade que a situação dos escravos que la-

A sociedade grega

vravam os campos não era das melhores, mas os homens livres a quem a sorte não tinha sorrido e que haviam sido obrigados a assalariar-se nas fazendas levavam uma vida tão miserável quanto a deles. Além disso, muitos dos escravos das cidades eram mais prósperos do que os homens livres mais pobres. Isso porque os gregos, que amavam a moderação em todas as coisas, não gostavam de tratar seus escravos daquele modo que mais tarde tornou-se tão comum em Roma, onde o escravo tinha tão poucos direitos quanto uma máquina da fábrica moderna e podia ser lançado aos animais selvagens sob qualquer pretexto.

Os gregos aceitavam a escravidão como uma instituição necessária, sem a qual nenhuma cidade poderia tornar-se o berço de um povo verdadeiramente civilizado.

Os escravos também cuidavam daquelas tarefas que hoje em dia ficam a cargo dos homens de negócios e profissionais liberais. Quanto às tarefas domésticas que tanto consomem o tempo de sua mãe e que preocupam seu pai quando ele chega em casa do trabalho, os gregos, que compreendiam muito bem o valor do lazer, haviam-nas reduzido à mínima extensão possível, uma vez que viviam num ambiente da mais extrema simplicidade.

Para começar, suas casas eram muito simples. Mesmo os nobres ricos passavam a vida numa espécie de celeiro de adobe, do qual estavam ausentes todos os confortos a que o trabalhador moderno considera ter o direito natural. A casa grega consistia em quatro paredes e um telhado. Havia uma porta da rua, mas não havia janelas. A cozinha, as salas de estar e os quartos de dormir dispunham-se ao redor de um pátio interno no meio do qual havia uma fontezinha ou uma estátua e algumas plantas para alegrar o ambiente. Dentro desse pátio a família passava seu tempo sempre que não chovia nem fazia frio demais. Num dos cantos do pátio, a cozinheira (uma escrava) preparava as refeições; noutro canto, o professor (outro escravo) ensinava às crianças o alfa-beta-gama e as tabuadas de multiplicação; noutro ainda, a senhora da casa, que raramente saía de seus domínios (uma vez que não se considerava de bom-tom que uma mulher casada fosse vista assiduamente a andar pelas ruas), remendava os casacos de seu marido na companhia de suas costureiras (que também eram escravas); e no pequeno escritório, pertinho da porta, o senhor da casa inspecionava as contas que lhe eram apresentadas pelo supervisor de sua fazenda (mais um escravo).

Quando o jantar estava pronto, a família se reunia; mas a refeição era simples e não levava muito tempo. Parece que os gregos não consideravam a alimentação um passatempo, mas um mal necessário com o qual o homem desperdiça muitas horas e que por fim acaba matando muitos homens. Viviam de pão e vinho, com um pouco de carne e alguns legumes. Só bebiam água quando não tinham mais o que beber, pois não a consideravam muito saudável. Adoravam ir jantar nas casas uns dos outros, mas sentir-se-iam enojados pela nossa idéia de uma refeição festiva, onde todos devem comer muito mais do que lhes faria bem. Reuniam-se à mesa para conversar e beber um bom copo de vinho temperado com água, mas, como eram pessoas moderadas, desprezavam os beberrões.

A mesma simplicidade que prevalecia na sala de refeições também determinava a escolha de vestimentas. Os gregos gostavam de andar limpos e bem arrumados, com os cabelos e a barba bem aparados e o corpo fortalecido pelos exercícios e pela natação no ginásio; mas nunca seguiram a moda asiática, que prescrevia cores berrantes e estranhas estampas. Vestiam uma longa túnica branca e tinham um aspecto tão vistoso quanto o de um moderno militar italiano com sua longa capa azul.

Adoravam ver suas esposas enfeitadas, mas consideravam extremamente vulgar a ostentação da riqueza (e das esposas); e as mulheres, sempre que saíam de casa, procuravam chamar o mínimo de atenção.

Em resumo, a história da vida grega não é somente uma história de moderação, mas uma história de simplicidade. As "coisas" – as cadeiras, as mesas, os livros, as casas, as carruagens – tendem a consumir uma boa parte do tempo do seu possuidor. No fim, invariavelmente fazem dele o seu escravo e ele passa a despender horas e horas a cuidar delas, a mantê-las polidas, escovadas e pintadas. Os gregos, mais do que qualquer outra coisa, queriam ser "livres", na mente e no corpo. Para conservar essa liberdade e ser verdadeiramente livres em espírito, eles reduziram ao máximo as suas necessidades cotidianas.

17
O TEATRO GREGO
As origens do teatro, a primeira forma de diversão pública

Num estágio muito preliminar de sua história, os gregos começaram a coligir os poemas compostos em homenagem a seus bravos antepassados, que haviam expulsado os pelasgos da Hélade e destruído o poderio de Tróia. Esses poemas eram recitados em público e todos vinham ouvi-los. Mas o teatro, forma de entretenimento que se tornou quase que uma parte necessária da nossa vida, não nasceu da recitação desses contos heróicos. Teve uma origem tão curiosa que, para relatá-la, tenho de abrir um capítulo específico.

Os gregos sempre gostaram de desfilar. Todo ano, realizavam solenes procissões em homenagem a Dioniso, o deus do vinho. Como na Grécia todos bebiam vinho (para os gregos, a água só era útil para nadar e velejar), essa divindade específica era tão popular como seria em nossa época uma divindade dos refrigerantes.

E como se supunha que o deus do vinho habitasse os parreirais em meio a uma alegre companhia de sátiros (estranhas criaturas, metade homens e metade bodes), o povo que comparecia à procissão costumava vestir-se de peles de bode e berrar como bodes. Em grego, "bode" é *tragos* e "cantor" é *oidos*. O cantor que berrava como um bode era portanto chamado *tragos-oidos* ou cantor-bode, e é desse entranho nome que veio a moderna palavra "tragédia", que no sentido teatral significa uma peça com final infeliz, do mesmo modo que a comédia (que na realidade significa uma canção *comos*, ou alegre) é o nome que se dá a uma peça de final feliz.

Mas você há de perguntar: como esse barulhento coro de cantores mascarados, que batiam os pés como bodes ensandecidos, pôde dar origem às nobres tragédias que têm chamado tanto público aos teatros do mundo inteiro desde há quase dois mil anos? O vínculo que une o cantor-bode a Hamlet é na realidade muito simples, como vou lhe mostrar em seguida.

O coro de cantores era a princípio muito divertido e atraía grandes multidões de espectadores que ficavam a rir à beira da via pública. Porém, essa imitação dos bodes logo ficou repetitiva, e a monotonia para os gregos era um mal só comparável à feiúra e à doença. O povo começou a pedir algo que os distraísse mais. Então, um jovem e engenhoso poeta do vilarejo de Icária, na Ática, teve uma nova idéia que alcançou um sucesso tremendo. Fez com que um dos membros do coro de bodes desse um passo adiante e entabulasse um diálogo com o chefe dos músicos que iam à frente do desfile tocando suas flautas de Pã. Esse membro do coro teve permissão para destacar-se dos seus companheiros. Agitava os braços e gesticulava enquanto falava (ou seja, ele "representava", enquanto os demais simplesmente ficavam de pé e cantavam) e fazia muitas perguntas, a que o chefe dos músicos respondia de acordo com as palavras escritas no rolo de papiro preparado pelo poeta antes do início do espetáculo.

Essa conversação improvisada – esse diálogo – que contava a história de Dioniso ou de algum outro deus conquistou imediatamente a simpatia do público. Daí em diante, todas as procissões dionisianas tinham de ter uma "cena representada", e logo a "representação" passou a ser considerada mais importante do que a procissão e os berros de bode.

Ésquilo, o mais bem-sucedido de todos os "trágicos", que escreveu não menos de oitenta peças no decorrer de sua longa vida (de 526 a 455), operou uma inovação gigantesca quando introduziu dois "atores" em vez de um. Uma geração mais tarde, Sófocles aumentou para três o número de atores. Quando Eurípides começou a escrever suas tragédias terríveis em meados do século V a.C., pôde usar tantos atores quantos queria; e quando

Aristófanes escreveu as famosas comédias em que zombava de tudo e de todos, até mesmo dos deuses do monte Olimpo, o coro tivera seu papel reduzido ao de meros circunstantes que ficavam enfileirados atrás dos atores principais e cantavam "mundo cruel" quando o protagonista, à frente, cometia um crime contra a vontade dos deuses.

Essa nova forma de diversão dramática exigia um local apropriado, e logo todas as cidades gregas tinham cada qual o seu próprio teatro, escavado nas rochas de uma colina próxima. Os espectadores sentavam-se em bancos de madeira de frente para um grande círculo (a atual platéia, por um lugar na qual pagamos três dólares e trinta centavos). Nesse meio-círculo, que era o palco, ficavam os atores e o coro. Atrás deles havia uma tenda onde se maquiavam com grandes máscaras de argila que escondiam seus rostos e mostravam aos espectadores se os personagens estavam felizes a sorrir ou tristes a chorar. Em grego, a palavra que significa "tenda" é *skene*, e é por isso que falamos do "cenário" que há sobre o palco.

Uma vez que as tragédias se inseriram na vida dos gregos, o povo passou a levá-las muito a sério e nunca ia ao teatro para descansar a mente. Uma nova peça era um acontecimento tão importante quanto uma eleição, e o dramaturgo bem-sucedido recebia mais honras e homenagens do que um general vindo de uma grande vitória.

18
AS GUERRAS PERSAS
*Como os gregos defenderam a Europa contra
uma invasão asiática e repeliram os persas
para a outra margem do mar Egeu*

Os gregos haviam aprendido a arte do comércio com os egeus, que foram discípulos dos fenícios. Haviam fundado colônias segundo o modelo fenício. Haviam até aperfeiçoado os métodos fenícios, adotando um uso mais generalizado do dinheiro no trato com os fregueses estrangeiros. No século VI antes da nossa era, já estavam solidamente estabelecidos no litoral da Ásia Menor e roubavam o mercado dos fenícios a passo acelerado. É claro que os fenícios não gostaram nem um pouco disso, mas não eram fortes o suficiente para arriscar-se numa guerra contra seus concorrentes gregos. Sentaram-se e esperaram, e não o fizeram em vão.

Num capítulo anterior, contei-lhe como uma humilde tribo de pastores persas repentinamente se pôs em guerra e dominou a maior parte da Ásia ocidental. Os persas eram civilizados demais para pilhar e saquear os bens de seus novos súditos. Contentavam-se assim com um tributo anual. Quando chegaram ao litoral da Ásia Menor, insistiram em que as colônias gregas da Lídia reconhecessem os reis persas como soberanos e pagassem a eles uma taxa estipulada. As colônias gregas opuseram-se. Os persas fizeram questão. Então, as colônias pediram socorro à metrópole e montou-se a situação de guerra.

Pois, para falar a verdade, os reis persas viam as cidades-Estado gregas como instituições políticas muito perigosas, maus exemplos para todos os outros povos, que deviam contentar-se com o papel de pacientes escravos dos poderosos reis da Pérsia.

Os gregos, por seu lado, gozavam de um razoável grau de segurança, pois seu país ficava escondido atrás das águas profundas do mar Egeu. Mas eis que seus antigos inimigos, os fenícios, apresentaram-se aos persas com ofertas de apoio e aconselhamento. Se o rei da Pérsia fornecesse um exército, os fenícios garantiriam os navios necessários para transportar à Europa esse exército. Corria o ano de 492 a.c., e a Ásia se preparava para destruir o nascente poderio europeu.

Destruição da frota persa ao largo do monte Atos

Como ultimato, o rei da Pérsia enviou embaixadores aos gregos, pedindo-lhes "terra e água" como sinal da sua submissão. Os gregos imediatamente lançaram os embaixadores no poço mais próximo, onde encontrariam "terra e água" em abundância; e depois disso, como seria de esperar, a paz tornou-se impossível.

Porém, os deuses do excelso Olimpo cuidavam de seus filhos, e, quando a frota fenícia que levava as tropas persas aproximou-se do monte Atos, o deus das tempestades soprou até quase estourar as veias de suas têmporas. A frota foi destruída por um terrível furacão e todos os persas se afogaram.

A história da humanidade

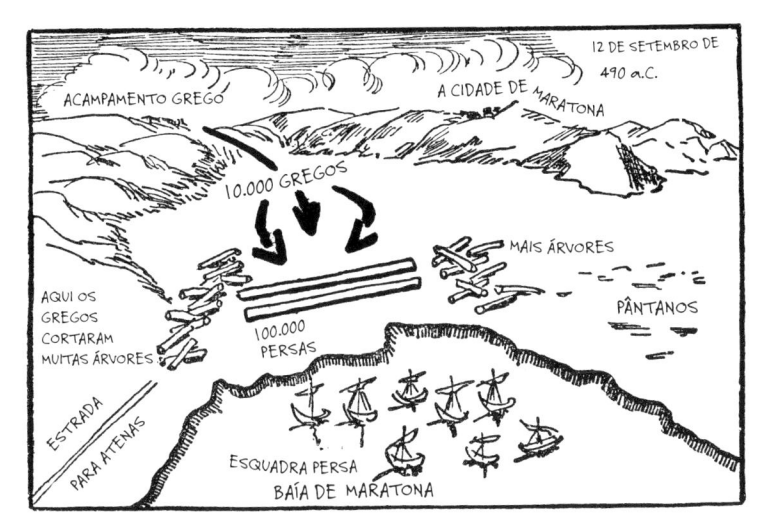

A batalha de Maratona

Dois anos depois vieram mais persas. Dessa vez, eles cruzaram o mar Egeu e aportaram perto do vilarejo de Maratona. Assim que os atenienses ouviram falar disso, enviaram um exército de dez mil homens para guardar as colinas que circundam a planície de Maratona. Ao mesmo tempo, despacharam um corredor para Esparta a fim de pedir ajuda. Mas Esparta invejava a fama de Atenas e recusou-se a acorrer em seu auxílio. As outras cidades gregas seguiram-lhe o exemplo, com exceção da pequena Platéia, que enviou mil homens. No dia 12 de setembro de 490, Milcíades, o general ateniense, lançou seu pequeno exército contra as hostes persas. Os gregos conseguiram transpor a chuva de flechas dos persas, e suas lanças causaram o caos nas desorganizadas fileiras asiáticas, que nunca haviam tido de resistir a esse tipo de inimigo.

Naquela noite, o povo de Atenas viu o céu vermelho com o fogo de navios incendiados. Ansiosamente esperavam por notícias. Por fim, uma nuvenzinha de poeira surgiu na estrada que vinha do norte. Era Feidípides, o corredor. Ao chegar, ele tropeçou e ofegava, pois seu fim estava próximo. Poucos dias antes, havia

Termópilas

voltado de sua corrida a Esparta. Apressara-se então para unir-se a Milcíades. Naquela mesma manhã, tomara parte no ataque grego e depois apresentara-se como voluntário para levar a notícia da vitória à cidade amada. O povo o viu cair e correu para ampará-lo. "Vencemos", sussurrou ele, e depois morreu, de uma morte gloriosa que o fez invejado por todos os homens.

Os persas, por sua vez, após a derrota, tentaram ainda aportar perto de Atenas, mas encontraram o litoral guarnecido e desapareceram. Assim, mais uma vez a Hélade ficou em paz.

Por oito anos esperaram, mas os gregos não se mantiveram ociosos durante esse período. Sabiam que estava para ser lançado um ataque decisivo, mas não concordavam quanto à melhor maneira de afrontar o perigo. Alguns queriam aumentar o efetivo do exército; outros afirmavam que era necessária uma frota naval mais forte. Os dois partidos, comandados respectivamente por Aristides (pelo exército) e Temístocles (pela marinha), combateram-se amargamente e nada se fez até que Aristides foi exilado. Temístocles teve então sua oportunidade; construiu todos os navios que pôde e fez do Pireu uma forte base naval.

No ano de 481 a.C., um formidável exército persa surgiu na Tessália, província do norte da Grécia. Nesse momento de perigo, Esparta, o grande centro militar da Grécia, foi eleita comandante-chefe das cidades gregas. Os espartanos, porém, pouco se importavam com o que acontecesse com o norte da Grécia, desde que suas próprias terras não fossem invadidas. Assim, não se ocuparam de fortificar os passos que davam entrada à Grécia.

Um pequeno destacamento de espartanos comandado pelo general Leônidas recebera a incumbência de vigiar a estreita estrada que, entre as altas montanhas e o mar, ligava a Tessália às províncias do sul. Leônidas obedeceu às suas ordens. Lutou com coragem inigualável e reteve o domínio da passagem. Porém, um traidor de nome Efialtes, que conhecia os atalhos montanhosos de Mális, conduziu um regimento de persas através das colinas e possibilitou que atacassem Leônidas pelas costas. Perto das Fontes Quentes – as Termópilas –, uma terrível batalha se travou. Quando caiu a noite, Leônidas e seus fiéis soldados jaziam mortos sob os cadáveres de seus inimigos.

Porém, o passo das Termópilas fora perdido e a maior parte da Grécia caíra nas mãos dos persas, que marcharam sobre Atenas, precipitaram os soldados que a guardavam do alto do rochedo da Acrópole e reduziram a cidade a cinzas. O povo fugiu para a ilha de Salamina. Tudo parecia perdido. Porém, no dia 20 de setembro de 480, Temístocles forçou a frota persa a lutar dentro dos pequenos estreitos que separavam a ilha de Salamina do

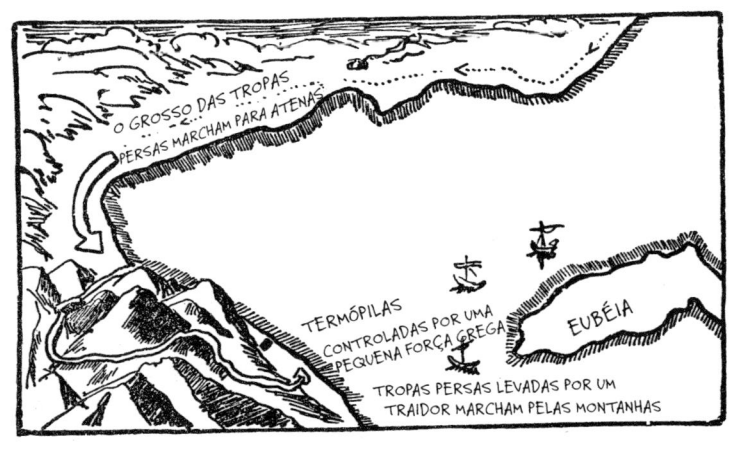

A batalha das Termópilas

Os persas incendeiam Atenas

continente, e em poucas horas destruiu três quartos dos navios persas. Assim, a vitória persa nas Termópilas de nada adiantou. Xerxes foi forçado a bater em retirada. Decretou então que a batalha decisiva ficaria para o ano seguinte. Conduziu suas tropas à Tessália, onde permaneceu à espera da primavera.

A essa altura, os espartanos reconheceram a gravidade da situação. Deixaram o abrigo seguro da muralha que haviam construído de um lado a outro do istmo de Corinto e, sob o comando de Pausânias, marcharam contra Mardônio, o general persa. Os gregos unidos (cerca de 100 mil homens de doze cidades diferentes) atacaram os 300 mil homens do inimigo perto de Platéia. Mais uma vez a infantaria pesada grega sobreviveu à chuva de flechas dos persas. Estes foram derrotados, como haviam sido em Maratona, e desta vez foram embora para nunca mais voltar. Por uma estranha coincidência, no mesmo dia em que o exército grego conquistou a vitória perto de Platéia, as

A história da humanidade

A Grécia

naus atenienses destruíram a frota inimiga perto do cabo Micale, na Ásia Menor.

Assim terminou o primeiro embate entre a Ásia e a Europa. Atenas estava coberta de glória, e Esparta lutara bem e com coragem. Se essas duas cidades tivessem sido capazes de chegar a um acordo, se tivessem tido a disposição de esquecer seus ciúmes recíprocos, poderiam ter-se tornado as líderes de uma Hélade forte e unida.

Mas, lamentavelmente, deixaram passar a hora da vitória e do entusiasmo e nunca mais tiveram uma oportunidade semelhante.

19
ATENAS × ESPARTA
Como Atenas e Esparta enfrentaram-se em longa e desastrosa guerra pela soberania da Grécia

Tanto Atenas quanto Esparta eram cidades gregas, e o povo de ambas falava a mesma língua. Em todos os outros aspectos, porém, eram diferentes. Atenas era uma cidade construída sobre colinas, exposta à brisa fresca do mar, disposta a ver o mundo com os olhos felizes de uma criança. Esparta, por outro lado, era construída no fundo de um recôndito vale e usava as montanhas ao redor como barreira contra todo pensamento vindo de fora. Atenas era uma cidade comercial; Esparta, um quartel cujos homens eram soldados porque gostavam de ser soldados. O povo de Atenas adorava sentar-se ao sol e discutir poesia ou ouvir as sábias palavras de um filósofo. Os espartanos, por seu lado, nunca escreveram uma única linha de algo que se possa chamar literatura, mas sabiam lutar, gostavam de lutar e sacrificavam todas as emoções humanas ao seu ideal de preparação e prontidão militar.

Não admira que os sombrios espartanos tenham encarado o triunfo de Atenas com um ódio malévolo. A energia que a defesa da pátria comum inspirara em Atenas era empregada agora para objetivos de natureza mais pacífica. A Acrópole fora reconstruída e transformada num santuário de mármore dedicado à deusa Atena. Péricles, chefe da democracia ateniense, mandara buscar em diversas partes famosos escultores, pintores e cientistas para tornar a cidade mais bela e os jovens atenienses, mais dignos de sua terra-mãe. Ao mesmo tempo, manteve-se de sobreaviso contra Esparta e construiu altas muralhas que ligavam Atenas ao mar, tornando-a a mais poderosa fortaleza de sua época.

Uma briga insignificante entre duas cidadezinhas gregas levou ao conflito final. Por trinta anos perdurou a guerra entre Atenas e Esparta, que culminou num terrível desastre para Atenas. No terceiro ano de guerra, a peste entrou na cidade. Mais da metade do povo morreu, e morreu também o grande líder Péricles. À peste seguiu-se um período marcado por um governo ruim e indigno de confiança. Um jovem brilhante chamado Alcibíades conquistou a simpatia da assembléia popular e sugeriu um ataque à colônia espartana de Siracusa, na Sicília. A expedição foi equipada e tudo estava pronto. Porém, Alcibíades envolveu-se numa briga de rua e teve de fugir da cidade. O general que o substituiu era um péssimo profissional. Primeiro perdeu a marinha e depois perdeu o exército, e os poucos atenienses que sobraram foram lançados nas pedreiras de Siracusa, onde morreram de fome e sede.

Todos os jovens de Atenas morreram nessa expedição. A cidade estava condenada. Ao cabo de longo sítio, rendeu-se em abril do ano 404. Suas muralhas foram demolidas; seus navios, capturados e levados pelos espartanos. Atenas deixou de existir como centro do grande império colonial que conquistara em sua época de prosperidade. Porém, o maravilhoso desejo de aprender, conhecer e investigar que caracterizara seus cidadãos em seus dias de grandeza não pereceu junto com as muralhas e os navios. Pelo contrário, continuou vivo e tornou-se ainda mais brilhante.

Atenas já não moldava o destino das terras gregas. Mas agora, como sede da primeira grande universidade, a cidade começou a influenciar as mentes de pessoas inteligentes muito longe das estreitas fronteiras da Hélade.

20
ALEXANDRE MAGNO
Alexandre da Macedônia funda um império grego universal, e o que foi feito dessa elevada ambição

Quando os aqueus deixaram suas terras ao longo do Danúbio para sair em busca de novas pastagens, passaram algum tempo nas montanhas da Macedônia. Depois disso, os gregos sempre mantiveram relações mais ou menos formais com o povo desse país do norte. Os macedônios, por sua vez, mantinham-se sempre bem informados acerca de como iam as coisas na Grécia.

Ora, aconteceu que, quanto terminou a desastrosa guerra entre Atenas e Esparta pelo comando da Hélade, a Macedônia era governada por um homem extraordinariamente inteligente chamado Filipe. Ele admirava o espírito literário e artístico dos gregos, mas abominava sua falta de controle em assuntos políticos. Irritava-o ver um povo excelente desperdiçar seus homens e seu dinheiro em querelas infrutíferas. Para resolver esse problema, fez-se ele o senhor de toda a Grécia e pediu a seus novos súditos que o acompanhassem numa viagem com a qual pretendia devolver à Pérsia a visita que Xerxes fizera aos gregos 150 anos antes.

Infelizmente, Filipe foi assassinado antes que pudesse dar início a essa bem preparada expedição. A tarefa de vingar a destruição de Atenas ficou a cargo do filho de Filipe: Alexandre, discípulo amado de Aristóteles, o mais sábio de todos os mestres gregos.

Alexandre despediu-se da Europa na primavera do ano de 334 a.C. Sete anos depois, chegou à Índia. Nesse meio tempo, destruiu a Fenícia, antiga rival dos mercadores gregos; conquistou o Egito e foi adorado pelo povo do vale do Nilo como filho e herdeiro dos antigos faraós; derrotou o último dos reis persas; derrubou o império persa; fez reconstruir Babilônia; conduziu suas tropas até o coração do Himalaia e fez do mundo inteiro uma província da Macedônia. Então parou e anunciou planos ainda mais ambiciosos.

O império recém-formado teria de ser posto sob a influência do espírito grego. Os povos teriam de aprender a língua grega e morar em cidades construídas segundo o modelo grego. Os soldados de Alexandre converteram-se em professores. Os quartéis de ontem tornaram-se os centros pacíficos da recém-importada civilização grega. A maré montante de hábitos e costumes gregos subiu e subiu até que, no ano de 323, Alexandre foi abatido por uma febre e morreu no antigo palácio do rei Hamurábi da Babilônia.

Então as águas retrocederam; mas deixaram atrás de si a argila fértil de uma civilização superior, e Alexandre, apesar de suas ambições infantis e de sua tola vaidade, prestou ao mundo um serviço de extrema valia. Depois de sua morte, o império não durou muito tempo. Alguns generais ambiciosos dividiram entre si o território conquistado. Porém, também eles permaneceram fiéis ao sonho de uma grande fraternidade universal entre o conhecimento e as idéias da Grécia e da Ásia.

Conservaram sua independência até os romanos acrescentarem a Ásia ocidental e o Egito aos seus demais domínios. A estranha herança da civilização helenística (parte grega, parte persa, parte egípcia e parte babilônica) coube aos conquistadores romanos. E, nos séculos seguintes, lançou raízes tão fundas no mundo romano que sentimos sua influência em nossas vidas até hoje.

21
UM RESUMO
Um breve resumo dos Capítulos 1 a 20

Até agora, do alto da nossa torre, estivemos olhando para o Oriente. Porém, a partir deste momento, a história do Egito e da Mesopotâmia torna-se menos interessante e devo levar você a estudar a paisagem ocidental.

Antes disso, paremos por um instante e deixemos bem claro para nós o que já vimos.

Antes de tudo, mostrei a você o homem pré-histórico – uma criatura de hábitos simples e totalmente desprovida de boas maneiras. Disse-lhe que ele era o mais indefeso dos muitos animais que vagavam pelas selvas primevas dos cinco continentes; mas, dotado de um cérebro maior e melhor, conseguiu se fortalecer.

Vieram então as geleiras e muitos séculos de tempo frio, e a vida neste planeta tornou-se tão difícil que o homem foi forçado a pensar três vezes mais do que antes para conseguir sobreviver. Mas, como esse "desejo de sobreviver" era (e ainda é) a mola-mestra que move todos os seres a lutar até o último suspiro, o cérebro do homem glacial foi forçado a trabalhar com toda a diligência de que era capaz. Esse povo forte não só conseguiu sobreviver aos longos períodos de frio que mataram muitos animais ferozes como também, quando a terra mais uma vez tornou-se quente e confortável, já se dotara de vários conhecimentos que lhe deram enormes vantagens sobre os animais menos inteligentes, e isso a tal ponto que o perigo de extinção (ameaça seriíssima nos primeiros quinhentos mil anos de existência do homem neste planeta) tornou-se muito remoto.

Contei-lhe que esses nossos remotos antepassados iam levando a sua monótona vida quando de repente (e por motivos que não nos são bem conhecidos) o povo que vivia no vale do Nilo deu um grande passo à frente e, praticamente da noite para o dia, criou o primeiro grande centro de civilização.

Depois lhe apresentei a Mesopotâmia, a "terra entre os rios", que foi a segunda grande escola da raça humana. E mostrei-lhe um mapinha das pontes insulares que transpunham o mar Egeu e que levaram o conhecimento e as ciências do antigo Oriente para o jovem Ocidente, onde viviam os gregos.

Falei depois de uma tribo indo-européia, a dos helenos, que, tendo saído do coração da Ásia havia muitos milênios, chegaram no século XI antes da nossa era a dominar a rochosa península grega, depois do que passaram a ser conhecidos como gregos, como o são até hoje. E lhe contei a história das pequenas cidades gregas, que na realidade eram Estados, onde a civilização do antigo Egito e da Ásia foi transfigurada (é uma palavra difícil, mas você vai ser capaz de descobrir o que ela significa) em algo completamente novo, algo muito mais nobre e melhor do que tudo o que já houvera antes.

Se você consultar o mapa, verá que a essa altura a civilização já descreveu um semicírculo. Começada no Egito, passou pela Mesopotâmia e, através das ilhas do mar Egeu, caminhou para o Ocidente até chegar ao continente europeu. Nos primeiros quatro mil anos, os egípcios, os babilônios, os fenícios e um grande número de tribos semíticas (lembre-se que os judeus eram apenas uma dentre as muitas tribos semíticas) incumbiram-se de levar a tocha que haveria de iluminar o mundo inteiro. Passaram-na então aos gregos indo-europeus, que se tornaram mestres de outra tribo indo-européia, a dos romanos. Mas, enquanto isso, os semitas avançaram para o Ocidente pelo litoral norte da África e fizeram-se senhores da metade ocidental do Mediterrâneo, ao mesmo tempo em que a metade oriental tornava-se um domínio grego (ou indo-europeu).

Você verá daqui a pouco que isso gerou um conflito terrível entre as duas raças rivais. Dessa luta nasceu o vitorioso Império Romano, que levou essa civilização egípcio-mesopotâmico-gre-

A história da humanidade

ga às plagas mais remotas do continente europeu, onde ela serviu de fundamento à nossa sociedade moderna.

Sei que tudo isso parece muito complicado, mas, se você conseguir captar estes poucos princípios, todo o restante de nossa história se tornará muito mais simples. Os mapas elucidarão o que as palavras não revelarem. E, depois desta breve interrupção, voltemos à nossa história. Vou lhe fazer agora um relato da famosa guerra entre Cartago e Roma.

22
ROMA E CARTAGO

A colônia semítica de Cartago, no litoral norte da África, e a cidade indo-européia de Roma, na costa ocidental da Itália, lutaram pela posse do Mediterrâneo ocidental e Cartago foi destruída

O pequeno posto comercial fenício de Kart-hadshat situava-se sobre uma colina baixa às margens do mar da África, uma extensão de água de 150 quilômetros de largura que separa a África da Europa. Era um local ideal para um centro comercial – ideal demais, talvez. Cresceu muito rápido e tornou-se muito rico. Quando Nabucodonosor da Babilônia destruiu Tiro, no século VI antes da nossa era, Cartago rompeu todos os vínculos que ainda tinha com o país natal e tornou-se um Estado independente – o grande posto avançado da raça semítica no Ocidente.

Infelizmente, a cidade herdara muitos traços que por mil anos tinham caracterizado o povo fenício. Era ela um grande bazar protegido por uma marinha forte e indiferente à maioria dos aspectos mais refinados da vida. A cidade, a zona rural circundante e as distantes colônias eram todas regidas por um grupo de homens ricos, pequeno mas extremamente poderoso. Em grego, a palavra "rico" é *ploutos*, e os gregos davam o nome de "plutocracia" ao governo dos ricos. Cartago era uma plutocracia, e o verdadeiro poder do Estado estava nas mãos de uma dúzia de grandes armadores, mercadores e proprietários de minas, que se reuniam na sala dos fundos de um escritório e encaravam seu país como uma empresa cuja função era a de lhes fornecer um excelente lucro. Eram, porém, homens espertos e cheios de energia, e trabalhavam muito.

A história da humanidade

Cartago

Com o passar dos anos, a influência de Cartago sobre as regiões vizinhas cresceu. A certa altura, a maior parte do litoral africano, a Espanha e certas regiões da França eram todas províncias cartaginesas, que pagavam impostos, tributos e dividendos à poderosa senhora do mar da África.

É claro que uma tal "plutocracia" está sempre à mercê das turbas. Enquanto houvesse trabalho para todos e os salários estivessem bons, a maioria dos cidadãos vivia contente, deixava o governo a cargo dos "melhores" e não fazia perguntas constrangedoras. Mas quando os navios não saíam do porto, quando não chegava minério às fornalhas da cidade, quando os portuários e estivadores não tinham com que trabalhar, ouviam-se murmúrios e corria pela boca do povo a exigência de que a assembléia popular se reunisse como na época antiga, quando Cartago ainda era uma república que governava a si mesma.

Para impedir que isso acontecesse, a plutocracia era obrigada a manter permanentemente aquecidos os negócios da cidade.

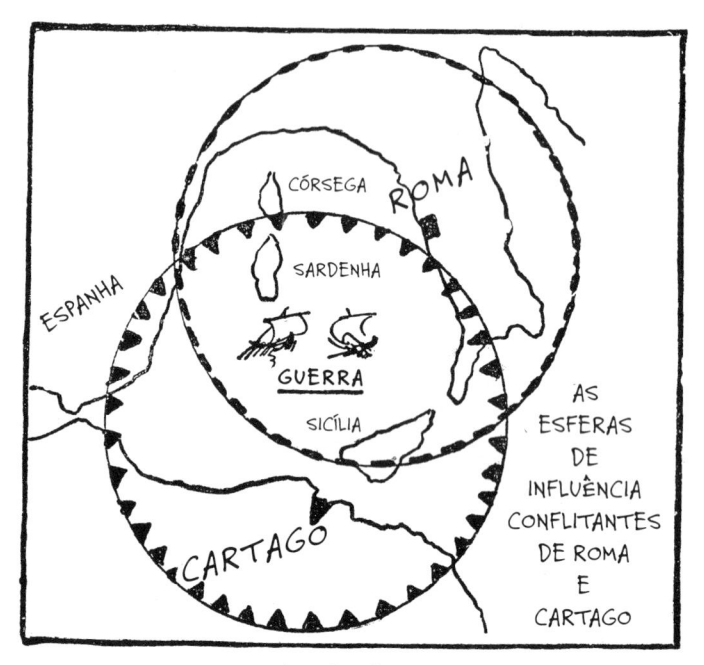

Esferas de influência

Obtiveram êxito nessa empreitada por quase quinhentos anos; mas foram então perturbados por rumores que lhes vinham do litoral ocidental da Itália. Dizia-se que uma pequena vila às margens do Tibre alcançara de súbito um grande poder e estava tornando-se a líder reconhecida de todas as tribos latinas que habitavam a Itália central. E mais: dizia-se que essa vila, que se chamava Roma, pretendia construir navios e buscar comércio com a Sicília e o litoral sul da França.

Cartago não podia tolerar uma tal concorrência. A jovem rival tinha de ser destruída para que os governantes cartagineses não perdessem seu prestígio de senhores absolutos do Mediterrâneo ocidental. Os rumores foram investigados e, de modo geral, os fatos constatados vieram à luz.

O litoral ocidental da Itália nunca fora aproveitado pela civilização. Ao passo que na Grécia todos os bons portos davam para

A história da humanidade

o Oriente e gozavam de uma vista desimpedida das movimentadas ilhas do mar Egeu, a costa oeste da Itália tinha como único objeto de contemplação as ondas desoladas do Mediterrâneo. A terra era pobre. Por isso, quase nunca era visitada por comerciantes estrangeiros, e os nativos retinham despreocupados a posse de suas colinas e planícies pantanosas.

A primeira grande invasão sofrida por essa terra veio do norte. Em data desconhecida, certas tribos indo-européias conseguiram transpor as passagens alpinas e bateram firme para o sul até preencher o tacão e o bico da famosa bota italiana com seus povoados e seus rebanhos. Nada sabemos acerca desses primeiros conquistadores, que não tiveram um Homero que lhes cantasse as glórias. Os registros da fundação de Roma (escritos oitocentos anos depois, quando o vilarejo já se tornara o centro de um império) são contos da carochinha que não têm lugar num livro de história. Rômulo e Remo pulando sobre as muralhas um do outro (nunca me lembro quem pulou a de quem) são divertido material de leitura, mas a fundação da cidade de Roma foi um processo muito mais prosaico. Roma começou como começaram milhares de cidades norte-americanas: sendo ela um lugar conveniente para o escambo de mercadorias e o comércio de cavalos. Situava-se no coração das planícies da Itália central. O Tibre franqueava-lhe o aceso ao mar. A estrada que corria do norte ao sul encontrava ali um conveniente vau sobre o rio, que podia ser usado o ano inteiro. E sete pequenas colinas às margens do rio ofereciam aos habitantes um abrigo seguro contra os inimigos que moravam nas montanhas e os que residiam além do horizonte do mar.

Os montanheses eram chamados sabinos. Eram um povo rude, afeiçoado ao hábito ímpio e fácil da pilhagem. Mas eram muito atrasados. Usavam machadinhas de pedra e escudos de madeira e não eram páreo para os romanos com suas espadas de metal. O povo marítimo, por outro lado, era um inimigo perigoso. Chamavam-se etruscos e eram (como ainda são) um dos grandes mistérios da história. Ninguém sabia (nem sabe) de onde eles vieram, quem eram e o que os movera a abandonar o seu lar original. Encontramos por todo o litoral italiano os restos de suas

Hendrik Willem van Loon

Como aconteceu a cidade de Roma

A história da humanidade

cidades, cemitérios e aquedutos, e conhecemos suas inscrições. Mas, como ninguém jamais foi capaz de decifrar o alfabeto etrusco, essas mensagens escritas por enquanto só nos aborrecem e não oferecem utilidade alguma.

A opinião mais provável é a de que os etruscos vieram originalmente da Ásia menor, e que uma grande guerra ou epidemia em seu país forçou-os a sair de lá e buscar outro local para viver. Seja qual for a razão de sua vinda, o fato é que os etruscos tiveram um papel destacado na história. Levaram do Oriente para o Ocidente o pólen da antiga civilização e ensinaram aos romanos – que, pelo que sabemos, vieram do norte – os primeiros princípios da arquitetura, do urbanismo, das artes militares, das artes plásticas, da culinária, da medicina e da astronomia.

Mas, assim como os gregos não apreciavam seus mestres egeus, também os romanos odiavam os etruscos que os ensinavam. Livraram-se deles logo que possível, e essa oportunidade se apresentou quando os mercadores gregos descobriram as possibilidades comerciais da Itália e os primeiros navios gregos chegaram a Roma. Os gregos vieram para comerciar, mas ficaram para instruir; e constataram que as tribos da campanha romana (os chamados latinos) eram ávidas de aprender tudo o que pudesse ter algum uso prático. Essas tribos compreenderam de imediato os grandes benefícios da posse de um alfabeto escrito e copiaram o alfabeto grego. Compreenderam também as vantagens comerciais de um sistema bem regulado de moedas, pesos e medidas. Enfim, os romanos assimilaram por completo a civilização grega.

Chegaram até a adotar em seu país os deuses dos gregos. Zeus foi levado a Roma e transformou-se em Júpiter, e foi nisso seguido pelas outras divindades. Os deuses romanos, porém, nunca vieram a se assemelhar demais aos seus primos mais alegres, que acompanhavam os gregos em sua trajetória pela vida e pela história. Os deuses romanos eram funcionários públicos. Cada qual administrava seu departamento com a máxima competência e grande senso de justiça, mas exigia de seus adoradores uma obediência fiel; e os romanos tributavam-nos tal obediência de forma escrupulosa. Nunca chegaram, porém, a estabelecer com seus deuses as relações pessoais cordatas e a encantadora amizade que existia entre os antigos helenos e os poderosos habitantes do alto monte Olimpo.

Os romanos não imitaram a forma de governo dos gregos, mas, como constituíam outro ramo da mesma linhagem indo-européia, a história da Roma dos primeiros tempos assemelha-se à de Atenas e de outras cidades gregas. Os romanos não tiveram dificuldade alguma para livrar-se de seus reis, descendentes dos antigos chefes tribais. Mas, uma vez expulsos os reis da cidade, seus habitantes viram-se forçados a coibir o poder dos nobres, e muitos séculos se passaram até que conseguissem estabelecer um sistema de governo que desse a todos os cidadãos livres de Roma a oportunidade de interessar-se pessoalmente pelos assuntos da cidade.

A partir daí, os romanos tinham sobre os gregos uma grande vantagem: administravam os assuntos de Estado sem perder-se em numerosos discursos. Eram menos imaginativos do que os gregos e preferiam dez gramas de ação a um quilo de palavras. Compreendiam demasiado bem as tendências da multidão (a "plebe", como se denominava a assembléia dos cidadãos livres) para perder seu precioso tempo com falatórios vazios. Por isso, depositaram a tarefa de administrar de fato a cidade nas mãos de dois "cônsules" auxiliados por um conselho de anciãos chamado Senado (da palavra *senex*, que significa "velho"). Por costume e pelas vantagens práticas, os senadores eram eleitos dentre os membros da nobreza. Seu poder, porém, era rigorosamente definido.

Roma, a certa altura de sua história, passou pelo mesmo conflito entre os pobres e os ricos que forçara Atenas a adotar as leis de Drácon e Sólon. Em Roma, esse conflito ocorreu no século V a.C. Em conseqüência, os homens livres obtiveram um código escrito de leis que, mediante a instituição do "tribuno", os protegia contra o despotismo dos juízes aristocratas. Os tribunos eram magistrados da cidade eleitos pelos homens livres. Tinham o direito de proteger qualquer cidadão contra as ações dos oficiais de governo que fossem consideradas injustas. O cônsul tinha o direito de condenar um homem à morte; mas, se a culpabilidade do réu não fosse provada além de qualquer dúvida, o tribuno podia intervir para salvar-lhe a vida.

Quando uso a palavra "Roma", pareço estar me referindo a uma cidadezinha de uns poucos milhares de habitantes. A verdade, porém, é que a verdadeira força de Roma estava nos distritos rurais fora de suas muralhas. E foi no governo dessas províncias afastadas que Roma desde muito cedo exibiu seus maravilhosos dotes de metrópole colonizadora.

Já em época bem recuada, Roma era a única cidade fortificada da Itália central, mas sempre oferecera um refúgio hospitaleiro às outras tribos latinas que corriam o risco de ser atacadas. Os vizinhos latinos reconheceram as vantagens de uma união íntima com uma amiga tão poderosa e procuraram encontrar motivos comuns para a constituição de alguma espécie de aliança defensiva e ofensiva. Outras nações – como os egípcios, os babilônios, os fenícios e até os gregos – teriam exigido que os "bárbaros" aceitassem um tratado de submissão. Os romanos não fizeram nada disso. Muito pelo contrário, ofereceram aos "estrangeiros" a oportunidade de entrar como sócios numa *res publica* comum – uma república.

"Vocês querem se juntar a nós?", perguntavam. "Pois muito bem, venham. Trataremos vocês como cidadãos romanos de pleno direito. Em troca desse privilégio, queremos que vocês lutem pela nossa cidade, mãe de todos nós, sempre que tal se fizer necessário."

Os "estrangeiros" apreciavam essa generosidade e demonstravam sua gratidão através de uma lealdade inabalável.

Toda vez que uma cidade grega fora atacada, os estrangeiros residentes haviam fugido o mais rápido possível. Por que defender algo que para eles não era mais do que uma espécie de hotel, no qual eram tolerados enquanto pagassem suas contas? Porém, quando o inimigo estava diante dos portões de Roma, todos os latinos acorriam em sua defesa. A mãe de todos estava em perigo. A cidade era o verdadeiro "lar" de todos eles, mesmo que morassem a duzentos quilômetros de distância e nunca tivessem visto as muralhas das colinas sagradas.

Nenhuma derrota, nenhum desastre era capaz de mudar esse sentimento. No começo do século IV a.C., os selvagens gauleses entraram à força na Itália. Derrotaram o exército romano perto do rio Alia e marcharam sobre a cidade. Tomaram Roma e nela se instalaram, certos de que o povo logo viria pedir paz. Esperaram, mas nada aconteceu. Depois de pouco tempo, os gauleses se viram sitiados por uma população hostil que se recusava a fornecer-lhes suprimentos. Ao cabo de sete meses, a fome forçou-os a bater em retirada. A política romana de tratar o "estrangeiro" em pé de igualdade mostrara-se bem-sucedida, e Roma estava mais forte do que jamais estivera.

Este curto relato das origens de Roma evidencia a enorme diferença que havia entre o ideal romano de um Estado sadio e o ideal do mundo antigo, consubstanciado na cidade de Cartago. Os romanos contavam com a cooperação livre e voluntária de muitos "cidadãos iguais". Os cartagineses, seguindo o exemplo do Egito e da Ásia ocidental, insistiam na obediência cega (e, portanto, reticente) de seus "súditos"; e quando estes não correspondiam a essas expectativas, Cartago contratava soldados profissionais para lutar por si.

Você compreende agora por que Cartago sentia medo de um inimigo tão inteligente e poderoso e por que a plutocracia cartaginesa estava tão disposta a guerrear e a destruir a perigosa rival antes que fosse tarde demais.

Mas os cartagineses, excelentes homens de negócios, sabiam que nunca é bom apressar as coisas. Propuseram aos romanos que as duas cidades desenhassem dois círculos no mapa, a serem considerados as respectivas "áreas de influência" de cada uma delas, e prometessem reciprocamente manter-se fora do círculo uma da outra. O acordo se fez rapidamente e se quebrou com mais rapidez ainda, quando ambos os partidos acharam por bem enviar seus exércitos à Sicília, cujo solo fértil e cujo mau governo pediam a interferência estrangeira.

A guerra que se seguiu (chamada Primeira Guerra Púnica) durou vinte e quatro anos. Foi travada em alto-mar e, a princípio, parecia que a experiente marinha cartaginesa ia derrotar a recém-criada frota romana. Adotando suas táticas antigas, os navios cartagineses abalroavam as naus inimigas ou, mediante um audaz ataque lateral, quebravam-lhes os remos, sendo depois os

Uma rápida nau romana

marujos das naus atingidas chacinados com flechas e bolas incandescentes. Mas os engenheiros romanos inventaram uma nova nau de guerra, dotada de uma ponte de abordagem pela qual a infantaria romana podia assaltar o navio inimigo. Então, as vitórias cartaginesas terminaram de repente. Cartago foi obrigada a pedir paz, e a Sicília passou a fazer parte dos domínios romanos.

Vinte e três anos depois, novos problemas surgiram. Roma (em busca de cobre) tomara a ilha da Sardenha. Cartago (em busca de prata) ocupara todo o sul da Espanha. Com isso, Cartago se tornou praticamente uma vizinha dos romanos, que não gostaram nem um pouco disso e mandaram suas tropas atravessar os Pireneus e manter vigia sobre o exército cartaginês.

Criaram-se assim as condições para a segunda refrega entre as rivais. Mais uma vez o pretexto para a guerra foi uma colônia grega. Os cartagineses estavam sitiando Sagunto, na costa leste da Espanha. Os saguntinos apelaram a Roma e esta, como de hábito, mostrou-se disposta a colaborar. O Senado prometeu o auxílio dos exércitos latinos, mas a preparação para a expedição demorou um pouco; nesse meio tempo, Sagunto foi tomada e destruída, num ato de oposição declarada à vontade de Roma.

O Senado decidiu pela guerra. Um batalhão romano cruzaria o mar da África e aportaria em solo cartaginês. Uma outra divisão do exército daria combate aos exércitos cartagineses na Espanha, a fim de impedi-los de acorrer em defesa da cidade natal. O plano era excelente, e todos esperavam uma grande vitória. Porém, a decisão dos deuses foi outra.

Corria o outono do ano 218 a.C., e o exército romano que atacaria os cartagineses na Espanha já havia saído da Itália. O povo esperava ansiosamente por notícias de vitória, quando de repente um rumor terrível começou a se espalhar pelo vale do Pó. Montanheses arredios, com os lábios trepidantes de medo, falavam de centenas de milhares de homens escuros acompanhados de estranhos animais, "cada qual do tamanho de uma casa", surgidos repentinamente das nuvens de neve que rodeavam o antigo Passo Graiano, através do qual Hércules, em milênios passados, conduzira o gado de Gerião da Espanha para a Grécia. Logo um fluxo infindável de refugiados andrajosos começou a chegar aos portões de Roma, contando a história com detalhes mais precisos. Aníbal, filho de Amílcar, com cinquenta mil soldados, nove mil cavaleiros e trinta e sete elefantes de guerra, cruzara os Pireneus, derrotara o exército romano de Cipião nas barrancas do Ródano e conduzira seu exército a salvo pelos passos alpinos, muito embora corresse o mês de outubro e as estradas estivessem forradas de neve e gelo. Então unira forças com os gauleses, e os dois exércitos juntos derrotaram uma segunda divisão de tropas romanas, cruzaram o Trébia e sitiaram Placentia, término setentrional da estrada que ligava Roma à província dos distritos alpinos.

O Senado, surpreso mas como sempre calmo e enérgico, não deixou que corressem as notícias dessas derrotas e enviou dois exércitos novinhos em folha para deter o invasor. Aníbal logrou surpreender essas tropas numa estrada estreita às margens do lago Trasimeno e lá matou todos os oficiais romanos e a maior parte dos soldados. Dessa vez o povo romano entrou em pânico, mas o Senado manteve o sangue-frio. Um terceiro exército foi organizado e seu comando foi entregue a Quinto Fábio Máximo, dotado de plenos poderes para agir "como fosse necessário para salvar o Estado".

A história da humanidade

Fábio sabia que tinha de ter muito cuidado para não perder tudo. Seus homens novatos e destreinados, os últimos soldados então disponíveis, não eram páreo para os veteranos de Aníbal. Fábio recusou-se a aceitar batalha campal, mas perseguia Aníbal de perto, incendiava todos os suprimentos, destruía as estradas, atacava pequenos destacamentos e, de modo geral, abatia o moral das tropas cartaginesas através de uma guerra de guerrilhas aborrecedora e enervante.

Esses métodos, porém, não satisfizeram o povo amedrontado que encontrara segurança por trás das muralhas de Roma. Eles exigiam "ação". Algo teria de ser feito, e rapidamente. Um herói popular de nome Varrão – o tipo de homem que andava pela cidade a convencer a todos de que poderia se sair muito melhor do que o velho Fábio, o "retardador" – foi nomeado comandante-chefe por aclamação popular. Na batalha de Canas (216), sofreu a mais terrível derrota da história de Roma. Mais de setenta mil homens foram mortos, e Aníbal fez-se senhor de toda a Itália.

Marchou de uma extremidade a outra da península proclamando-se "libertador do jugo romano" e convidando as diversas províncias a unir-se a ele na guerra contra a cidade-mãe. Então, mais uma vez a sabedoria romana gerou nobres frutos. Com a exceção de Cápua e Siracusa, todas as cidades romanas permaneceram fiéis a Roma. Aníbal, o libertador, viu-se combatido pelo mesmo povo de cujo amigo pretendia ser. Estava longe de casa e não gostou da situação. Enviou mensageiros a Cartago com o pedido de mais homens e suprimentos. Infelizmente, Cartago não lhe mandou nem uma coisa nem a outra.

Os romanos, com suas pontes de abordagem, eram senhores do mar. Aníbal, sozinho, fez o que pôde. Continuou a derrotar os exércitos romanos enviados contra ele, mas o número de seus homens diminuía rapidamente e os camponeses italianos relutavam em aderir a esse autoproclamado "libertador".

Depois de muitos anos de vitórias contínuas, Aníbal viu-se cercado no país que acabara de conquistar. Por um instante a sorte pareceu virar a seu favor. Asdrúbal, seu irmão, derrotara os exércitos romanos na Espanha e cruzara os Alpes para vir em seu auxílio. Enviou mensageiros ao sul para informar Aníbal de

Hendrik Willem van Loon

Aníbal cruza os Alpes

sua chegada e pedir-lhe que o encontrasse na planície do Tibre. Desgraçadamente, os emissários caíram nas mãos dos romanos e Aníbal esperou em vão por novas informações, até que a cabeça do irmão, primorosamente encapsulada num cesto, chegou rolando ao seu acampamento e lhe informou do destino que se abatera sobre as últimas tropas cartaginesas.

Com Asdrúbal fora do caminho, o jovem Públio Cipião reconquistou a Espanha com facilidade e, quatro anos depois, os romanos estavam prontos para lançar o ataque final sobre Cartago. Aníbal foi chamado de volta. Cruzou o mar da África e tentou organizar as defesas de sua cidade natal. No ano de 202, na batalha de Zama, os cartagineses foram derrotados e Aníbal fugiu para Tiro. De lá dirigiu-se à Ásia Menor a fim de instigar os sírios e os macedônios contra os romanos. Quase não obteve resultados, mas suas atividades junto a essas potências asiáticas deram aos romanos um excelente pretexto para levar a guerra aos territórios do leste e anexar a maior parte do mundo egeu.

Perseguido de cidade em cidade, fugitivo sem lar, Aníbal reconheceu por fim que seu sonho ambicioso fracassara. A amada cidade de Cartago fora arruinada pela guerra e forçada a assinar uma rendição humilhante. Sua marinha fora extinta; a cidade estava proibida de mover guerra sem a permissão dos romanos; fora condenada a pagar aos romanos milhões de dólares por anos sem fim. A vida não oferecia a esperança de um futuro melhor. No ano de 190 a.C., Aníbal tomou veneno e suicidou-se.

Quarenta anos depois, os romanos impuseram a Cartago uma última guerra. Por três longos anos os habitantes da antiga colônia fenícia resistiram ao poder da nova república, até que por fim a fome os forçou a render-se. Os poucos homens e mulheres que sobreviveram ao cerco foram vendidos como escravos. A cidade foi incendiada. Por duas semanas arderam em chamas os armazéns, os palácios e o grande arsenal cartaginês. Por fim, uma maldição terrível foi invocada sobre as ruínas enegrecidas, e as legiões romanas voltaram à Itália para gozar de sua vitória.

Hendrik Willem van Loon

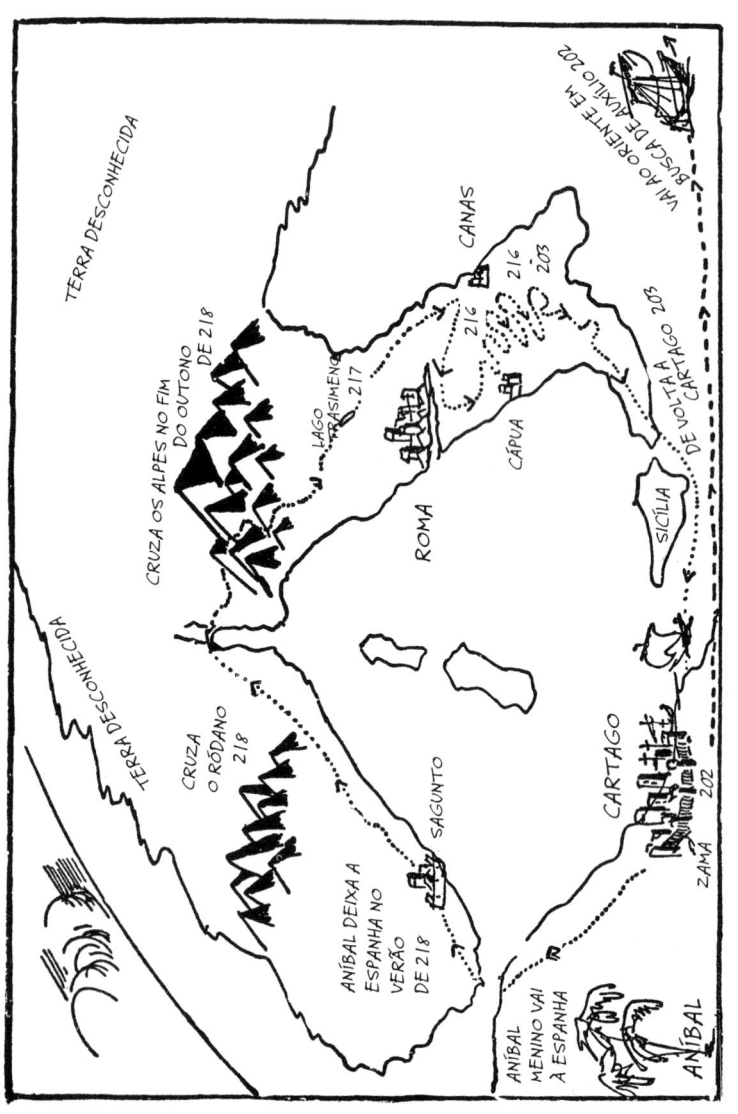

A partir de então, por mil anos o Mediterrâneo foi um mar europeu. Mas, logo que o Império Romano foi destruído, a Ásia fez nova tentativa de dominar esse grande mar interior, como você verá quando eu lhe contar sobre Maomé.

A morte de Aníbal

23
A ASCENSÃO DE ROMA
Como Roma aconteceu

O Império Romano foi um acidente. Ninguém o planejou. Ele simplesmente "aconteceu". Nenhum general famoso, nenhum estadista, nenhum criminoso jamais se levantou e disse: "Amigos, romanos, concidadãos, precisamos fundar um império. Sigam-me e juntos conquistaremos a terra inteira, das colunas de Hércules ao monte Tauro."
Roma gerou generais famosos bem como estadistas e criminosos igualmente célebres, e os exércitos romanos lutaram pelo

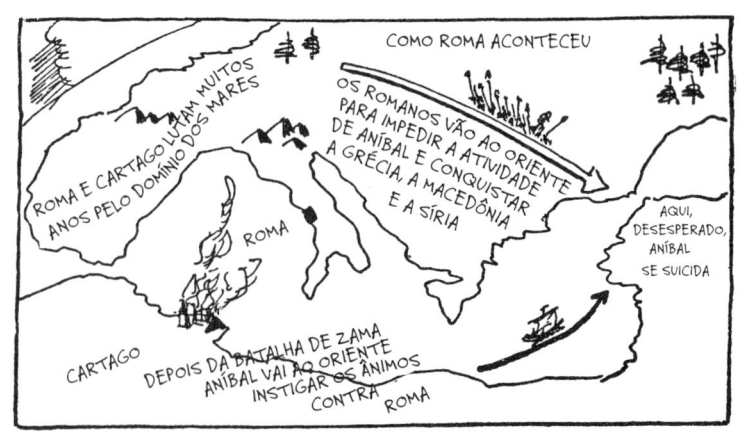

Como Roma aconteceu

mundo inteiro. Mas a atividade imperial de Roma se desenvolveu sem um plano preconcebido. O romano médio era um homem prático. Não gostava de teorias sobre o governo. Quando alguém começava a recitar "a oriente o curso do Império Romano etc. etc.", ele saía apressadamente do Fórum. Só continuava a abocanhar cada vez mais terras porque as circunstâncias o obrigavam a tanto. Não era movido pela ambição nem pela cobiça. Tanto por natureza quanto por gosto, era ele um agricultor e queria ficar em casa. Mas, quando atacado, era obrigado a se defender; e, se por acaso o inimigo atravessasse o mar para pedir a ajuda de um país distante, o paciente romano marchava por muitas e cansativas milhas para derrotar esse perigoso adversário. Uma vez cumprida essa missão, permanecia naquele local para administrar as províncias recém-conquistadas e impedir que elas caíssem nas mãos de bárbaros errantes e se tornassem elas mesmas nova ameaça à segurança romana. Tudo isso parece muito complicado, mas para o povo daquela época era muito simples, como você verá em seguida.

No ano de 203 a.c., Cipião cruzou o mar da África e levou a guerra para o solo africano. Cartago chamou Aníbal de volta. Desamparado por seus mercenários, Aníbal foi derrotado perto de Zama. Os romanos exigiram sua rendição, mas Aníbal fugiu para obter o apoio dos reis da Macedônia e da Síria, como eu lhe disse no capítulo anterior.

Os governantes desses dois países (resquícios do império de Alexandre Magno) estavam naquela mesma época planejando uma expedição contra o Egito. Esperavam dividir entre si o rico vale do Nilo. O rei do Egito soubera desses planos e pedira o auxílio de Roma. Formou-se uma situação propícia para muitas intrigas e contra-intrigas extremamente interessantes. Mas os romanos, com sua proverbial falta de imaginação, fecharam as cortinas do palco antes que a peça começasse. Suas legiões infligiram uma derrota absoluta às pesadas falanges gregas que ainda eram usadas pelos macedônios como formações de batalha. Isso aconteceu no ano de 197 a.c., na batalha travada nas planícies de Cinoscéfalos, ou "Cabeças de Cão", na Tessália central.

Os romanos marcharam então rumo ao sul, à Ática, e anunciaram aos gregos que chegavam para "libertar os helenos do jugo macedônio". Os gregos, que nada haviam aprendido em seus anos de semi-escravidão, fizeram um uso infeliz de sua recém-adquirida liberdade. Todas as pequenas cidades-Estado começaram novamente a brigar entre si, como na época antiga. Os romanos, que mal compreendiam e não gostavam nem um pouco das tolas disputas internas de uma raça que desprezavam, demonstraram grande tolerância. Mas, cansados dessas dissensões sem fim, perderam a paciência, invadiram a Grécia, arrasaram e queimaram Corinto (como "exemplo para os outros gregos") e instalaram em Atenas um governador romano para reger a turbulenta província. Assim, a Macedônia e a Grécia tornaram-se estados-tampões para proteger as fronteiras orientais de Roma.

Enquanto isso, do outro lado do Helesponto estendia-se o reino da Síria, e Antíoco III, rei desse grande país, mostrara-se muito ávido quando seu distinto hóspede, o general Aníbal, lhe explicara como seria fácil invadir a Itália e saquear a cidade de Roma.

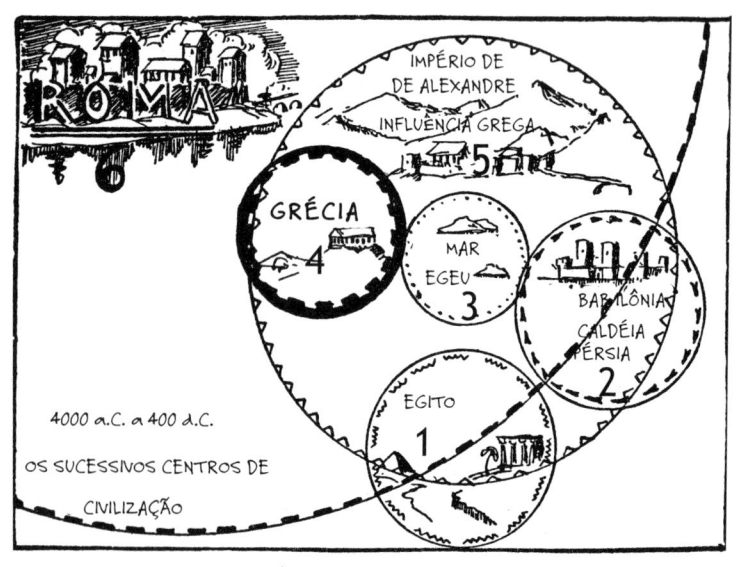

A civilização ruma para o oeste

Lúcio Cipião – irmão de Cipião Africano, que derrotara Aníbal e seus cartagineses em Zama – foi enviado à Ásia Menor. Destruiu os exércitos do rei da Síria perto de Magnésia (no ano 190 a.C.). Pouco tempo depois, Antíoco foi linchado pelo seu próprio povo. A Ásia Menor tornou-se um protetorado romano, e a pequena cidade-Estado de Roma era a senhora da maioria das terras vizinhas ao Mediterrâneo.

24
O IMPÉRIO ROMANO
Como a república de Roma tornou-se um império depois de séculos de turbulências e revoluções

Quando os exércitos romanos voltaram dessas muitas campanhas vitoriosas, foram recebidos com grande júbilo. Mas, ai de nós!, essa glória repentina não fez o país mais feliz. Muito pelo contrário. As infindáveis expedições guerreiras haviam arruinado os agricultores, a quem cabia a parte mais difícil da tarefa de construir o império. A guerra, além disso, colocara um poder excessivo nas mãos dos generais bem-sucedidos (e dos seus amigos), que a usavam como pretexto para o puro e simples roubo.

A velha República Romana orgulhara-se da simplicidade que caracterizava a vida de seus homens famosos. A nova república sentia vergonha das túnicas remendadas e dos princípios elevados que eram moda na época de seus avós. Tornou-se, isto sim, uma terra de homens ricos, governada pelos ricos em vista do benefício dos ricos. Por isso, condenou-se a um desastroso fracasso, como vou lhe contar agora.

Em menos de um século e meio, Roma tornara-se a senhora de praticamente todas as terras costeiras ao Mediterrâneo. Nessa época recuada da história, todo prisioneiro de guerra perdia a sua liberdade e virava escravo. A guerra era assunto muito sério para os romanos, que não tinham misericórdia dos inimigos derrotados. Depois da queda de Cartago, as mulheres e crianças cartaginesas foram vendidas como escravas junto com seus próprios escravos. E um destino semelhante aguardava os obstinados habitantes da Grécia, da Macedônia, da Espanha e da Síria quando ousaram revoltar-se contra o poderio romano.

A história da humanidade

Há dois mil anos, um escravo era uma simples máquina. Hoje em dia, os ricos investem seu dinheiro em fábricas. Os ricos de Roma (os senadores, os generais e, de modo geral, todos os que lucravam com a guerra) investiam em terra e em escravos. A terra era comprada ou simplesmente ocupada nas províncias recém-adquiridas. Os escravos eram comprados pelo menor preço em mercado aberto. Durante a maior parte dos séculos III e II a.c., o suprimento de escravos era farto e, por causa disso, os senhores de terras não relutavam em obrigar seus escravos a trabalhar até a morte, pois podiam em seguida comprar escravos novos na próxima feira de prisioneiros coríntios ou cartagineses.

Mas olhe só o estado em que vivia o agricultor livre! Ele cumprira seu dever para com Roma: lutara em suas guerras sem reclamar. Mas quando chegou em casa, ao cabo de dez, quinze ou vinte anos, encontrou suas terras cobertas de ervas daninhas e sua família arruinada. Era, porém, um homem forte e disposto a recomeçar do zero. Arou a terra, semeou e esperou pela colheita. Levou seus cereais ao mercado, junto com o gado e as aves, mas constatou que os grandes latifundiários, que empregavam escravos para trabalhar a terra, eram capazes de vender todos os seus produtos mais baratos dos que os dele. Por um ou dois anos tentou sobreviver, mas depois, desesperado, teve de desistir. Deixou a zona rural e foi para a cidade mais próxima. Nesta, porém, continuou tão faminto quanto quando estivera no campo. A única diferença é que partilhava sua miséria com milhares de outros homens e mulheres deserdados, que se amontoavam em imundos pardieiros nos subúrbios das grandes cidades. Estavam todos profundamente descontentes. Haviam lutado por seu país, e eis o que recebiam como recompensa. Estavam sempre dispostos a ouvir os oradores bem-falantes que se atiram sobre as queixas do povo como outros tantos abutres famintos, e logo constituíram-se em grave ameaça à segurança do Estado.

Mas a classe dos novos-ricos deu de ombros. "Temos nosso exército e nossos policiais", pensaram. "Eles manterão sob controle a multidão." E, assim, esconderam-se por trás das altas muralhas de suas casas de campo, cultivaram suas hortas e jardins e leram os poemas de um certo Homero, que um escravo grego acabara de verter em belos hexâmetros latinos.

Hendrik Willem van Loon

Roma

A história da humanidade

Algumas famílias, porém, guardavam a antiga tradição de serviço desinteressado à comunidade. Cornélia, a filha de Cipião Africano, casara-se com um romano de nome Graco e dele tivera dois filhos, Tibério e Caio. Quando os meninos cresceram, entraram na política e procuraram realizar certas reformas muito necessárias. Um censo demonstrara que a maior parte da terra da península italiana pertencia a meras duas mil famílias nobres. Tibério Graco, eleito tribuno, procurou ajudar os homens livres. Ressuscitou duas antigas leis que limitavam a quantidade de terra que poderia estar sob a posse de um único dono. Esperava assim dar nova vida à preciosa e antiga casta dos agricultores pequenos e independentes. Os novos-ricos chamaram-no de ladrão e inimigo do Estado. O povo das ruas se revoltou. Um bando de delinqüentes foi contratado para matar o popular tribuno. Tibério Graco foi atacado quando entrava na assembléia e espancado até a morte. Dez anos depois, seu irmão Caio experimentou reformar toda uma nação indo contra o desejo manifesto de uma forte classe privilegiada. Fez aprovar uma "lei dos pobres" cujo objetivo era o de ajudar os agricultores que haviam perdido suas terras. No fim, essa lei transformou a maior parte dos cidadãos romanos em mendigos profissionais.

Caio fundou colônias de miseráveis em rincões longínquos do império, mas essas colônias não foram povoadas pelas pessoas certas. Antes que Caio Graco pudesse cometer mais imprudências, também ele foi assassinado e seus seguidores foram mortos ou exilados. Os dois primeiros reformadores tinham sido membros da nobreza. Os dois que vieram a seguir eram de outra casta de homens: eram soldados profissionais. Um deles se chamava Mário; o outro, Sila. Ambos tinham muitos seguidores.

Sila era o chefe dos proprietários de terras. Mário, vencedor de uma grande batalha travada ao pé dos Alpes, em que foram aniquilados os teutões e os címbrios, era o herói popular dos homens livres deserdados.

Aconteceu no ano 88 a.C. que o Senado de Roma ficou gravemente perturbado com certos rumores que vinham da Ásia. Mitridates, rei de um país localizado à beira do mar Negro e grego por parte de mãe, contemplava a possibilidade de fundar um segundo império alexandrino. Começou sua campanha pela dominação do mundo com o assassínio de todos os cidadãos romanos que se encontravam na Ásia Menor, homens, mulheres e crianças. Tal ato, como é óbvio, significava guerra. O Senado equipou um exército para marchar contra o rei do Ponto e castigá-lo pelo seu crime. Mas quem seria o comandante-chefe? "Sila", disse o Senado, "pois é cônsul." "Mário", disse o povo, "pois foi cônsul cinco vezes e é o defensor dos nossos direitos."

A lei tende a não mudar as situações, e era Sila quem detinha de fato, na época, o comando dos exércitos. Encaminhou-se para o Oriente a fim de derrotar Mitridates, e Mário fugiu para a África. Lá esperou até saber que Sila passara da Europa à Ásia. Voltou então à Itália, juntou ao redor de si um bando heterogêneo de descontentes, marchou sobre Roma, entrou na cidade com seus bandoleiros profissionais, passou cinco dias e cinco noites chacinando seus inimigos no partido senatorial, fez-se eleger cônsul e logo em seguida morreu, cansado pelos excessos de sua última quinzena de vida.

Seguiram-se quatro anos de baderna. Foi então que Sila, depois de derrotar Mitridates, anunciou que estava pronto para voltar e acertar algumas contas. Foi isso mesmo que fez. Por algumas semanas, seus soldados ocuparam-se de executar todos os seus concidadãos suspeitos de simpatizar com a democracia. Certo dia, capturaram um jovem que fora visto muitas vezes na companhia de Mário. Iam enforcá-lo quando alguém disse: "Este menino é muito novo." Então deixaram-no ir em paz. O nome desse menino era Júlio César, e você vai encontrá-lo de novo na página seguinte.

Quanto a Sila, tornou-se *dictator*, ou seja, soberano único e supremo de todas as terras romanas. Governou Roma por quatro anos e depois morreu tranqüilo em sua cama, tendo passado os últimos anos de sua vida plantando pacificamente seus repolhos, como era o costume de tantos romanos que passavam a vida a chacinar seus concidadãos.

Mas nem por isso a situação melhorou. Muito pelo contrário, piorou. Outro general, Cnaeus Pompeius, ou Pompeu, amigo de Sila, partiu para o Oriente a fim de renovar a guerra contra o sempre inoportuno Mitridates. Expulsou esse forte guerreiro para as montanhas, onde Mitridates tomou veneno e suicidou-se, ciente do destino que o aguardava como cativo dos romanos. Então Pompeu restabeleceu a autoridade de Roma sobre a Síria, destruiu Jerusalém, vagou pela Ásia ocidental procurando reavivar o mito de Alexandre Magno e por fim (no ano 62 a.c.) voltou a Roma com doze navios cheios de reis, príncipes e generais derrotados, todos obrigados a marchar na procissão triunfal desse popularíssimo romano que presenteou sua cidade com a soma de quarenta milhões de dólares em espólios de guerra.

Era preciso que o governo de Roma fosse colocado nas mãos de um homem forte. Poucos meses antes, a cidade quase caíra sob o domínio de um aristocrata jovem e inútil chamado Catilina, que perdera todo o seu dinheiro no jogo e tinha esperanças de recuperá-lo através do saque e da pilhagem. Cícero, um advogado de forte espírito público, descobriu o plano, alertou o Senado e forçou Catilina a fugir. Mas, em vista dos muitos outros jovens com ambições semelhantes, não havia tempo a perder.

Pompeu organizou um triunvirato para tomar conta do governo. Tornou-se o líder desse comitê de vigilância. Caio Júlio César, que granjeara certa reputação como governador da Espanha, era o segundo no comando. O terceiro era um homem medíocre chamado Crasso, que fora eleito por ser inacreditavelmente rico e grande fornecedor de equipamentos para a guerra. Logo partiu numa expedição contra os partos e foi morto.

Quanto a César, que era de longe o mais hábil dos três, decidiu que precisava de um pouco mais de glória militar para se tornar um herói popular. Cruzou os Alpes e conquistou aquela parte do mundo que hoje se chama França. Plantou então uma sólida ponte de madeira sobre o Reno e invadiu a terra dos selvagens teutões. Por fim, construiu uma frota e chegou à Inglaterra. Só Deus sabe até onde teria ido se não tivesse sido forçado a voltar para a Itália. Segundo lhe diziam, Pompeu havia sido nomeado ditador vitalício. Isso, evidentemente, significava que o nome de César seria acrescentado à lista dos "oficiais militares reformados", e essa idéia não o atraía. Lembrou-se então que começara a vida como seguidor de Mário e decidiu ensinar mais

César parte para o Ocidente

uma lição aos senadores e a seu "ditador". Cruzou o rio Rubicão, que separava da Itália a província da Gália Cisalpina. Em toda parte era recebido como "amigo do povo". Sem dificuldade alguma, César entrou em Roma e Pompeu fugiu para a Grécia. César seguiu-o e derrotou seus seguidores perto de Farsália. Pompeu atravessou o Mediterrâneo e fugiu para o Egito. Quando lá aterrou, foi assassinado por ordem do jovem rei Ptolomeu. Poucos dias depois, César chegou e viu-se pego numa armadilha. Tanto os egípcios quanto a guarnição romana, que permanecera fiel a Pompeu, atacaram seu acampamento.

Mas a sorte estava do lado de César, que conseguiu atear fogo à frota marítima egípcia. Por acaso, as centelhas desse incêndio caíram sobre o telhado da famosa biblioteca de Alexandria (que ficava em frente ao mar) e destruíram-na. Depois César atacou o exército egípcio, encurralou os soldados junto ao Nilo, matou por afogamento o jovem Ptolomeu e estabeleceu um novo governo sob a rainha Cleópatra, irmã do rei falecido. Nesse momento chegou-lhe a notícia de que Farnaces, filho e herdeiro de

A história da humanidade

Mitridates, estava assumindo atitudes hostis a Roma. César marchou para o norte, derrotou Farnaces numa guerra de cinco dias, enviou notícia de sua vitória a Roma com a famosa frase em latim *veni, vidi, vici*, que significa "vim, vi e venci", e voltou por fim ao Egito, onde caiu apaixonado nos braços de Cleópatra, que o seguiu a Roma quando ele para lá voltou a fim de assumir o comando do governo, no ano 46 a.c. Marchou à testa de quatro desfiles triunfais, pois saíra vitorioso em quatro campanhas guerreiras.

Apareceu então perante o Senado para fazer o relato de suas aventuras. O Senado, cheio de gratidão, nomeou-o "ditador" por dez anos. Foi uma medida decisiva.

O novo ditador fez tentativas sérias de reformar o Estado romano. Possibilitou que os plebeus se tornassem membros do Senado; conferiu direitos de cidadania a comunidades distantes, como nos primeiros tempos da história romana; permitiu que "estrangeiros" exercessem influência sobre o governo; reformou a administração das províncias longínquas, que certas famílias aristocráticas haviam passado a considerar como seus feudos particulares. Em suma, operou muitos benefícios em favor da maioria do povo, coisa que, por outro lado, o tornou odiado dos homens mais poderosos da nação. Cerca de cinqüenta jovens aristocratas mancomunaram-se para "salvar a república". Nos idos de março (dia 15 de março, de acordo com o novo calendário que César importara do Egito), César foi assassinado quando entrava no senado. Mais uma vez, Roma estava sem governante.

Dois homens procuraram dar continuidade à tradição gloriosa de César. O primeiro foi Antônio, seu antigo secretário. O segundo foi Otaviano, sobrinho-neto de César e herdeiro de seus bens. Otaviano permaneceu em Roma, mas Antônio dirigiu-se ao Egito para ficar próximo de Cleópatra, por quem também havia se apaixonado – hábito que os generais romanos aparentemente tinham.

Deflagrou-se a guerra entre os dois. Na batalha de Áccio, Otaviano derrotou Antônio. Este suicidou-se e Cleópatra ficou sozinha perante o inimigo. Esforçou-se ainda para fazer de Otaviano sua terceira conquista romana, mas, quando viu que não

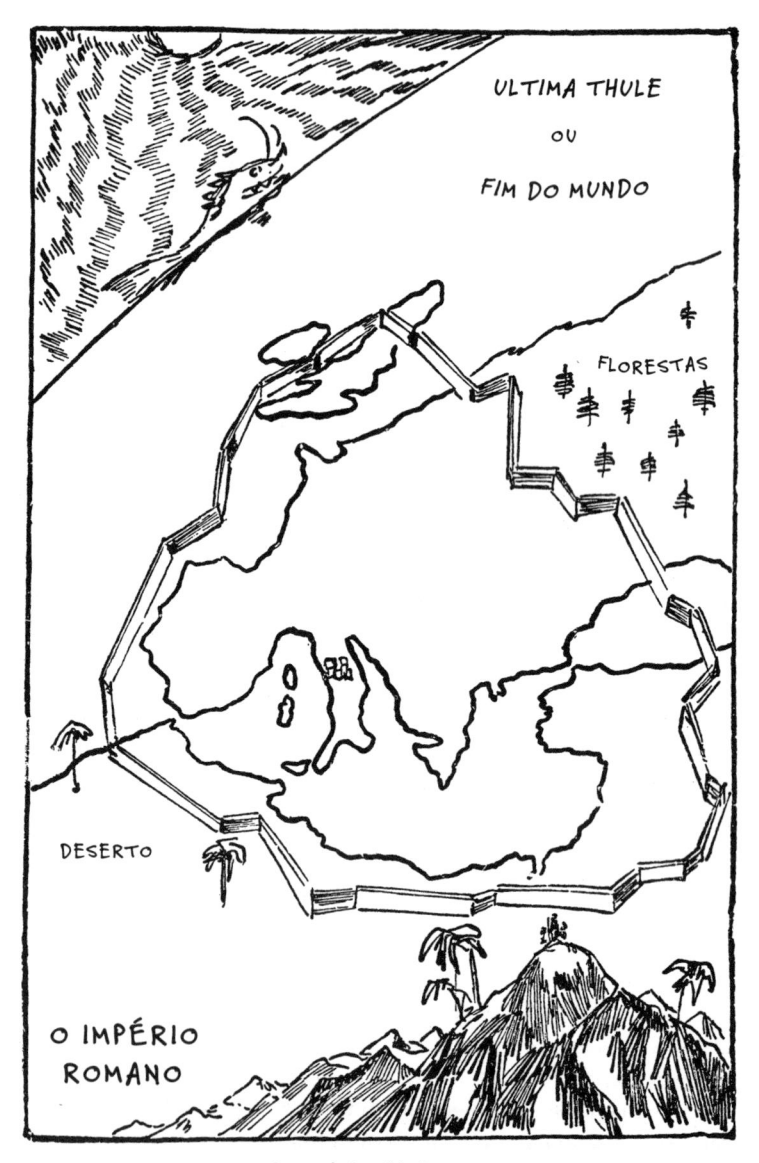

O grande Império Romano

conseguiria impressionar esse altivo aristocrata, matou-se; e o Egito virou província romana.

Já Otaviano era um jovem sábio e não repetiu o erro em que caíra seu famoso tio. Sabia que as pessoas se deixam facilmente impressionar por palavras. Por isso, quando voltou a Roma, foi extremamente modesto em suas exigências. Não queria ser "ditador"; contentar-se-ia com o título de "Honorável". Mas quando o Senado, alguns anos depois, chamou-o de Augusto – o ilustre –, ele não se opôs; e pouco tempo depois os homens comuns chamavam-no de César, ou *kaiser*, ao passo que os soldados, acostumados a vê-lo como comandante supremo, chamavam-no de chefe, *imperator* ou imperador. A república se tornara um império, mas o romano comum quase não se dera conta desse fato.

No ano 14 d.C., sua posição como regente absoluto do povo romano se consolidara a tal ponto que ele se tornou objeto de uma adoração que até então fora reservada somente aos deuses. E seus sucessores foram verdadeiros "imperadores" – soberanos absolutos do maior império que o mundo já conhecera.

Para falar a verdade, o cidadão comum já estava cansado de anarquia e desordem. Não se importava com quem fosse o seu governante, desde que o novo mestre lhe desse a oportunidade de viver tranqüilo sem ouvir mais o barulho incessante dos tumultos na rua. Otaviano garantiu a seus súditos quarenta anos de paz. Não teve vontade de expandir as fronteiras de seus domínios. No ano 9 d.C., contemplou uma invasão das florestas do noroeste, habitadas pelos teutões. Mas Varo, seu general, foi morto com todos os seus homens nas florestas de Teutoburgo, e depois disso os romanos não fizeram mais tentativas de civilizar esse povo selvagem.

Concentraram seus esforços na gigantesca tarefa de reforma interna. Porém, já era tarde demais para se fazer alguma coisa. Os dois séculos de revoluções internas e guerras no estrangeiro haviam dizimado os melhores homens das gerações mais jovens, arruinado a classe dos agricultores livres, introduzido a instituição do trabalho escravo com o qual nenhum homem livre tinha a esperança de competir, transformado as cidades em formigueiros habitados por multidões de camponeses emigrados, miseráveis e doentes, e criado uma gigantesca burocracia – funcionários públicos de baixo escalão, mal pagos, que eram forçados a aceitar propinas para comprar pão e vestimentas para suas famílias. E o pior de tudo: tinham acostumado o povo à violência, ao derramamento de sangue, ao bárbaro deleite perante a dor e o sofrimento alheio.

Por fora, o Estado romano no primeiro século de nossa era foi uma estrutura política magnífica e tão grande que o próprio império de Alexandre não era mais do que uma de suas menores províncias. Por trás dessa glória havia milhões e milhões de seres humanos pobres e fatigados, que labutavam como formigas, que construíram sua casa debaixo de uma pesada pedra. Trabalhavam para o benefício de outros, partilhavam do alimento dos animais dos campos, viviam em estábulos e morriam sem esperança.

Corria o ano 753 depois da fundação de Roma. Caio Júlio César Otaviano Augusto habitava o palácio do monte Palatino, dedicado à tarefa de administrar seu império.

Num vilarejo da distante Síria, Maria, esposa de José, o carpinteiro, cuidava de seu filhinho, que nascera num estábulo de Belém.

Este mundo é muito estranho.

Pouco tempo depois, o palácio e o estábulo viriam a combater abertamente entre si.

E o estábulo haveria de sair vencedor.

25
JOSUÉ DE NAZARÉ
*A história de Josué de Nazaré,
que os gregos chamaram de Jesus*

No outono do ano 815 da fundação da cidade (que seria o ano 62 d.c. pelo nosso sistema de medir o tempo), Esculápio Cultelo, médico romano, escreveu a seguinte carta a seu sobrinho que estava com o exército na Síria:

Caro Sobrinho,
Há poucos dias fui chamado a atender um doente chamado Paulo. Ele parecia ser um cidadão romano de ascendência judia, homem instruído e de maneiras agradáveis. Disseram-me que estava em Roma por causa de um processo judicial, um apelo lançado por um de nossos tribunais provinciais, de Cesaréia ou alguma outra cidade do Mediterrâneo oriental. Descreveram-no como um sujeito "desequilibrado e violento", que fazia discursos contra o povo e contra a lei. Quanto a mim, achei-o muito inteligente e extremamente honesto.

Um amigo meu, que esteve com o exército na Ásia Menor, afirma que ouviu falar dele em Éfeso, onde Paulo teria pregado sermões sobre um novo e estranho deus. Perguntei a meu paciente se isso era verdade e se ele de fato incitara o povo a rebelar-se contra a autoridade de nosso bem-amado imperador. Paulo respondeu-me que o reino de que falava não era deste mundo, e me disse muitas coisas estranhas que não compreendi, mas que se deviam provavelmente aos delírios da febre.

Sua personalidade causou sobre mim forte impressão, e lamentavelmente ele foi morto na estrada de Óstia há poucos dias. Por isso escrevo-te esta carta. Quando visitares Jerusalém, quero que descubras algo sobre meu amigo Paulo e sobre o estranho profeta judeu que parece ter sido seu mestre. Nossos escravos estão ficando entusiasmados com esse dito Messias, e alguns deles, que ousaram falar abertamente sobre o novo reino (seja isto o que for), foram crucificados. Gostaria de saber a verdade acerca desses rumores. Sempre dedicado a ti,

Teu Tio
Esculápio Cultelo

Seis semanas depois, Gládio Ensa, o sobrinho, capitão da VII Infantaria Gálica, enviou ao tio a seguinte resposta:

Caríssimo Tio,
Recebi tua carta e cumpri tuas instruções.
Há duas semanas, nossa brigada foi enviada a Jerusalém. Diversas revoluções aconteceram nos últimos cem anos, e quase nada resta da antiga cidade. Já estamos aqui há um mês e amanhã marcharemos a Petra, onde algumas tribos árabes têm causado problemas. Tomarei esta noite para responder às tuas perguntas, mas por favor não esperes que eu te forneça um relato detalhado.
Falei com a maioria dos velhos desta cidade, mas poucos foram capazes de me dar informações concretas. Há alguns dias, um mascate veio ao acampamento. Comprei dele algumas azeitonas e lhe perguntei se ouvira falar do famoso Messias que fora executado quando ele era jovem. Disse que se lembrava claramente do acontecido, pois seu pai o levara ao Gólgota (uma colina fora da cidade) para assistir à execução e mostrar-lhe o que acontecia com os inimigos da lei do povo judeu. Deu-me o endereço de um certo José, que foi amigo pessoal do Messias; e me disse que, se quisesse saber mais, eu deveria ir visitá-lo.
Hoje pela manhã, fui à casa de José. Era um homem bastante velho, que fora pescador num dos lagos de água doce. Sua memória era clara, e dele por fim obtive um relato relativamente preciso do que aconteceu naquela época tumultuada, antes que eu nascesse.
Tibério, nosso grande e glorioso imperador, sentava-se então no trono, e um funcionário de nome Pôncio Pilatos era governador da Judéia e da Samaria. José sabia pouco a respeito de Pilatos. Parece ter sido um funcionário honesto, que deixou atrás de si uma boa reputação como administrador da província. No ano 783 ou 784 (José

A história da humanidade

A Terra Santa

se esquecera da data exata) Pilatos foi chamado a Jerusalém por conta de um tumulto. Dizia-se que um certo jovem (filho de um carpinteiro de Nazaré) estava planejando uma revolução contra o governo romano. O estranho é que nossos próprios espiões, que geralmente estão bem informados, aparentemente nada sabiam a respeito disso; e, quando investigaram o assunto, relataram que o carpinteiro era um excelente cidadão e que não havia motivo para intimá-lo. Porém, segundo José, os antiquados líderes da fé judaica estavam muito aborrecidos. Odiavam a popularidade que aquele homem granjeara junto às massas dos hebreus pobres. O "Nazareno" (assim disseram a Pilatos) havia afirmado publicamente que um grego, um romano ou mesmo um filisteu, que procurasse levar uma vida decente e honrada, era tão bom quanto um judeu que passasse o dia a estudar a antigas leis de Moisés. Pilatos, ao que parece, não se deixou impressionar por esse argumento e, quando as turbas ao redor do templo ameaçaram linchar Jesus e matar todos os seus seguidores, decidiu ficar com o carpinteiro sob sua custódia para salvar-lhe a vida.

Pilatos não parece ter compreendido a verdadeira natureza do conflito. Sempre que pedia aos sacerdotes judeus que expusessem suas queixas, eles gritavam "heresia" e "traição" e ficavam terrivelmente eufóricos. Por fim, segundo me contou José, Pilatos mandou trazerem Josué (era esse o nome do Nazareno, mas os gregos que vivem nesta parte do mundo sempre o chamam de Jesus) para interrogá-lo pessoalmente. Falou com ele por várias horas. Perguntou-lhe sobre as "doutrinas perigosas" que teria pregado às margens do mar da Galiléia. Mas Jesus lhe respondeu que nunca falara de política. Não estava interessado no corpo do homem, mas em sua alma. Queria que todos vissem a seus próximos como irmãos e amassem um único deus, o pai de todos os seres.

Pilatos, que provavelmente era versado nas doutrinas dos estóicos e dos outros filósofos gregos, não parece ter descoberto nada de sedicioso na fala de Jesus. Segundo meu informante, fez mais uma tentativa de salvar a vida do bondoso profeta. Ficava adiando a execução. Enquanto isso, o povo judeu, movido à fúria pelos sacerdotes, ficou incontrolável. Já houvera muitos tumultos em Jerusalém antes disso, e eram poucos os soldados romanos acampados nas proximidades. Relatava-se às autoridades romanas em Cesaréia que Pilatos "caíra vítima dos ensinamentos do Nazareno". Por toda a cidade circulavam petições para que Pilatos fosse destituído de seu cargo por ser inimigo do imperador. Sabes que nossos governadores têm ordens rigorosas de evitar todo rompimento manifesto com nossos súditos estrangeiros. Para salvar o país da guerra civil, Pilatos decidiu por fim sacrificar seu prisioneiro Josué, que se portou com grande dignidade e perdoou todos os que o odiavam. Foi crucificado em meio aos gritos e aos risos das multidões de Jerusalém.

Foi isso o que José me contou, com lágrimas correndo pelas faces envelhecidas. Dei-lhe uma moeda de ouro antes de ir embora, mas ele a recusou e me disse que a desse a alguém mais pobre. Fiz-lhe também algumas perguntas sobre o teu amigo Paulo. José o conhecera ligeiramente. Parece ter sido um fabricante de tendas que abandonou a profissão para pregar as palavras de um deus amoroso e misericordioso, muito diferente do Jeová de que os sacerdotes judeus nos falam o tempo todo. Depois disso, parece que Paulo viajou muito por toda a Ásia Menor e a Grécia, dizendo aos escravos que todos eles são filhos de um único pai amoroso e que a felicida-

A história da humanidade

de aguarda a todos, pobres e ricos, que procurassem viver honestamente e fazer o bem aos sofredores e aos miseráveis.

Espero ter respondido satisfatoriamente às tuas perguntas. No que diz respeito à segurança do Estado, a história toda me parece inofensiva. Mas nós, romanos, nunca fomos capazes de compreender o povo desta província. Lamento por terem executado o teu amigo Paulo. Sinto falta de casa e abraço-te.

Teu diligente sobrinho,
GLÁDIO ENSA.

26
A QUEDA DE ROMA
O crepúsculo de Roma

Os livros de história antiga nos dão a data de 476 para o ano da queda de Roma, pois nesse ano o último imperador foi deposto do trono. Mas Roma, que não foi construída num dia, demorou bastante também para cair. O processo foi tão lento e tão gradual que a maioria dos romanos não percebeu que seu mundo estava chegando ao fim. Reclamavam da inquietude da época, queixavam-se dos altos preços da comida e dos baixos salários dos trabalhadores e amaldiçoavam os especuladores que detinham o monopólio dos cereais, da lã e das moedas de ouro. Vez por outra, rebelavam-se contra um governador excessivamente ganancioso. Porém, a maioria das pessoas no decorrer dos primeiros quatro séculos da nossa era comiam e bebiam (o que quer que seus recursos permitissem), amavam e odiavam (segundo a sua natureza) e iam ao teatro (sempre que se promovia um espetáculo gratuito de combate entre gladiadores) ou morriam de fome nas favelas das grandes cidades, totalmente desatentas ao fato de que seu império já perdera sua utilidade e estava condenado a perecer.

Como poderiam perceber essa ameaça? Roma dava um grande espetáculo de glória. Estradas bem pavimentadas ligavam as diversas províncias, os policiais do império trabalhavam e demonstravam pouca misericórdia para com os salteadores profissionais. As fronteiras eram bem guardadas contra as tribos selvagens que pareciam ocupar as terras ermas da Europa setentrional. O mundo inteiro pagava tributos à poderosa cidade de Roma, e um bom número de homens capacitados trabalhavam dia e noite para reparar os erros do passado e fazer voltar a situação mais feliz da época inicial da república romana.

Porém, as causas fundamentais do declínio do Estado, de que lhe falei num capítulo anterior, não tinham sido eliminadas, e por isso a reforma era impossível.

Roma era, como sempre fora e sempre foi até o final, uma cidade-Estado, como Atenas e Corinto haviam sido na antiga Hélade. Na qualidade de cidade-Estado, fora capaz de dominar a península itálica. Mas Roma como soberana de todo o mundo civilizado era uma impossibilidade política que não podia durar. Seus jovens eram chacinados nas infindáveis guerras; seus agricultores, arruinados pelo longo serviço militar e pelos impostos. Ou se tornavam mendigos profissionais ou vendiam seu trabalho aos ricos senhores de terras, que lhes davam o que comer e onde dormir em troca de seus serviços, tornando-os "servos", essa casta infeliz de seres humanos que não são nem escravos nem livres, mas se tornam parte do solo no qual trabalham, como as vacas e as árvores.

O império, o Estado, englobara em si todas as coisas. O cidadão comum valia menos do que nada. Quanto aos escravos, haviam ouvido a pregação de Paulo e aceitado a mensagem do humilde carpinteiro de Nazaré. Não se rebelavam contra seus senhores. Muito pelo contrário, aprendiam a ser mansos e a obedecer aos superiores. Mas perdiam todo o interesse pelos assuntos deste mundo, que se revelara um tão miserável vale de lágrimas. Estavam dispostos a combater o bom combate para entrar no Reino dos Céus, mas não tinham a menor disposição de fazer guerra para satisfazer a vontade de um imperador ambicioso que aspirava à glória militar no estrangeiro, nas terras dos partos, dos númidas ou dos escoceses.

Assim, a situação piorou com o correr dos séculos. Os primeiros imperadores tinham dado continuidade à tradição de "comando" que dava aos antigos chefes tribais uma enorme influência sobre seus súditos. Mas os imperadores dos séculos II e III eram imperadores de caserna, soldados profissionais que retinham o poder por obra e graça de seus guarda-costas, os chamados guardas pretorianos. Tais imperadores sucederam uns aos outros com incrível rapidez, chegando ao poder pelo assassinato e deixando-o da mesma maneira, logo que seus sucessores se tornavam ricos o suficiente para oferecer novo e mais polpudo suborno aos guardas em troca de sua rebelião.

Uma cidade romana depois da passagem dos bárbaros

Entretanto, os bárbaros batiam nos portões da fronteira norte. Uma vez que já não havia homens de sangue romano para compor os exércitos, mercenários estrangeiros tiveram de ser contratados para combater os invasores. Como tais soldados estrangeiros tinham o mesmo sangue de seus supostos inimigos, tendiam a ser excessivamente clementes na batalha. Por fim, a título de experiência, algumas tribos puderam estabelecer-se dentro das fronteiras do império. Outras se seguiram às primeiras. Logo essas tribos começaram a protestar contra os ávidos coletores de impostos que vinham de Roma e espoliavam-nas até o último centavo. Ao ver frustrados os seus pedidos de compensação, marcharam sobre Roma e exigiram em altos brados que fossem ouvidas.

Com isso, Roma tornou-se uma cidade muito incômoda para ser a residência do imperador. Constantino (que governou de

323 a 337) procurou para si uma nova capital. Escolheu a cidade de Bizâncio, grande portal do comércio entre a Europa e a Ásia. A cidade recebeu o novo nome de Constantinopla, e a corte mudou-se para Oriente. Quando Constantino morreu, seus dois filhos dividiram o império entre si para poder administrá-lo melhor. O mais velho morava em Roma e governava o Ocidente; o mais novo ficava em Constantinopla e era o senhor do Oriente.

Chegou então o século IV e a terrível sobrevinda dos hunos, misteriosos cavaleiros asiáticos que por mais de dois séculos mantiveram-se na Europa setentrional e levaram adiante sua carreira de carnificina até serem derrotados em Chalons-sur-Marne, na França, no ano de 451. Tão logo os hunos chegaram ao Danúbio, começaram a pressionar os godos. Estes, a fim de salvar a própria pele, foram então obrigados a invadir Roma. O imperador Valente tentou detê-los, mas foi morto perto de Adrianopla em 378. Vinte e dois anos depois, sob o rei Alarico, esses mesmos visigodos marcharam para oeste e atacaram Roma. Não fizeram pilhagem e limitaram-se a destruir alguns palácios. Depois vieram os vândalos, que não demonstraram tanto respeito pelas veneráveis tradições da cidade. Depois, os borguinhões; depois, os ostrogodos; depois, os alamanos; depois, os francos. Não havia fim para as invasões. Roma estava finalmente à mercê de qualquer bandoleiro ambicioso que conseguisse juntar alguns seguidores.

No ano de 402, o imperador fugiu para Ravena, porto marítimo solidamente fortificado; e lá, em 475, Odoacro, comandante de um regimento de mercenários germanos que pedia que as terras agrícolas da Itália fossem repartidas entre suas tropas, com toda delicadeza, mas também com firmeza, depôs do trono Rômulo Augústulo e proclamou-se patrício ou governante de Roma. O imperador do Oriente, muito ocupado com seus próprios assuntos, reconheceu-o e, por dez anos, Odoacro governou o que restava das províncias ocidentais.

Alguns anos depois, Teodorico, rei dos ostrogodos, invadiu o patriciado recém-constituído, tomou Ravena, assassinou Odoacro em sua própria mesa de jantar e fundou um reino godo em meio às ruínas da metade ocidental do império. O Estado patriciado não durou muito. No século VI, uma mistura heterogênea de lombardos, saxões, eslavos e ávaros invadiu a Itália, destruiu o reino germânico e estabeleceu um novo Estado cuja capital era Pávia.

Então, por fim, a cidade imperial soçobrou num estado de absoluto desespero e desleixo. Os antigos palácios tinham sido saqueados vezes sem conta; as escolas tinham sido incendiadas; os mestres tinham morrido de fome; os ricos tinham sido expulsos de suas casas de campo, agora habitadas por bárbaros peludos e malcheirosos. As estradas estavam intransitáveis; as velhas pontes tinham sido destruídas, e o comércio simplesmente parara. A civilização, produto de milhares de anos de paciente trabalho por parte de egípcios, babilônios, gregos e romanos, e que elevara o homem a uma altura infinitamente superior à dos mais ousados sonhos de seus antepassados remotos, corria o risco de perecer em todo o continente ocidental.

É verdade que, no Oriente, Constantinopla continuaria por mais mil anos a ser o centro de um império. Mas ela não pode ser considerada parte do continente europeu. Seus interesses estavam todos no Oriente. Aos poucos, ela foi se esquecendo de suas origens ocidentais. A língua latina foi sendo substituída pelo grego. O alfabeto romano foi descartado, e as leis romanas passaram a ser escritas em letras gregas e interpretadas por juízes gregos. O imperador tornou-se um déspota asiático, adorado como tinham sido adorados três mil anos antes os reis semidivinos de Tebas, no vale do Nilo. Quando os missionários da Igreja Bizantina buscaram novos campos de atividade, foram para o leste e levaram a civilização de Bizâncio para as vastas estepes da Rússia.

Já o Ocidente foi largado à mercê dos bárbaros. Por doze gerações, o assassínio, a guerra, o incêndio criminoso e a pilhagem constituíram a ordem do dia. Mas houve um fator – um único fator – que salvou a Europa da destruição absoluta, de uma volta à época das hienas e dos homens das cavernas.

Esse fator foi a Igreja – o rebanho de humildes homens e mulheres que havia muitos séculos confessavam-se seguidores de Jesus, o carpinteiro de Nazaré, que fora morto para que o poderoso Império Romano não tivesse de sofrer distúrbios numa pequena cidade em algum ponto da fronteira síria.

A história da humanidade

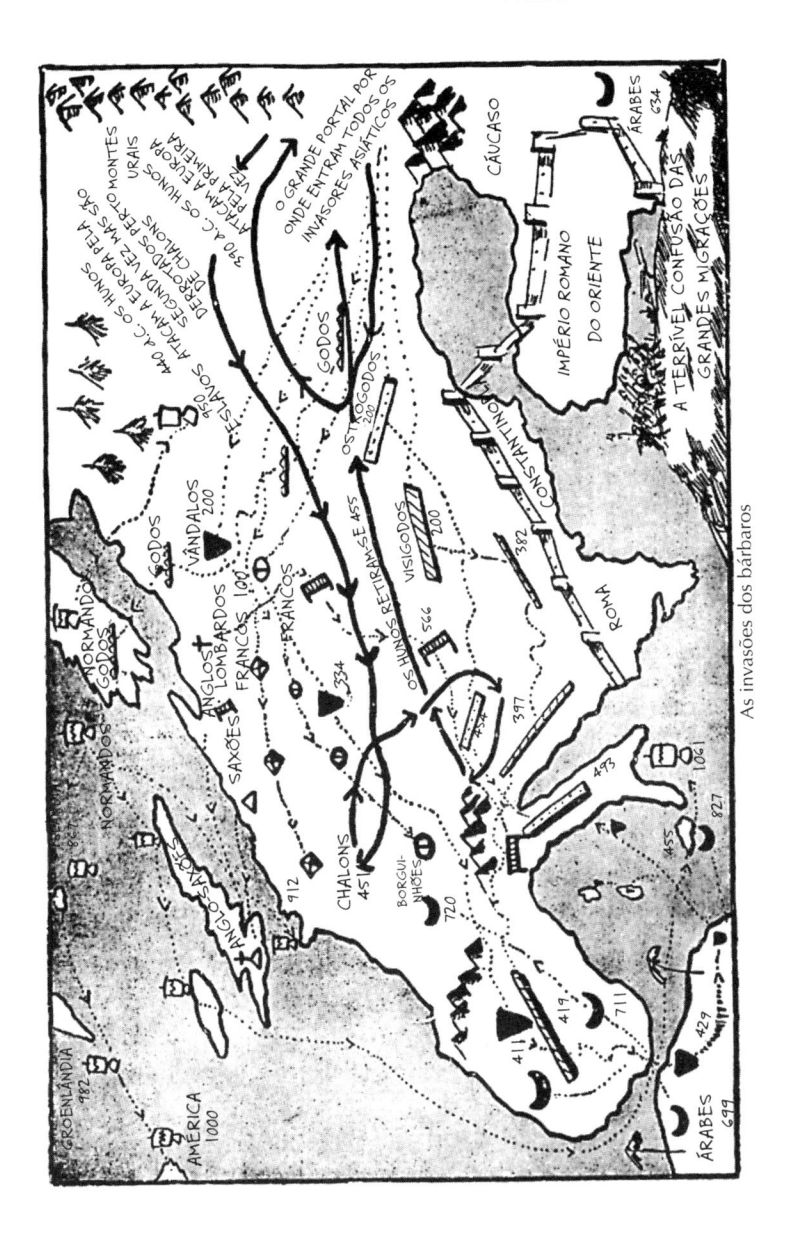

As invasões dos bárbaros

27
A ASCENSÃO DA IGREJA
Como Roma tornou-se o centro do mundo cristão

O romano inteligente que vivia sob o império tinha pouco interesse pelos deuses de seus antepassados. Algumas vezes por ano ia ao templo, mas só por costume. Quando o povo celebrava algum festival religioso com uma procissão solene, ele contemplava o acontecimento com paciência. Mas, para ele, a adoração de Júpiter, Minerva e Netuno era uma infantilidade, um resquício da época de trevas do começo da república, um objeto indigno da atenção e do estudo de um homem versado nas obras dos estóicos, dos epicuristas e dos demais grandes filósofos de Atenas. Essa atitude fazia do romano um homem muito tolerante. O governo insistia em que todos, romanos, estrangeiros, gregos, babilônios, judeus, rendessem um culto exterior à imagem do imperador, que deveria estar entronizada em todos os templos, assim como é normal que em todas as agências do correio norte-americano haja uma fotografia do atual presidente dos Estados Unidos. Mas tratava-se somente de uma formalidade, sem nenhum significado profundo. De modo geral, todos podiam venerar, reverenciar e adorar os deuses que quisessem, e, por isso, Roma era cheia de estranhos templos e sinagogas dedicados ao culto de divindades egípcias, africanas e asiáticas.

Quando os primeiros discípulos de Jesus chegaram a Roma e começaram a pregar sua nova doutrina de fraternidade universal, ninguém se lhes opôs. As pessoas em geral paravam e ouviam-nos. Roma, a capital do mundo, sempre estivera cheia de pregadores itinerantes, cada qual proclamando o seu próprio "mistério". A maioria dos sacerdotes autoproclamados fazia apelo aos sentidos – prometia uma régia recompensa e infinitos prazeres aos seguidores do seu deus específico. Logo o povo nas ruas percebeu que os chamados cristãos (os seguidores do Cristo, ou "ungidos") usavam uma linguagem muito diferente. Não pareciam se deixar impressionar por grandes riquezas e pelos títulos de nobreza. Cantavam as belezas da pobreza, da humildade e da mansidão. Não tinham sido bem essas as virtudes que guindaram Roma à posição de senhora do mundo. Era interessante ouvir falar de um "mistério" que pregava às pessoas, no auge de sua glória, que o sucesso mundano não poderia lhes dar a felicidade duradoura.

Além disso, os pregadores do mistério cristão pintavam um negro quadro do destino que aguardava os que se recusassem a ouvir as palavras do Deus verdadeiro. Não convinha arriscar. É claro que os velhos deuses romanos existiam, mas será que eram fortes o suficiente para proteger seus adoradores contra o poder dessa nova divindade que fora trazida à Europa da distante Ásia? As pessoas começaram a ter suas dúvidas. Voltavam para ouvir novas explicações do novo credo. Depois de certo tempo, começavam a se encontrar com os homens e mulheres que pregavam as palavras de Jesus. Viram-nos muito diferentes do sacerdote romano comum. Eram paupérrimos; eram bondosos para com os escravos e os animais; não buscavam riquezas, mas davam tudo o que tinham. O exemplo altruísta de suas vidas levou muitos romanos a abandonar a antiga religião e a unir-se às pequenas comunidades de cristãos que se encontravam nas câmaras internas de casas particulares ou nos campos abertos; e, assim, os templos começaram a ser abandonados.

Os anos se sucediam e o número de cristãos continuava a aumentar. Presbíteros ou sacerdotes (a palavra grega original significa "ancião") foram eleitos para atender aos interesses das pequenas igrejas. O bispo era o chefe de todas as comunidades numa determinada província. Pedro, que seguira Paulo a Roma, foi o primeiro bispo de Roma. Com o tempo, seus sucessores (que eram chamados de "pai" ou papa) passaram a ser denominados papas.

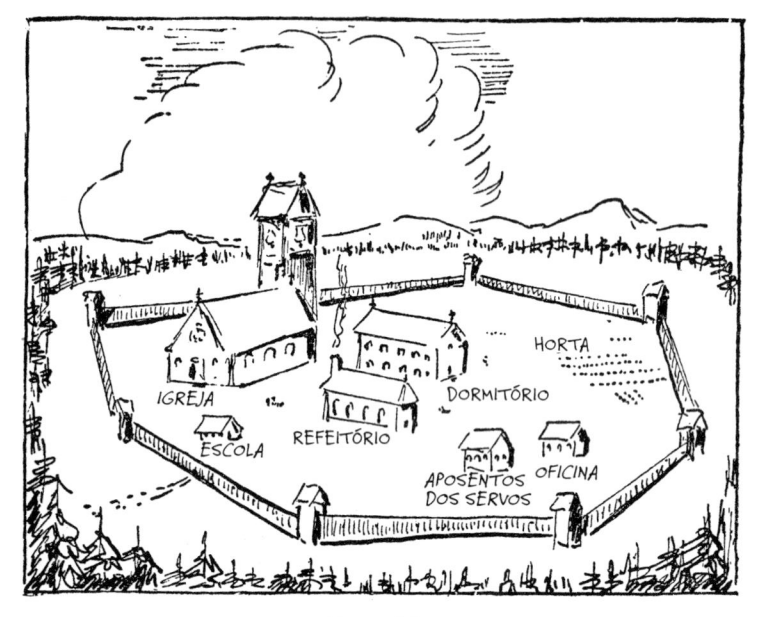

Um mosteiro

A Igreja tornou-se uma instituição poderosa dentro do império. As doutrinas cristãs atraíam os que não tinham mais esperança alguma neste mundo. Atraíam também muitos homens fortes que deparavam com a impossibilidade de fazer carreira no governo imperial, mas que podiam exercer seus dotes de comando entre os humildes seguidores do mestre nazareno. Por fim, o Estado romano foi obrigado a prestar atenção no que estava acontecendo. O Império Romano (e eu já disse isso antes) era tolerante por meio da indiferença. Deixava que cada qual buscasse a salvação a seu próprio modo. Insistia, porém, em que as diversas seitas se conservassem em paz e obedecessem à sábia regra do "viva e deixe viver".

As comunidades cristãs, entretanto, recusavam-se a praticar qualquer tipo de tolerância. Declaravam publicamente que seu Deus, e só Ele, era o único e verdadeiro Senhor do céu e da terra, e que todos os demais deuses eram impostores. Isso pareceu in-

justo aos olhos das outras seitas, e a polícia passou a desencorajar afirmações desse tipo. Os cristãos, porém, persistiram.
Logo outras dificuldades surgiram. Os cristãos recusavam-se a cumprir as formalidades de veneração do imperador. Recusavam-se a comparecer quando eram convocados para o exército. Os magistrados romanos ameaçaram castigá-los. Os cristãos responderam que este mundo não passava da miserável ante-sala de um Paraíso agradabilíssimo e que estavam perfeitamente dispostos a morrer pelos seus princípios. Os romanos, perplexos diante dessa conduta, de quando em quando matavam os infratores, mas na maior parte das vezes nada faziam. Houve alguns linchamentos nos primeiros anos da igreja cristã, mas por obra da gente do povo que acusava os cristãos de todos os crimes possíveis e imagináveis (como os de matar e comer criancinhas, causar as doenças e epidemias e trair o país em épocas de perigo) porque via nisso um esporte inofensivo e nem um pouco perigoso, uma vez que os cristãos recusavam-se a lutar e a se vingar.

Enquanto isso, Roma continuava a ser invadida pelos bárbaros; e, quando seus exércitos fracassaram, missionários cristãos foram pregar seu evangelho de paz para os selvagens teutões.

Os godos estão chegando!

Eram homens fortes, que não temiam a morte. Falavam uma linguagem tal que não deixava dúvidas quanto ao destino dos pecadores impenitentes. Os teutões ficaram profundamente impressionados. Ainda tinham um profundo respeito pela sabedoria da antiga cidade de Roma. Aqueles homens eram romanos e provavelmente falavam a verdade. Logo o missionário cristão tornou-se uma potência nas regiões selvagens dos teutões e dos francos. Meia dúzia de missionários valiam mais do que um regimento inteiro de soldados. Os imperadores começaram a compreender que os cristãos poderiam ser-lhes de muita valia. Em certas províncias, eles foram brindados com direitos idênticos aos dos adoradores dos antigos deuses. A grande mudança, porém, ocorreu na segunda metade do século IV.

Constantino, às vezes (sabe-se lá por quê) chamado de Constantino Magno, era imperador. Era um homem violento, mas os homens mansos e ternos não tinham esperança de sobreviver naquela era guerreira. Em sua longa e variegada carreira, Constantino passara por muitos altos e baixos. Certa vez, quase derrotado pelos inimigos, pensou em experimentar o poder dessa nova divindade asiática de quem todos estavam falando. Prometeu que também ele se tornaria cristão se vencesse a próxima batalha. Obteve a vitória, convenceu-se do poder do Deus dos cristãos e fez-se batizar.

A partir daquele momento, a Igreja cristã foi oficialmente reconhecida, o que muito fortaleceu a condição da nova fé.

Mas os cristãos ainda constituíam uma pequena minoria do povo (no máximo cinco ou seis por cento) e, para vencer, foram forçados a não fazer concessões de espécie alguma. Os velhos deuses tinham de ser destruídos. Por um curto período, o imperador Juliano, aficionado da sabedoria grega, conseguiu salvar os deuses pagãos da aniquilação. Mas Juliano morreu ferido numa campanha militar na Pérsia, e seu sucessor Joviano restabeleceu a Igreja em toda a sua glória. Uma após a outra, foram se fechando as portas dos antigos templos. Veio então o imperador Justiniano (construtor da igreja de Santa Sofia, em Constantinopla), que fez fechar em Atenas a escola de filosofia fundada por Platão.

A história da humanidade

Foi esse o fim do antigo mundo grego, no qual o homem podia pensar por si mesmo e elaborar seus próprios sonhos segundo seus desejos. As regras de conduta dos filósofos, um pouco vagas, não constituíam bússola suficientemente firme para se pilotar o navio da vida numa época em que um dilúvio de selvageria e ignorância abalava a ordem estabelecida. Era preciso algo mais concreto e mais definido. Foi isso que a Igreja forneceu. Numa época em que nada era seguro, a Igreja ficou firme como um rochedo e nunca abjurou dos princípios que considerava verdadeiros e sagrados. Essa coragem perseverante mereceu a admiração das multidões e fez com que a Igreja romana passasse incólume pelos abalos que destruíram o Estado romano.

A sorte, porém, foi co-responsável pelo triunfo final da fé cristã. Depois do desaparecimento do reino romano-gótico de Teodorico, no século V, a Itália encontrava-se relativamente liberta de invasores estrangeiros. Os lombardos, saxões e eslavos que sucederam aos godos eram tribos fracas e atrasadas. Naquelas circunstâncias, os bispos de Roma puderam conservar a independência de sua cidade. Logo os restos do império, espalhados pela península, reconheceram os duques (ou bispos) de Roma como seus governantes temporais e espirituais.

Tudo estava pronto para o surgimento de um homem forte. Ele de fato surgiu no ano 590; seu nome era Gregório. Pertencia à classe aristocrática da antiga Roma e já tinha sido prefeito da cidade. Depois fizera-se monge, bispo e, muito contra a vontade (pois queria ser missionário e pregar o cristianismo aos pagãos da Inglaterra), fora arrastado à igreja de São Pedro para ser feito papa. Só governou a Igreja durante quatorze anos, mas, quando morreu, o mundo cristão da Europa ocidental reconhecera oficialmente os bispos de Roma, os papas, como chefes de toda a Igreja.

Esse poder, porém, não se estendia ao Oriente. Em Constantinopla, os imperadores deram continuidade ao antigo costume pelo qual os sucessores de Augusto e Tibério eram reconhecidos como chefes de governo e sumos sacerdotes da religião do Estado. No ano de 1453, o Império Romano do Oriente foi conquistado pelos turcos. Constantinopla caiu e Constantino Paleólogo, o último imperador romano, foi morto nos degraus da catedral de Hágia Sofia.

Poucos anos antes disso, Zoé, filha de Tomás, irmão do último imperador, casara-se com Ivan III da Rússia. Desse modo, os grão-duques de Moscou fizeram-se herdeiros da tradição constantinopolitana. A águia bicéfala da velha Bizâncio (relíquia dos dias em que Roma se dividira numa metade oriental e outra, ocidental) tornou-se o escudo de armas da Rússia moderna. O czar, que de início era apenas o primeiro dentre os nobres russos, assumiu a altivez e a dignidade de um imperador romano perante o qual todos os súditos, nobres ou plebeus, eram escravos insignificantes.

A corte foi remodelada segundo os padrões orientais, que os imperadores do Oriente haviam importado da Ásia e do Egito e que (para grande orgulho deles) se assemelhava à corte de Alexandre Magno. Essa estranha herança que o moribundo Império Bizantino silenciosamente legou ao mundo continuou viva e vigorosa por mais seis séculos entre as vastas planícies da Rússia. O último homem a envergar a coroa com a águia bicéfala de Constantinopla, o czar Nicolau, foi morto outro dia, por assim dizer. Seu corpo foi atirado num poço; seus filhos e filhas, chacinados; todos os seus antigos direitos e prerrogativas foram abolidos, e a Igreja foi reduzida à posição que tinha em Roma antes de Constantino.

A Igreja ocidental, porém, teve outra sorte. No próximo capítulo, contaremos como todo o mundo cristão foi ameaçado de destruição pelo credo rival de um caravaneiro árabe.

28
MAOMÉ

Ahmed, o caravaneiro que se tornou o profeta do deserto da Arábia, e cujos seguidores quase conquistaram todo o mundo conhecido para a glória de Alá, o único Deus verdadeiro

Depois de Cartago e de Aníbal, nada mais dissemos a respeito da raça semítica. Você há de se lembrar que ela tomou conta de todos os capítulos dedicados à história do mundo antigo. Os babilônios, os assírios, os fenícios, os judeus, os arameus, os caldeus, todos eles semitas, foram os soberanos da Ásia ocidental por trinta ou quarenta séculos. Foram então dominados pelos persas indo-europeus que vinham do leste e pelos gregos indo-europeus do oeste. Cem anos depois da morte de Alexandre Magno, Cartago, uma colônia de fenícios semitas, lutou contra os romanos indo-europeus pelo domínio do Mediterrâneo. Cartago foi derrotada e destruída e, por oitocentos anos, os romanos foram senhores do mundo inteiro. No século VII, porém, outra tribo semítica entrou em cena e desafiou o poder do Ocidente. Eram os árabes, pacíficos pastores que vagavam pelo deserto desde a noite dos tempos, sem manifestar nenhum sinal de ter ambições imperiais.

Então ouviram a pregação de Maomé, montaram em seus cavalos e, em menos de um século, haviam chegado ao coração da Europa para pregar a glória de Alá, "o Deus único", e de Maomé, "profeta do Deus único", aos assustados camponeses da França.

A história de Ahmed, filho de Abdala e Amina (geralmente conhecido como Maomé, "o que será louvado"), parece um capítulo das *Mil e uma noites*. Maomé era um caravaneiro nascido em Meca. Parece ter sido epiléptico, pois sofria de períodos de inconsciência em que tinha estranhos sonhos e ouvia a voz do anjo Gabriel, cujas palavras foram depois escritas num livro chamado Alcorão. O trabalho de caravaneiro fez com que Maomé viajasse por toda a Arábia e se encontrasse constantemente com mercadores judeus e comerciantes cristãos; percebeu assim que a adoração de um Deus único era uma coisa muito boa. Seu povo, o povo árabe, ainda venerava estranhas pedras e pedaços de pau, como seus ancestrais haviam feito milhares de anos antes. Em Meca, cidade sagrada dos árabes, havia um pequeno edifício quadrado, a Caaba, cheio de ídolos e estranhos objetos de culto e adoração. Maomé decidiu ser o Moisés do povo árabe. Não podia, porém, ser profeta e caravaneiro ao mesmo tempo; fez-se assim independente, casando-se com sua empregadora, a rica viúva Khadija. Afirmou então a seus conhecidos de Meca que era ele o esperado profeta mandado por Alá para salvar o mundo. Os conhecidos deram boas risadas e, quando Maomé continuou incomodando-os com seus discursos, resolveram matá-lo. Viam-no como um lunático, um aborrecimento público que não merecia misericórdia. Maomé tomou conhecimento do plano e, no escuro da noite, fugiu para Medina junto com seu fiel discípulo Abu Bakr. Isso aconteceu no ano de 622, que é a data mais importante da história maometana: o ano da Hégira, da grande fuga.

Em Medina, Maomé era um estranho e teve mais facilidade para se fazer aceitar como profeta do que em sua cidade natal, onde todos o conheciam como simples caravaneiro. Logo se rodeou de um número cada vez maior de seguidores, ou muçulmanos, que aceitavam o Islã, a "submissão à vontade de Deus", que Maomé louvava como a maior de todas as virtudes. Por sete anos pregou ao povo de Medina. Então, viu-se forte o suficiente para lançar uma campanha contra seus antigos concidadãos, que haviam ousado zombar dele e de sua divina missão em seus dias de caravaneiro. À testa de um exército de medinenses, cruzou o deserto. Seus seguidores tomaram Meca sem grande dificuldade e conseguiram convencer os outros de que Maomé era de fato um grande profeta.

De lá até o dia de sua morte, Maomé obteve sucesso em todos os seus empreendimentos.

A história da humanidade

A fuga de Maomé

O sucesso do Islã tem dois motivos. Em primeiro lugar, o credo que Maomé ensinou aos seus seguidores era muito simples. Os discípulos aprendiam que deviam amar a Alá, o Senhor dos Mundos, Clemente e Misericordioso; que tinham de obedecer e honrar os pais; eram alertados contra a desonestidade no trato com seus próximos e admoestados a ser humildes e caridosos com os pobres e doentes. Por fim, eram obrigados a abster-se de bebidas alcoólicas e a seguir um regime frugal de alimentação. Nada mais. Não havia sacerdotes, que pastoreiam seus rebanhos e têm de ser sustentados por um fundo comum. As igrejas maometanas, ou mesquitas, eram simples salões de pedra sem bancos nem imagens, onde os fiéis podiam se reunir (se assim o desejassem) para ler e discutir os capítulos do Alcorão, o Livro Sagrado. Mas o maometano levava sua religião em seu coração e nunca se sentia oprimido pelas restrições e regulamentos de uma Igreja estabelecida. Cinco vezes por dia voltava o rosto para Meca, a Cidade Sagrada, e recitava uma oração simples. Quanto ao mais, deixava que Alá governasse o mundo a seu talante e aceitava com paciente resignação o que o destino lhe reservava.

Tal atitude perante a vida dava a todos os maometanos um certo contentamento. Deixava-os em paz consigo mesmos e com o mundo em que viviam, e isso era uma coisa muito boa.

O segundo motivo que explica o sucesso dos muçulmanos na guerra contra os cristãos era a conduta dos soldados maometanos que davam batalha pela verdadeira fé. O Profeta prometeu que os que tombassem com o rosto voltado para o inimigo iriam direto para o Paraíso. Isso tornava a morte súbita no campo de batalha preferível a uma longa e penosa existência aqui na terra. E dava aos maometanos uma enorme vantagem sobre os cruzados, que viviam no constante terror da obscura vida futura e se apegavam o máximo possível às coisas boas deste mundo. Aliás, isso explica também por que até mesmo hoje em dia os soldados muçulmanos enfrentam o fogo das metralhadoras européias com perfeita indiferença ao destino que os aguarda, e explica por que são inimigos tão perigosos e tão persistentes.

Depois de pôr em ordem a sua religião, Maomé começou a gozar do poder de soberano inconteste de um grande número de tribos árabes. O sucesso, porém, foi a ruína de muitos homens que eram grandes em épocas de adversidade. Maomé tentou garantir a boa vontade dos ricos mediante uma série de regulamentos que atraíssem os abastados. Permitiu que os fiéis tivessem até quatro esposas. Naquela época em que as mulheres eram compradas de seus pais, uma esposa já era um investimento bastante caro; quatro, então, era um luxo só acessível aos possuidores de grandes quantidades de camelos, dromedários e pomares de tamareiras. A religião que no princípio se dirigia aos robustos caçadores do deserto solitário transformou-se aos poucos para atender às necessidades dos mercadores que viviam nos bazares das cidades. Foi uma lamentável mudança em relação ao programa original, que fez muito mal à causa do maometanismo. Quanto ao próprio Profeta, continuou pregando a verdade de Alá e proclamando novas regras de conduta até morrer de febre, de modo mais ou menos repentino, no dia 7 de junho de 632.

Seu sucessor como califa (ou líder) dos muçulmanos foi seu sogro Abu Bakr, que sofrera junto com o Profeta os perigos que cercavam a religião em seus primórdios. Dois anos depois, Abu Bakr morreu e foi sucedido por Omar ibn Al-Khattab. Em menos de dez anos, Omar conquistou o Egito, a Pérsia, a Fenícia, a Síria e a Palestina e fez de Damasco a capital do primeiro império mundial maometano.

A história da humanidade

A Omar sucedeu Áli, marido de Fátima, filha de Maomé; mas criou-se uma querela em torno de um ponto de doutrina islâmica, e Áli foi assassinado. Depois de sua morte, o califado tornou-se hereditário, e os emires dos crentes, que haviam começado sua carreira como líderes espirituais de uma corrente religiosa, tornaram-se os governantes de um vasto império. Construíram uma nova cidade às margens do Eufrates chamada Bagdá, perto das ruínas de Babilônia; e, organizando os cavaleiros árabes em regimentos, partiram em viagem para levar a todos os infiéis a felicidade da nova fé muçulmana. No ano 700 d.C., um general maometano chamado Tárik transpôs as velhas Colunas de Hércules e chegou à alta rocha no lado europeu, à qual chamou de Gibel al-Tarik, a Montanha de Tárik ou Gibraltar.

Onze anos depois, na batalha de Jerez de la Frontera, Tárik derrotou o rei dos visigodos. Então, as tropas muçulmanas partiram para o norte e, seguindo a rota de Aníbal, cruzaram os passos dos Pireneus. Derrotaram o duque da Aquitânia, que ten-

A luta entre a cruz e o crescente

tou detê-las perto de Bordeaux, e marcharam sobre Paris. Mas, no ano de 732 (cem anos, portanto, depois da morte do Profeta), foram derrotadas numa batalha travada entre Tours e Poitiers. Naquele dia, Carlos Martelo, chefe franco, salvou a Europa de uma conquista maometana. Expulsou os muçulmanos da França, mas estes conservaram-se na Espanha, onde Abd-ar-Rahman fundou o califado de Córdoba, que se tornou o maior centro científico e artístico da Europa medieval.

Esse reino mourisco – assim chamado porque os muçulmanos que o compunham vinham da Mauritânia, no Marrocos – durou sete séculos. Foi só depois da tomada de Granada, o último reduto muçulmano, no ano de 1492, que Colombo recebeu o financiamento real que o habilitou a partir numa viagem de descobrimentos. Os maometanos logo retomaram força nas novas conquistas que fizeram na Ásia e na África, e hoje os seguidores de Maomé são tão numerosos quanto os de Cristo.

29
CARLOS MAGNO
Como Carlos Magno, rei dos francos, veio a ser detentor do título de imperador e procurou ressuscitar o antigo ideal do império universal

A batalha de Poitiers salvou a Europa do jugo maometano. Mas o inimigo interno – a infinita desordem que se seguiu ao desaparecimento dos policiais romanos –, permaneceu. É verdade que os novos convertidos à fé cristã na Europa setentrional tinham um profundo respeito pelo poderoso bispo de Roma. Mas esse pobre bispo não se sentia nem um pouco à vontade quando contemplava as montanhas distantes. Quais novas hordas de bárbaros não estariam a ponto de transpor os Alpes e mover novo ataque contra Roma? Era necessário – muito necessário – que o pontífice do universo pudesse contar com um aliado dotado de espada forte e pulso firme e sempre disposto a defender Sua Santidade em caso de perigo.

E assim os papas, que não só eram muito santos como também muito práticos, saíram em busca de um defensor, e para tanto enviaram sinais de amizade à mais promissora das tribos germânicas que ocuparam o noroeste da Europa depois da queda de Roma. Tratava-se da tribo dos francos. Um de seus primeiros reis, chamado Meroveu, havia ajudado os romanos na batalha dos campos de Chalons, em 451, quando os hunos foram derrotados. Os descendentes de Meroveu, os merovíngios, continuaram a anexar pequenas porções do território imperial até o ano de 486, quando o rei Clóvis (antigo nome franco que depois se converteu em "Luís") se sentiu forte o suficiente para vencer os romanos em campo aberto. Seus descendentes, porém, foram homens fracos, que entregavam a administração dos assuntos de Estado ao primeiro-ministro, o "mordomo" ou prefeito do palácio.

O filho do famoso Carlos Martelo, Pepino, o Breve, que substituiu seu pai no cargo de prefeito do palácio, não sabia como administrar essa situação. O rei seu senhor era um teólogo devoto que simplesmente não se interessava pela política. Pepino pediu conselho ao papa. O papa, que era um homem prático, respondeu que "o poder do Estado pertence a quem o exerce de fato". Pepino captou a mensagem e persuadiu Childerico, o último dos merovíngios, a entrar para um mosteiro; e fez-se rei com o apoio dos outros caudilhos germânicos. Isso, porém, não satisfez ao astuto Pepino, que queria ser algo mais do que um simples chefe bárbaro. Preparou então uma elaborada cerimônia na qual Bonifácio, o grande missionário do noroeste europeu, o ungiu "rei pela graça de Deus". Foi fácil introduzir essas palavras, *Dei gratia*, na cerimônia de coroação; mas foi preciso quase mil e quinhentos anos para tirá-las de lá.

Pepino mostrou-se sinceramente grato por esse ato de bondade da Igreja e fez duas expedições à Itália para defender o papa de seus inimigos. Tomou aos lombardos Ravena e várias outras cidades e presenteou-as a Sua Santidade, que incorporou-as aos chamados Estados Papais, que foram um país independente até há cinqüenta anos.

Depois da morte de Pepino, as relações entre Roma e Aix-la-Chapelle, ou Nymwegen, ou Ingelheim (os reis francos não tinham uma única residência oficial, mas viajavam de capital em capital com seus ministros e toda a sua corte), tornaram-se cada vez mais cordiais. Por fim, o papa e o rei tomaram uma medida que viria a influenciar a história da Europa de maneira muito profunda.

Carlos, chamado Carolus Magnus ou Carlos Magno, sucedeu a Pepino no ano de 768. Conquistou o território dos saxões na Alemanha oriental e construiu cidades e mosteiros por toda a Europa setentrional. A pedido dos inimigos de Abd-ar-Rahman, invadiu a Espanha para lutar contra os mouros. Porém, foi atacado pelos selvagens bascos nos Pireneus e teve de retroceder.

A história da humanidade

Foi nessa ocasião que Rolando, o grande margrave da Bretanha, demonstrou o que um chefe franco daquela época queria dizer quando prometia fidelidade a seu rei, e deu a sua vida, bem como a vida de seus fiéis seguidores, para cobrir a retirada do exército real.

Nos últimos dez anos do século VIII, porém, Carlos foi obrigado a dedicar-se exclusivamente aos assuntos do sul. O papa Leão III fora atacado por um bando de arruaceiros romanos e deixado moribundo na rua. Resgatado e medicado por um grupo de pessoas caridosas, pôde com o auxílio delas escapar para o acampamento de Carlos, a quem pediu socorro. Um exército franco logo devolveu a paz àquelas terras e reconduziu Leão ao palácio de Latrão, que desde a época de Constantinopla fora a residência do papa. Isso aconteceu em dezembro de 799. No dia de Natal do ano seguinte, Carlos Magno, que estava em Roma, assistiu à missa na antiga igreja de São Pedro. Quando se levantou ao terminarem as orações, o papa depositou uma coroa sobre a sua cabeça, proclamou-o imperador dos romanos e saudou-o mais uma vez com o título de "Augusto", que já não se ouvia por ali havia séculos.

De novo a Europa setentrional fazia parte de um Império Romano; só que desta vez a dignidade imperial pertencia a um rei germânico que mal sabia ler e jamais aprendeu a escrever. Sabia, porém, lutar, e por um curto período seus territórios conheceram a ordem, a tal ponto que o imperador rival, de Constantinopla, enviou uma carta de aprovação a seu "caro irmão".

Infelizmente, esse excelente senhor morreu em 814. Seus filhos e netos começaram imediatamente a lutar pela parte maior da herança imperial. Duas vezes foram divididas as terras carolíngias, a primeira pelo tratado de Verdun, em 843, e a segunda pelo tratado de Mersen-sobre-o-Mosa, em 870. Este último tratado dividiu todo o reino franco em duas partes. Carlos, o Calvo, recebeu a metade ocidental, onde se localizava a antiga província romana da Gália, cuja língua popular sofrera forte influência romana. Os francos logo aprenderam a falar essa língua, e é isso que explica por que numa terra puramente germânica, como é a França, a língua que se fala é latina.

Hendrik Willem van Loon

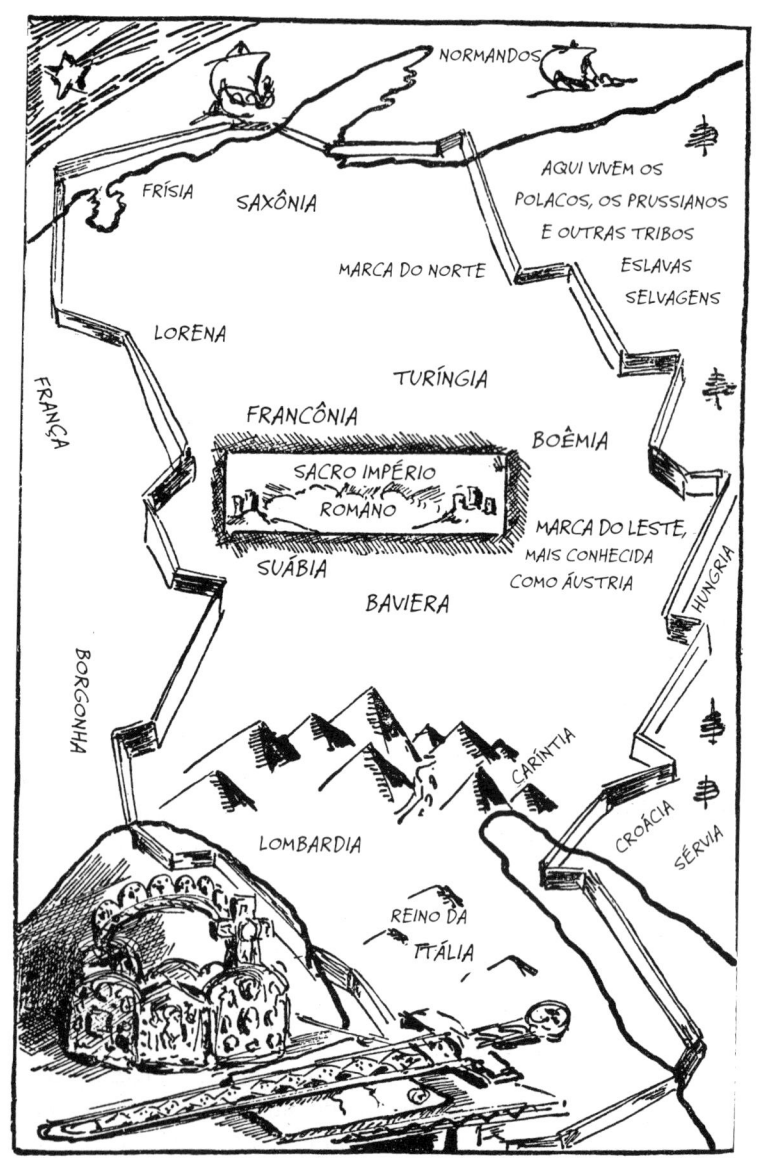

O Sacro Império Romano-Germânico

A história da humanidade

O outro neto de Carlos Magno ficou com a região leste, o território que os romanos chamavam de Germânia. Essa região inóspita jamais fora parte do antigo império. Augusto procurara anexar esse "extremo oriente", mas suas legiões foram aniquiladas nas Florestas de Teutoburgo no ano 9 e o povo daquelas plagas jamais chegou a ser influenciado pela civilização romana. Falavam a língua germânica popular. Nessa língua teutônica, a palavra "gente" era *thiot*. Por isso, os missionários cristãos chamaram a língua germânica *lingua theotisca* ou *lingua teutisca*, o "dialeto popular", e a palavra *teutisca* mudou-se em *Deutsch*, o que explica a origem do nome "Deutschland", que é como se chama a Alemanha.

A famosa coroa imperial logo foi arrancada da fronte dos reis carolíngios e voltou às planícies da Itália, onde se tornou uma espécie de joguete de diversos pequenos barões que a roubavam uns dos outros em meio a grande derramamento de sangue e a envergavam (com ou sem a bênção do papa) até que chegasse a vez de um vizinho um pouco mais ambicioso. O papa, de novo acossado pelos inimigos, voltou a buscar ajuda no norte. Dessa vez, porém, não fez apelo ao soberano do reino franco do oeste. Seus mensageiros atravessaram os Alpes e dirigiram-se a Oto, um príncipe saxão reconhecido como o maior soberano das diversas tribos germânicas.

Oto, que partilhava do comum afeto germânico pelo céu azul e pelo povo belo e alegre da península itálica, acorreu em socorro do papa. Em troca dessa ajuda, o pontífice Leão VIII coroou Oto "imperador", e a metade oriental do velho reino de Carlos Magno passou desde então a ser chamada de "Sacro Império Romano-Germânico".

Essa estranha criação política alcançou a avançada idade de 839 anos. No ano de 1801 (quando Thomas Jefferson era presidente dos Estados Unidos), foi sem nenhuma cerimônia relegada à lata de lixo da história. O violento sujeito que destruiu o velho Império Germânico era o filho de um tabelião corso, e fizera brilhante carreira a serviço da República Francesa. Conquistou a soberania da Europa por obra e graça de seus famosos Regimentos da Guarda, mas queira ainda algo mais. Mandou buscar o

Hendrik Willem van Loon

Um desfiladeiro

papa em Roma; o papa atendeu a seu chamado e simplesmente ficou a olhar enquanto o general Napoleão colocava a coroa imperial sobre sua própria cabeça e proclamava-se o herdeiro da tradição carolíngia. Isso porque a história é como a vida. Quanto mais as coisas mudam, mais permanecem as mesmas.

30
OS NORMANDOS
Por que o povo do século X pedia a Deus que os protegesse da fúria dos normandos

Nos séculos III e IV, as tribos germânicas da Europa central romperam as defesas do império a fim de saquear Roma e viver na abundância. No século VIII, foi a vez dos germanos de ser saqueados. E eles não gostaram disso nem um pouco, muito embora os saqueadores fossem seus primos de primeiro grau, os normandos, que habitavam a Dinamarca, a Suécia e a Noruega.

Não sabemos o que levou esses excelentes marujos a voltar-se para a pirataria, mas o fato é que, quando por fim descobriram as vantagens e os prazeres da carreira de bucaneiros, ninguém foi capaz de detê-los. Caíam de repente sobre um pacífico vilarejo franco ou frísio, situado na embocadura de um rio; matavam todos os homens e roubavam as mulheres. Depois fugiam em seus rápidos navios e, quando os soldados do rei ou do imperador chegavam, os saqueadores estavam a salvo e nada restava exceto um amontoado de ruínas carbonizadas.

No período de desordem que se seguiu à morte de Carlos Magno, os normandos desenvolveram grande atividade. Suas frotas marítimas atacavam de surpresa em todos os litorais; seus marujos fundaram pequenos reinos independentes nas regiões costeiras da Holanda, da França, da Inglaterra e da Alemanha, tendo chegado até a Itália. Os normandos eram muito inteligentes. Logo aprendiam a falar a língua de seus súditos e abandonavam o modo de vida incivilizado dos *vikings* (ou "reis do mar"),

A história da humanidade

Os normandos estão chegando!

A pátria dos normandos

que, embora pitorescos, eram também muito sujos e extremamente cruéis.

No começo do século X, um *viking* de nome Rollo atacava reiteradamente o litoral da França. O rei da França, demasiado fraco para resistir aos bandoleiros do norte, procurou suborná-los para que fossem "bonzinhos". Ofereceu-lhes a província da Normandia em troca de pararem de incomodar o restante de seus domínios. Rollo aceitou a troca e tornou-se "duque da Normandia".

Porém, a sede de conquista continuava forte no sangue de seus filhos. Do outro lado do canal da Mancha, a poucas horas de viagem do litoral europeu, eles viam os penhascos brancos e os campos verdejantes da Inglaterra. A pobre Inglaterra passara

Os normandos vão à Rússia

por dias difíceis. Por duzentos anos fora colônia romana. Depois da saída dos romanos, fora conquistada pelos anglos e pelos saxões, duas tribos germânicas de Schleswig. Depois, os dinamarqueses haviam tomado a maior parte do país e estabelecido o reino de Cnut. Tinham em seguida sido expulsos; e agora (no começo do século XI) quem ocupava o trono era um outro rei saxão, Eduardo, o Confessor. Porém, previa-se para breve a morte de Eduardo, que não tinha filhos. As circunstâncias eram favoráveis aos ambiciosos duques da Normandia.

Em 1066, Eduardo morreu. Imediatamente, Guilherme da Normandia atravessou o canal da Mancha, derrotou e matou Haroldo de Wessex (que tomara a Coroa) na batalha de Hastings e proclamou-se rei da Inglaterra.

Noutro capítulo, eu lhe disse que no ano 800 um chefe bárbaro se tornou imperador romano. Agora, no ano 1066, o neto de um pirata normando foi reconhecido como rei da Inglaterra.

Por que ler contos de fadas se a verdade da história é tão mais interessante e divertida?

Hendrik Willem van Loon

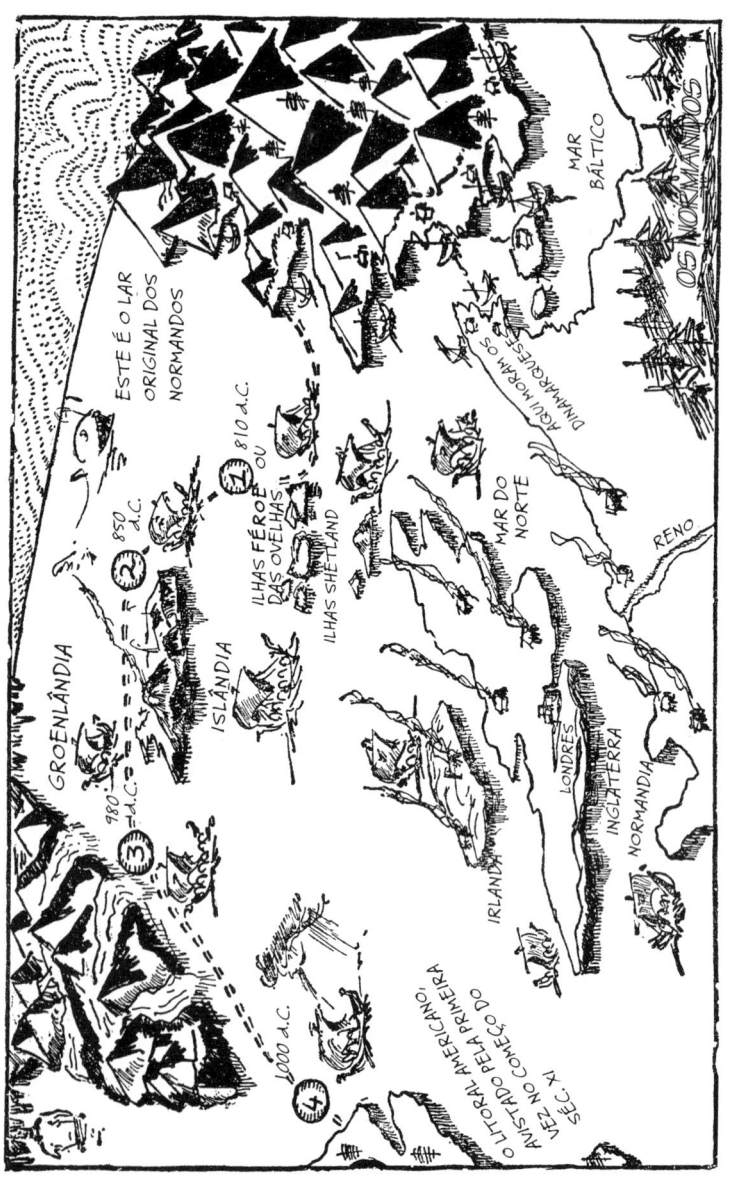

A história da humanidade

Os normandos contemplam o outro lado do canal

31
O FEUDALISMO
Como a Europa Central, atacada em três frentes, tornou-se um quartel de guerra, e por que a Europa teria perecido sem esses soldados e administradores profissionais que constituíram o sistema feudal

Eis, portanto, a situação da Europa no ano 1000, quando as pessoas, em sua maioria, viviam tão infelizes que saudaram com alegria a profecia que vaticinava a chegada do fim do mundo e correram aos mosteiros a fim de que o Dia do Juízo as encontrasse entretidas com atividades devotas.

Em data desconhecida, as tribos germânicas saíram do seu antigo lar na Ásia e bateram para oeste até a Europa. Pelo puro e simples fato de serem numerosas demais, acabaram por penetrar à força no Império Romano. Destruíram o grande Império do Ocidente, mas o do Oriente, situado fora das principais rotas de migração, conseguiu sobreviver e, debilmente, deu continuidade às antigas e gloriosas tradições de Roma.

Na época de desordem que se seguiu (a verdadeira "Idade das Trevas" da história, os séculos VI e VII da nossa era), as tribos germânicas foram persuadidas a abraçar o cristianismo e reconheceram o bispo de Roma como papa ou soberano espiritual do mundo. No século IX, o gênio organizador de Carlos Magno ressuscitou o Império Romano e uniu num Estado único a maior parte da Europa Ocidental. Já no século X, esse império estava esfacelado. Sua metade ocidental se tornou um reino separado, o reino de França. A metade oriental passou a ser chamada de Sacro Império Romano-Germânico, uma federação de Estados cujos soberanos pretendiam-se herdeiros diretos de César e Augusto.

A história da humanidade

Infelizmente, o poder dos reis de França não ultrapassava o fosso do seu palácio, ao passo que o sagrado imperador romano era abertamente desafiado por seus súditos mais poderosos sempre que tal desafio resultava em lucros para estes ou atendia a algum capricho deles.

Para aumentar ainda mais a miséria das massas populares, o triângulo da Europa ocidental (veja a página 128, por favor) encontrava-se permanentemente exposto a ataques em três frentes. Ao sul habitavam os maometanos, sempre perigosos. O litoral ocidental era devastado pelos normandos. A fronteira oriental (absolutamente desprovida de defesas naturais, exceto pelo trecho correspondente aos montes Cárpatos) ficava à mercê das hordas de hunos, húngaros, eslavos e tártaros.

A *pax romana* pertencia já à Antiguidade remota, um sonho de "bons dias passados" que não voltariam jamais. Tudo se resumia a "lutar ou morrer", e as pessoas naturalmente preferiam lutar. Forçada pelas circunstâncias, a Europa se tornou um quartel de guerra, dentro do qual era premente a necessidade de líderes fortes. Tanto o rei quanto o imperador eram figuras distantes. Os pioneiros de fronteira (e, no ano 1000, a maior parte da Europa poderia ser considerada "fronteira") tinham de se arranjar sozinhos. Submetiam-se de boa vontade aos representantes do rei que eram enviados para administrar os distritos longínquos, *desde que esses emissários pudessem protegê-los contra seus inimigos*.

Logo a Europa central ficou pontilhada de pequenos principados, cada qual governado por um duque, um conde, um barão ou um bispo, conforme o caso, e organizado como uma unidade de combate. Esses duques, condes e barões juravam fidelidade ao rei, que por sua vez concedia-lhes um "feudo" (donde a palavra "feudal") em troca de seus leais serviços e de alguns impostos. Porém, naquela época, as viagens eram lentas e os meios de comunicação, absolutamente insatisfatórios. Por isso, os administradores reais ou imperiais gozavam de grande independência e, dentro das fronteiras de suas próprias províncias, eram de fato detentores da maioria dos direitos que na verdade pertenciam ao rei.

Mas, se você pensa que o povo do século XI não gostava desse tipo de governo, está redondamente enganado. O povo apoiava o feudalismo porque ele era uma instituição muito prática e muito necessária. O senhor feudal geralmente morava numa grande casa de pedra erguida sobre uma rocha alcantilada ou encravada entre fossos profundos, mas sempre à vista dos seus súditos. Em caso de perigo, estes encontravam abrigo por trás das muralhas da fortaleza baronial. É por isso que procuravam residir o mais próximo possível do castelo, e isso explica também o traçado de muitas cidades européias que foram fundadas ao redor de uma fortaleza feudal.

Porém, o cavaleiro da alta Idade Média era muito mais do que um soldado profissional. Era o funcionário público da época. Em sua comunidade, era o juiz e o chefe de polícia; capturava os salteadores e protegia os mascates que efetuavam todo o comércio que havia no século XI; tomava conta dos diques para que os campos não sofressem enchentes (como fizeram os primeiros nobres no vale do Nilo, quatro mil anos antes disso); sustentava os trovadores que vagavam de lugar em lugar e cantavam as gestas dos antigos heróis que lutaram nas grandes guerras da época das migrações. Além de tudo isso, o senhor feudal protegia as igrejas e mosteiros dentro do seu território e, embora não soubesse ler nem escrever (os homens que tinham tais conhecimentos eram considerados efeminados), empregava alguns sacerdotes para fazer sua contabilidade e registrar os nascimentos, casamentos e óbitos que ocorressem dentro dos domínios baroniais ou ducais.

No século XV, os reis de novo se tornaram fortes o suficiente para exercer os poderes que por direito lhes pertenciam, na qualidade de soberanos "ungidos por Deus". Então, os cavaleiros feudais perderam a independência. Reduzidos à categoria de proprietários rurais, já não atendiam a necessidade alguma e logo tornaram-se inconvenientes. Porém, a Europa teria perecido sem o "sistema feudal" da Idade das Trevas. Havia muitos maus cavaleiros, como hoje existem muitas pessoas más. Mas, de maneira geral, os barões rudes dos séculos XII e XIII eram administradores esforçados que prestaram um serviço inestimável à causa do progresso. Naquela época, a nobre tocha do conhecimento e da arte que iluminara o mundo dos egípcios, dos gregos e dos romanos estava quase apagada. Sem os cavaleiros e seus bons companheiros, os monges, a civilização se teria extinguido inteiramente e a raça humana teria sido forçada a recomeçar de onde pararam os homens das cavernas.

32
A CAVALARIA

Era perfeitamente natural que os guerreiros profissionais da Idade Média procurassem estabelecer algum tipo de organização em vista do seu comum benefício e proteção. Foi dessa necessidade de organização que nasceu a instituição da cavalaria. É muito pouco o que sabemos acerca das origens da cavalaria. Porém, à medida que esse sistema se desenvolveu, deu ao mundo algo de que este muito precisava – uma regra definida de conduta que suavizava os costumes bárbaros da época e tornava a vida mais fácil do que fora no decorrer dos quinhentos anos da Idade das Trevas. Não foi tarefa fácil civilizar os rudes pioneiros que haviam passado a maior parte de sua vida lutando contra os maometanos, os hunos e os normandos. Muitas vezes, eles recaíam nos velhos hábitos; depois de fazer toda espécie de juras de caridade e compaixão pela manhã, quando chegava a tarde passavam todos os seus prisioneiros pelo fio da espada. O progresso, porém, é o fruto de um trabalho lento e incansável, e por fim até mesmo os mais inescrupulosos dentre os cavaleiros foram obrigados a obedecer às regras dessa "casta" ou a sofrer as penas de sua desobediência.

Essas regras eram diferentes nas diversas regiões da Europa, mas sempre tinham por base as idéias de "serviço" e "fidelidade ao dever". Na Idade Média, o serviço ao próximo era visto como algo nobre e belo. Ser servo não era uma desgraça, desde que você fosse um bom servo e não relaxasse no trabalho. Quanto à fidelidade, numa época em que a vida dependia do cumprimento fiel de muitos deveres desagradáveis, era a principal virtude dos homens de guerra.

Por isso, pedia-se ao jovem cavaleiro que jurasse fidelidade a Deus e ao rei, na qualidade de servo de ambos. Ele prometia, além disso, ser generoso para com aqueles cujas necessidades fossem maiores do que as suas próprias. Comprometia-se a ser humilde em seu comportamento pessoal, a jamais gabar-se de suas realizações e a ser amigo de todos os sofredores (com exceção dos maometanos, a quem se esperava que matasse sem hesitar).

Em torno desses votos, que não eram outra coisa senão os Dez Mandamentos expressos em palavras compreensíveis para o povo daquela época, constituiu-se um complicado sistema de etiqueta e comportamento. Os cavaleiros procuravam pautar a própria vida pelo exemplo dos heróis da Távola Redonda do Rei Artur e da corte de Carlos Magno, acerca dos quais cantavam os trovadores. Tinham a esperança de ser corajosos como Lancelot e fiéis como Rolando. Portavam-se com dignidade e pronunciavam palavras belas e cuidadosas a fim de que pudessem ser reconhecidos como verdadeiros cavaleiros, por humilde que fosse o corte de sua túnica ou o tamanho de sua bolsa.

Dessa forma, as ordens de cavalaria tornaram-se escolas de boas maneiras, daquelas boas maneiras que são o óleo da máquina social. "Cavalaria" passou a ser sinônimo de "cortesia", e o castelo feudal mostrava ao resto do mundo quais as roupas que as pessoas deviam vestir, como deviam comer, como deviam convidar uma dama para dançar e mais mil e um pequenos pontos de comportamento cotidiano que ajudam a tornar a vida interessante e agradável.

À semelhança de todas as instituições humanas, também a cavalaria estava fadada a perecer assim que perdesse a sua utilidade prática.

As cruzadas, das quais falarei num dos próximos capítulos, foram seguidas por uma grande ressurreição do comércio. As cidades cresceram da noite para o dia. Os habitantes das cidades ficaram ricos, contrataram bons professores e logo igualaram-se aos cavaleiros. A invenção da pólvora privou o *chevalier* trajado de armadura das vantagens de que antes gozava, e o emprego de mercenários na guerra passou a impossibilitar que as batalhas fossem travadas com todos os requintes e delicadezas dos torneios de xadrez. O cavaleiro tornou-se supérfluo. Logo passou a ser visto como uma figura ridícula, dedicado a ideais que já não tinham nenhum valor prático. Diz-se que o nobre Dom Quixote de la Mancha foi o último dos verdadeiros cavaleiros. Depois de sua morte, sua espada e sua armadura foram vendidas para pagar suas dívidas.

De um modo ou de outro, porém, depois disso, essa espada ainda parece ter caído nas mãos de vários homens. Washington empunhou-a nos dias de Valley Forge, em que toda a esperança havia abandonado os combatentes norte-americanos. Foi essa espada a única arma de que Gordon dispôs quando se recusou a desertar as pessoas que haviam sido confiadas a seus cuidados e ficou para encontrar a morte na fortaleza sitiada de Cartum.

E tenho certeza de que foi ela que nos deu a força necessária para vencer a Grande Guerra*.

---

* O autor refere-se à Primeira Guerra Mundial. (N. do T.)

33
PAPA × IMPERADOR
Como era estranha a dupla fidelidade do povo da Idade Média, e como ela fomentou infindáveis disputas entre os papas e os sagrados imperadores romanos

É muito difícil compreender as pessoas do passado. Até mesmo o seu avô, que você vê todos os dias, é um ser misterioso que vive num mundo diferente, formado por outras idéias, outras roupas e outros costumes. Estou lhe contando agora a história de alguns de seus avós de vinte a cinco gerações atrás, e realmente não acho que você será capaz de captar o sentido de minhas palavras sem reler várias vezes este capítulo.

O homem comum da Idade Média levava uma vida muito simples e monótona. Mesmo quando era um cidadão livre e podia ir e vir a seu bel-prazer, raramente saía da região onde morava. Não havia livros impressos, e os manuscritos eram poucos. Aqui e ali, um pequeno grupo de monges diligentes ensinava leitura, escrita e um pouco de aritmética. Mas as ciências, a história e a geografia jaziam soterradas sob as ruínas da Grécia e de Roma.

Tudo o que as pessoas sabiam sobre o passado, haviam aprendido através dos relatos e das lendas que ouviam. Essas informações, passadas de pai para filho, costumam ser ligeiramente incorretas quanto aos detalhes, mas preservam os principais fatos de história com surpreendente exatidão. Depois de mais de dois mil anos, as mães da Índia ainda metem medo em seus filhos desobedientes dizendo que "Iskander virá pegá-los". Iskander não é outro senão Alexandre Magno, que esteve na Índia no ano 330 a.c., mas cuja história permaneceu viva por todo esse tempo.

Na Alta Idade Média não havia livros sobre a história de Roma. O povo daquela época era ignorante de muitas coisas que as crianças de hoje já sabem antes de passar para a terceira série. Mas o Império Romano, que para você é só um nome, era para eles uma realidade viva. Eles sentiam a sua presença. De boa vontade reconheciam o papa como seu líder espiritual, pois ele residia em Roma e representava a idéia da superpotência romana. E ficaram profundamente gratos quando Carlos Magno e depois dele Oto, o Grande, fizeram reviver a idéia de um império mundial e criaram o Sacro Império Romano para que o mundo continuasse sendo como sempre tinha sido.

Mas o fato de a tradição romana ter dois herdeiros deixava os fiéis burgueses da Idade Média numa situação difícil. A teoria que estava por trás do sistema político medieval era simples e razoável. Enquanto o senhor temporal (o imperador) cuidava do bem-estar físico dos seus súditos, o senhor espiritual (o papa) cuidava de suas almas.

Na prática, porém, o sistema funcionava muito mal. O imperador sempre tentava intervir nos assuntos da Igreja, e o papa por sua vez retaliava e dizia ao imperador como devia governar os seus domínios. Então, em linguagem bem pouco educada, um dizia ao outro que não metesse o nariz onde não fora chamado, e tudo inevitavelmente terminava em guerra.

Nessas circunstâncias, o que devia fazer o povo? O bom cristão obedecia tanto ao papa quanto ao seu rei. Porém, o papa e o imperador eram inimigos. De que lado deveria ficar o súdito fiel, que também era um fiel cristão?

Nunca foi fácil encontrar a resposta a essa pergunta. Quando o imperador era um homem ativo e suficientemente bem provido de dinheiro para organizar um exército, sua tendência era a de cruzar os Alpes, marchar sobre Roma, sitiar o papa em seu próprio palácio se necessário fosse e, por fim, obrigar Sua Santidade a obedecer às instruções imperiais, sob pena de sofrer as conseqüências caso fizesse o contrário.

Na maioria das vezes, porém, o papa era o mais forte. Então, o imperador ou rei era excomungado junto com todos os seus súditos. Com isso, todas as igrejas eram fechadas, ninguém po-

A história da humanidade

dia ser batizado, nenhum moribundo podia receber a absolvição – em suma, metade das funções do governo medieval deixavam de funcionar.

E mais ainda: as pessoas eram desobrigadas do voto de fidelidade ao soberano e eram estimuladas a rebelar-se contra seu senhor. Porém, caso seguissem o conselho do distante papa e fossem pegas pelo soberano, seriam enforcadas por este, que estava muito mais próximo; e isso também não era nem um pouco agradável.

Com efeito, aqueles pobres diabos encontravam-se em difícil situação, especialmente os que viviam na segunda metade do século XI, quando o imperador Henrique IV da Alemanha e o papa Gregório VII travaram em dois tempos uma batalha que nada decidiu e perturbou a paz na Europa por quase cinqüenta anos.

Em meados do século XI houve um forte movimento pela reforma da Igreja. Até então, a eleição dos papas se dera de maneira bastante irregular. Convinha aos sacros imperadores romanos fazer com que bispos bem dispostos fossem eleitos para a Santa Sé. Os imperadores costumavam ir à Roma na época da eleição e usar sua influência para beneficiar um de seus amigos.

No ano de 1059, tudo isso mudou. Por um decreto do papa Nicolau II, os principais sacerdotes e diáconos das igrejas da cidade e dos arredores de Roma organizaram-se no chamado Colégio dos Cardeais, e essa assembléia de clérigos proeminentes (a palavra "cardeal" significa "principal") recebeu com exclusividade o encargo de eleger os futuros papas.

No ano de 1073, o Colégio dos Cardeais elegeu como papa um sacerdote de nome Hildebrando, filho de um casal muito simples da Toscana, que tomou o nome de Gregório VII. A energia de Gregório era ilimitada. Sua crença no poder supremo do santo ofício fundava-se numa rocha granítica de coragem e convicção. Na opinião de Gregório, o papa não era só o soberano absoluto da Igreja cristã como também o supremo tribunal de apelação em todos os assuntos mundanos. O papa, que elevara à dignidade imperial simples príncipes germanos, poderia também depô-los à vontade. Poderia vetar qualquer lei passada por qualquer duque, rei ou imperador; mas, se alguém questio-

nasse um decreto papal, cuidado: a retaliação seria rápida e impiedosa.
Gregório enviou embaixadores a todas as cortes européias para informar os potentados europeus de suas novas leis e exigir deles a submissão. Guilherme, o Conquistador, prometeu não criar problemas; mas Henrique IV, que desde os seis anos de idade vinha indispondo-se com seus súditos, não tinha a intenção de submeter-se à vontade papal. Convocou uma assembléia de bispos alemães, acusou Gregório de todos os crimes possíveis e imagináveis e o depôs de seu cargo através do Concílio de Worms.
O papa reagiu com um decreto de excomunhão e a exigência de que os príncipes alemães se livrassem do seu indigno soberano. Os príncipes alemães, contentíssimos por poder se livrar de Henrique, pediram que o papa fosse a Augsburgo para ajudá-los a eleger um novo imperador.
Gregório saiu de Roma e foi para o norte. Henrique, que não era tolo, compreendeu a fragilidade de sua posição. Tinha a todo custo de fazer as pazes com o papa, e o mais rápido possível. Em pleno inverno, transpôs os Alpes e correu para Canossa, onde o papa se detivera para um curto descanso. Por três longos dias, de 25 a 28 de janeiro de 1077, Henrique, trajado como um peregrino penitente (mas com uma malha bem quentinha por baixo dos farrapos que envergava), esperou do lado de fora dos portões do castelo de Canossa. Depois pôde entrar e teve seus pecados perdoados. Seu arrependimento, porém, não durou muito. Assim que retornou à Alemanha, Henrique voltou a comportar-se exatamente da mesma maneira. De novo foi excomungado; e de novo um concílio de bispos alemães depôs Gregório, mas desta vez, quando Henrique cruzou os Alpes, fê-lo à frente de um grande exército, que sitiou Roma e forçou Gregório a fugir para Salerno, onde morreu no exílio. Esse primeiro embate nada decidiu. Logo que Henrique voltou para a Alemanha, o conflito entre o papa e o imperador continuou.
A família Hohenstaufen, que pouco tempo depois se apossou do trono imperial alemão, era ainda mais independente do que suas predecessoras. Gregório defendera a tese de que os pa-

Henrique IV em Canossa

pas eram superiores aos reis porque eles (os papas), no Dia do Juízo, seriam responsáveis pela conduta de todas as ovelhas de seu rebanho; e, aos olhos de Deus, o rei fazia parte desse rebanho de fiéis.

Frederico de Hohenstaufen, comumente chamado Barba-Ruiva ou Barba-Roxa, afirmou por sua vez que o império fora dado a seus predecessores "pelo próprio Deus"; e, como o império em tese incluía Roma e toda a Itália, deu início a uma campanha para devolver ao país do norte o domínio sobre essas "províncias perdidas". Barba-Ruiva afogou-se acidentalmente na Ásia Menor quando ia a caminho da Segunda Cruzada, mas seu filho Frederico II, jovem brilhante que desde muito cedo tomara contato com a civilização maometana da Sicília, deu continuidade à guerra. Os papas acusaram-no de heresia. É verdade que Frederico parecia sentir um profundo e amargo desprezo pelo rude mundo cristão do norte, pelos rústicos cavaleiros alemães e pelos ardilosos sacerdotes italianos. Mas ele conteve sua língua, partiu para a cruzada, tomou Jerusalém dos infiéis e foi devidamente coroado rei da Cidade Santa. Nem isso, porém, serviu para aplacar a ira dos papas, que depuseram Frederico e deram suas terras na Itália para Carlos de Anjou, irmão daquele rei Luís de França que depois ficou famoso como São Luís IX. Isso gerou novas guerras. Conrado V, filho de Conrado IV e último dos Hohenstaufen, procurou reconquistar o reino, mas foi der-

Hendrik Willem van Loon

O castelo

rotado e decapitado em Nápoles. Vinte anos depois, os franceses, que haviam granjeado para si o ódio da população siciliana, foram por sua vez todos assassinados no episódio das chamadas Vésperas Sicilianas; e assim por diante.

A briga entre os papas e os imperadores nunca se resolveu, mas depois de algum tempo os dois lados aprenderam a deixar um ao outro em paz.

No ano de 1273, Rodolfo de Habsburgo foi eleito imperador, mas não se deu ao trabalho de ir a Roma para ser coroado. Os papas não reclamaram e por sua vez mantiveram-se longe da Alemanha. Isso trouxe a paz, mas dois séculos inteiros que poderiam ter sido usados para fins de organização interna foram perdidos numa guerra inútil.

Mas sempre há alguém para tirar proveito das desgraças. As pequenas cidades italianas, mediante um cuidadoso processo de equilíbrio, haviam conseguido aumentar seu poder e sua independência à custa tanto dos imperadores quanto dos papas. Quando começou a corrida à Terra Santa, elas conseguiram resolver os problemas de transporte de milhares de peregrinos que clamavam por uma passagem, e ao fim das cruzadas já haviam construído ao seu redor muralhas tão fortes, de pedra e de ouro, que puderam desafiar com idêntica indiferença o papa e o imperador.

A Igreja e o Estado lutaram entre si, mas quem ficou com os espólios foi um terceiro partido – a cidade medieval.

34
AS CRUZADAS
Mas todas essas querelas foram esquecidas quando os turcos tomaram a Terra Santa, profanaram os lugares santos e prejudicaram seriamente o comércio entre o Oriente e o Ocidente. A Europa partiu para as Cruzadas

Por três séculos perdurou a paz entre cristãos e muçulmanos, exceto na Espanha e no Império Romano do Oriente, os dois Estados que defendiam os portões da Europa. Os maometanos haviam conquistado a Síria no século VII e detinham a posse da Terra Santa. Porém, consideravam Jesus um grande profeta (não tão grande, talvez, quanto Maomé) e não faziam mal algum aos peregrinos que queriam rezar na igreja que Santa Helena, mãe do imperador Constantino, construíra sobre o local do Santo Sepulcro. Porém, no começo do século XI, uma tribo tártara vinda das estepes asiáticas, os turcos ou seljúcidas, assenhoreou-se do Estado maometano da Ásia ocidental e pôs fim ao período de tolerância. Os turcos tomaram toda a Ásia Menor dos imperadores romanos do Oriente e puseram ponto final também ao comércio entre o Oriente e o Ocidente.

Aléxis, o imperador, que quase não mantinha contato com seus irmãos cristãos do Ocidente, pediu socorro e evidenciou o perigo que ameaçaria a Europa caso os turcos tomassem Constantinopla.

As cidades italianas que haviam fundado colônias no litoral da Ásia Menor e da Palestina temeram por suas terras e seus bens e relataram histórias terríveis das atrocidades cometidas pelos turcos e do sofrimento dos cristãos. A Europa toda fervia.

O papa Urbano II, francês de Reims, educado no mesmo famoso mosteiro de Cluny que formara Gregório VII, concluiu que a hora de agir havia chegado. O Estado geral da Europa estava longe de ser satisfatório. Os primitivos métodos agrícolas da época (que eram os mesmos desde a época romana) causavam uma constante escassez de comida. O desemprego e a fome tendiam a gerar descontentamento e revoltas. Na Antiguidade, a Ásia ocidental alimentara milhões de bocas. Tratava-se de uma região ideal para a emigração.

Portanto, no Concílio de Clermont, realizado na França em 1095, o papa se levantou, relatou os horrores que os infiéis haviam infligido à Terra Santa, fez uma brilhante descrição desse país que desde a época de Moisés manava leite e mel e exortou os cavaleiros da França e o povo europeu em geral a deixar para trás esposas e filhos e a libertar dos turcos a Palestina.

Uma onda de histeria religiosa varreu o continente. Os homens largavam no chão seus martelos e serrotes, saíam das oficinas e tomavam incontinênti a estrada para o leste a fim de combater os turcos. As crianças fugiam de casa para "ir à Palestina" e pôr de joelhos os terríveis turcos, confiando apenas no seu zelo juvenil e na sua piedade cristã. Noventa por cento – sim, noventa por cento – desses entusiastas jamais chegaram a pôr os olhos na Terra Santa. Não tinham dinheiro; eram forçados a mendigar ou roubar para continuar vivos; punham em risco a segurança das estradas e eram chacinados por camponeses raivosos e arredios.

A Primeira Cruzada, formada por uma multidão desordenada de cristãos fervorosos, negociantes endividados, nobres falidos e foragidos da justiça, partiu comandada por Pedro, o Eremita, já meio ensandecido, e deu início à sua campanha contra os infiéis chacinando todos os judeus encontrados pelo caminho. Chegou até a Hungria, onde todos pereceram.

Com essa experiência, a Igreja aprendeu uma lição. O entusiasmo por si só não bastava para libertar a Terra Santa. Além de coragem e boa vontade, era preciso organização. Dedicaram então um ano a treinar e equipar um exército de duzentos mil homens, todos colocados sob o comando de Godofredo de Bouillon, de Roberto, duque da Normandia, de Roberto, conde de Flandres, e de vários outros nobres, todos experientes capitães de guerra.

A Primeira Cruzada

No ano de 1096, essa Segunda Cruzada partiu em sua longa viagem. Em Constantinopla, os cavaleiros prestaram homenagem ao Imperador. (Como eu já disse, as tradições custam a morrer, e um imperador romano, mesmo pobre e sem poder, era ainda objeto de grande veneração). Então passaram à Ásia, mataram todos os muçulmanos que caíram em suas mãos, marcharam sobre Jerusalém, massacraram a população maometana e correram ao Santo Sepulcro a fim de agradecer e louvar a Deus em meio a lágrimas de piedade e gratidão. Mas logo os turcos foram fortalecidos pela chegada de novas tropas. Reconquistaram Jerusalém e por sua vez mataram os fiéis seguidores da cruz.

Nos dois séculos seguintes, realizaram-se sete outras cruzadas. Aos poucos, os cruzados aprenderam a técnica da viagem. Esta, se feita por terra, era tediosa e muito perigosa. Os guerreiros preferiam atravessar os Alpes e ir para Gênova ou Veneza, onde navegavam para o leste. Os genoveses e venezianos fizeram dessa linha transmediterrânea de transporte de passageiros um negócio altamente lucrativo. Cobravam taxas exorbitantes pelas passagens, e, quando os cruzados (a maioria dos quais tinha pouquíssimo dinheiro) não podiam pagá-las, esses "especuladores"

A história da humanidade

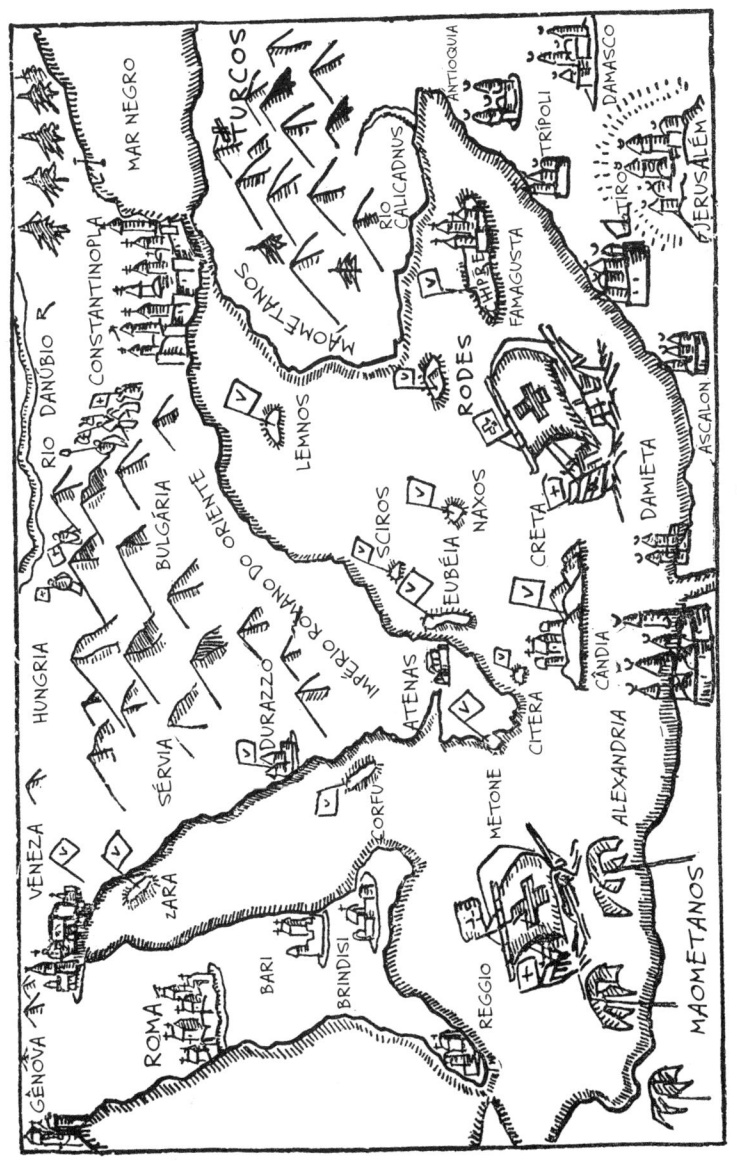

O mundo dos cruzados

italianos bondosamente deixavam-nos viajar em troca de trabalho. Para pagar sua viagem de Veneza a Acre, por exemplo, o cruzado concordava em lutar um pouco em benefício dos donos do navio. Dessa maneira, Veneza ampliou muito seu território ao longo do litoral do Adriático, na Grécia (onde Atenas tornou-se colônia veneziana) e nas ilhas de Chipre, Creta e Rodes.

Tudo isso, porém, pouco colaborou para definir a questão da Terra Santa. Depois de desaparecido o primeiro entusiasmo, uma breve viagem para as cruzadas passou a fazer parte da formação básica de todo jovem bem-nascido, e nunca faltaram candidatos a lutar pela Palestina. O antigo zelo, porém, já se fora. Os cruzados, que haviam começado a guerrear movidos por um profundo ódio pelos maometanos e profundo amor pelo povo cristão do Império Romano do Oriente e da Armênia, mudaram totalmente de opinião. Passaram a desprezar os gregos de Bizâncio, que, ao lado dos armênios e das outras raças do Levante, os trapaceavam e freqüentemente traíam a causa da cruz; e começaram a apreciar as virtudes de seus inimigos, que se mostravam adversários justos e generosos.

É claro que não se podia proclamar isso abertamente. Mas, quando o cruzado voltava para casa, tendia a imitar os costumes que aprendera com seus inimigos pagãos, comparados com os quais a média dos cavaleiros ocidentais ainda eram pessoas rústicas e grosseiras. Além disso, o cruzado trouxe consigo vários

Os cruzados tomam Jerusalém

O túmulo de um cruzado

alimentos novos, como o pêssego e o espinafre, que plantava em sua horta para o seu consumo próprio. Abandonou o costume bárbaro de usar uma pesada armadura e passou a envergar as túnicas leves de seda e algodão que constituíam a vestimenta tradicional dos seguidores do Profeta, usadas originalmente pelos turcos. Com efeito, as cruzadas, que começaram como uma expedição feita para castigar os pagãos, tornaram-se um curso de instrução geral em civilização para milhões de jovens europeus. Do ponto de vista militar e político, as cruzadas foram um fracasso. Jerusalém e várias outras cidades foram tomadas e depois perdidas. Uma dúzia de pequenos reinos estabeleceram-se na Síria, na Palestina e na Ásia Menor, mas foram reconquistados pelos turcos; e, depois de 1244 (quando Jerusalém tornou-se turca em definitivo), o estado da Terra Santa voltou a ser o que era antes de 1095.

A Europa, porém, sofreu uma grande mudança. O povo do Ocidente pôde então vislumbrar um pouco da luz, da beleza e do sol do Oriente. Seus escuros castelos já não os satisfaziam. Os ocidentais queriam uma vida mais ampla, maior, que nem a Igreja nem o Estado podiam lhes dar.

Encontraram essa vida nas cidades.

35
A CIDADE MEDIEVAL
*Por que o povo da Idade Média dizia que
"o ar da cidade respira liberdade"*

A primeira metade da Idade Média foi uma era de pioneirismo e colonização. Um povo novo, que até então vivera longe da zona selvagem de florestas, montanhas e pântanos que protegia a fronteira nordeste do Império Romano, abriu caminho para as planícies da Europa ocidental e tomou posse da maior parte das terras. Eram um povo inquieto, como têm sido todos os pioneiros desde a noite dos tempos. Gostavam de vagar de lugar em lugar. Cortavam árvores e cortavam as gargantas uns dos outros com idêntica energia. Poucos deles gostavam de viver nas cidades. Insistiam em sua "liberdade" e adoravam encher os pulmões com o ar fresco das colinas enquanto conduziam seus rebanhos pelas pastagens batidas pelo vento. Quando se aborreciam do lugar onde estavam, simplesmente mudavam-se e partiam em busca de novas aventuras.

Os mais fracos morriam. Os guerreiros robustos e as mulheres corajosas que seguiam seus maridos para dentro de territórios desconhecidos sobreviviam. Assim desenvolveu-se uma raça de homens fortes, que não cuidavam dos aspectos mais amenos da vida. Viviam ocupados demais para tocar rabeca ou compor peças de poesia. Detestavam as discussões e debates verbais. O sacerdote, o "homem culto" do vilarejo (e, antes de meados do século XIII, qualquer leigo que soubesse ler e escrever era considerado efeminado), tinha a incumbência de resolver todas as questões que não tivessem uma repercussão prática direta. E foi

A história da humanidade

assim que os chefes germânicos, os barões francos, os duques normandos e todos os demais (quaisquer que fossem seus nomes e títulos) ocuparam cada qual a sua fatia do território que outrora pertencera ao grande Império Romano; e, em meio às ruínas de glórias passadas, construíram um mundo todo próprio que os agradava e que eles consideravam praticamente perfeito. Administravam os assuntos do castelo e das terras circundantes com a máxima habilidade. Eram tão fiéis aos mandamentos da Igreja quanto se poderia esperar de qualquer mortal. Eram suficientemente leais ao rei e ao imperador para conservar a amizade com esses potentados distantes mas sempre perigosos. Em suma, tentavam agir corretamente e ser justos com o próximo sem deixar completamente de lado os seus próprios interesses.

O mundo em que se encontravam não era ideal. A maior parte do povo era composta de servos da gleba, agricultores tão vinculados ao solo em que viviam quanto as vacas e ovelhas com as quais compartilhavam os estábulos. O destino deles não era dos melhores, embora também não fosse dos piores. Mas o que fazer? O bom Senhor que regia o mundo medieval havia, sem dúvida alguma, ordenado todas as coisas para o bem. Se Ele, em Sua sabedoria, decidira pela existência de cavaleiros e servos, não cabia aos fiéis filhos da Igreja questionar esse estado de coisas. Por isso, os servos não reclamavam; mas, quando eram obrigados a trabalhar demais, morriam como morre o gado que não é alimentado e estabulado corretamente, e então algo se fazia apressadamente para melhorar a sua condição. Porém, se o progresso do mundo tivesse sido deixado a cargo dos servos e dos seus senhores feudais, ainda estaríamos vivendo como se vivia no século XII: diríamos "abracadabra" para tentar parar uma dor de dentes e sentiríamos um profundo ódio e desprezo pelo dentista que nos oferecesse o auxílio de sua ciência – ciência que, com toda probabilidade, seria de origem maometana ou pagã e, portanto, tão diabólica quanto inútil.

Quando você crescer, há de descobrir que existem muitas pessoas que não acreditam no "progresso". Essas pessoas vão tentar convencê-lo, citando como prova os atos terríveis de alguns dos nossos contemporâneos, de que "nada muda neste mundo".

Mas espero que você não dê muita atenção a essa conversa. Veja bem: nossos antepassados levaram quase um milhão de anos para aprender a caminhar sobre as patas traseiras. Muitos outros séculos se passaram para que conseguissem transformar seus grunhidos animalescos numa linguagem inteligível. A escrita – a arte de preservar nossas idéias para o bem das gerações futuras, sem a qual nenhum progresso é possível – só foi inventada há quatro mil anos. A idéia de transformar as forças da natureza em obedientes servas do ser humano ainda era nova na época do seu avô. Parece-me, portanto, que estamos progredindo numa velocidade nunca antes vista. Talvez tenhamos voltado demais a nossa atenção para os meros confortos físicos da vida. Com o tempo, isso há de mudar; e então trataremos de problemas que não têm relação com a saúde, os salários, as redes de água e esgoto e as máquinas em geral.

Mas, por obséquio, não se deixe levar pelo sentimentalismo ao pensar nos "bons e velhos tempos". Muita gente, que só olha para as belas igrejas e as grandes obras de arte que nos foram legadas pela Idade Média, fala com eloqüência dos horrores de nossa civilização, comparando seu ritmo apressado, seu barulho ensurdecedor e o mau cheiro do escapamento dos caminhões às cidades de mil anos atrás. Porém, as igrejas medievais eram sempre rodeadas de choças miseráveis, comparadas às quais os prédios de apartamentos de hoje em dia parecem palácios luxuosos. É verdade que o nobre Lancelot e o nobilíssimo Percival, o herói jovem e puro que partiu em busca do Santo Graal, não eram incomodados pelo cheiro da fumaça de gasolina. Porém, naquela época havia outros cheiros, cheiros rurais: o cheiro do lixo putrefato que era jogado na rua, dos chiqueiros que rodeavam o palácio episcopal, de pessoas sujas que herdavam dos avós os casacos e os chapéus e não haviam ainda sido abençoadas pela invenção do sabão. Não quero pintar um quadro demasiado desagradável. Porém, quando lemos nas antigas crônicas que o rei de França, olhando pelas janelas de seu palácio, desmaiou com o mau odor dos porcos que fossavam as ruas de Paris, ou quando um antigo manuscrito nos relata alguns detalhes de o que era uma epidemia de peste negra ou de varíola, começamos

A história da humanidade

a compreender que o "progresso" não é simplesmente uma palavra vazia usada pelos propagandistas da modernidade.

Não, o progresso dos últimos seiscentos anos não teria sido possível sem a existência das cidades. Por isso, terei de fazer este capítulo um pouco mais longo do que a maioria dos outros. É importante demais para ser reduzido a meras três ou quatro páginas de recapitulação de acontecimentos políticos.

O mundo antigo do Egito, da Babilônia e da Assíria foi um mundo de cidades. A Grécia foi um país de cidades-Estado. A história da Fenícia foi a história de duas cidades chamadas Tiro e Sidônia. O Império Romano foi todo ele a "zona rural" de uma única cidade. A escrita, as artes, as ciências, a astronomia, a arquitetura, a literatura, o teatro – a lista é infinita – foram todos produtos das cidades.

Por quase quatro mil anos, a colméia de madeira que chamamos de cidade foi a oficina do mundo. Vieram então as grandes migrações. O Império Romano foi destruído. Suas cidades foram queimadas e arrasadas, e a Europa tornou-se mais uma vez uma terra de pastagens e pequenos vilarejos agrícolas. Durante a Idade das Trevas, os campos da civilização permaneceram incultos.

As cruzadas prepararam o solo para uma nova safra. Quando chegou a época da colheita, os frutos foram colhidos pelos burgueses das cidades livres.

Já lhe contei a história dos castelos e dos mosteiros, com suas fortes muralhas de pedra – residências dos cavaleiros e dos monges, que guardavam respectivamente os corpos e as almas dos homens. Você já sabe que uns poucos artesãos (açougueiros, padeiros, um ou outro fabricante de velas) vieram morar perto do castelo para atender às necessidades de seus senhores e encontrar proteção junto a eles em caso de perigo. Às vezes, o senhor feudal permitia que esses homens do povo protegessem as próprias casas com uma paliçada. Porém, para viver, eles dependiam completamente da boa vontade do poderoso senhor do castelo. Quando este percorria seus domínios, eles se ajoelhavam diante dele e beijavam-lhe a mão.

Quando vieram as cruzadas, muitas coisas mudaram. As migrações haviam conduzido as pessoas de nordeste para oeste.

As cruzadas levaram milhões de pessoas a viajar do oeste para as regiões altamente civilizadas do sudeste. Essas pessoas descobriram que o mundo não era limitado pelas quatro muralhas de seu povoado. Tomaram contato com roupas melhores, moradias mais confortáveis, novos pratos, produtos vindos do misterioso Oriente. Quando voltaram para seus locais de origem, insistiram em obter de novo esses artigos. O mascate que levava sua mercadoria nas costas – o único comerciante da Idade das Trevas – acrescentou esses bens ao seu catálogo de mercadorias, comprou uma carroça, contratou alguns ex-cruzados para protegê-lo contra a onda de crime que se seguiu à grande guerra internacional e passou a fazer negócios numa escala maior e mais moderna. Seu trabalho não era fácil. Toda vez que entrava nos domínios de um novo lorde, tinha de pagar impostos e taxas. Porém, os negócios eram lucrativos mesmo assim, e o mascate continuou a viajar com seus produtos.

Logo alguns mercadores mais ativos descobriram que os bens que importavam de longe podiam ser fabricados ali mesmo, em suas casas, e transformaram parte de suas moradas em oficinas. Deixaram de ser comerciantes e passaram a ser fabricantes manufatureiros. Não só vendiam seus produtos para o senhor do castelo e para o abade do mosteiro como também exportavam-nos para as cidades próximas. O senhor e o abade pagavam-nos com os produtos de suas fazendas: ovos, vinhos e mel, que naquela época era usado como açúcar. Porém, os cidadãos das cidades mais distantes eram obrigados a pagar em dinheiro, e tanto o industrial quanto o mercador passaram a acumular pequenas peças de ouro, o que mudou completamente a posição que ocupavam na sociedade da Alta Idade Média.

É difícil para você imaginar um mundo sem dinheiro. Numa cidade moderna, é impossível viver sem dinheiro. O dia inteiro você leva pequenos discos de metal no bolso para obter tudo o que precisa. Precisa de um níquel para o bonde, um dólar para o jantar, três centavos para o jornal da tarde. Porém, no começo da Idade Média, muita gente houve que jamais viu uma única moeda desde o dia em que nasceu até o dia em que morreu. O ouro e a prata da Grécia e de Roma jaziam soterrados debaixo das ruínas das antigas cidades. O mundo das migrações, que sucedeu ao império, era um mundo agrícola. Todo agricultor obtinha da terra cereais, vacas e ovelhas em quantidade suficiente para o seu próprio sustento.

O cavaleiro medieval era um senhor de terras e quase nunca tinha de pagar em dinheiro as coisas que adquiria. Suas terras produziam tudo o que ele e seus familiares comiam, bebiam e vestiam. Os tijolos de sua casa eram feitos nas margens do rio mais próximo. A madeira para as vigas do grande salão vinha da floresta senhorial. Os poucos artigos que vinham de longe eram pagos em espécie: em mel, em ovos, em feixes de lenha.

Mas as cruzadas perturbaram de modo muito drástico a rotina da antiga vida agrícola. Suponha você que o duque de Hildesheim quisesse ir à Terra Santa. Teria de viajar milhares de quilômetros e, nesse ínterim, teria de pagar pelas passagens e pelas contas de hotel. Se estivesse em casa, poderia pagar com os produtos de suas fazendas. Mas não podia levar consigo cem dúzias de ovos e uma carroça cheia de presunto para satisfazer a cobiça dos navegantes venezianos ou do estalajadeiro do Passo de Brenner. Esses senhores insistiam em ser pagos em dinheiro. Por isso, Sua Senhoria era obrigada a levar consigo uma pequena quantia em suas viagens. Onde arrumaria esse ouro? Poderia tomá-lo emprestado dos lombardos, descendentes dos antigos longobardos, que se haviam tornado agiotas profissionais que, sentados por trás dos seus balcões (chamados de "bancos"), de boa vontade se dispunham a emprestar a Sua Graça algumas centenas de peças de ouro em troca de uma hipoteca sobre suas terras agrícolas, para que eles pudessem ser pagos caso Sua Senhoria morresse nas mãos dos turcos.

O negócio era perigoso para o devedor. No fim, os lombardos invariavelmente adquiriam a posse das terras e o cavaleiro, falido, tinha de empregar-se como mercenário a serviço de algum nobre mais poderoso e mais cuidadoso.

Sua Graça também poderia dirigir-se ao bairro no qual os judeus eram forçados a residir. Lá, poderia tomar dinheiro emprestado a juros de cinqüenta ou sessenta por cento. Também esse negócio não parecia bom. Mas acaso havia saída? Ao que se dizia, certos habitantes da cidadezinha que rodeava o castelo tinham algum dinheiro guardado. Conheciam o jovem senhor

O castelo e a cidade

desde a infância; os pais deles tinham sido amigos do pai dele. Não fariam, portanto, exigências insensatas. Pois bem. O secretário de Sua Senhoria, um monge que sabia escrever e contar, enviou um bilhete aos mercadores mais conhecidos e pediu um pequeno empréstimo. O povo da cidade reuniu-se na oficina do joalheiro que fabricava cálices para as igrejas próximas e discutiu a proposta. Não poderiam recusá-la, nem tampouco cobrar "juros". Em primeiro lugar, a cobrança de juros ia contra os princípios religiosos da maioria das pessoas; e, em segundo lugar, os juros seriam pagos em espécie, em produtos agrícolas, e estes o povo já possuía em abundância.

Mas o alfaiate, que passava o dia sentado à sua bancada e tinha um pouco de espírito filosófico, sugeriu: "E se lhe pedirmos um favor em troca do nosso dinheiro? Todos nós gostamos de pescar, mas Sua Senhoria não nos deixa pescar em seu rio. Su-

A história da humanidade

ponhamos que nós lhe emprestemos cem ducados e, em troca, ele nos dê uma garantia escrita de que nos será permitido pescar o quanto quisermos em todas as suas águas. Ele terá os cem ducados de que precisa, nós teremos os peixes, e o negócio será bom para todos."

No dia em que Sua Senhoria aceitou essa proposta (parecia um meio muito fácil de pôr as mãos em cem peças de ouro), assinou a sentença de morte do seu próprio poder. Seu secretário pôs o acordo por escrito. Sua Senhoria apôs-lhe o seu selo (pois não sabia assinar o nome) e partiu para o Oriente. Dois anos depois voltou, completamente falido. O povo da cidade estava pescando no lago que rodeava o castelo. A vista dessa fileira de pescadores silenciosos muito aborreceu a Sua Senhoria, que pediu a seu escudeiro que expulsasse o povo dali. O povo se foi, mas naquela mesma noite uma delegação de mercadores visitou o castelo. Foram todos muitos educados. Cumprimentaram Sua Senhoria por ter retornado são e salvo e manifestaram suas desculpas pelo aborrecimento causado pelos pescadores; mas será que Sua Senhoria não se lembrava de que ele mesmo lhes dera essa permissão? E o alfaiate sacou do bolso a carta que ficara seguramente guardada no cofre do joalheiro desde a partida do senhor para a Terra Santa.

Sua Senhoria ficou extremamente aborrecida, mas estava de novo precisando de dinheiro. Na Itália, havia aposto seu selo a certos documentos que se encontravam agora nas mãos de Salvestro dei Médici, o famoso banqueiro. Tais documentos eram "notas promissórias" a vencer dali a dois meses. Somavam, no total, 340 libras de ouro flamengo. Nessas circunstâncias, o nobre cavaleiro não podia manifestar a ira que tomava conta do seu coração e da sua altiva alma. Pediu, em vez disso, mais um emprestimozinho. Os comerciantes se retiraram para discutir o assunto.

Daí a três dias voltaram e disseram "sim". Ficavam felicíssimos em poder ajudar seu senhor em suas dificuldades, mas, em troca das 345 libras de ouro, será que ele não lhes concederia outra promessa escrita (outra carta) de que eles, habitantes da cidade, poderiam instituir um conselho próprio a ser eleito por todos os comerciantes e cidadãos livres, conselho cuja função seria a de administrar os assuntos cívicos sem a participação do castelo?

O campanário

Sua Senhoria quase perdeu as estribeiras, mas estava precisando do dinheiro. Aceitou a proposta e assinou a carta. Na semana seguinte, arrependeu-se. Convocou seus soldados e dirigiu-se à casa do joalheiro, de quem exigiu os documentos que seus sorrateiros súditos haviam-no feito assinar pressionado pelas circunstâncias. Tomou os documentos e queimou-os. O povo da cidade limitou-se a assistir ao acontecimento, sem nada dizer. Porém, quando Sua Senhoria precisou de dinheiro para pagar o dote de sua filha, não obteve deles um único centavo. Depois do episódio ocorrido na casa do joalheiro, ele já não tinha crédito. Foi forçado a humilhar-se e a oferecer ao povo certas reparações. Antes que Sua Senhoria obtivesse a primeira parcela da soma estipulada, o povo da cidade estava de novo de posse de todas as antigas cartas e ainda de uma carta nova, que lhes dava o direito de construir um "paço municipal" e uma torre fortificada onde todas as cartas seriam guardadas e protegidas contra o roubo e o incêndio criminoso – ou seja, protegidas contra futuros rompantes de violência por parte do senhor e de seus seguidores armados.

Foi isso, de modo geral, que aconteceu nos séculos que se seguiram às cruzadas. A gradual transferência de poder do castelo para a cidade foi um processo lento e nem sempre pacífico. Alguns alfaiates e joalheiros foram mortos nesse meio tempo, e não poucos castelos foram incendiados. Tais ocorrências, porém, não eram a regra. De modo quase imperceptível, as cidades ficaram mais ricas e os senhores feudais, mais pobres. Para manter-

A história da humanidade

A cidade medieval

se, eles eram forçados a trocar cartas de liberdade cívica por dinheiro. As cidades cresceram. Ofereciam asilo a servos fugitivos que adquiriam a liberdade depois de viver por um certo número de anos atrás de suas muralhas. Passaram a servir de lar para os elementos mais enérgicos e ativos dos distritos rurais circundantes. Os cidadãos orgulhavam-se da influência recém-adquirida e expressavam seu poder nas igrejas e edifícios públicos erigidos ao redor da antiga praça do mercado, onde séculos atrás se davam as trocas de ovos, ovelhas, mel e sal. Queriam que seus filhos tivessem mais oportunidades na vida do que eles haviam tido. Por isso, contratavam monges para vir residir na cidade e servir de mestres-escola. Quando ouviam falar de um homem capaz de pintar belos quadros sobre tábuas de madeira, ofereciam-lhe uma pensão para que viesse à cidade e recobrisse as paredes da igreja e do paço municipal com cenas tiradas das Sagradas Escrituras.

Entretanto Sua Senhoria, nos salões vazios e escuros do castelo, contemplava esse novo esplendor e lamentava amargamente o dia em que se havia voluntariamente despojado do primeiro dos seus soberanos privilégios e prerrogativas. Mas não havia nada que pudesse fazer. Os burgueses, com suas caixas-fortes bem recheadas de ouro, tratavam-no com absoluta indiferença. Eram homens livres, preparados e dispostos a conserver o que haviam adquirido pelo suor do seu rosto ao cabo de uma longa luta, uma luta que durara mais de dez gerações.

A pólvora

36
A AUTOGESTÃO NA IDADE MÉDIA
Como o povo das cidades fez valer o próprio direito de ter voz nos conselhos reais de seus países

Enquanto os homens eram "nômades", tribos de pastores sem residência fixa, todos eram iguais e igualmente responsáveis pelo bem-estar e pela segurança de toda a comunidade.

Mas depois que se fixaram num só lugar e alguns ficaram ricos ao passo que outros ficaram pobres, o governo sempre teve a tendência de cair nas mãos daqueles que não eram obrigados a trabalhar para sobreviver e podiam, portanto, dedicar-se à política.

Eu já lhe contei como isso aconteceu no Egito, na Mesopotâmia, na Grécia e em Roma. Entre a população germânica da Europa ocidental, aconteceu assim que a ordem foi restaurada. O mundo europeu ocidental era governado em primeiro lugar por um imperador eleito pelos sete ou oito reis mais importantes do vasto Império Romano-Germânico, imperador esse cujo poder era muito mais imaginário do que real. Era governado ainda por alguns reis que se sentavam sobre tronos vacilantes. O governo da vida cotidiana das pessoas ficava a cargo de milhares de pequenos nobres feudais, cujos súditos eram camponeses ou servos. As cidades eram poucas, e a classe média praticamente não existia. Porém, no decorrer do século XIII (depois de uma ausência de quase mil anos), a classe média – a classe dos comerciantes – apareceu novamente no palco da história. Ao aumento do seu poder, como vimos no capítulo anterior, correspondeu uma diminuição da influência dos habitantes dos castelos.

Hendrik Willem van Loon

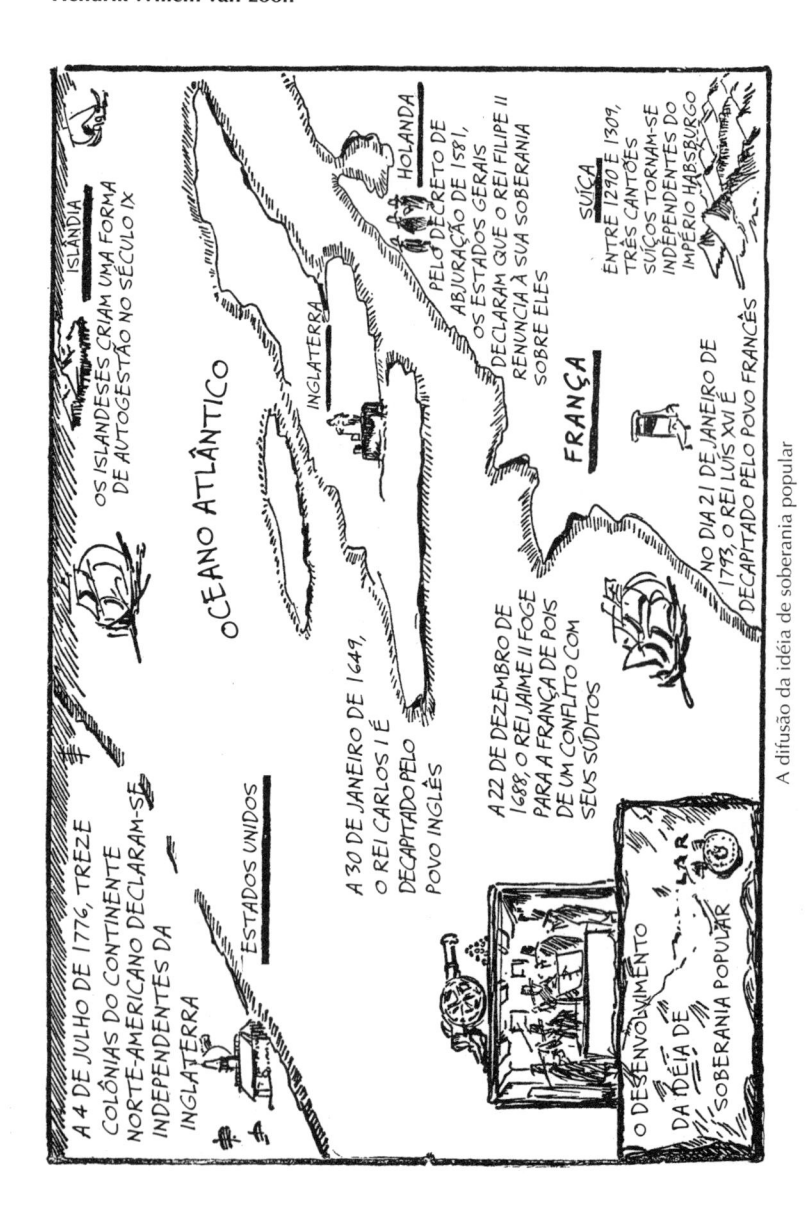

A difusão da idéia de soberania popular

A história da humanidade

Até então, no governo de seus domínios, o rei só dava atenção aos desejos de seus nobres e seus bispos. Porém, o novo mundo comercial que nasceu das cruzadas obrigou-o a reconhecer a existência da classe média, sob pena de, não o fazendo, ver o seu tesouro minguar cada vez mais. O oculto desejo de Suas Majestades era o de não atender mais aos bons burgueses das cidades do que às vacas e aos porcos que pastavam pelos campos; mas os reis nada podiam fazer. Engoliram a pílula amarga porque estava dourada, mas não o fizeram sem resistência.

Na Inglaterra, durante a ausência de Ricardo Coração de Leão (que foi como cruzado para a Terra Santa, mas passou a maior parte da sua viagem num calabouço austríaco), o governo do país foi entregue nas mãos de João, irmão de Ricardo, que era inferior a este nas artes da guerra, mas se igualava a ele na incapacidade administrativa. João começou sua carreira de príncipe-regente perdendo a Normandia e a maior parte dos territórios ingleses na França. Depois, conseguiu comprar uma briga com o papa Inocêncio III, o famoso inimigo dos Hohenstaufen. O papa excomungou-o (como Gregório VII excomungara Henrique IV duzentos anos antes). Em 1213, João foi obrigado a retratar-se ignominiosamente, como Henrique IV em 1077.

Como se tudo isso já não bastasse, João continuou a abusar do seu poder real até que seus vassalos, revoltados, aprisionaram-no e fizeram-no prometer que daí em diante seria sensato e jamais voltaria a violar os antigos direitos de seus súditos. Tudo isso aconteceu numa pequena ilha do Tâmisa perto do povoado de Runnymede, no dia 15 de junho de 1215. O documento ao qual João apôs seu nome foi chamado de a Grande Carta – a Magna Carta. Este documento não continha muitos dados novos. Reafirmava em frases concisas e diretas os antigos deveres do rei e enumerava os privilégios de seus vassalos. Quase não dava atenção aos direitos (se é que existiam) da grande maioria do povo, composta pelos camponeses, mas oferecia certas garantias à nascente classe dos mercadores. Foi uma carta de grande importância porque definiu os poderes do rei com mais precisão do que jamais se fizera antes. Não obstante, ainda era um documento puramente medieval. Não se referia aos simples seres humanos, exceto se pertencessem aos vassalos, que tinham de ser protegidos da tirania do rei do mesmo modo que as florestas e as vacas baroniais tinham de ser protegidas do excesso de zelo dos reais guardas florestais. Uns poucos anos depois, porém, uma música muito diferente começa a se fazer ouvir nos conselhos de Sua Majestade. João, que era mau pelo sangue e por suas próprias tendências, prometeu solenemente obedecer à Magna Carta e depois transgrediu cada um de seus artigos. Felizmente, não demorou a morrer e foi sucedido pelo filho Henrique III, que foi obrigado a ratificar novamente a Carta. Entrementes, o resgate de seu tio Ricardo, o cruzado, custara ao país uma grande soma em dinheiro, de modo que o rei foi obrigado a pedir alguns empréstimos para poder cumprir os acordos que fizera com os usurários judeus. Os grandes proprietários de terras e os bispos que faziam as vezes de conselheiros do rei não puderam fornecer-lhe o ouro e a prata de que necessitava. Então, o rei expediu ordens para que alguns representantes das cidades assistissem às reuniões do Grande Conselho. Esses delegados compareceram pela primeira vez em 1265. Em tese, atuariam apenas como especialistas em finanças e não tomariam parte nas discussões sobre assuntos de Estado; limitar-se-iam a dar conselhos quanto aos problemas fiscais.

Aos poucos, porém, esses representantes dos "comuns" começaram a ser consultados sobre problemas diversos; e essa reunião de nobres, bispos e delegados das cidades transformou-se num verdadeiro parlamento, um lugar "où l'on parlait", um lugar onde as pessoas falam ou conversam antes de se tomarem as decisões sobre importantes assuntos de Estado.

Porém, a instituição desse conselho geral dotado de certos poderes executivos não foi uma invenção da Inglaterra, como se costuma crer; e o governo do "rei e seu parlamento" não ocorreu somente nas Ilhas Britânicas. Era encontrado em todas as partes da Europa. Em alguns países, como a França, o rápido crescimento do poder real depois da Idade Média reduziu a nada a influência do parlamento. Já no ano de 1302, representantes das cidades francesas foram admitidos na reunião do parlamento francês, mas cinco séculos tiveram de se passar para que esse "parlamento" adquirisse força suficiente para fazer valer os direitos da classe média, o chamado Terceiro Estado, e eliminar o poder real. Quando isso aconteceu, eles quiseram recuperar o tempo perdido; e, durante a Revolução Francesa, o parlamento pôs na ilegalidade o rei, o clero e os nobres, fazendo dos representantes do povo os senhores da terra. Na Espanha, as "cortes" (o conselho do rei) foram abertas aos plebeus na primeira metade do século XII. No Império Germânico, várias cidades importantes receberam o título de "cidades imperiais", pois seus representantes tinham de ser ouvidos na dieta imperial.

Na Suécia, representantes do povo compareceram às sessões da primeira reunião do Riksdag, em 1359. Na Dinamarca, o Daneholf (a antiga assembléia nacional) foi reinstituído em 1314 e, embora os nobres freqüentemente controlassem o país à custa do rei e do povo, os representantes das cidades nunca chegaram a ser completamente despojados de seu poder.

Nas terras escandinavas, a história do governo representativo é particularmente interessante. Na Islândia, o "Althing", a assembléia de todos os proprietários livres, que detinha o poder

A pátria da liberdade suíça

na ilha, começou a reunir-se regularmente no século IX e continuou se reunindo por mais de mil anos.

Na Suíça, os homens livres dos diversos cantões defenderam com êxito as suas assembléias contra as tentativas de dominação de diversos senhores feudais vizinhos.

Por fim, nos Países Baixos, e especificamente na Holanda, os conselhos dos diversos ducados e condados já eram assistidos por representantes do Terceiro Estado no século XIII.

No século XVI, algumas dessas pequenas províncias se rebelaram contra o seu rei, abjuraram de Sua Majestade numa reunião solene dos "Estados Gerais", proibiram que o clero participasse das discussões, aboliram o poder dos nobres e passaram a exercer plenamente o poder executivo sobre a recém-fundada República dos Sete Países Baixos. Por dois séculos, os representantes das cidades governaram esse país sem o rei, sem os bispos e sem os nobres. A cidade reinava suprema, e os bons burgueses tornaram-se os senhores da terra.

A abjuração de Filipe II

37
O MUNDO MEDIEVAL
O que as pessoas da Idade Média pensavam sobre o mundo em que viviam

As datas são uma invenção utilíssima. Não poderíamos viver sem elas, mas, se não tomarmos muito cuidado, elas podem nos enganar. Tendem a tornar a história precisa demais. Do ponto de vista do homem medieval, por exemplo, não posso afirmar que no dia 31 de dezembro de 476 todos os habitantes da Europa disseram ao mesmo tempo: "Ora, ora, o Império Romano acabou e estamos vivendo na Idade Média. Que interessante!"

Na corte franca de Carlos Magno havia homens que eram romanos nos seus hábitos, no seu comportamento e na sua forma de ver a vida. Por outro lado, quando você crescer vai descobrir que certas pessoas jamais ultrapassaram o estágio do homem das cavernas. Os tempos e as gerações se sobrepõem e as idéias das sucessivas gerações brincam de pega-pega. Porém, é possível estudar as idéias de um bom número de representantes legítimos da Idade Média para lhe dar uma idéia das atitudes do típico homem medieval perante a vida e as muitas dificuldades do viver.

Em primeiro lugar, lembre-se que, na Idade Média, as pessoas nunca se concebiam como cidadãos livres que podiam ir e vir à vontade e moldar o próprio destino de acordo com a própria capacidade, energia ou sorte. Muito pelo contrário, consideravam-se partes de um esquema geral de coisas que incluía imperadores e servos, papas e hereges, heróis e fanfarrões, ricos e pobres, mendigos e salteadores. Aceitavam essa divina ordenação do

Hendrik Willem van Loon

O mundo medieval

A história da humanidade

mundo e não faziam perguntas. Neste ponto, como é óbvio, eram completamente diferentes do homem moderno, que não aceita coisa alguma e está sempre em busca de melhorar a própria situação financeira e política.

Para os homens e mulheres do século XIII, a outra vida – um Paraíso de maravilhosas delícias ou um Inferno de sofrimento, fogo e enxofre – era algo mais do que uma expressão vazia ou um amontoado de confusas definições teológicas. Era uma realidade, e os burgueses e cavaleiros da Idade Média dedicavam a maior parte do seu tempo a preparar-se para essa vida futura.

Para nós, modernos, uma morte tranqüila depois de uma vida bem vivida é encarada com a silenciosa tranqüilidade dos antigos gregos e romanos. Depois de sessenta anos de trabalho e esforço, nós adormecemos com a sensação de que tudo estará bem.

Durante a Idade Média, porém, a Rainha do Terror, com sua caveira risonha e seus ossos chocalhantes, era a constante companheira do homem. Ela acordava suas vítimas com terríveis melodias arranhadas em sua rabeca, sentava-se com elas para jantar e espreitava por detrás das árvores quando um rapaz levava uma moça para passear. Se você, na infância, em vez de ouvir os contos de fadas de Andersen e dos irmãos Grimm, tivesse ouvido somente horripilantes algaravias sobre cemitérios, caixões e doenças mortais, provavelmente também passaria todos os dias de sua vida no constante temor da hora da morte e do terrível Dia do Juízo. Era exatamente isso o que acontecia com as crianças da Idade Média. Elas habitavam um mundo povoado de demônios e espectros, no qual de vez em quando aparecia um anjo. Às vezes, o medo do futuro enchia suas almas de humildade e piedade, mas no geral tinha nelas o efeito oposto e tornava-as cruéis e sentimentais. Depois de chacinar todas as mulheres e crianças de uma cidade, os homens medievais dirigiam-se cheios de devoção a algum lugar sagrado e, com as mãos tintas do sangue de vítimas inocentes, imploravam do Céu misericordioso o perdão de seus pecados. Aliás, não se limitavam a rezar; choravam lágrimas amargas e confessavam-se os piores pecadores. Porém, no dia seguinte, tornavam a passar a fio de espada todo um batalhão de inimigos sarracenos sem o menor sinal de misericórdia em seu coração.

É certo que os cruzados eram cavaleiros e seguiam um código de comportamento um pouco diferente do dos homens comuns. Porém, nesses assuntos, os homens comuns eram idênticos a seus senhores. Assemelhavam-se igualmente a cavalos assustadiços, facilmente postos em fuga por uma sombra ou um miserável pedaço de papel, capazes de servir a outrem com a máxima fidelidade, mas capazes também de bater em retirada e cometer terríveis atrocidades quando sua imaginação febril via um fantasma.

Para julgar esses bons homens, porém, convém nos lembrarmos das terríveis desvantagens que sofriam no seu viver. Eram, na realidade, bárbaros que posavam de homens civilizados. Carlos Magno e Oto, o Grande, eram chamados "imperadores romanos", mas eram selvagens que, embora vivessem em meio a ruínas gloriosas, não partilhavam dos benefícios da civilização que seus pais e avós haviam destruído. Não sabiam absolutamente nada. Ignoravam quase todos os fatos que hoje em dia são conhecidos de qualquer criança de doze anos. Para adquirir conhecimento, eram obrigados a recorrer a um único livro: a Bíblia. Porém, as partes da Bíblia que influenciaram para melhor a história da raça humana são aqueles capítulos do Novo Testamento que nos ensinam as grandes verdades morais do amor, da caridade e do perdão. Como compêndio de astronomia, zoologia, botânica, geometria e todas as outras ciências, o livro sagrado não é totalmente confiável. No século XII, um segundo livro foi acrescentado à biblioteca medieval: a grande enciclopédia de conhecimentos úteis compilada por Aristóteles, filósofo grego do século IV a.C. Realmente não sei dizer por que a Igreja cristã conferiu tão grandes honras ao mestre de Alexandre Magno ao mesmo tempo em que condenava todos os demais filósofos gregos por suas doutrinas pagãs. Mas, depois da Bíblia, Aristóteles foi reconhecido como o único mestre confiável cujas obras poderiam, sem dano, ser postas nas mãos dos verdadeiros cristãos.

Suas obras chegaram à Europa por um caminho meio tortuoso. Da Grécia, haviam ido a Alexandria. Lá, foram traduzidas do grego para o árabe pelos maometanos que conquistaram o Egito

A história da humanidade

no século VII. Entraram com os exércitos muçulmanos na Espanha, onde a filosofia do grande Estagirita (Aristóteles nasceu em Estagira, na Macedônia) era ensinada na universidade mourisca de Córdoba. O texto árabe foi então traduzido para o latim pelos estudantes cristãos que cruzavam os Pireneus para receber uma educação liberal; e foi essa viajada versão dos velhos livros que por fim passou a ser ensinada nas diversas escolas do noroeste da Europa. Não era muito clara, mas isso a deixava muito mais interessante.

Com a ajuda da Bíblia e de Aristóteles, os intelectos mais brilhantes da Idade Média puseram-se a trabalhar para explicar todas as coisas entre o céu e a terra em sua relação com a vontade manifesta de Deus. Esses homens brilhantes, os chamados escolásticos, eram de fato muito inteligentes, mas obtinham suas informações exclusivamente dos livros, nunca da observação direta. Quando queriam dar aulas sobre esturjões e taturanas, liam o Antigo Testamento, o Novo Testamento e Aristóteles e contavam a seus alunos tudo o que esses excelentes livros tinham a dizer sobre o assunto. Não se dirigiam ao rio mais próximo para pescar um esturjão; não saíam da biblioteca nem iam ao quintal para capturar algumas taturanas, examiná-las e estudá-las em seu próprio hábitat. Mesmo mestres tão famosos quanto Alberto Magno e Tomás de Aquino não se perguntavam se os esturjões da Palestina e as taturanas da Macedônia não seriam porventura diferentes dos esturjões e taturanas da Europa ocidental.

Quando, vez por outra, uma pessoa excepcionalmente curiosa como Roger Bacon surgia em meio ao concílio dos sábios e começava a fazer experiências com lentes de aumento e pequenos telescópios, ou levava o esturjão e a taturana para a sala de aula e provava que eram diferentes das criaturas descritas no Antigo Testamento e nos livros de Aristóteles, os escolásticos meneavam a cabeça com tristeza. Bacon estava indo longe demais. Já quando ele se atreveu a afirmar que uma hora de observação direta valia mais do que dez anos na companhia de Aristóteles, e que as obras do famoso grego poderiam nem sequer ter sido traduzidas, pois não haviam feito nenhum bem, os escolásticos foram à polícia e disseram: "Este homem é um perigo para a segurança do Estado. Quer que estudemos a língua grega para poder ler Aristóteles no original. Por que não está contente com nossa versão árabe-latina, que tem atendido satisfatoriamente às necessidades do povo fiel por tantos séculos? Por que demonstra tanta curiosidade pelas vísceras dos peixes e dos insetos? Talvez seja um malvado feiticeiro que, com sua magia negra, pretende perturbar a ordem estabelecida." E tão bem defenderam a própria causa que os atemorizados guardiães da paz proibiram Bacon de escrever uma única palavra por mais de dez anos. Quando retomou seus estudos, Bacon havia aprendido uma lição. Passou a escrever seus livros numa estranha linguagem cifrada que impossibilitou que seus contemporâneos os entendessem – um truque que foi se tornando cada vez mais comum à medida que a Igreja foi se tornando mais violenta em sua tentativa de impedir que as pessoas fizessem perguntas que talvez conduzissem à dúvida e à infidelidade.

Essa violência, porém, não tinha por motivo um desejo maligno de deixar o povo na ignorância. O sentimento que movia os caçadores de hereges daquela época era, na realidade, um sentimento muito caridoso. Eles acreditavam firmemente – ou melhor, sabiam com certeza – que esta vida era somente um estágio de preparação para a nossa verdadeira existência no mundo futuro. Estavam convictos de que o excesso de conhecimento deixava as pessoas inquietas, enchia a mente delas de opiniões perigosas e tinha como fruto a dúvida e, por fim, a perdição. O escolástico medieval que via um de seus alunos afastar-se da autoridade revelada da Bíblia e de Aristóteles para estudar as coisas por si mesmo sentia-se tão ansioso quanto uma mãe amorosa que vê o filhinho chegar perto de um fogão aceso. Ela sabe que, se ele puser as mãos no fogão, há de queimar os seus dedinhos; e por isso tenta impedi-lo, usando a força se necessário. A realidade é que ela ama o seu filho e, se ele a obedecer, será tão boa com ele quanto puder. Do mesmo modo, na Idade Média, os guardiães das almas do povo, embora fossem rigorosos em todos os assuntos relativos à fé, labutavam noite e dia para servir da melhor maneira possível às ovelhas de seu rebanho. Estendiam as mãos em auxílio sempre que tinham a oportunidade, e

A história da humanidade

a sociedade daquela época levou a marca dos milhares de homens bons e mulheres piedosas que tentavam tornar o destino dos comuns mortais tão suportável quanto possível.

O servo era servo, e sua posição não mudaria jamais. Mas o bom senhor da Idade Média que permitia que o servo passasse a vida inteira na qualidade de escravo sabia que essa humilde criatura tinha uma alma imortal e que, portanto, tinha de ter os seus direitos protegidos, a fim de poder viver e morrer como um bom cristão. Quando ficava velho ou fraco demais para trabalhar, tinha de ser amparado pelo senhor feudal para quem trabalhara. Por isso, o servo, que levava uma vida melancólica e monótona, não era jamais assombrado pelo medo do amanhã. Sabia que estava "seguro" – que não podia ser despedido do emprego, que sempre teria um teto sobre a sua cabeça (um teto com goteiras, talvez, mas um teto mesmo assim) e que sempre teria o que comer.

Essa sensação de "estabilidade" e de "segurança" estava presente em todas as classes da sociedade. Nas cidades, os comerciantes e artesãos fundavam ligas ou guildas que garantiam uma renda constante a todos os seus membros. As guildas não encorajavam os ambiciosos a ganhar mais do que os outros. Com demasiada freqüência, davam proteção aos "relaxados" que conseguiam assim "sobreviver". Mas estabeleceram em meio à classe trabalhadora um sentimento geral de segurança e contentamento que não mais existe em nossa época marcada pela competitividade geral. Os homens medievais conheciam o perigo dos monopólios, que ocorrem quando um único homem rico compra todo o trigo, o sabão ou o arenque defumado (por exemplo) disponíveis no mercado e então força todo o mundo a comprar dele esses produtos pelo preço a que ele quiser vendê-los. Por isso, as autoridades desestimulavam o comércio de atacado e regulamentavam o preço a que os mercadores podiam vender seus produtos.

A Idade Média não gostava da competição. Por que competir e encher o mundo de pressa, de rivalidade e de uma multidão de homens empurrando uns aos outros, se por outro lado estava próximo o Dia do Juízo, no qual as riquezas de nada valeriam e o bom servo adentraria os portais dourados do paraíso ao passo que o cavaleiro mau seria lançado para o castigo nas profundezas do inferno?

Em suma, pedia-se ao povo da Idade Média que abdicasse de uma parcela de sua liberdade de pensamento e ação a fim de gozar de uma maior segurança em relação à pobreza do corpo e à pobreza da alma.

E, com pouquíssimas exceções, esse povo aceitou a proposta. Acreditavam firmemente que estavam apenas de passagem por este planeta – que estavam aqui para preparar-se para uma vida maior e mais importante. Deliberadamente deram as costas a um mundo repleto de sofrimento, maldade e injustiça. Fecharam as cortinas para que os raios do sol não distraíssem a sua atenção daquele capítulo do Apocalipse que lhes falava da luz celestial que os alumiaria em bem-aventurança por toda a eternidade. Procuravam fechar os olhos à maioria das alegrias do mundo em que viviam a fim de poder gozar das alegrias que os esperavam num futuro próximo. Aceitavam a vida como um mal necessário e acolhiam a morte de braços abertos, como o raiar de um novo e glorioso dia.

Os gregos e os romanos não se importaram com o futuro, mas tentaram estabelecer seu Paraíso aqui mesmo nesta terra. Conseguiram assim tornar a vida extremamente agradável para os homens que não tinham o azar de ser escravos. Depois veio o outro extremo, a Idade Média, em que o homem construiu um Paraíso para si acima das nuvens mais excelsas e tornou este mundo num vale de lágrimas para nobres e plebeus, ricos e pobres, inteligentes e estúpidos. Mas chegara já a hora de o pêndulo pender de novo para o outro lado, como hei de lhe contar no próximo capítulo.

38
O COMÉRCIO MEDIEVAL
Como as Cruzadas fizeram mais uma vez do Mediterrâneo um movimentado centro de comércio, e como as cidades da península italiana tornaram-se os grandes centros de distribuição do comércio com a Ásia e com a África

Foram três os motivos pelos quais as cidades italianas foram as primeiras a restabelecer-se numa posição de grande importância no final da Idade Média. A península italiana fora colonizada pelos romanos em data muito recuada. O número de estradas, cidades e escolas era maior na Itália do que em qualquer outro lugar da Europa.

Os bárbaros haviam incendiado a Itália como haviam incendiado todos os outros lugares; mas, na península italiana, o número de coisas a ser destruídas era tão grande que boa parte delas ficou incólume. Em segundo lugar, o papa morava na Itália e, na qualidade de chefe de uma gigantesca máquina política, dona de terras, servos, edifícios, florestas e rios e administradora da justiça, recebia constantemente uma grande quantidade de dinheiro. As autoridades papais, como os mercadores e marinheiros de Veneza e Gênova, tinham de ser pagas em ouro e prata. As vacas, os ovos, os cavalos e todos os demais produtos da agricultura e da pecuária vindos do norte tinham de ser trocados por dinheiro vivo para que as dívidas pudessem ser pagas na distante cidade de Roma. Isso fez da Itália o único país dotado de uma relativa abundância de ouro e prata. Por fim, durante as cruzadas, as cidades italianas constituíram os portos onde embarcavam os cruzados e amealharam lucros quase inacreditáveis.

E depois que as cruzadas terminaram, essas mesmas cidades italianas continuaram sendo os centros de distribuição dos pro-

Hendrik Willem van Loon

dutos orientais com que o povo europeu tinha se acostumado durante o tempo passado no Oriente Próximo.

Dessas cidades, poucas foram tão famosas quanto Veneza, uma república construída sobre o lodo. O povo do continente havia fugido para lá no século IV, quando da invasão dos bárbaros. Rodeados de mar por todos os lados, haviam-se dedicado à extração de sal. O sal era um produto escasso na Idade Média e alcançava preços muito altos. Por séculos e séculos Veneza teve o monopólio desse indispensável tempero (indispensável porque os seres humanos, como as ovelhas, ficam doentes quando não ingerem uma determinada quantidade de sal com o alimento), e os venezianos usaram esse monopólio para aumentar o poder da cidade. Chegaram até mesmo, vez por outra, a desafiar o poder dos papas. A cidade enriqueceu e começou a construir navios para comerciar com o Oriente. Durante as cruzadas, esses navios serviram para levar passageiros à Terra Santa; e, quando os passageiros não podiam pagar a passagem em dinheiro, eram obrigados a ajudar os venezianos a consolidar a posse de suas colônias no mar Egeu, na Ásia Menor e no Egito.

No final do século XIV, a população aumentara para duzentas mil almas, fazendo de Veneza a maior cidade da Idade Média. O povo não tinha influência alguma sobre o governo, que estava a cargo de um pequeno número de ricas famílias de comerciantes. Elegiam um Senado e um doge (ou duque), mas os verdadeiros soberanos da cidade eram os membros do famoso Conselho dos Dez – que se conservavam no poder com o auxílio de um sistema altamente organizado de agentes da polícia secreta e assassinos profissionais, que vigiavam todos os cidadãos e silenciosamente eliminavam aqueles que porventura representassem um perigo para a segurança do despótico e inescrupuloso Comitê de Segurança Pública.

A outra forma extremada de governo, uma democracia de hábitos muito turbulentos, era encontrada em Florença. Essa cidade controlava a estrada principal entre o norte da Europa e Roma, e empregou o dinheiro ganho graças a essa feliz posição econômica para promover as atividades manufatureiras. Os florentinos tentavam seguir o exemplo de Atenas. Tanto os nobres quanto os sacerdotes e os membros das guildas participavam das discussões sobre os assuntos cívicos. Esse fato gerava grandes comoções cívicas. As pessoas estavam sempre divididas em diversos partidos políticos que combatiam uns aos outros com intenso ódio e, uma vez obtida uma vitória no conselho, dedicavam-se sem a menor cerimônia a exilar seus inimigos e confiscar seus bens. Depois de vários séculos de governo pela multidão organizada, o inevitável aconteceu. Uma família poderosa fez-se senhora da cidade e passou a governá-la, bem como à zona rural circundante, à moda dos antigos "tiranos" dos gregos. Era a família dos Médici. Os primeiros Médici tinham sido médicos, donde o seu nome, mas depois haviam virado banqueiros. Seus bancos e lojas de penhores podiam ser encontrados em todos os grandes centros de comércio. Até hoje, nos Estados Unidos, as lojas de penhores trazem à frente as três esferas douradas que faziam parte do brasão da poderosíssima casa dos Médici, que se tornaram senhores de Florença, deram suas filhas em casamento aos reis de França e fizeram-se sepultar em tumbas dignas de um César dos romanos.

Havia também Gênova, a grande rival de Veneza, cujos mercadores especializavam-se no comércio com Túnis, na África, e com as regiões produtoras de trigo às margens do mar Negro. E, além dela, havia mais de duzentas outras cidades, algumas grandes e outras pequenas, cada qual uma unidade comercial perfeita, todas lutando contra suas vizinhas e rivais com o ódio imorredouro de vizinhos que roubam os lucros uns dos outros.

Quando os produtos do Oriente e da África chegavam a esses centros de distribuição, tinham de ser preparados para as viagens a oeste e ao norte.

Gênova levava seus bens por mar até Marselha, de onde eram reembarcados para as cidades ribeirinhas ao Ródano, que por sua vez abasteciam os mercados da França setentrional e ocidental.

Veneza usava a rota terrestre para a Europa setentrional. Essa antiga estrada passava pelo Passo de Brenner, o antigo portal usado pelos bárbaros que invadiram a Itália. Depois de Innsbrück, as mercadorias eram levadas a Basiléia. De lá navegavam Reno

A grande Novgorod

abaixo até o mar do Norte e a Inglaterra, ou eram conduzidas a Augsburgo, onde a família Fugger (banqueiros e industriais que haviam prosperado tirando "raspas" das moedas com que pagavam seus operários) cuidava de sua ulterior distribuição para Nuremberg, Leipzig, as cidades do Báltico e Wisby (na ilha de Gotland), que atendiam às necessidades do Báltico setentrional e negociavam diretamente com a república de Novgorod, antigo centro comercial da Rússia que foi destruído por Ivã, o Terrível, em meados do século XVI.

As cidadezinhas situadas no litoral noroeste da Europa tinham um papel próprio nessa história. No mundo medieval, comia-se muito peixe. Havia muitos dias de jejum, em que as pessoas não podiam comer carne. Para os que residiam longe do mar e dos rios, isso significava uma dieta de ovos ou nada mais. Mas no comecinho do século XIII um pescador holandês descobriu um sistema para curar (conservar) o arenque, de modo que esse peixe pudesse ser transportado a grandes distâncias. As regiões pesqueiras do mar do Norte adquiriram então grande importância. Mas, em meados do mesmo século XIII, esses úteis peixinhos (por motivos só deles conhecidos) resolveram se mudar do mar do Norte para o mar Báltico, e as cidades situadas à beira desse mar interior começaram a ganhar dinheiro. Todo o mundo velejava agora para o Báltico a fim de pescar o arenque; e, como esse peixe só podia ser capturado durante alguns meses do ano (passava o resto do tempo em águas profundas, criando grandes famílias de arenquezinhos), os navios permaneceriam ociosos durante todo o tempo restante caso os marujos não encontrassem outra ocupação. Eram usados então para levar o trigo da Rússia setentrional e central para a Europa ocidental e meridional. Na viagem de volta, traziam especiarias, sedas e tapetes orientais de Veneza e Gênova para Bruges, Hamburgo e Bremen.

Foi a partir desses humildes primórdios que se desenvolveu um importante sistema de comércio internacional que abarcava desde as cidades manufatureiras de Bruges e Gand (onde as guildas todo-poderosas combateram encarniçadamente os reis da França e da Inglaterra e estabeleceram uma tirania trabalhista que arruinou completamente tanto os empregadores quanto os

Um navio da Hansa

A história da humanidade

operários) até a república de Novgorod na Rússia setentrional, que foi uma cidade poderosa até o momento em que o czar Ivan, que desconfiava de todos os mercadores, capturou-a, matou sessenta mil pessoas em menos de um mês e reduziu as restantes à condição de mendigos.

Para proteger-se contra os piratas, os impostos excessivos e os problemas de legislação, os comerciantes do norte fundaram uma liga chamada "Hansa" ou Liga Hanseática. A Liga Hanseática, que tinha a sua sede em Lubeca, era uma associação voluntária de mais de cem cidades. A associação tinha a sua própria marinha, que patrulhava os mares e combatia e derrotava os reis da Inglaterra e da Dinamarca quando ousavam opor-se aos direitos e privilégios dos poderosos mercadores hanseáticos.

Gostaria de ter mais espaço para lhe contar algumas das histórias maravilhosas desse estranho comércio que se realizava nos altos desfiladeiros de montanhas e nos mares profundos, em meio a tamanhos perigos que cada viagem se transformava numa prodigiosa aventura. Porém, para isso seriam necessários diversos volumes, de modo que não vou fazê-lo aqui.

Tentei lhe mostrar que a Idade Média foi um período de progresso muito lento. Os poderosos da época consideravam o "progresso" uma perniciosa invenção do Demônio, algo a ser desencorajado; e, como tinham o poder nas mãos, foi-lhes fácil impor sua vontade aos servos pacientes e aos cavaleiros iletrados. Aqui e ali, uma ou outra alma corajosa aventurava-se pelos territórios proibidos da ciência, mas sempre se dava mal; podia considerar-se com sorte caso conseguisse escapar com vida e passar somente vinte anos na prisão.

Nos séculos XII e XIII, a maré montante do comércio internacional cobriu a Europa Ocidental como o Nilo cobria os vales do Egito antigo: deixou em seu rastro um fértil sedimento de prosperidade. A prosperidade acarreta mais tempo livre; e esse tempo livre deu aos homens e às mulheres a oportunidade de comprar manuscritos e interessar-se pela literatura, pela arte e pela música.

Então, de novo o mundo se encheu daquela divina curiosidade que elevou o homem nas categorias dos demais mamíferos, que, embora sejam seus primos distantes, continuaram na estupidez. E as cidades, de cujo crescimento e desenvolvimento lhe falei neste capítulo, passaram a servir de abrigo seguro para os valentes pioneiros que ousaram deixar para trás os estreitos domínios da ordem estabelecida.

Esses pioneiros puseram-se a trabalhar. Abriram as janelas dos seus claustros e quartos de estudo. A luz solar inundou essas salas empoeiradas e fê-los ver as teias de aranha que se haviam acumulado durante o longo período de semi-escuridão.

Começaram a limpar a casa. Depois, saíram para limpar o jardim.

Por fim, foram para os campos abertos, além das muralhas semi-arruinadas das cidades, e disseram: "Como é bom este mundo! Estamos contentes por viver nele."

Nesse instante, a Idade Média acabou e começou uma nova era.

39
O RENASCIMENTO
As pessoas mais uma vez ousaram ser felizes pelo simples fato de estarem vivas. Procuraram resgatar os restos da antiga e agradável civilização dos gregos e romanos, e ficaram tão orgulhosas de suas realizações que começaram a falar de um "renascimento" da civilização

O Renascimento não foi um movimento político ou religioso. Foi um estado de espírito.

Os homens do Renascimento ainda eram filhos obedientes da Santa Madre Igreja. Eram súditos de reis, imperadores e duques e não murmuravam contra seus senhores.

Mas sua visão de mundo tinha mudado. Começaram a usar roupas diferentes, a falar línguas diferentes e a viver de modo diferente em casas diferentes.

Já não concentravam todos os seus pensamentos e esforços na existência bem-aventurada que os aguardava no Paraíso. Tentaram fundar um Paraíso aqui sobre esta terra e, para falar a verdade, em grande medida o conseguiram.

Já o alertei várias vezes contra o perigo que se oculta por trás das grandes datas da história. As pessoas as entendem de modo demasiado literal. Concebem a Idade Média como um período de trevas e ignorância. De repente toca o despertador, começa o Renascimento e as cidades e palácios se enchem da luz brilhante de uma grande curiosidade intelectual.

É impossível traçar linhas demarcatórias tão rígidas. O século XIII pertence nitidamente à Idade Média. Todos os historiadores concordam com isso. Mas será que não passou de uma época de trevas e estagnação? De modo algum. As pessoas estavam tremendamente vivas. Grandes Estados foram então fundados, e grandes centros de comércio estavam se desenvolvendo. Muito acima dos torreões dos castelos e dos telhados pontudos dos paços municipais, erguiam-se as graciosas flechas das recém-construídas catedrais góticas. Em toda parte o mundo estava em movimento. Os cavalheiros poderosos que controlavam o paço municipal, recém-inteirados de sua própria força (por meio das riquezas recém-adquiridas), lutavam pelo poder contra seus senhores feudais. Os membros das guildas, já conscientes do importante fato de que "a união faz a força", lutavam contra os poderosos cavalheiros do paço municipal. O rei e seus astutos conselheiros pescavam nessas águas tempestuosas e muitas vezes conseguiam pegar um belo peixe, que cozinhavam e comiam ante os olhos atônitos e decepcionados dos membros das guildas e dos conselhos municipais.

Para avivar esse cenário durante as longas horas de escuridão, quando as ruas mal iluminadas já não se prestavam às disputas políticas e econômicas, os trovadores e menestréis contavam suas histórias e cantavam suas canções de amor, aventura, heroísmo e lealdade a todas as belas mulheres. E enquanto isso, a juventude, impaciente com a lentidão do progresso, acorria em massa às universidades – ponto esse que merece ser narrado em detalhes.

A mentalidade medieval era "internacionalista". Esse termo parece difícil, mas vou lhe explicar o que significa. Nós, modernos, temos a mentalidade "nacionalista". Somos norte-americanos, ingleses, franceses ou italianos; falamos inglês, francês ou italiano e freqüentamos as universidades norte-americanas, inglesas, francesas e italianas, a menos que tenhamos a intenção de nos especializar num determinado ramo do conhecimento que só seja ensinado em outro lugar; então aprendemos outra língua e vamos para Munique, Madri ou Moscou. Já os homens dos séculos XIII ou XIV raramente intitulavam-se ingleses, franceses ou italianos. Diziam: "Sou cidadão de Sheffield, ou Bordeaux, ou Gênova." Como pertenciam todos a uma única Igreja, sentiam haver entre si um certo vínculo de fraternidade. E como todas as pessoas instruídas sabiam falar latim, possuíam uma língua internacional que eliminava as estúpidas barreiras lingüísticas que surgiram na Europa moderna e que deixam as pequenas nações em tão grande desvantagem. Só como exemplo, tomemos o caso de Erasmo, o grande pregador do riso e da tolerância, que escreveu seus livros no século XVI. Erasmo nasceu num pequeno povoado da Holanda, mas escreveu em latim e tinha por público leitor o mundo inteiro. Se vivesse em nossa época, teria escrito em holandês. Desse modo, somente uns cinco ou seis milhões de pessoas poderiam lê-lo. Para que seus pensamentos fossem compreendidos pelo restante da Europa e da América, os editores teriam de traduzir seus livros para umas vinte línguas diferentes. Isso custaria muito dinheiro, de modo que os editores provavelmente jamais correriam esse risco.

Há seiscentos anos, era impossível acontecer tal coisa. A maior parte do povo ainda era muito ignorante e não sabia ler nem escrever. Mas os que dominavam a difícil arte de manipular a pena de ganso pertenciam a uma república literária internacional que se espalhava pelo continente europeu inteiro e não conhecia fronteiras nem respeitava limites de língua e nacionalidade. As universidades eram as fortalezas dessa república. Ao contrário das fortificações modernas, não se situavam nas fronteiras. Estabeleciam-se onde quer que um professor e alguns alunos se reunissem para ensinar e aprender. Nesse ponto, tanto a Idade Média quanto o Renascimento são diferentes da nossa época. Hoje em dia, para que uma nova universidade seja construída, o processo costumeiro (quase invariável) é o seguinte: um homem rico tem vontade de fazer algo pela comunidade em que vive, ou uma determinada seita religiosa quer construir uma escola para manter os filhos dos fiéis sob constante supervisão, ou o Estado se vê necessitado de médicos, advogados e professores. A universidade começa como uma grande soma de dinheiro depositada num banco. O dinheiro então é usado para construírem-se edifícios, laboratórios e alojamentos. Por fim, professores profissionais são contratados, realiza-se o vestibular e a universidade começa a funcionar.

Na Idade Média, porém, as coisas se faziam de modo diferente. Um sábio dizia para si mesmo: "Descobri uma grande verdade. Agora devo transmitir meu conhecimento aos outros." Começava então a pregar sua sabedoria onde quer que houvesse

O laboratório medieval

pessoas dispostas a ouvi-lo, como um moderno orador de rua. Caso suas palavras fossem interessantes, as pessoas vinham e ficavam para ouvir. Caso fossem aborrecidas, as pessoas davam de ombros e seguiam seu caminho. Pouco a pouco, certos jovens passavam a acorrer regularmente para ouvir as palavras de sabedoria desse grande mestre. Traziam consigo caderninhos, um vidrinho de tinta e uma pena de ganso para anotar os ensinamentos mais importantes. Certo dia começou a chover. O mestre e seus discípulos correram para um porão vazio, ou a sala do "professor". O sábio sentou-se numa cadeira e os discípulos, no chão. Foi assim que começou a universidade ou *universitas*, uma corporação medieval de professores e estudantes, na qual o professor era tudo e o edifício que usava para dar suas aulas nada significava.

Vou lhe contar, a título de exemplo, algo que aconteceu no século IX. Na cidade de Salerno, perto de Nápoles, havia vários médicos excelentes. Eles atraíram pessoas desejosas de aprender a medicina, e, por quase mil anos (até 1817), existiu a Universidade de Salerno, onde se ensinava a sabedoria de Hipócrates, o grande médico grego que praticara sua arte na antiga Hélade, no século V antes do nascimento de Cristo.

Houve também Abelardo, um jovem sacerdote bretão, que no começo do século XII começou a dar aulas de teologia e lógica em Paris. Milhares de jovens acorreram ansiosamente para ouvi-lo. Outros sacerdotes, que discordavam das teses de Abelardo, apresentaram-se para expor seus pontos de vista. Paris logo ficou repleta de uma barulhenta multidão de estudantes ingleses, alemães, italianos, suecos e húngaros; e, ao redor da antiga catedral localizada numa ilhota do Sena, nasceu e cresceu a famosa Universidade de Paris.

Em Bolonha, na Itália, um monge de nome Graciano compilou um livro de referência para os que tinham o dever de conhecer as leis da Igreja. Jovens sacerdotes e muitos leigos vieram então de toda a Europa para ouvir as idéias de Graciano. Para proteger-se contra os senhorios, taverneiros e donas de casas de pensão da cidade, eles constituíram uma corporação (ou universidade) – e eis que nasceu a Universidade de Bolonha.

Houve então uma briga na Universidade de Paris. Não sabemos o que a causou, mas o fato é que um grupo de professores aborrecidos, acompanhados de seus alunos, atravessou o canal da Mancha e encontrou acolhida hospitaleira numa cidadezinha à margem do Tâmisa chamada Oxford; e foi assim que veio a ser a famosa Universidade de Oxford. Do mesmo modo, no ano de 1222, houve um cisma ou cisão na Universidade de Bolonha. Os professores descontentes (de novo seguidos por seus alunos) mudaram-se para Pádua, cidade que orgulhosamente passou a ser sede de uma universidade. E foi assim que aconteceram as coisas, desde Valladolid, na Espanha, até Cracóvia, na distante Polônia, e desde Poitiers, na França, até Rostock, na Alemanha.

É bem verdade que boa parte dos ensinamentos transmitidos por esses antigos mestres pareceriam absurdos aos nossos ouvidos, acostumados que estão a ouvir falar de logaritmos e teoremas geométricos. Mas o ponto para que quero chamar sua atenção é o seguinte: a Idade Média, e especialmente o século XIII, não foram épocas de completa imobilidade no mundo. Entre os membros das gerações mais jovens, havia vida, havia entusiasmo e havia uma curiosidade inquieta, embora ainda tímida e envergonhada. Foi desse turbilhão que proveio o Renascimento.

Porém, pouco antes de cair o pano sobre a última cena do mundo medieval, passou pelo palco uma figura solitária de quem não basta que você saiba somente o nome. Foi um homem chamado Dante, que veio ao mundo no ano de 1265, filho de um

O Renascimento

advogado florentino da família Alighieri. Foi criado na cidade de seus antepassados enquanto Giotto pintava a vida de São Francisco de Assis nas paredes da igreja da Santa Cruz; mas muitas vezes, quando ia para a escola, seus olhos assustados contemplavam as poças de sangue que davam testemunho da guerra cruenta e interminável que se travava entre os guelfos e os gibelinos, os seguidores do papa e os partidários do imperador.

Quando cresceu, Dante entrou para o partido dos guelfos porque seu pai fora guelfo – do mesmo modo que um menino norte-americano pode se tornar democrata ou republicano simplesmente porque seu pai foi democrata ou republicano. Porém, depois de alguns anos, Dante viu que, se a Itália não se unisse sob um governo único, corria o risco de perecer vítima das ciumeiras desordenadas de mil cidadezinhas. Por isso, tornou-se gibelino.

Buscou a ajuda de além dos Alpes. Esperava que um poderoso imperador chegasse para restabelecer a unidade e a ordem. Infelizmente, esperou em vão. Os gibelinos foram expulsos de Florença no ano de 1302. Dessa época até o dia de sua morte, em 1321, entre as ruínas abandonadas de Ravena, Dante foi um peregrino sem lar que comia o pão da caridade à mesa de ricos patronos cujo nome teria caído para sempre no esquecimento não fosse por este simples fato – de terem tido piedade de um poeta em sua miséria. Durante os muitos anos de exílio, Dante se viu obrigado a justificar a si mesmo e às suas ações de quando fora líder político em sua cidade natal e de quando, doze anos antes da expulsão dos gibelinos, passava dias e dias caminhando às margens do Arno só para ver a bela Beatriz Portinari, que morreu casada com outro homem.

Fracassara na realização de suas ambições. Servira fielmente à sua cidade natal, mas, perante um tribunal corrupto, fora acusado de malversação dos fundos públicos e condenado a ser queimado vivo caso pusesse de novo os pés no território de Florença. Para purificar-se perante a própria consciência e a de seus contemporâneos, Dante criou então um mundo imaginário no qual descreveu detalhadamente as condições que haviam levado à sua derrocada e pintou um vivo quadro do lamentável estado de cobiça, avareza e ódio que transformara sua bela e amada Itália num campo de batalha onde se digladiavam os mercenários pagos por tiranos malignos e egoístas.

Dante

Conta-nos ele que, na Quinta-Feira Santa do ano 1300, viu-se perdido numa selva escura e teve o seu caminho barrado por um leopardo, um leão e um lobo. Já se imaginava morto quando uma figura vestida de branco apareceu em meio às árvores. Era Virgílio, poeta e filósofo romano, enviado nessa missão de misericórdia pela Santa Virgem e por Beatriz, que dos altos céus vigiava o destino de seu verdadeiro amor. Então, Virgílio conduziu Dante pelo Inferno e pelo Purgatório. No começo, o caminho os leva cada vez mais para baixo até chegarem ao mais profundo fosso infernal, onde o próprio Lúcifer jaz congelado num gelo eterno e rodeado dos mais terríveis pecadores, traidores e mentirosos, bem como de todos quantos alcançaram o sucesso por meio da mentira, da fraude, do dolo e do engano. Porém, antes de os dois peregrinos chegarem a esse ponto, Dante encontra todos aqueles que de algum modo desempenharam um papel na história de sua bem-amada cidade. Imperadores e papas, audazes cavaleiros e usurários choramingões, todos estão lá, condenados ao suplício eterno ou à espera do dia da libertação, quando deixarão o Purgatório para ir ao Paraíso. É uma história curiosa. É um manual de tudo quanto os homens do século XIII faziam, sentiam, temiam e pediam em suas orações. Em meio a tudo isso caminha a figura do solitário exilado florentino, sempre seguido pela sombra do próprio desespero.

E eis que, quando os portões da morte fecharam-se por trás do triste poeta da Idade Média, os portais da vida se abriram para um menino que viria a ser o primeiro homem do Renascimento: Francesco Petrarca, filho do tabelião da cidadezinha de Arezzo.

O pai de Francesco pertencia ao mesmo partido político que Dante. Também foi exilado, e assim aconteceu que Petrarca não nasceu em Florença. Aos quinze anos de idade, Petrarca foi enviado a Montpellier, na França, para estudar e tornar-se advogado como seu pai. Mas o menino não queria seguir a carreira de jurista. Odiava a ciência do Direito. Queria ser um estudioso e um poeta – e, porque era isso o que mais queria, foi isso mesmo o que aconteceu, como é de regra com as pessoas de vontade forte. Fez longas viagens para copiar manuscritos em Flandres, nos mosteiros situados ao longo do Reno, em Paris, em Liège e por fim em Roma. Depois foi residir num vale isolado, nas montanhas selvagens de Vaucluse, onde se dedicou a estudar e escrever. Logo se tornou tão famoso por seus versos e sua erudição que tanto a Universidade de Paris quanto o rei de Nápoles convidaram-no a ensinar seus alunos e súditos. A caminho do novo emprego, Petrarca teve de passar por Roma. O povo dessa cidade já ouvira falar de sua fama como reorganizador dos textos de autores romanos havia muito esquecidos. Por isso, decidiram homenageá-lo; e, em pleno fórum do imperador, Petrarca foi coroado com a coroa de louros dos poetas.

Daí para a frente, sua vida foi uma carreira sucessiva de prêmios e homenagens. Ele escrevia as coisas que as pessoas mais queriam ouvir. Estavam cansadas de disputas teológicas. O pobre Dante podia vagar pelo Inferno à vontade; Petrarca escrevia sobre o amor, sobre a natureza, sobre o sol, e jamais mencionava os assuntos sombrios que pareciam ser a especialidade da velha geração. E, quando Petrarca chegava a uma cidade, as pessoas corriam para vê-lo e ele era recebido como um herói conquistador. Se por acaso levasse consigo seu jovem amigo Boccaccio, o contador de histórias, tanto melhor. Ambos eram homens de seu tempo, cheios de curiosidade, dispostos a ler tudo, a escarafunchar bibliotecas esquecidas e emboloradas para encontrar novos manuscritos de Virgílio, Ovídio, Lucrécio ou qualquer um dos antigos poetas latinos. Eram bons cristãos, é claro: todos eram! Mas ninguém precisava andar para lá e para cá com cara de tristeza e envergar um casaco sujo só porque mais cedo ou mais tarde iria morrer. A vida é bela. As pessoas foram feitas para ser felizes. Quer uma prova disso? Pois bem, tome uma pá e cave. O que você encontra? Belas estátuas e vasos antigos, ruínas de antigos edifícios, coisas feitas pelo povo do maior império que já existiu, que governou o mundo por mil anos. Era um povo forte, rico e belo (basta olhar o busto do imperador Augusto!). É claro que não eram cristãos e, portanto, jamais entrariam no Paraíso; na melhor das hipóteses ficariam no Purgatório, onde Dante acabara de visitá-los.

Mas e daí? Viver num mundo como o da Roma antiga era o Paraíso para qualquer mortal. E, de qualquer modo, nós só vivemos uma vez. Que tal se formos felizes e ficarmos contentes pelo simples fato de estarmos vivos?

Esse, em resumo, era o espírito que começou a preencher as ruas estreitas e tortuosas das muitas cidadezinhas italianas.

Você certamente já ouviu falar, por exemplo, da "febre da bicicleta" ou da "febre do automóvel". Alguém inventa a bicicleta. As pessoas que há centenas de milhares de anos têm de contentar-se em caminhar devagar ficam "febris" com a idéia de subir e descer com rapidez e facilidade as colinas e os vales. Então, um mecânico inteligente inventa o automóvel. Já não é necessário pedalar sem parar. Você simplesmente se senta e deixa que algumas gotinhas de gasolina trabalhem por você. Por isso, todas as pessoas querem ter um automóvel. Todos falam de Rolls-Royces, carros pequenos e baratos, carburadores, quilometragem e óleo. Exploradores penetram nos sertões de países desconhecidos a fim de encontrar novas reservas de petróleo. Florestas inteiras são plantadas em Sumatra e no Congo para nos fornecer borracha. A borracha e o petróleo ficam tão valorizados que os povos guerreiam pela posse desses recursos naturais. A "febre do automóvel" se alastra como uma epidemia pelo mundo inteiro, e as criancinhas aprendem a falar "carro" antes de murmurar "papai" e "mamãe".

No século XIV, o povo italiano ficou "febril" com as belezas recém-descobertas do mundo romano soterrado. Logo esse entusiasmo contagiou todos os povos da Europa ocidental. A descoberta de um manuscrito desconhecido era pretexto para um feriado civil. O homem que escrevia um tratado de gramática era tão popular quanto o que hoje inventa um novo tipo de vela de ignição. O humanista, o erudito que dedicava seu tempo e suas energias a um estudo do "homo", ou seja, da humanidade (em vez de desperdiçar horas e horas em infrutíferas investigações teológicas), esse homem era tido em maior respeito e recebia maiores honras do que qualquer herói que tivesse conquistado todas as Ilhas dos Canibais.

Em meio a esse turbilhão intelectual, aconteceu algo que muito favoreceu o estudo dos antigos filósofos e escritores. Os turcos estavam de novo atacando a Europa. Constantinopla, capital do que restava do Império Romano original, era que enfrentava os piores ataques. No ano de 1393, o imperador Manuel Paleólogo enviou Emanuel Crisoloras à Europa Ocidental a fim de explicar o estado de desespero em que se encontrava a antiga Bizâncio e pedir ajuda. A ajuda não veio, pois o mundo católico estava perfeitamente disposto a ver o mundo ortodoxo sofrer o castigo prometido aos hereges. Porém, por mais que a Europa ocidental fosse indiferente ao destino dos bizantinos, estava

A história da humanidade

muito interessada nos antigos gregos cujos colonizadores haviam fundado a cidade do Bósforo cinco séculos depois da Guerra de Tróia. Os europeus queriam aprender o grego para ler Aristóteles, Homero e Platão. Queriam muito aprendê-lo, mas não tinham livros, nem professores, nem tratados de gramática. Os magistrados de Florença ouviram falar da missão de Crisoloras. O povo da cidade estava com "febre" de aprender grego. Será que Crisoloras estaria disposto a ir ensinar-lhes? Foi assim que o primeiro professor de grego começou a ensinar o alfa, beta e gama a centenas de jovens sedentos de conhecimento, que mendigavam e passavam fome para poder chegar à cidade sobre o Arno, que viviam em estábulos e sótãos bolorentos para aprender a declinar o verbo παιδενω παιδενεί παιδενει e passar a fazer parte da companhia de Sófocles e Homero.

Entretanto, nas universidades, os velhos escolásticos, que ensinavam sua teologia obsoleta e sua lógica antiquada, que explicavam os mistérios ocultos do Antigo Testamento e discutiam a estranha ciência de sua edição greco-árabe-castelhano-latina de Aristóteles, contemplaram o novo fenômeno primeiro com perplexidade e horror, depois com pura e simples ira. A coisa estava indo longe demais. Os jovens estavam desertando as salas de aula das universidades estabelecidas para ouvir esses "humanistas" de olhar desvairado, com noções modernas sobre um "renascimento da civilização".

Procuraram então as autoridades e deram queixa. Mas não se pode forçar a beber um cavalo que não está com sede, e não se pode forçar ninguém a ouvir algo que não lhe interessa. Os escolásticos rapidamente perderam terreno. Aqui e ali obtiveram efêmeras vitórias. Uniram forças com aqueles fanáticos que odiavam ver as outras pessoas gozar de uma felicidade exterior à própria alma. Em Florença, o centro do Grande Renascimento, travou-se uma batalha terrível entre o velho e o novo. Um frade dominicano, de rosto azedo e dono de um ódio amargo contra tudo o que fosse belo, comandou a retaguarda medieval. Lutou bravamente; dia após dia, na grande nave de Santa Maria del Fiore, proferia suas ameaças de ira divina. "Arrependei-vos!", gritava. "Arrependei-vos da vossa impiedade, do vosso gosto pelas coisas profanas!" Começou a ouvir vozes e a ver espadas flamejantes reluzindo no céu. Passou a pregar às criancinhas, para que não caíssem no erro dos novos caminhos que estavam levando seus pais à perdição. Organizou companhias de escoteiros dedicados ao serviço do grande Deus cujo profeta ele alegava ser. Num súbito frenesi, o povo prometeu fazer penitência pelo maligno amor que tinham pela beleza e pelos prazeres. Levaram seus livros, suas estátuas e suas pinturas à praça do mercado e celebraram um selvagem "carnaval das vaidades", com cânticos sagrados e danças profaníssimas, enquanto Savonarola punha fogo aos tesouros acumulados.

Porém, quando as cinzas esfriaram, o povo se deu conta do que havia perdido. Aquele fanático terrível os fizera destruir tudo o que mais amavam. Voltaram-se então contra ele. Savonarola foi metido na prisão e torturado, mas recusou-se a se arrepender do que fizera. Era um homem honesto e procurara levar uma vida santa. De boa vontade destruíra os que se recusavam deliberadamente a partilhar do seu ponto de vista. Considerava-se no dever de erradicar o mal onde quer que o encontrasse; e, aos olhos desse fiel filho da Igreja, o amor pelos livros e belezas pagãs era um mal. Mas ele estava sozinho. Movera guerra em nome de uma época já morta e enterrada. O papa, em Roma, não moveu sequer um dedo para salvá-lo. Muito pelo contrário, deu sua bênção aos "fiéis florentinos" quando estes arrastaram Savonarola ao patíbulo, enforcaram-no e queimaram seu corpo em meio aos urros e gritos de alegria da plebe.

Foi um triste fim, mas um fim inevitável. Savonarola teria sido um grande homem no século XI. No século XV, não passou do defensor de uma causa perdida. Para o bem ou para o mal, a Idade Média chegou ao fim quando o papa se converteu ao humanismo e o Vaticano se tornou o mais importante museu de antiguidades gregas e romanas.

40
A ERA DA EXPRESSÃO
O povo começou a sentir a necessidade de dar expressão a sua recém-descoberta alegria de viver. Expressou sua felicidade na poesia, na escultura, na arquitetura, na pintura e nos livros publicados

No ano de 1471, faleceu um homem piedoso que passara setenta e dois dos seus noventa e um anos de vida por trás dos muros protetores do mosteiro do monte Santa Inês, perto de Zwolle, antiga cidade hanseática holandesa situada às margens do rio Ysel. Era conhecido como Irmão Tomás e, por ter nascido na cidade de Kempen, era chamado de Tomás de Kempis. Aos doze anos de idade foi enviado a Deventer, onde Gerhard Groot, brilhante bacharel pelas universidades de Paris, Colônia e Praga e famoso pregador itinerante, fundara a Sociedade dos Irmãos da Vida Comum. Os bons irmãos eram humildes cristãos leigos que tentavam levar a vida simples dos apóstolos de Jesus Cristo, trabalhando normalmente como carpinteiros, pedreiros e pintores. Tinham uma excelente escola onde os filhos aptos de pais pobres podiam aprender a sabedoria dos Padres da Igreja. Nessa escola, o pequeno Tomás aprendeu a conjugar os verbos latinos e a copiar manuscritos. Depois fez os seus votos religiosos, pôs nas costas sua pequena bolsa de livros, foi a Zwolle e lá, com um suspiro de alívio, encerrou-se no claustro e deixou para trás um mundo turbulento, que não o atraía.

Tomás viveu numa época de tumultos, epidemias e mortes repentinas. Na Europa central, na Boêmia, os devotos discípulos de Johannes Huss, amigo e seguidor do reformador inglês John Wycliffe, estavam vingando com uma guerra terrível a morte do seu amado líder, que morrera na fogueira por ordem do mesmo

Concílio de Constança que lhe prometera um salvo-conduto caso se dispusesse a ir à Suíça explicar suas doutrinas para o papa, o imperador, 23 cardeais, 33 arcebispos e bispos, 150 abades e mais de uma centena de príncipes e duques que se haviam reunido para reformar a Igreja.

No Ocidente, a França já estava lutando havia cem anos para expulsar os ingleses de seu território, e acabara de ser salva da derrota absoluta pelo feliz aparecimento de Joana d'Arc. Porém, assim que essa guerra terminou, a França e a Borgonha já se pegavam pela garganta numa luta de vida ou morte pela supremacia sobre a Europa ocidental.

Johannes Huss

No sul, um papa sediado em Roma invocava a maldição divina sobre outro papa que residia em Avinhão, no sul da França, e que por sua vez lhe pagava na mesma moeda. No Oriente, os turcos destruíam o que sobrara do Império Romano e os russos davam início a uma última cruzada para sacudir de uma vez por todas o jugo dos tártaros.

Mas o Irmão Tomás, em sua cela tranqüila, nunca ouviu falar de tudo isso. Tinha seus manuscritos e seus pensamentos e estava contente. Derramou num pequeno livro todo o seu amor por Deus e chamou ao livrinho "Imitação de Cristo". De lá para cá, ele já foi traduzido para mais línguas do que qualquer outro livro, com exceção da Bíblia. Já foi lido por tantas pessoas quantas já compulsaram as páginas das Sagradas Escrituras e influenciou a vida de incontáveis milhões de seres humanos. E foi a obra de um homem cujo mais elevado ideal na existência se expressava no simples desejo de "passar seus dias em silêncio, num cantinho qualquer, na companhia de um livro".

O bom Irmão Tomás representava os mais puros ideais da Idade Média. Rodeada em todos os lados pelas forças vitoriosas do Renascimento, ensurdecida pelos humanistas que proclamavam em alto e bom som a chegada dos tempos modernos, a Idade Média juntou forças para uma última investida. Os mosteiros foram reformados. Os monges abandonaram os hábitos da riqueza e dos vícios. Homens simples, sinceros e honestos, pelo exemplo de suas vidas santas e devotas, tentaram conduzir o povo de volta ao caminho da justiça e da humilde resignação à vontade de Deus. Mas tudo em vão. O novo mundo deixou para trás essas excelentes pessoas. A época da meditação silenciosa chegou ao fim e começou a grande era da "expressão".

Quero deixar bem claro, aqui e agora, que lamento por ter de usar tantas "palavras complicadas". Gostaria de escrever toda esta história em monossílabos, mas isso não é possível. Não se pode escrever um compêndio de geometria sem fazer referência às hipotenusas, aos triângulos e aos paralelepípedos retangulares. Você tem de aprender o que essas palavras significam, sob pena de ter de se virar sem a matemática. Do mesmo modo, na história (e em todos os campos da vida), chegará um momento em que você terá de aprender o significado de muitas palavras estranhas de origem latina e grega. Por que não começar agora?

Quando afirmo que o Renascimento foi uma era de expressão, quero dizer o seguinte: as pessoas já não se contentavam em fazer o papel de platéia e ficar tranqüilamente sentadas enquanto o imperador e o papa lhes diziam o que fazer e o que pensar. Queriam ser atores no palco da vida. Insistiam, portanto, em dar "expressão" a suas idéias individuais. Quando um homem se interessava pela arte de governar um Estado, como era o caso do historiador florentino Niccolò Machiavelli (Maquiavel), ele se "expressava" através de livros que revelavam suas concepções de um Estado bem-sucedido e um governante eficiente. Se, por outro lado, tinha gosto pela pintura, "expressava" seu amor das belas linhas e das cores formosas através dos quadros que tornaram os nomes de Giotto, Fra Angélico, Rafael, e muitos outros, conhecidos de todos quantos aprenderam a gostar das coisas que expressam uma beleza verdadeira e duradoura.

Quando o amor pelas cores e linhas se associou a um interesse pela mecânica e pela hidráulica, o resultado foi Leonardo da Vinci, que pintou seus quadros, fez experimentos com seus balões e máquinas de voar, drenou os pântanos das planícies lombardas e "expressou" através da prosa, da pintura, da escultura e de máquinas cuidadosamente concebidas a sua alegria e o seu interesse por tudo o que havia entre o céu e a terra. Quando um homem forte como Michelangelo constatou que o pincel e a paleta eram suaves demais para suas mãos vigorosas, voltou-se para a escultura e a arquitetura, arrancou criaturas extraordinárias de pesados blocos de mármore e projetou a catedral de São Pedro, a mais concreta "expressão" das glórias da Igreja triunfante. E por aí foi.

Toda a Itália (e em pouco tempo toda a Europa) encheu-se de homens e mulheres que viviam para dar cada qual a sua peque-

O manuscrito e o livro impresso

A história da humanidade

A catedral

na contribuição à somatória dos nossos tesouros acumulados de conhecimento, beleza e sabedoria. Na Alemanha, na cidade de Mainz, Johann zum Gänsefleisch, mais conhecido como Johann Gutenberg, inventou um novo método de copiar livros. Estudando antigas xilogravuras, aperfeiçoou um sistema pelo qual letrinhas isoladas feitas de chumbo podiam ser dispostas de modo que formassem palavras e páginas inteiras. É verdade que logo perdeu todo o seu dinheiro numa disputa judicial referente à invenção da imprensa. Morreu na pobreza, mas a "expressão" de seu gênio inventivo continuou viva depois dele.

Em pouco tempo, Aldo de Veneza, Etienne de Paris, Plantin de Antuérpia e Froben de Basiléia estavam inundando o mundo com edições dos clássicos, cuidadosamente impressas nos tipos góticos da Bíblia de Gutenberg, ou no tipo itálico, ou em letras gregas ou hebraicas.

Então, o mundo inteiro tornou-se o público em potencial de todos quantos tinham algo a dizer. Chegou ao fim a época em que o estudo e a erudição eram monopólio de uns poucos privilegiados. E a última desculpa para a ignorância deixou de existir quando Elzevier de Haarlem começou a imprimir suas edições baratas e populares. Então, Aristóteles, Platão, Virgílio, Horácio e Plínio, muito bem acompanhados de todos os demais escritores, filósofos e cientistas da Antiguidade, se dispuseram a tornar-se amigos fiéis do homem moderno em troca de uns poucos centavos. O humanismo tornou todos os homens livres e iguais perante a palavra escrita.

41
OS GRANDES DESCOBRIMENTOS
Quando as pessoas romperam os grilhões das estreitas limitações medievais, começaram a precisar de mais espaço. O mundo europeu ficou muito pequeno para suas ambições. Chegou a época das grandes navegações e dos grandes descobrimentos

As cruzadas tinham servido para ensinar aos europeus a arte liberal de viajar. Porém, pouquíssimas pessoas já se haviam aventurado para além do caminho conhecido que ligava Veneza a Jafa. No século XIII, os irmãos Polo, mercadores venezianos, haviam atravessado o grande deserto da Mongólia e, depois de escalar montanhas altas como a lua, haviam chegado à corte do grande cã de Catai, o poderoso imperador da China. Marco, filho de um dos Polo, escreveu um livro sobre suas aventuras, no qual relatava mais de vinte anos de peripécias. O mundo quedou-se boquiaberto perante as descrições das torres douradas da estranha ilha de Zipangu, que era simplesmente a transliteração italiana dada por Marco Polo ao nome "Japão". Muita gente ficou com vontade de viajar para o Oriente a fim de amealhar riquezas nessa terra cheia de ouro. Porém, a viagem era demasiado comprida e perigosa, e por isso essas pessoas ficaram em casa.
É claro que havia a possibilidade de fazer a viagem por mar. Porém, o mar não era muito popular na Idade Média, e isso por bons motivos. Em primeiro lugar, os navios eram muito pequenos. Os vasos em que Magalhães fez sua famosa viagem de circunavegação do globo, que durou muitos anos, eram menores do que uma balsa moderna. Levavam de vinte a cinqüenta homens, que habitavam alojamentos fétidos (baixos demais para permitir que os marujos ficassem em pé) e eram obrigados a comer alimentos mal cozidos, uma vez que a cozinha era precária

e não se podia fazer fogo quando o tempo não estivesse perfeitamente bom. O mundo medieval sabia fazer conserva de arenque e peixe defumado. Porém, não havia alimentos enlatados, e os legumes deixavam de fazer parte do cardápio de bordo assim que o litoral era perdido de vista. A água era levada em pequenos barris. Logo se estragava e ficava com gosto de ferrugem e madeira podre e cheia de vermes. Como o povo da Idade Média não sabia nada sobre os micróbios (Roger Bacon, o monge erudito do século XII, parece ter suspeitado da existência desses seres, mas sabiamente ficou de boca fechada), costumavam beber água suja e, às vezes, a tripulação inteira morria de febre tifóide. Com efeito, a mortalidade a bordo dos navios dos primeiros exploradores era terrível. Dos duzentos marujos que em 1519 fizeram-se à vela de Sevilha para acompanhar Fernão de Magalhães em sua famosa viagem ao redor do mundo, só dezoito retornaram. Ainda no século XVII, quando havia um movimentado comércio entre a Europa ocidental e as Índias, uma mortalidade de

Marco Polo

quarenta por cento não era nada incomum numa viagem de ida e volta entre Amsterdam e Batávia. A maior parte das vítimas morria de escorbuto, uma doença causada pela falta de legumes frescos, que ataca as gengivas e envenena o sangue até matar o doente de pura exaustão.

Nessas circunstâncias, é compreensível que o mar não atraísse os melhores elementos da população. Os descobridores famosos, como Magalhães, Colombo e Vasco da Gama, comandavam tripulações quase totalmente compostas de ex-presidiários, futuros assassinos e ladrões desempregados.

Esses navegadores certamente merecem a nossa admiração pela coragem e pelo espírito com que cumpriram tarefas impossíveis em face de dificuldades que não podem ser sequer concebidas pelo homem moderno, que vive rodeado de confortos. Seus navios eram precários; seus apetrechos, inadequados; desde meados do século XIII possuíam um tipo de bússola (que chegara à Europa vinda da China, através dos árabes e dos cruzados), mas seus mapas eram péssimos e incorretos. Os marujos estabeleciam seu curso por adivinhação ou palpite e chegavam aos destinos pela Providência. Quando tinham sorte, voltavam depois de um, ou dois, ou três anos. Caso contrário, seus ossos esbranquiçados ficavam ao léu numa praia desconhecida. Mas foram verdadeiros pioneiros. Jogavam com a sorte e encaravam a vida como uma grande aventura. E todo o sofrimento, toda a fome e toda a dor eram esquecidos quando seus olhos contemplavam os vagos contornos de um novo litoral ou as águas plácidas de um oceano que jazia esquecido desde o início dos tempos.

De novo sinto o desejo de escrever um livro de mil páginas. O tema dos primeiros descobrimentos é fascinante. Mas, para que você tenha uma idéia correta dos tempos passados, a história deve ser contada como uma água-forte de Rembrandt: a narração deve lançar forte luz sobre certas causas importantes, as maiores e as melhores. Todo o resto deve ficar na sombra, ou no máximo ser indicado por uns poucos traços. Neste capítulo, só posso lhe dar uma curta lista dos descobrimentos mais importantes.

Lembre-se que, nos séculos XIV e XV, os navegadores só queriam *uma coisa* – encontrar uma rota segura e cômoda para chegar ao império de Catai (a China), à ilha de Zipangu (o Japão) e às misteriosas ilhas onde cresciam as especiarias de que o mundo medieval passara a gostar desde a época das cruzadas e das quais as pessoas precisavam na época anterior à invenção da geladeira, quando a carne e o peixe estragavam-se rapidamente e só podiam ser comidos depois de temperados com generosas porções de pimenta ou noz-moscada.

Os venezianos e os genoveses foram os grandes navegadores do Mediterrâneo, mas a honra da exploração do litoral do Atlântico cabe aos portugueses. Espanha e Portugal estavam cheios de um fervor patriótico, desenvolvido no decorrer da antiga luta contra os invasores mouros. Esse fervor, quando existe, pode ser facilmente conduzido por novos canais. No século XIII, o rei Afonso III conquistou o reino do Algarve, na extremidade sudoeste da península ibérica, e acrescentou-o aos seus domínios. No século seguinte, os portugueses levaram a melhor sobre os maometanos, cruzaram o estreito de Gibraltar e tomaram posse de Ceuta, em frente às cidades árabes de Ta'Rifa (palavra que significa "inventário" e que deu origem à nossa "tarifa") e Tangier. Ceuta tornou-se a capital de uma província africana do Algarve.

Estavam prontos então para dar início à carreira de exploradores.

No ano de 1415, o infante Dom Henrique, conhecido como Henrique, o Navegador, filho de D. João I de Portugal e Filipa, filha de João de Gaunt (a respeito de quem você pode ler na peça *Ricardo II*, de William Shakespeare), começou a fazer preparativos para a exploração sistemática do noroeste da África. Antes disso, aquele litoral quente e arenoso já fora visitado pelos fenícios e pelos *vikings*, que o lembravam como a terra do peludo "homem selvagem" que hoje em dia conhecemos como gorila. O príncipe Henrique e seus capitães seguidamente descobriram as Ilhas Canárias, redescobriram a Ilha da Madeira, que um século antes fora visitada por um navio genovês, mapearam cuidadosamente os Açores, que já eram vagamente conhecidos tanto dos

A história da humanidade

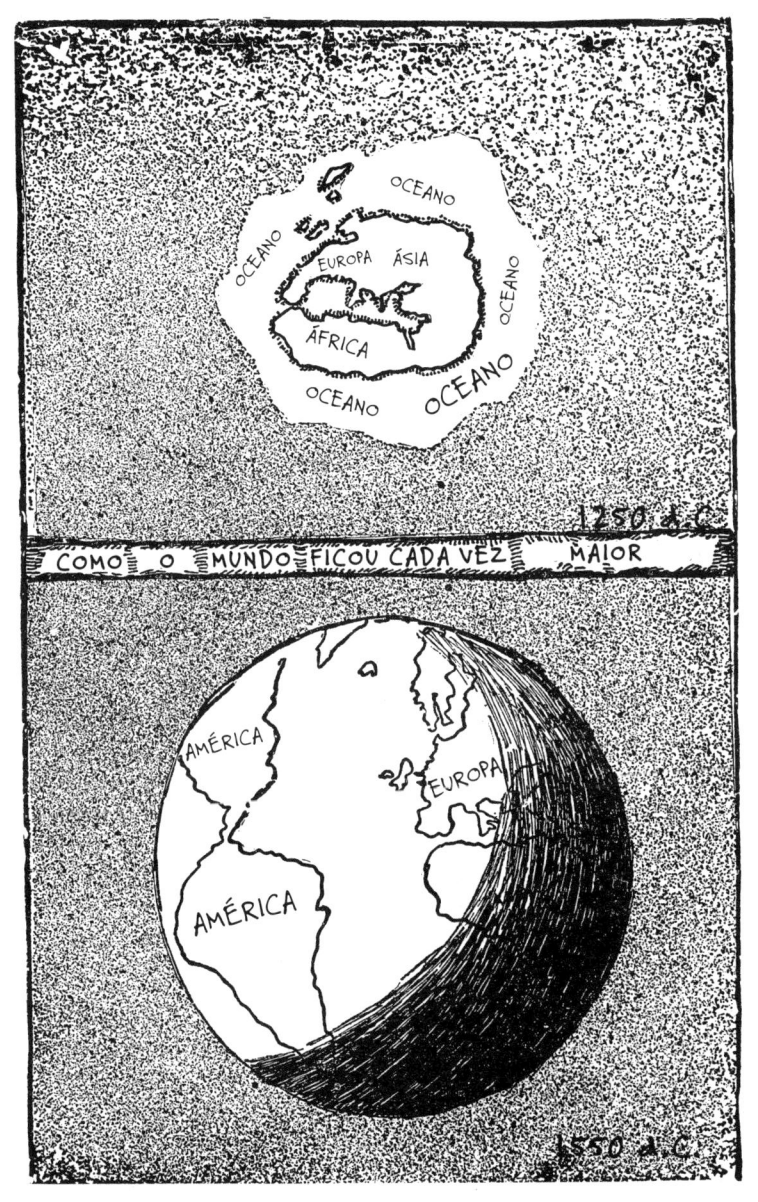

Como o mundo ficou maior

portugueses quanto dos espanhóis, e chegaram a ter um vislumbre da foz do rio Senegal, no litoral ocidental da África, que supuseram ser a foz ocidental do Nilo. Por fim, em meados do século XV, avistaram o Cabo Verde e o arquipélago de mesmo nome, que fica quase a meio caminho entre o litoral africano e o Brasil. Mas, em suas investigações, D. Henrique não se limitou a explorar o oceano. Era ele o grão-mestre da Ordem de Cristo, que, por sua vez, era a ordem religiosa que em Portugal dera continuidade à ordem dos Cavaleiros Templários, abolida em 1312 pelo papa Clemente V a pedido de Filipe, o Belo, rei de França, que aproveitou a ocasião para queimar na fogueira os templários franceses e confiscar todos os seus bens. D. Henrique usou as rendas advindas do uso das terras de sua ordem religiosa para equipar diversas expedições que exploraram o Saara e o litoral da Guiné.

Mas ainda era em grande medida um filho da Idade Média e desperdiçou muito tempo e muito dinheiro na tentativa de encontrar o misterioso "Preste João", o mítico sacerdote cristão que supostamente seria o soberano de um vasto império "situado em algum lugar a oriente". A história desse estranho governante foi contada pela primeira vez na Europa em meados do século XII. Por trezentos anos as pessoas vinham tentando encontrar o "Preste João" e seus descendentes. Henrique participou dessa busca. Trinta anos depois de sua morte, o enigma se resolveu.

Em 1486, Bartolomeu Dias, tentando encontrar pelo mar o país do Preste João, chegou ao limite meridional da África. Deu-lhe a princípio o nome de cabo das Tormentas, em virtude dos fortes ventos que o impediram de continuar em sua viagem rumo ao Oriente; mas os pilotos lisbonenses que compreenderam a importância dessa descoberta para a busca do caminho marítimo até as Índias mudaram o nome desse acidente geográfico para cabo da Boa Esperança.

Um ano depois, Pedro de Covilham, munido de cartas de crédito fornecidas pela casa dos Médici, saiu numa missão semelhante, mas desta vez por terra. Cruzou o Mediterrâneo e, depois de sair do Egito, viajou rumo ao sul. Chegou a Áden e daí, singrando pelas águas do golfo Pérsico, que poucos homens brancos haviam visto depois da época de Alexandre Magno, mil e oitocentos anos antes, chegou a Goa e Calicute, no litoral da Índia, onde obteve muitas informações sobre a ilha da Lua (Madagascar) que supostamente ficava a meio caminho entre a África e a Índia. De lá voltou, fez secretamente uma visita a Meca e Medina, cruzou mais uma vez o mar Vermelho e, no ano de 1490, descobriu o reino do Preste João, que não era outro senão o Negus Negro (o rei) da Abissínia, cujos antepassados haviam adotado o Cristianismo no século IV, setecentos anos antes de os primeiros missionários chegarem à Escandinávia.

Essas muitas viagens convenceram os geógrafos e cartógrafos portugueses de que, conquanto a viagem às Índias por uma rota marítima a Oriente fosse possível, não era fácil. Travou-se

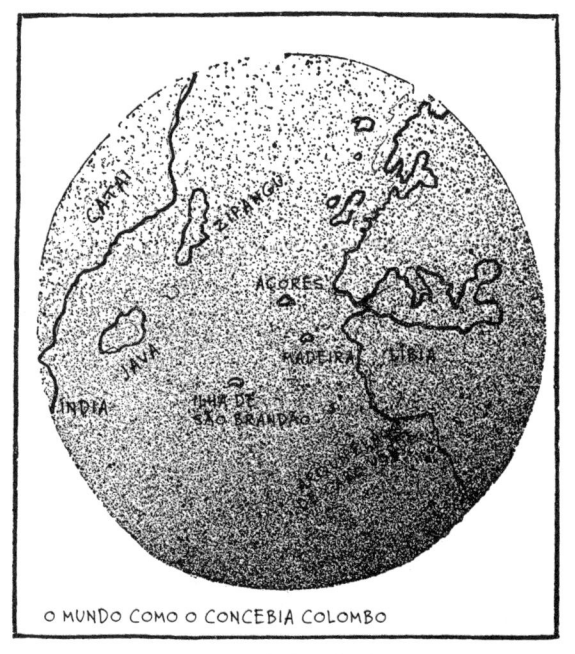

O mundo de Colombo

então um grande debate. Alguns queriam continuar as explorações a leste do cabo da Boa Esperança. Outros disseram: "Não, temos de navegar para Ocidente, cruzando o Atlântico, e então chegaremos a Catai."

Deixemos claro desde já que a maioria das pessoas inteligentes daquela época estava firmemente convicta de que a terra não era achatada como uma panqueca, mas esférica. O sistema ptolomaico, inventado e descrito pelo grande geógrafo egípcio Ptolomeu, que viveu no século II da nossa era, atendera às necessidades simples dos homens medievais, mas fora há muito tempo descartado pelos cientistas do Renascimento. Estes haviam adotado a doutrina do matemático polonês Nicolau Copérnico, cujos estudos o haviam convencido de que a terra fazia parte de um grupo de planetas esféricos que giram em torno do Sol, descoberta essa que ele não se atreveu a publicar por trinta e seis anos (foi publicada em 1543, ano de sua morte) por medo da Santa Inquisição – um tribunal papal fundado no século XIII, quando as heresias dos albigenses e valdenses, sediados respectivamente na França e na Itália (heresias leves, promovidas por pessoas piedosas e devotas que não acreditavam na propriedade privada e preferiam viver numa pobreza idêntica à de Jesus Cristo), ameaçaram por um instante abalar o poderio absoluto dos bispos de Roma. Porém, a crença na esfericidade da terra era comum entre os navegadores que, como eu dizia, estavam então debatendo as vantagens e desvantagens das rotas de Oriente e de Ocidente.

Dentre os defensores da rota ocidental estava um marinheiro genovês chamado Cristóvão Colombo, filho de um comerciante de lã. Parece ter estudado na Universidade de Pávia, onde se especializou em matemática e geometria. Depois herdou a firma do pai, mas logo o encontramos em Quios, no Mediterrâneo oriental, viajando a negócios. Depois disso sabemos que viajou à Inglaterra, mas não sabemos se foi para lá em busca de lã ou como capitão de um navio. Em fevereiro de 1477, Colombo (a crermos em suas próprias palavras) esteve na Islândia, mas o mais provável é que não tenha ido além das ilhas Feroé, que são frias o suficiente em fevereiro para serem confundidas com a Islândia por qualquer pessoa normal. Aí Colombo conheceu os descendentes dos bravos *vikings* que no século X haviam colonizado a Groenlândia e chegado à América no século XI, quando o navio de Leif fora levado pelos ventos ao litoral de Vinlândia, o atual Labrador.

Ninguém sabia o que fora feito dessas colônias ocidentais longínquas. A colônia americana de Thorfinn Karlsefne, segundo marido da viúva de Thorstein, irmão de Leif, colônia fundada em 1003, fora abandonada três anos depois em virtude da hostilidade dos esquimós. Quanto à Groenlândia, ninguém mais ouvira falar dos colonos desde 1440. Muito provavelmente, todos os groenlandeses haviam morrido da Peste Negra, que já matara metade da população da Noruega. Como quer que fosse, a tradição de uma "vasta terra no Ocidente distante" ainda estava viva entre os habitantes das Feroé e da Islândia, e Colombo deve ter ouvido falar dela. Obteve mais informações com os pescadores das ilhas do norte da Escócia e partiu para Portugal, onde se casou com a filha de um dos capitães que haviam servido ao infante Dom Henrique, o Navegador.

Desse momento em diante (em 1478) dedicou-se à busca da rota ocidental para as Índias. Enviou às cortes de Espanha e Portugal seus planos para fazer tal viagem. Os portugueses, que estavam certos de possuir o monopólio da rota oriental, não quiseram ouvi-lo. Na Espanha, Ferdinando de Aragão e Isabel de Castela, cujo casamento realizado em 1469 fizera do país um único reino, estavam ocupados em expulsar os mouros de Granada, seu último reduto. Não tinham dinheiro para investir em expedições arriscadas; precisavam de todas as pesetas possíveis para seus soldados.

Poucas pessoas foram forçadas a lutar tão bravamente pelo seu ideal quanto esse valente italiano. Mas a história de Colombo é conhecida demais para que seja recontada aqui. Os mouros entregaram Granada no dia 2 de janeiro de 1492. Em abril desse mesmo ano, Colombo assinou um contrato com o rei e a rainha da Espanha. Numa sexta-feira, dia 3 de agosto, saiu de Palos com três naviozinhos e uma tripulação de oitenta e oito homens, muitos dos quais eram criminosos a quem se oferecera a revoga-

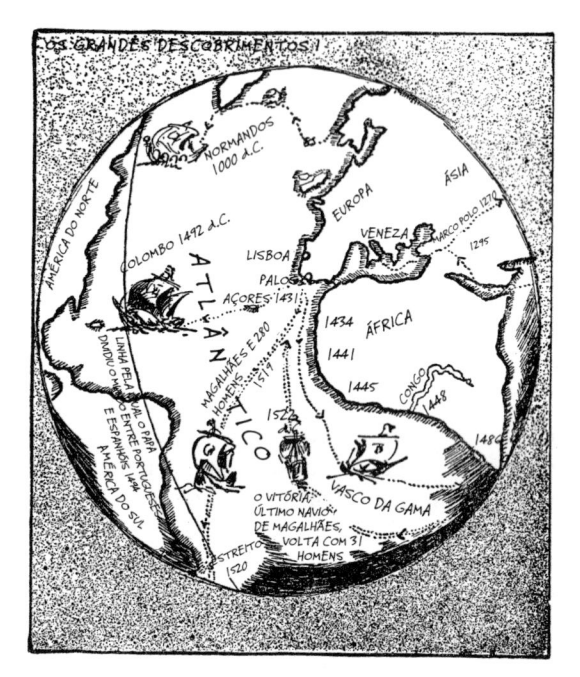

Os grandes descobrimentos, hemisfério ocidental

ção da sentença caso fizessem parte da expedição. Às duas da manhã da sexta feira, dia 12 de outubro, Colombo descobriu terra. Em 4 de janeiro de 1493, deu seu adeus aos quarenta e quatro homens aquartelados na pequena fortaleza de La Navidad (nenhum dos quais foi visto com vida novamente) e voltou para casa. Em meados de fevereiro chegou aos Açores, onde os portugueses quiseram metê-lo na prisão. Em 15 de março de 1493, o almirante chegou a Palos e, junto com seus índios (pois estava convicto de que descobrira algumas ilhas ao largo das Índias e chamou aos nativos índios vermelhos), correu a Barcelona para contar a seus fiéis patronos que obtivera sucesso em sua empreitada e que o trajeto rumo ao ouro e à prata de Catai e de Zipangu estava aberto e à disposição de Suas Majestades católicas.

Infelizmente, Colombo nunca descobriu a verdade. Já perto do final da vida, em sua quarta viagem, quando tocou o conti-

A história da humanidade

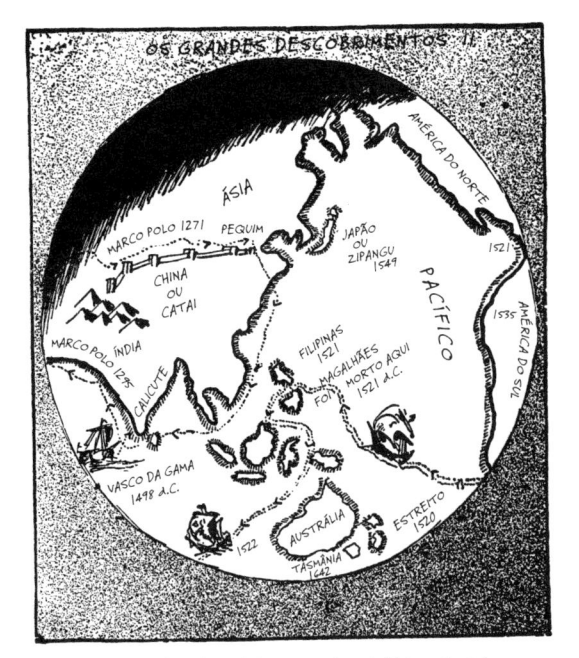

Os grandes descobrimentos, hemisfério oriental

nente sul-americano, talvez tenha suspeitado de que sua descoberta não era o que ele esperava. Mas morreu na firme crença de que não havia nenhum continente sólido entre a Europa e a Ásia, e que encontrara a rota direta para a China.

Entretanto, os portugueses, fiéis à rota oriental, tinham tido mais sorte. Em 1498, Vasco da Gama foi capaz de chegar à costa do Malabar e voltar a salvo a Lisboa com uma carga de especiarias. Em 1502, fez outra visita à Índia. Já pela rota ocidental, os trabalhos de exploração haviam redundado em decepções. Em 1497 e 1498, Giovanni e Sebastiano Cabot haviam tentado encontrar uma passagem para o Japão, mas não viram nada exceto o litoral de rochas e neve da Terra Nova, que fora avistado pela primeira vez pelos *vikings*, quinhentos anos antes. Américo Vespúcio, um florentino que se tornou o principal piloto da frota de

Espanha e que deu seu nome ao nosso continente, explorou o litoral do Brasil, mas não viu nem sinal das Índias.

Em 1513, sete anos depois da morte de Colombo, os geógrafos europeus finalmente começaram a reconhecer a verdade. Vasco Núñez de Balboa cruzou o istmo do Panamá, escalou o famoso pico de Darién e contemplou uma infinita extensão de água que parecia ser um outro oceano.

Por fim, no ano de 1519, uma pequena frota de cinco naviozinhos espanhóis comandados pelo navegador português Fernão de Magalhães zarpou para Ocidente (e não para Oriente, uma vez que esta última rota estava totalmente nas mãos dos portugueses, que não admitiam concorrência) em busca das ilhas das Especiarias. Magalhães atravessou o Atlântico entre a África e o Brasil e navegou para o sul. Chegou ao estreito canal que se estende entre a extremidade meridional da Patagônia, a "terra dos homens de pés grandes (patagões)", e a Terra do Fogo (assim chamada em virtude de uma fogueira avistada pelos marinheiros certa noite, o único sinal da existência de nativos). Por quase cinco semanas os navios de Magalhães estiveram à mercê das terríveis tempestades e ventanias que assolavam o estreito. Os marujos organizaram um motim. Magalhães suprimiu-o com terrível rigor e enviou dois de seus comandados à terra, onde foram abandonados para terem bastante tempo para se arrepender. Por fim as tempestades amainaram, o canal se alargou e Magalhães entrou num novo oceano, cujas águas eram calmas e plácidas. Magalhães chamou-o de mar Pacífico. Continuou então a singrar para Ocidente, e por noventa e oito dias navegou sem avistar terra. Seus homens quase pereceram de fome e sede; depois de comer todos os ratos que infestavam os navios, tiveram de roer pedaços das velas a fim de aplacar o estômago.

Em março de 1521, avistaram terra. Magalhães chamou-a Terra dos Ladrões, pois os nativos roubavam tudo aquilo em que conseguiam pôr as mãos. Toca para Ocidente, então, em busca das ilhas das Especiarias!

De novo se avistou terra: um grupo de ilhas desertas. Magalhães chamou-as Filipinas em homenagem ao filho de seu rei Carlos V, que viria a ser o Filipe II de infeliz memória. A princípio, Magalhães foi bem recebido; mas, quando usou os canhões de seus navios para garantir a conversão dos nativos ao Cristianismo, foi morto pelos aborígines junto com vários de seus capitães e marujos. Os sobreviventes queimaram um dos três navios que lhes restavam e seguiram viagem. Encontraram as Molucas, as famosas ilhas das Especiarias; avistaram Bornéu e chegaram a Tidor. Lá, um dos dois navios, avariado demais para seguir em frente, permaneceu com toda a sua tripulação. O *Vitória*, comandado por Sebastian del Cano, cruzou o oceano Índico, por pouco não avistou o litoral norte da Austrália (ilha que só foi descoberta na primeira metade do século XVII, quando navios da Companhia Holandesa das Índias Orientais exploraram essa terra plana e inóspita) e, depois de arrostar inúmeras dificuldades, chegou enfim à Espanha.

Foi essa a mais notável de todas as viagens. Levou três anos e só se realizou à custa de muito dinheiro e das vidas de muitos homens. Mas provou de uma vez por todas que a terra era esférica e que as novas terras descobertas por Colombo não eram as Índias, mas um novo continente. Daquela época em diante, Espanha e Portugal envidaram todos os seus esforços para desenvolver o comércio com as Índias e com a América. Para impedir um confronto armado entre os dois países, o papa Alexandre VI (o único pagão declarado que já foi eleito para esse cargo sagrado) obsequiosamente dividiu o mundo em duas partes iguais por uma linha de demarcação que seguia o qüinquagésimo grau de longitude a oeste de Greenwich: o chamado Tratado de Tordesilhas, de 1494. Os portugueses estabeleceriam suas colônias a leste dessa linha, e os espanhóis, a oeste. Isso explica por que o continente americano inteiro, com exceção do Brasil, passou a ser domínio espanhol, e por que a maior parte da África se tornou portuguesa até os colonizadores ingleses e holandeses (que não tinham respeito algum pelas decisões papais) tomarem posse dessas terras nos séculos XVII e XVIII.

Quando a notícia da descoberta de Colombo chegou ao Rialto, em Veneza (a Wall Street da Idade Média), todos entraram em pânico. O valor das ações e títulos caíram de quarenta a cinqüenta por cento. Depois de algum tempo, quando ficou claro

Hendrik Willem van Loon

Magalhães

que Colombo não conseguira encontrar a rota de Catai, os mercadores venezianos recuperaram-se do susto. Mas as viagens de Vasco da Gama e Fernão de Magalhães provaram a possibilidade prática de uma rota marítima oriental para as Índias. Foi então que os governantes de Gênova e Veneza, os dois grandes centros comerciais da Idade Média e do Renascimento, começaram a se arrepender de não ter dado ouvidos a Colombo. Mas já era tarde demais. O Mediterrâneo tornou-se apenas um mar interior. O comércio por terra com as Índias e a China diminuiu até tornar-se insignificante. A era da glória italiana chegou ao fim. O Atlântico tornou-se o novo centro do comércio e, portanto, da civilização, e ocupa essa posição até hoje.

Veja só como foi estranho o progresso da civilização desde aquela época remota, cinco mil anos antes, quando os habitantes do vale do Nilo começaram a registrar por escrito a história. Do rio Nilo a civilização foi para a Mesopotâmia, a terra entre os rios. Depois chegou a vez de Creta, da Grécia e de Roma. Um

A história da humanidade

Um novo mundo

mar interior tornou-se o centro de comércio, e as cidades na orla do Mediterrâneo tornaram-se as sedes da arte, da ciência, da filosofia e do conhecimento. No século XVI, a civilização foi mais uma vez para o Ocidente e fez dos países situados à margem do Atlântico os senhores da terra.

Há quem diga que a Guerra Mundial e o recente suicídio das grandes nações européias diminuíram muito a importância do oceano Atlântico. Há quem diga que a civilização vai cruzar o continente americano e encontrar o seu novo lar no Pacífico. Mas eu duvido disso.

A caminhada da civilização para o Ocidente foi acompanhada por um aumento regular do tamanho dos navios e por uma ampliação do conhecimento dos navegadores. As chatas que singravam o Nilo e o Eufrates foram substituídas pelos veleiros dos fenícios, dos egeus, dos gregos, dos cartagineses e dos romanos. Esses veleiros, por sua vez, foram trocados pelas naves de pano redondo dos portugueses e espanhóis. E estas foram expulsas dos oceanos pelas embarcações armadas em galera dos ingleses e holandeses.

Atualmente, porém, a civilização já não depende dos navios. Os aviões tomaram e continuarão a tomar o lugar dos veleiros e vapores. O próximo século de civilização dependerá do desenvolvimento do poderio aéreo e hidráulico. E o mar de novo voltará a ser o lar tranqüilo de miríades de espécies de peixinhos, que no passado partilharam sua profunda morada com os mais remotos antepassados da raça humana.

42
BUDA E CONFÚCIO
A respeito de Buda e Confúcio

As descobertas dos portugueses e espanhóis puseram os cristãos da Europa ocidental em contato com os povos da Índia e da China. Como é óbvio, eles já sabiam que o Cristianismo não era a única religião da terra. Havia também os maometanos e as tribos pagãs do norte da África, que adoravam pedras, árvores mortas e pedaços de pau. Porém, na Índia e na China, os conquistadores encontraram milhões e milhões de pessoas que nunca tinham ouvido falar de Cristo e simplesmente não queriam ouvir falar dele, porque consideravam as suas religiões, que por sinal tinham já milênios de existência, muito melhores do que a do Ocidente. Como esta é uma história da humanidade e não somente do povo da Europa e do hemisfério ocidental, vou lhe contar algo acerca de dois homens cujos ensinamentos e exemplos continuam a influenciar as ações e pensamentos da maioria das pessoas que estão vivas sobre esta terra.

Na Índia, Buda era reconhecido como o grande mestre religioso. Sua história é interessantíssima. Ele nasceu no século VI a.c., perto da cordilheira do Himalaia, no mesmo lugar onde, quatrocentos anos antes, Zaratustra (ou Zoroastro), primeiro dos grandes líderes da raça ariana (o nome que o ramo oriental da raça indo-européia dera a si mesmo), ensinara seu povo a conceber a vida como uma luta contínua entre Ahriman e Ormuzd, os deuses do mal e do bem. O pai de Buda foi Suddhodana, um grande chefe da tribo dos sákyas. Sua mãe, Mahamaya, era a filha de um rei vizinho. Mahamaya casara-se ainda muito jovem, mas muitas luas se haviam passado para além da distante cordilheira e seu marido ainda estava sem um herdeiro para governar suas terras depois dele. Por fim, quando ela já tinha cinqüenta anos de idade, seu dia chegou e ela partiu em viagem para estar em meio ao seu povo quando seu filho viesse ao mundo.

Era longa a viagem para a terra dos kolyans, onde Mahamaya passara a infância. Certa noite, ela estava descansando em meio ao frescor das árvores do jardim de Lumbini. Lá o seu filho nasceu. Recebeu o nome de Sidarta, mas conhecemo-lo como Buda, que significa O Iluminado.

Com o tempo, Sidarta cresceu e se tornou um belo príncipe. Quando tinha dezenove anos, casou-se com sua prima Yasôdhara. Pelos dez anos seguintes viveu livre de toda dor e todo sofrimento, protegido pelas muralhas do palácio real, à espera do dia em que viria a suceder seu pai como rei dos sákyas.

Mas aconteceu que, quando tinha trinta anos, saiu do palácio e viu um homem velho e cansado do trabalho, cujos membros enfraquecidos já mal conseguiam suportar o peso de sua existência. Sidarta apontou-o a seu cocheiro Channa, que lhe disse que havia muitos velhos no mundo e que um a mais, um a menos, não fazia diferença alguma. O jovem príncipe ficou muito triste, mas não disse nada e voltou ao palácio, onde buscou de novo ser feliz ao lado da esposa, do pai e da mãe. Pouco tempo depois, saiu do palácio uma segunda vez. Em sua carruagem, passou por um homem que sofria de uma doença terrível. Perguntou a Channa qual era a causa do sofrimento desse homem, mas o cocheiro respondeu que havia muitos doentes no mundo, que não havia como evitar essas coisas e que não era nada de muito importante. O jovem príncipe ficou muito triste quando ouviu isso, mas de novo voltou para sua família.

Algumas semanas se passaram. Certa noite, Sidarta pediu que se aprontasse a carruagem para que fosse se banhar no rio. De repente, seus cavalos se assustaram ao ver um cadáver que apodrecia ao lado da estrada. O jovem príncipe, a quem jamais se permitira que visse tais coisas, ficou com medo, mas Channa lhe disse que não desse atenção a tais trivialidades. O mundo es-

A história da humanidade

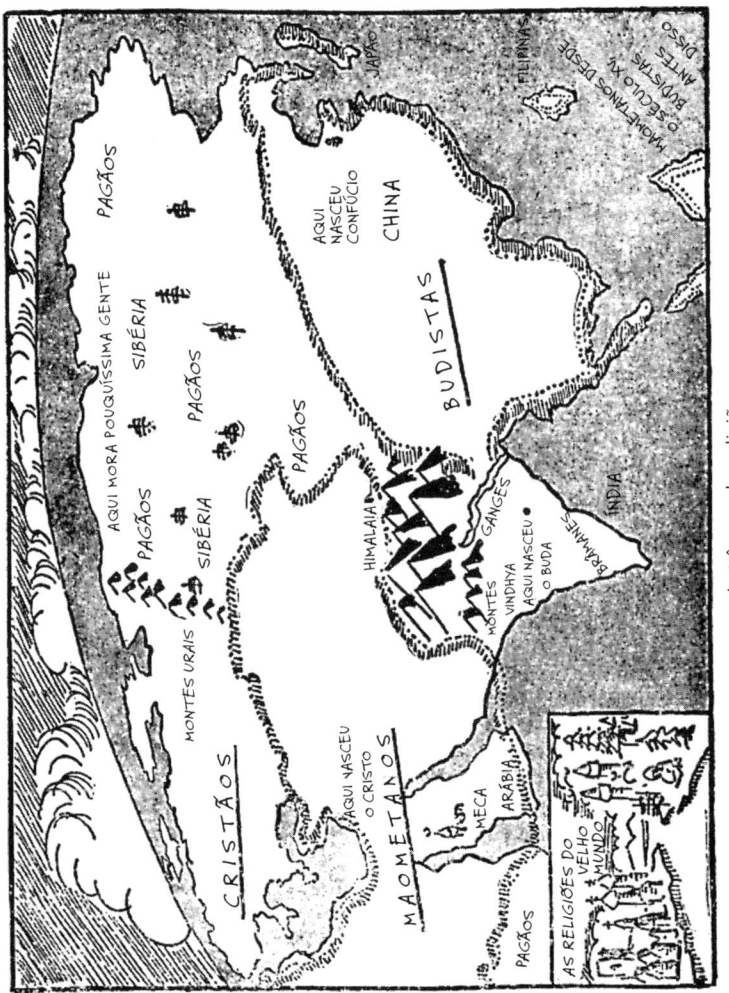

As três grandes religiões

245

tava cheio de cadáveres. A regra da vida era que todas as coisas terminassem. Nada era eterno. A tumba nos aguardava e não havia escapatória.

Naquela noite, quando Sidarta voltou para casa, foi recebido com música. Enquanto estivera fora, sua esposa dera à luz um menino. O povo ficou contentíssimo, pois tinham agora a garantia de um herdeiro para o trono, e comemoraram o acontecimento com forte bater de tambores. Sidarta, porém, não partilhou da alegria geral. As cortinas da realidade da vida se haviam levantado e ele tomara contato com o horror da existência humana. A visão do sofrimento e da morte o perseguia como um pesadelo terrível.

Naquela noite, a lua estava brilhando. Sidarta acordou e começou a pensar em muitas coisas. Nunca mais conseguiria ser feliz se não encontrasse uma solução para o enigma da existência. Decidiu que buscaria essa solução longe de todas as pessoas que mais amava. Muito devagar, entrou no quarto onde Yasôdhara estava dormindo com o bebê. Depois chamou o fiel Channa e pediu-lhe que o seguisse.

Juntos, os dois homens entraram na escuridão da noite – um, para encontrar repouso para sua alma; o outro, para ser o servo fiel de um senhor bem-amado.

Naquela época, o povo da Índia, em meio de quem Sidarta iria vagar por muitos anos, estava passando por várias mudanças. Seus antepassados, os nativos do subcontinente indiano, haviam sido vencidos sem grande dificuldade pelos belicosos arianos (primos distantes dos europeus) e, a partir daí, os arianos tornaram-se senhores e mestres de dezenas de milhares de pessoas. Para conservar-se no poder, dividiram a população em classes e gradualmente impuseram aos nativos um rigidíssimo sistema de "castas". Os descendentes dos conquistadores indo-europeus pertenciam à "casta" mais elevada, a dos guerreiros e nobres. Depois vinha a casta dos sacerdotes, seguida pela dos camponeses, artesãos e negociantes. Os antigos nativos, porém, que foram chamados de párias, constituíram uma classe de escravos desprezados e miseráveis e nunca tiveram a esperança de ser nada mais do que isso.

A história da humanidade

Até mesmo a religião das pessoas dependia da casta. Os antigos indo-europeus, que passaram milênios vagando pela terra, viveram muitas aventuras estranhas, que haviam sido postas por escrito num livro chamado Veda. A língua desse livro era o sânscrito, parente próximo das diversas línguas do continente europeu: do grego, do latim, do russo, do alemão e de mais umas quarenta línguas. As três castas mais altas podiam ler essa escritura sagrada. Aos párias, porém, membros desprezados da casta mais baixa, não se permitia que conhecessem o conteúdo dos livros. Ai do homem de casta nobre ou sacerdotal que ensinasse um pária a estudar o livro sagrado!

A grande maioria do povo da Índia, portanto, vivia na mais absoluta infelicidade. Como este planeta quase não lhes oferecia alegria, tinham de encontrar em outra parte o fim de seu sofrimento. Tentaram se consolar meditando sobre a bem-aventurança da existência futura.

Brahma, criador de todas as coisas, era adorado pelo povo indiano como soberano supremo da vida e da morte e cultuado como o mais sublime ideal de perfeição. O objetivo mais excelso nesta existência era ser como Brahma, livre de todo desejo de riqueza e poder. Os pensamentos santos eram considerados mais importantes do que as obras santas, e muitas pessoas se retiravam para o deserto, viviam de folhas de árvores e quase matavam o corpo de fome para poder alimentar a alma com a contemplação gloriosa dos esplendores de Brahma, o Sábio, o Bondoso, o Misericordioso.

Sidarta, que observara esses peregrinos solitários que buscavam a verdade longe do burburinho das cidades e povoados, decidiu seguir-lhes o exemplo. Cortou o cabelo, despojou-se de suas pérolas e rubis e enviou-as de volta à sua família com uma carta de adeus levada pelo fidelíssimo Channa. Completamente sozinho, o jovem príncipe partiu para as florestas.

Logo a fama de sua vida santa espalhou-se pelas montanhas. Cinco jovens aproximaram-se dele e pediram para ouvir suas palavras de sabedoria. Ele concordou em ensiná-los se aceitassem segui-lo. Eles consentiram, ele os levou para as montanhas e, por seis anos, em meio aos picos solitários das serranias de Vindhya, ensinou-lhes tudo o que sabia. Porém, ao cabo desse período de estudo, ainda se sentia longe da perfeição. O mundo que deixara continuava a tentá-lo. Pediu então que seus discípulos o deixassem e jejuou por quarenta e nove dias e quarenta e nove noites, sentado sobre as raízes de uma velha árvore. Por fim recebeu sua recompensa. No crepúsculo do qüinquagésimo dia, Brahma revelou-se a seu servo fiel. Daquele momento em diante, Sidarta foi chamado de Buda e foi venerado como O Iluminado que viera salvar os homens do seu miserável destino mortal.

Buda passou os últimos quarenta e cinco anos de sua vida vagando pelo vale do rio Ganges e ensinando a todos os homens sua via simples de submissão e mansidão. No ano 488 antes da nossa era, morreu idoso e amado de milhões. Não pregara suas doutrinas para o bem de uma única classe de homens; até o mais baixo dos párias podia considerar-se seu discípulo.

Isso, porém, não agradou aos nobres, sacerdotes e comerciantes, que fizeram de tudo para destruir esse credo que afirmava a igualdade de todos os seres vivos e oferecia aos homens a esperança de uma outra vida (uma reencarnação) mais feliz. Logo que puderam, encorajaram o povo da Índia a adotar novamente as antigas doutrinas do credo bramânico, com seus jejuns e sua maceração do corpo pecador. Mas o budismo não foi destruído. Pouco a pouco, os discípulos do Iluminado cruzaram os vales do Himalaia e penetraram na China. Atravessaram o mar Amarelo e pregaram a sabedoria do seu mestre ao povo do Japão, obedecendo fielmente à vontade do mestre, que os proibira de usar a força. Hoje em dia, os seguidores do budismo são mais numerosos do que nunca, e seu número é superior à soma do número dos seguidores de Cristo e Maomé juntos.

Quanto a Confúcio, o velho sábio chinês, sua história é bem simples. Nasceu no ano 550 a.C. Levou uma vida tranqüila, digna e relativamente monótona numa época em que a China não tinha um governo central forte e o povo chinês estava à mercê de bandidos e barões renegados que iam de cidade em cidade a pilhar, saquear e assassinar, e transformavam as populosas planícies do norte e do centro da China num deserto cheio de pessoas famintas.

A história da humanidade

Confúcio, que amava seu povo, procurou salvá-lo. Não acreditava muito no uso da violência. Era um homem pacífico. Também não pensava que poderia mudar as pessoas passando-lhes novas leis. Sabia que a única salvação possível vinha de uma mudança interior, e encetou então a tarefa aparentemente impossível de mudar o caráter dos seus milhões de conterrâneos que habitavam as largas planícies da Ásia oriental. Os chineses nunca se interessaram muito pela religião no sentido que nós damos a essa palavra. Acreditavam em diabos e espíritos, como a maioria dos povos primitivos. Mas não tinham profetas e não reconheciam nenhuma "verdade revelada". Dentre os grandes líderes morais, Confúcio é praticamente o único que não teve visões nem proclamou-se o mensageiro de um poder divino; que nunca se afirmou inspirado por vozes celestiais.

Era apenas um homem muito sensato e muitíssimo bondoso, dado a caminhar sozinho e a tirar de sua flauta melodias melancólicas. Não pedia que o reconhecessem; não exigia que ninguém o seguisse nem o adorasse. Lembra-nos dos antigos filósofos gregos, especialmente os da escola estóica, homens que acreditavam em viver e pensar corretamente sem esperar disso qualquer recompensa, mas simplesmente pela paz de espírito que advém da boa consciência.

Confúcio era um homem muito tolerante. Viajou muito para encontrar Lao-Tsé, o outro grande líder do pensamento chinês e fundador do sistema filosófico chamado "Taoísmo", que não passa de uma antiga versão chinesa da Regra de Ouro.

Confúcio não odiava ninguém. Ensinava a suprema virtude do autocontrole. Segundo ele, a pessoa valorosa não se deixava abalar pela ira e sofria o que quer que o destino lhe impusesse com a tranqüila resignação dos sábios que compreendem que tudo quanto acontece, de um modo ou de outro, acontece para o bem.

No começo, não tinha senão uns poucos discípulos, cujo número aumentou aos poucos. Antes de sua morte, no ano 478 a.C., vários reis e príncipes da China já se confessavam seus discípulos. Quando Jesus Cristo nasceu em Belém, a filosofia de Confúcio já fazia parte da constituição mental da maioria dos chineses e continua a influenciar a vida deles até hoje. Não, po-

Hendrik Willem van Loon

Buda vai para as montanhas

A história da humanidade

1300 a.C.
MOISÉS
LÍDER DOS
JUDEUS

1000 a.C.
ZARATUSTRA
LÍDER DOS
POVOS ARIANOS

600 a.C.
BUDA
O ILUMINADO DOS
POVOS INDIANOS

500 a.C.
CONFÚCIO
O VELHO SÁBIO CHINÊS

400 a.C.
OS GRANDES FILÓSOFOS
GREGOS

30 d.C.
JESUS CRISTO

622 d.C.
MAOMÉ
O PROFETA DO DESERTO
DA ARÁBIA

Os grandes líderes morais

rém, em sua forma pura e original. A maioria das religiões muda com o passar do tempo. Cristo pregou a humildade, a mansidão e o repúdio das ambições mundanas; mas, mil e quinhentos anos depois do Gólgota, o chefe da Igreja cristã gastava milhões de dinheiros para construir um edifício que nada tinha a ver com o solitário estábulo de Belém.

Lao-Tsé ensinou a Regra de Ouro e, em menos de três séculos, a massa ignorante o transformou num deus cruel e soterrou seus sábios mandamentos sob um gigantesco monturo de superstições que fazem da vida do chinês comum uma longa série de sustos, temores e horrores.

Confúcio evidenciou a seus discípulos a beleza que havia em honrar pai e mãe. Logo os discípulos passaram a se interessar mais pela memória dos pais falecidos do que pela felicidade de seus filhos e netos. Deliberadamente deram as costas ao futuro e procuraram sondar a vasta escuridão do passado. A adoração dos antepassados tornou-se um sistema religioso instituído. Em vez de perturbar um cemitério situado no lado ensolarado e fértil de uma montanha, os chineses preferiam plantar seu arroz e seu trigo no chão estéril e pedregoso do outro lado, onde nada podia crescer. E preferiam a fome à profanação da tumba dos ancestrais.

Ao mesmo tempo, as sábias palavras de Confúcio nunca deixaram de ter autoridade sobre os milhões de habitantes da Ásia oriental. O Confucionismo, com seus ditos profundos e suas observações astutas, acrescenta uma pitada de bom senso filosófico à alma de todo chinês e influencia toda a sua vida, quer seja ele um simples tintureiro, que trabalha num porão enfumaçado, quer seja o governante de uma grande província, protegido por trás das muralhas de um poderoso castelo.

No século XVI, os cristãos do mundo ocidental, entusiasmados mas apenas semicivilizados, tomaram contato com os credos mais antigos do Oriente. Os espanhóis e portugueses olharam para as pacíficas imagens do Buda, contemplaram os veneráveis ícones de Confúcio e não conseguiram compreender aqueles dignos profetas com seus sorrisos transcendentes. Chegaram à conclusão fácil de que essas estranhas divindades não passavam de demônios, representantes de um pensamento idolátrico e herético que não merecia de modo algum o respeito dos verdadeiros filhos da Igreja. Onde quer que o espírito de Buda ou de Confúcio parecesse estorvar o comércio de sedas e especiarias, os europeus atacavam essa "má influência" com chumbo e balas de canhão. Não há dúvida de que esse sistema teve certas desvantagens bastante nítidas. Legou-nos uma desagradável herança de má vontade que nos promete algumas complicações para o futuro próximo.

43
A REFORMA
O progresso da raça humana pode ser comparado a um gigantesco pêndulo cujo movimento jamais cessa. À indiferença religiosa e ao entusiasmo artístico e literário do Renascimento seguiram-se a indiferença artística e literária e o entusiasmo religioso da Reforma

É claro que você já ouviu falar da Reforma. A palavra lhe lembra um pequeno e corajoso grupo de Peregrinos que atravessaram o oceano para garantir sua "liberdade de culto religioso".

Aos poucos, no decorrer do tempo (e especialmente nos países protestantes), a Reforma passou a ser um vago símbolo da idéia de "liberdade de pensamento". Martinho Lutero é apresentado como o grande comandante da vanguarda progressista. Porém, quando a história deixa de ser uma série de discursos de louvor a nossos gloriosos ancestrais, quando – para usar as palavras do historiador alemão Ranke – tentamos descobrir o que "realmente aconteceu", o passado se apresenta em boa parte sob uma luz muito diferente.

Poucas coisas na vida humana são totalmente boas ou totalmente más. Poucas coisas são pretas ou brancas. O historiador honesto tem o dever de fazer um relato imparcial dos lados bons e maus de qualquer acontecimento histórico. É difícil fazer isso, pois todos nós temos os nossos gostos e desgostos pessoais. Porém, devemos tentar ser tão justos e imparciais quanto possível, e não nos podemos deixar influenciar por nossos preconceitos.

Tomemos como exemplo o meu próprio caso. Fui criado no centro do protestantismo de um país fortemente protestante. Até os doze anos de idade, eu nunca tinha visto um católico. Quando vi pela primeira vez, não me senti muito à vontade. Fiquei com um pouco de medo. Conhecia a história das milhares de pessoas que tinham sido queimadas, enforcadas e esquartejadas pela Inquisição espanhola quando o duque de Alba tentou curar o povo holandês dos males heréticos do luteranismo e do calvinismo. Tudo aquilo estava muito presente em minha mente; parecia ter acontecido no dia anterior e poderia acontecer de novo. Quem sabe não haveria outra Noite de São Bartolomeu, em que eu, de pijamas, seria assassinado e teria meu pequeno corpo atirado pela janela, como aconteceu com o nobre almirante de Coligny.

Muito tempo depois, fui viver alguns anos num país católico. Achei o povo muito mais agradável, muito mais tolerante e tão inteligente quanto meus compatriotas. Para minha grande surpresa, descobri que havia um ponto de vista católico sobre a Reforma, assim como havia um ponto de vista protestante.

É claro que as pessoas dos séculos XVI e XVII, que viveram de fato na época da Reforma, não viam as coisas desse modo. Estavam sempre com a razão, e os inimigos estavam sempre errados. Era uma questão de enforcar ou ser enforcado, e ambos os lados preferiam o papel de enforcadores. Esse modo de pensar é apenas humano e não merece censura.

Quando contemplamos o mundo tal como se apresentava em 1500 – data fácil de lembrar e ano do nascimento do imperador Carlos V –, o que vemos é isto: a desordem feudal da Idade Média cedera lugar à ordem de alguns reinos altamente centralizados. O mais poderoso de todos os soberanos era o grande Carlos, então um bebê em seu berço. Era o neto de Ferdinando e Isabela, por um lado, e, por outro, de Maximiliano de Habsburgo (o último dos cavaleiros medievais) e de sua esposa Maria, filha de Carlos, o Audaz, ambicioso duque borgonhês que ganhou uma guerra contra a França mas foi morto pelos camponeses suíços independentes. O menino Carlos, portanto, é o herdeiro da maior parte do mapa europeu, de todas as terras de seus pais, avós, tios, primos e tias na Alemanha, na Áustria, na Holanda, na Bélgica, na Itália e na Espanha, com todas as colônias desses países na Ásia, na África e na América. Por uma estranha ironia do destino, ele nasce em Gand, no mesmo castelo dos condes de Flandres, que os alemães usaram como prisão em sua recente ocupação da Bélgica; e, embora seja rei da Espanha e imperador germânico, recebe uma formação flamenga.

Como seu pai está morto (envenenado, segundo dizem, mas tal fato jamais chegou a ser provado) e sua mãe perdeu a razão (está viajando por seus domínios na companhia do caixão que contém os restos mortais de seu marido), a criança fica entregue à disciplina severa de sua tia Margarida. Forçado a governar alemães, italianos, espanhóis e mais uma centena de raças estranhas, Carlos cresce como um flamengo, um filho fiel da Igreja Católica, mas bastante contrário à intolerância religiosa. É um pouco preguiçoso, tanto na infância quanto na idade adulta. Porém, o destino o condena a governar o mundo num momento em que este se encontra em plena turbulência religiosa. Carlos é obrigado a viajar constantemente entre Madri e Innsbrück, Bruges e Viena. Adora a paz e a tranqüilidade, mas está sempre em guerra. Vemo-lo, aos cinqüenta e cinco anos, voltar as costas à raça humana, enojado com tamanho ódio e tamanha estupidez. Três anos depois ele morre, cansado e decepcionado.

Até aí chega Carlos, o imperador. Mas e a Igreja, o segundo maior poder no mundo? A Igreja mudou muito desde o começo da Idade Média, quando partiu para sujeitar os pagãos e demonstrar-lhes as vantagens de uma vida justa e piedosa. Para começar, a Igreja ficou rica demais. O papa já não é o pastor de um rebanho de humildes cristãos. Mora num enorme palácio, rodeado de artistas, músicos e homens de literatura. Suas igrejas e capelas estão cobertas de novas pinturas, nas quais os santos se parecem mais com deuses gregos do que seria de desejar. Seu tempo é repartido de maneira desigual entre os assuntos de Estado e os assuntos artísticos. Os assuntos de Estado ocupam dez por cento do seu tempo. Os outros noventa por cento são dedicados a um interesse ativo por estátuas romanas, vasos gregos recém-descobertos, o projeto de uma nova residência de verão e os ensaios de uma nova peça de teatro. Os arcebispos e os cardeais seguem o exemplo do papa. Os bispos tentam imitar os arcebispos. Os sacerdotes de aldeia, porém, permanecem fiéis a seus deveres. Mantêm-se apartados do mundanismo e do amor profano pela beleza e pelo prazer. Afastam-se também dos mosteiros, cujos monges parecem ter esquecido seus antigos votos de simplicidade e pobreza e vivem à rédea solta, cuidando apenas de não dar escândalo.

Há, por fim, as pessoas comuns, que estão agora em melhor condição do que jamais estiveram. Estão mais prósperas, moram em casas melhores, seus filhos freqüentam escolas melhores, suas cidades são mais bonitas, as armas de fogo deixaram-nas em pé de igualdade com seus antigos inimigos, os barões malvados, que por séculos haviam sobrecarregado o comércio de pesados impostos. E temos aí os principais personagens do drama da Reforma.

Vejamos agora o que o Renascimento fez à Europa. Então você compreenderá por que o reavivamento dos estudos e da arte teve de ser inevitavelmente seguido por um reavivamento do interesse pela religião. O Renascimento começou na Itália. De lá espalhou-se para a França. Não obteve muito sucesso na Espanha, onde quinhentos anos de guerra contra os mouros haviam deixado as pessoas fanáticas e tacanhas em tudo o que dizia respeito à religião. O círculo se expandia cada vez mais, mas para além dos Alpes o Renascimento sofreu uma mudança.

O povo do norte da Europa, que vivia num clima muito diferente, tinha uma visão de mundo estranhamente diversa da de seus vizinhos do sul. Os italianos viviam ao ar livre, sob um céu ensolarado. Os alemães, os holandeses, os ingleses e os suecos passavam a maior parte do tempo dentro de casa, ouvindo o bater da chuva nas janelas fechadas de suas casinhas confortáveis. Não eram tão risonhos e levavam tudo muito a sério. Nunca se esqueciam de sua alma imortal e não gostavam de fazer graça com assuntos que consideravam santos e sagrados. A parte "humanista" do Renascimento – os livros, o estudo de autores antigos, a gramática e as ciências – interessava-os muito. Mas a retomada generalizada da antiga civilização pagã da Grécia e de Roma, que foi um dos principais resultados do Renascimento na Itália, enchia de horror seus corações.

Porém, tanto o papa quanto os cardeais eram quase todos italianos, que haviam transformado a Igreja numa espécie de clube onde as pessoas se reuniam para conversar sobre artes plásticas, música e teatro, mas quase nunca falavam de religião. Daí que a cisão entre o norte mais sério, de um lado, e o sul mais civilizado mas mais tranqüilo e indiferente, de outro, estava se alargando cada vez mais, e ninguém parecia se dar conta do perigo que ameaçava a Igreja.

Uns poucos motivos de menor importância explicam por que a Reforma aconteceu na Alemanha e não na Suécia ou na Inglaterra. Os alemães tinham uma antiga rixa com Roma. A disputa infindável entre o imperador e o papa criou muita amargura em ambos os lados. Nos outros países europeus, em que o governo ficava nas mãos de um rei forte, o soberano muitas vezes era capaz de proteger seus súditos da ganância dos padres. Na Alemanha, onde um obscuro imperador governava uma turba de príncipes insignificantes, os burgueses estavam mais sujeitos aos desmandos de seus bispos e prelados. Esses dignitários procuravam amealhar grandes somas de dinheiro para as enormes igrejas cuja construção parecia ser um passatempo dos papas renascentistas. Os alemães se sentiram esbulhados e, como seria de esperar, não gostaram disso nem um pouco.

E temos o fato raramente mencionado de que a Alemanha foi a terra natal da imprensa. No norte da Europa, os livros eram baratos e a Bíblia já não era um volume misterioso pertencente ao sacerdote e só por ele explicado. Era um livro presente na casa de muitas famílias onde o latim era compreendido pelo pai e pelos filhos. Famílias inteiras começaram a lê-la, o que ia contra as leis da Igreja. Esses leitores descobriram que os sacerdotes lhes diziam muitas coisas que difeririam um pouco do texto original das Sagradas Escrituras. Isso deu origem a dúvidas; as pessoas começaram a fazer perguntas; e as perguntas, quando não são respondidas, muitas vezes causam problemas enormes.

O ataque começou quando os humanistas do norte abriram fogo contra os monges. No fundo do coração, eles ainda tinham muito respeito e reverência pelo papa para apontar suas baterias contra a sagrada pessoa de Sua Santidade. Mas os monges preguiçosos e ignorantes que viviam protegidos pelas muralhas de seus ricos mosteiros eram um alvo de primeira.

Curiosamente, o comandante dessa investida foi um fidelíssimo filho da Igreja. Gerard Gerardzoon, ou Desidério Erasmo, como costuma ser chamado, foi um menino pobre nascido em Roterdam, na Holanda, e educado na mesma escola latina de Deventer na qual se formara Tomás de Kempis. Foi ordenado sacerdote e por algum tempo viveu num mosteiro. Viajou muito e conhecia os assuntos sobre os quais escrevia. Quando começou sua carreira panfletária (seria o que hoje chamaríamos de "redator de editoriais"), o mundo achou muita graça numa série de cartas anônimas publicadas sob o título de "Cartas de Homens Obscuros". Nessas cartas, a estupidez e a arrogância generalizadas entre os monges da Baixa Idade Média eram denunciadas em versos burlescos escritos numa mistura de latim e alemão, que nos lembram das modernas *limericks**. O próprio Erasmo era um estudioso muito sério e competente, que conhecia a fundo o grego e o latim e nos deu a primeira versão confiável do Novo Testamento, traduzida para o latim e apresentada com uma edição corrigida do texto grego original. Mas acreditava, com o poeta romano Horácio, que nada nos impede de "dizer a verdade com um sorriso nos lábios".

No ano de 1500, no decurso de uma visita a sir Thomas More, na Inglaterra, Erasmo reservou algumas semanas para escrever um livrinho cômico intitulado *Elogio da loucura***, no qual atacava os monges e seus crédulos sequazes com a mais perigosa de todas as armas, o bom humor. O livreto foi o grande sucesso editorial do século XVI. Foi traduzido para quase todas as línguas e levou as pessoas a prestar atenção nos outros livros de Erasmo, em que ele defendia uma reforma eclesiástica que coibisse os abusos e fazia um apelo a seus colegas humanistas para que o ajudassem a promover um grande renascimento da fé cristã.

Mas esses planos deram em nada. Erasmo era demasiado razoável e tolerante para agradar à maioria dos inimigos da Igreja, os quais esperavam por um líder de natureza mais robusta.

Esse líder surgiu, e se chamava Martinho Lutero.

Lutero era um camponês do norte da Alemanha, extremamente corajoso e dotado de um cérebro de primeira. Fez os vo-

---

* Espécie de poema humorístico de cinco versos. (N. do T.)
** Trad. bras., São Paulo, Martins Fontes, 2.ª ed., 1997.

Lutero traduz a Bíblia

tos de frade agostiniano e tornou-se figura importante da província saxônica da Ordem de Santo Agostinho. Depois foi aceito como professor da escola de teologia de Wittenberg e começou a explicar as escrituras aos camponeses indiferentes de Saxônia. Tinha muito tempo livre, que usou para estudar os textos originais do Antigo e do Novo Testamento. Logo começou a ver a grande diferença que havia entre as palavras de Cristo e as que eram pregadas pelos papas e bispos.

No ano de 1511, fez uma visita oficial a Roma. Alexandre VI, da família dos Bórgia, que enriquecera para ter o que deixar a seu filho e sua filha, já estava morto. Mas seu sucessor, Júlio II, um homem irrepreensível do ponto de vista do caráter pessoal, empregava então a maior parte do seu tempo para fazer guerra e construir edifícios, e não impressionou o teólogo alemão por sua piedade. Lutero voltou a Wittenberg decepcionado, mas o pior ainda estava por vir.

A gigantesca catedral de São Pedro que o papa Júlio quisera ver construída por seus inocentes sucessores ainda não estava pronta, mas já precisava de reparos. Alexandre VI gastara até o último centavo do tesouro papal. Leão X, que sucedeu a Júlio em 1513, estava à beira da falência e ressuscitou então um antigo método para levantar dinheiro vivo: começou a vender "indulgências". A indulgência era um pedaço de pergaminho que, em troca de uma determinada soma em dinheiro, prometia ao pecador uma diminuição do tempo que ele passaria no Purgatório. Do ponto de vista do credo medieval tardio, tratava-se de um expediente perfeitamente correto. Como a Igreja tinha o poder de perdoar os pecados dos que verdadeiramente se arrependiam antes de morrer, também tinha poder para encurtar, através de sua intercessão junto aos santos, o tempo de purificação que a alma teria de passar nos obscuros recintos do Purgatório.

Infelizmente, essas indulgências tinham de ser vendidas. Mas constituíam uma fonte de renda fácil e, além disso, os pobres recebiam as suas de graça.

Aconteceu então que, em 1517, o monopólio da venda de indulgências na Saxônia foi entregue a um frade dominicano chamado Johan Tetzel. O frade Johan era um vendedor muito ativo. Para falar a verdade, era um pouco ganancioso demais. Seus métodos de venda escandalizaram o povo piedoso do pequeno ducado. E Lutero, que era um sujeito honesto, ficou tão irritado que tomou uma atitude impensada. No dia 31 de outubro de 1517, dirigiu-se à igreja da corte e pregou em suas portas uma folha de papel que continha noventa e cinco argumentos (ou teses) contra a venda de indulgências. Os argumentos estavam escritos em latim, pois Lutero não tinha a intenção de desencadear uma revolta. Não era um revolucionário. Simplesmente era contra a instituição das indulgências e queria que seus colegas professores conhecessem sua opinião sobre o assunto. Mas tudo ainda não passava de uma questão particular do mundo clerical e acadêmico, que não fazia apelo aos preconceitos da comunidade leiga.

Infelizmente, naquela época em que todo o mundo adquirira um interesse pelas questões religiosas, era impossível discutir qualquer assunto sem criar instantaneamente uma séria perturbação na mente das pessoas. Em menos de dois meses, a Europa inteira estava discutindo as noventa e cinco teses do monge saxão. Todos tinham de deixar claro de que lado estavam; até os teólogos mais obscuros sentiam-se obrigados a publicar suas opiniões. As autoridades da corte papal começaram a se agitar e ordenaram que o professor de Wittenberg fosse a Roma para prestar contas de seus atos. O prudente Lutero lembrou-se do que acontecera a Johannes Huss e ficou na Alemanha, com o que foi punido com a excomunhão. Então, queimou a bula papal na frente de uma multidão perplexa e, desse momento em diante, já não foi possível haver paz entre ele e o papa.

Sem querer, Lutero tornou-se o líder de um enorme exército de cristãos descontentes. Alemães patriotas, como Ulrich von Hutten, apresentaram-se para defendê-lo. Os estudantes de Wittenberg, Erfurt e Leipzig ofereceram-se para protegê-lo caso as autoridades tentassem metê-lo na prisão. O eleitor da Saxônia tranqüilizou os jovens ansiosos. Nada de mal aconteceria a Lutero enquanto ele permanecesse em solo saxônio.

Tudo isso aconteceu em 1520. Carlos V tinha então vinte anos de idade e, na qualidade de governante de metade do mundo conhecido, era forçado a manter boas relações com o papa. Convocou uma Dieta ou assembléia geral a ser realizada na cidade de Worms, às margens do Reno, e ordenou que Lutero comparecesse para prestar contas do seu inesperado comportamento. Lutero – que a essa altura já era o herói nacional dos alemães – foi. Recusou-se a abjurar de qualquer palavra que já tivesse dito ou escrito. Sua consciência era controlada tão-somente pela palavra de Deus, e por essa consciência ele estava pronto a viver e morrer.

Depois das devidas deliberações, a Dieta de Worms declarou que Lutero era um fora-da-lei perante Deus e os homens; proibiu todos os alemães de oferecer-lhe abrigo, comida e bebida e de ler uma única palavra sequer dos livros escritos por esse herege. Porém, o grande reformador não corria perigo. A maioria dos alemães do norte condenou o decreto da Dieta, considerando-o um documento injusto e escandaloso. Para proteger-se, Lutero se escondeu no Wartburg, um castelo que pertencia ao eleitor da Saxônia, e lá desafiou definitivamente a autoridade papal: traduziu a Bíblia inteira para a língua alemã a fim de que todos pudessem ler e conhecer por si mesmos a palavra de Deus.

A essa altura, a Reforma já não era um assunto simplesmente religioso e espiritual. Todos os que odiavam a beleza das igrejas modernas aproveitaram esse período de inquietação para atacar e destruir tudo de quanto não gostavam, por serem incapazes de compreendê-lo. Cavaleiros empobrecidos tentaram recuperar as perdas do passado confiscando as terras pertencentes aos mosteiros. Príncipes descontentes aproveitaram a ausência do imperador para aumentar o próprio poder. Os camponeses esfomeados, sequazes de agitadores semi-ensandecidos, aproveitaram também a oportunidade para atacar os castelos de seus senhores, e nada ficaram a dever aos antigos cruzados em matéria de saque, pilhagem, assassinato e incêndio criminoso.

A desordem espalhou-se pelo império como fogo em mato seco. Alguns príncipes tornaram-se protestantes (pois era assim que eram chamados os partidários de Lutero, que "protestavam") e passaram a perseguir seus súditos católicos. Outros permaneceram católicos e enforcaram seus súditos protestantes. A Dieta de Speyer, realizada em 1526, procurou resolver essa complexa questão de fidelidade ao soberano determinando que "todos os súditos tenham a mesma religião que seus príncipes". Com isso, a Alemanha transformou-se num verdadeiro tabuleiro de xadrez composto por centenas de pequenos ducados e principados hostis uns aos outros, criando-se assim uma situação que por vários séculos impediu o crescimento político normal da nação.

Em fevereiro de 1546, Lutero morreu e foi enterrado na mesma igreja onde, vinte e nove anos antes, proclamara suas famosas objeções à venda de indulgências. Em menos de trinta anos, o mundo do Renascimento – indiferente, bem-humorado e engraçado – transformou-se na sociedade da Reforma – cheia de discussões, debates, brigas e calúnias. O império espiritual universal dos papas terminou repentinamente, e a Europa ocidental inteira transformou-se num campo de batalha onde protestantes e católicos matavam-se uns aos outros em nome de certas doutrinas teológicas que são tão incompreensíveis para as atuais gerações quanto as misteriosas inscrições dos antigos etruscos.

44
AS GUERRAS RELIGIOSAS
A era das grandes controvérsias religiosas

Os séculos XVI e XVII foram a era das controvérsias religiosas. Se você reparar bem, vai ver que quase todas as pessoas ao seu redor vivem falando de economia e discutindo os salários, as horas de trabalho, as greves e a relação de tudo isso com a vida da comunidade, pois é este o assunto que, em nossa época, interessa à maioria das pessoas.

A situação das pobres criancinhas do ano 1600 ou 1650 era pior ainda do que a sua. Elas só ouviam falar de "religião". Suas cabecinhas estavam cheias de termos como "predestinação", "transubstanciação", "livre-arbítrio" e uma centena de outras palavras estranhas que expressavam pontos obscuros da "verdadeira fé", quer fosse esta católica, quer protestante. Segundo o desejo de seus pais, eram batizadas como católicas, luteranas, calvinistas, zwinglianas ou anabatistas. Aprendiam teologia com o catecismo de Augsburgo, composto por Lutero, ou com os "Institutos do Cristianismo", escrito por Calvino, ou senão repetiam mecanicamente os Trinta e Nove Artigos de Fé que acompanhavam o *Book of Common Prayer*, o livro de rituais e orações da Igreja Anglicana; e aprendiam que a "verdadeira fé" estava contida nesses escritos e em mais nada.

Ouviam falar do roubo generalizado das terras da Igreja perpetrado pelo rei Henrique VIII, monarca da Inglaterra que se casou várias vezes, instituiu-se o chefe supremo da Igreja da Inglaterra e tomou para si o antigo direito papal de nomear os bispos e os padres. Tinham pesadelos sempre que alguém mencionava a Santa Inquisição, com suas masmorras e suas muitas câmaras de tortura; ou, por outro lado, eram obrigadas a ouvir a horripilante história de como uma multidão de protestantes holandeses pôs as mãos em doze sacerdotes idosos e indefesos e enforcou-os pelo puro e simples prazer de matar os que professavam uma fé diferente. Infelizmente, os dois partidos opostos cometiam um igual número de atrocidades; caso contrário, o conflito teria sido rapidamente solucionado. O fato é que se arrastou por oito gerações e ficou tão complicado que só posso mencionar aqui os detalhes mais importantes, e tenho de pedir que, para obter mais informações, você recorra a um dos diversos livros que tratam da história da Reforma.

Ao grande movimento reformador dos protestantes seguiu-se uma reforma completa no seio da Igreja Católica. Os papas que não passavam de humanistas amadores e negociantes de antiguidades gregas e romanas desapareceram de cena e deram lugar a homens sérios, que ficavam vinte horas por dia administrando os negócios sagrados que tinham sido postos em suas mãos.

Pôs-se um ponto final à alegria que havia muito tempo grassava ignominiosamente nos mosteiros. Monges e freiras foram obrigados a levantar antes do nascer do sol, a estudar os Padres da Igreja, a cuidar dos doentes e a consolar os moribundos. A Santa Inquisição vigiava dia e noite para que nenhuma doutrina

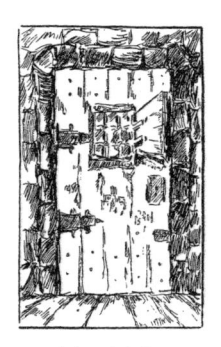

A Inquisição

perigosa se disseminasse através da imprensa escrita. A este respeito, costuma-se mencionar o pobre Galileu, que foi trancafiado no calabouço porque foi indiscreto demais ao devassar os céus com seu curioso telescópio e emitiu certas opiniões acerca do movimento dos planetas que se opunham frontalmente ao ensino oficial da Igreja. Porém, para fazer justiça ao papa, ao clero romano e à Inquisição, temos de deixar bem claro que os protestantes foram tão inimigos da ciência e da medicina quanto os católicos; com idênticas manifestações de ignorância e intolerância, consideravam os homens que investigavam as coisas por si mesmos os mais perigosos inimigos da humanidade.

Calvino, grande reformador francês e tirano (político e espiritual) de Genebra, colaborou com as autoridades francesas quando tentaram enforcar Miguel Servet (teólogo e médico espanhol que se tornou famoso como assistente de Vesálio, o primeiro grande anatomista); além disso, quando Servet conseguiu fugir de seu cativeiro francês e dirigiu-se a Genebra, Calvino lançou na prisão esse homem brilhante e, ao cabo de um prolongado julgamento, fê-lo morrer na fogueira como castigo por suas heresias, totalmente indiferente à sua fama como cientista.

E assim foram as coisas. As estatísticas de que dispomos a respeito desse assunto não são muito confiáveis, mas, no geral, podemos dizer que os protestantes se cansaram dessa brincadeira bem antes dos católicos, e que a maior parte dos homens e mulheres honestos que foram queimados, enforcados e decapitados por suas crenças religiosas caíram vítimas da Igreja de Roma, enérgica mas também muito drástica.

Isso porque a tolerância (e por favor, lembre-se disto quando você for mais velho) teve origem em época muito recente, e até mesmo os habitantes do nosso chamado "mundo moderno" tendem a ser tolerantes somente nos assuntos pelos quais não se interessam muito. São tolerantes com um nativo da África, por exemplo, e pouco se importam com o fato de ele se converter para o islamismo ou para o budismo, pois nem o islamismo nem o budismo significam coisa alguma para eles. Mas, quando ouvem falar que um vizinho que era republicano e acreditava nas barreiras alfandegárias ingressou no Partido Socialista e agora quer

A história da humanidade

eliminar todas as barreiras tarifárias, sua tolerância acaba no mesmo instante e eles passam a usar quase as mesmas palavras empregadas por um bom católico (ou protestante) do século XVII quando ouvia falar que seu melhor amigo, a quem sempre respeitara e por quem sempre tivera amor, convertera-se para as terríveis heresias da Igreja Protestante (ou Católica).

Até há pouco tempo, a "heresia" era encarada como uma doença. Hoje em dia, quando vemos alguém que descuida da limpeza de seu corpo e da sua casa e expõe a si mesmo e à sua família aos perigos da febre tifóide ou de outras doenças passíveis de prevenção, nós recorremos ao instituto de saúde pública, que chama a polícia para tirar de circulação essa pessoa que põe em risco a saúde de toda a comunidade. Nos séculos XVI e XVII, um herege – um homem ou uma mulher que expressasse abertamente suas dúvidas acerca dos princípios fundamentais de sua religião, fosse ela protestante ou católica – era considerado uma ameaça mais terrível do que um portador de febre tifóide. A febre tifóide podia destruir o corpo (e quase certamente o destruiria); mas a heresia, segundo eles, sem dúvida alguma destruiria a alma imortal. Por isso, todos os cidadãos conscientes e sensatos tinham o dever de denunciar à polícia os inimigos da ordem estabelecida, e os que não o faziam eram tão culpados quanto um homem moderno que não liga para o médico quando descobre que seus vizinhos estão sofrendo de cólera ou varíola.

Em anos futuros, você vai ouvir falar muito sobre medicina preventiva. A medicina preventiva significa simplesmente que os médicos não esperam até que seus pacientes fiquem doentes para depois atendê-los e curá-los. Muito pelo contrário, estudam os pacientes e as condições em que vivem enquanto ainda estão perfeitamente saudáveis e depois eliminam todas as possíveis causas de doenças: limpam o lixo, ensinam aos pacientes o que comer e o que não comer e transmitem-lhes algumas noções básicas de higiene pessoal. Vão ainda mais longe: esses bons médicos entram nas escolas e ensinam as crianças a usar a escova de dentes e a prevenir-se para não ficarem resfriadas.

O século XVI, no qual (como tenho tentado lhe mostrar) as doenças do corpo eram consideradas muito menos importantes do que as que afetavam a alma, assistiu à organização de um sistema de medicina preventiva espiritual. Assim que a criança tinha idade suficiente para aprender a ler e escrever, era educada nos verdadeiros (os "únicos verdadeiros") princípios da fé. Indiretamente, isso foi muito bom para o progresso do povo europeu. As terras protestantes logo ficaram repletas de escolas. Os protestantes reservavam muito tempo para a explicação do catecismo, mas também davam aulas de outras coisas que não teologia. Encorajavam a leitura e foram os principais responsáveis pela grande prosperidade dos editores e livreiros.

Os católicos, por sua vez, não ficaram para trás. Também dedicaram à educação muito tempo e muita reflexão. A Igreja, nesse ponto, encontrou uma preciosa amiga e aliada na recém-fundada Companhia de Jesus. O fundador dessa notável organização foi um soldado espanhol que, depois de toda uma vida de aventuras profanas, converteu-se e sentiu-se obrigado a servir à Igreja, do mesmo modo que muitos ex-pecadores, caídos em si por obra das pregações do Exército da Salvação, dedicam os anos restantes de suas vidas a ajudar e consolar os menos favorecidos.

O nome desse espanhol era Inácio de Loiola. Inácio nasceu um ano antes da descoberta da América. Foi ferido, ficou aleijado e, enquanto estava no hospital, teve uma visão da Virgem Maria e de seu Filho, que lhe pediram que deixasse para trás os erros passados. Decidiu então ir à Terra Santa para terminar a tarefa que os cruzados deixaram inacabada. Uma visita a Jerusalém, porém, evidenciou-lhe a impossibilidade da empreitada, e ele voltou ao Ocidente para colaborar na guerra contra as heresias dos luteranos.

No ano de 1534, estava estudando na Sorbonne, em Paris. Com sete outros estudantes, fundou uma fraternidade. Os oito comprometeram-se a viver santamente, a não buscar jamais as riquezas, mas sim a justiça, e a dedicar-se de corpo e alma ao serviço da Igreja. Poucos anos depois, essa pequena fraternidade já estava transformada numa organização regular reconhecida pelo papa Paulo III como a Companhia de Jesus.

Loiola fora militar. Acreditava na disciplina, e a obediência absoluta aos superiores tornou-se uma das principais causas do sucesso dos jesuítas. Eles se especializaram na educação. Davam a seus professores uma formação completa antes de deixá-los dirigir a palavra a um único aluno. Os professores moravam junto com os alunos e participavam de suas brincadeiras; vigiavam-nos com cuidado e carinho. Em decorrência disso, criaram toda uma nova geração de fiéis católicos que levavam seus deveres religiosos tão a sério quanto o povo da Idade Média.

Os astutos jesuítas, porém, não desperdiçaram todos os seus esforços na educação dos pobres. Penetraram nos palácios dos poderosos e tornaram-se tutores dos futuros imperadores e reis. As conseqüências disso você verá por si mesmo quando eu lhe contar sobre a Guerra dos Trinta Anos. Porém, antes desse terrível rompante final do fanatismo religioso, muitas outras coisas aconteceram.

Carlos V estava morto. A Alemanha e a Áustria haviam sido deixadas a seu irmão Ferdinando. Todos os seus demais domínios – a Espanha, os Países Baixos, as Índias e a América – ficaram para seu filho Filipe. Filipe era filho de Carlos com uma princesa portuguesa, prima-irmã do próprio Carlos. Os filhos nascidos de uma tal união tendem a ser um pouco estranhos. O filho de Filipe, o infeliz Dom Carlos (depois assassinado com o consentimento de seu pai), era louco. Filipe não era exatamente louco, mas seu zelo pela Igreja chegava às raias da insanidade religiosa. Acreditava que o Céu o destinara para ser um salvador dos homens. Desse modo, todos os que se obstinavam em não partilhar dos pontos de vista de Sua Majestade eram automaticamente proclamados inimigos da humanidade e tinham de ser exterminados para que seu exemplo não corrompesse as almas de seus piedosos semelhantes.

A Espanha, evidentemente, era um país muito rico. Todo o ouro e a prata do Novo Mundo terminava nos cofres de Castela e Aragão. Porém, a mesma Espanha sofria de uma curiosa doença econômica. Seus camponeses eram homens trabalhadores e mulheres mais trabalhadoras ainda. Mas as classes superiores tinham um orgulhoso desprezo por todas as formas de trabalho que não tivessem relação com o exército, a marinha ou o funcionalismo público. Quanto aos mouros, que eram artesãos diligentes, fazia muito tempo que haviam sido expulsos do país. Em decorrência disso, a Espanha, que era o tesouro do mundo, continuava sendo um país pobre porque todo o seu dinheiro tinha de ser mandado para o exterior em troca do trigo e dos outros artigos básicos que os espanhóis se recusavam a plantar para si mesmos.

O tesouro de Filipe, soberano da nação mais poderosa do mundo no século XVI, dependia dos impostos cobrados na movimentada colméia comercial dos Países Baixos. Porém, esses flamengos e holandeses eram seguidores dedicados das doutrinas de Lutero e Calvino; haviam despido suas igrejas de todas as imagens e ícones sagrados e tinham informado ao papa que já não o consideravam como seu pastor, mas pretendiam seguir os ditames de suas consciências e os mandamentos da Bíblia recém-traduzida.

Isso deixou o rei numa situação dificílima. Não poderia de modo algum tolerar as heresias de seus súditos holandeses, mas precisava do dinheiro deles. Se os deixasse continuar no protestantismo e não tomasse medida para salvar-lhes as almas, estaria descumprindo seus deveres para com Deus. Se enviasse a Inquisição aos Países Baixos e queimasse seus súditos na fogueira, perderia a maior parte de suas rendas.

Sendo um homem indeciso, Filipe hesitou por muito tempo. Experimentou a bondade e o rigor, promessas e ameaças. Os holandeses permaneceram obstinados e continuaram a cantar sal-

A Noite de São Bartolomeu

mos e a ouvir os sermões de seus pregadores luteranos e calvinistas. Filipe, desesperado, enviou seu "homem de ferro", o duque de Alba, para tentar reduzir à obediência os pecadores empedernidos. Alba começou por decapitar os líderes imprudentes que não haviam saído do país antes de sua chegada. No ano de 1572 (o mesmo ano em que todos os líderes protestantes franceses foram mortos na terrível Noite de São Bartolomeu), atacou diversas cidades holandesas, cujos habitantes massacrou para servir de exemplo aos outros. No ano seguinte, sitiou a cidade de Leyden, centro manufatureiro da Holanda.

Entretanto, as sete pequenas províncias unidas que constituíam os Países Baixos do Norte constituíram uma aliança defensiva, a chamada aliança de Utrecht, e reconheceram Guilherme de Orange – um príncipe alemão que fora secretário particular do imperador Carlos V – como capitão do exército e comandante supremo de seus piratas marítimos, conhecidos como os Men-

Leyden libertada pelo rompimento dos diques

digos do Mar. Para salvar Leyden, Guilherme derrubou os diques, criou um raso mar interior e libertou a cidade com a ajuda de uma marinha estranhamente equipada, composta por chatas e balsas que foram conduzidas pela lama, à força de remos e varas, até as muralhas sitiadas.

Era a primeira vez que um exército do invencível rei espanhol sofria tão humilhante derrota. O acontecimento surpreendeu o mundo como a vitória do Japão em Mukden, na guerra russo-japonesa, surpreendeu a nossa geração. As nações protestantes tomaram nova coragem, e Filipe teve de dar tratos à bola para encontrar novos meios de vencer seus súditos rebeldes. Contratou um pobre fanático meio doido para assassinar Guilherme de Orange. Porém, a morte de seu líder não fez com que as sete províncias se rendessem. Muito pelo contrário, excitou-lhes ainda mais à ira. Em 1581, os Estados Gerais (uma assembléia dos representantes das sete províncias) reuniram-se em Haia e solenemente renegaram o "maligno rei Filipe", tomando sobre si mesmos o fardo da soberania que até então coubera a seu "rei pela graça de Deus".

Esse foi um acontecimento muito importante na grandiosa história das lutas pela liberdade política. Foi algo que teve conseqüências muito mais extensas do que a revolta dos nobres que terminou com a assinatura da Magna Carta. Os bons burgueses exclamaram: "Entre um rei e seus súditos existe o entendimento

O assassinato de Guilherme, o Taciturno

A armada está chegando!

tácito de que ambos os lados executarão certos serviços e cumprirão certos deveres. Se qualquer uma das partes não cumprir os deveres estipulados nesse contrato, a outra parte terá o direito de considerá-lo revogado." Em 1776, os súditos norte-americanos do rei Jorge II chegaram à mesma conclusão. Mas tinham cinco mil quilômetros de oceano entre eles e seu soberano, ao passo que os Estados Gerais, quando tomaram sua decisão (que, em caso de derrota, lhes acarretaria uma morte lenta), podiam ouvir os canhões dos espanhóis e sofriam o temor constante da vingança da frota espanhola.

Havia muito tempo já corriam boatos sobre uma misteriosa frota espanhola que conquistaria a Holanda e a Inglaterra depois que a rainha Elisabeth, protestante, sucedeu à católica "Bloody Mary" ou "Maria, a Sanguinária". Já havia anos que os homens do mar faziam comentários a respeito. Na década de 1580, os rumores assumiram uma forma definida. Segundo marinheiros que vinham de Lisboa, todos os estaleiros portugueses e espanhóis estavam construindo navios. E, nos Países Baixos do Sul (a Bélgica), o duque de Parma estava formando um grande exército expedicionário que iria de Ostende para Londres e Amsterdam assim que a frota chegasse.

Em 1586, a Invencível Armada zarpou para o norte. Porém, os portos do litoral flamengo estavam bloqueados por uma frota holandesa, e o canal da Mancha estava guardado pelos ingleses; e os espanhóis, acostumados com os mares meridionais mais tranqüilos, não sabiam navegar no clima mais frio e tempestuoso do norte. Não preciso lhe dizer o que aconteceu com a Armada quando foi atacada pelos navios inimigos e pelas tempestades. Umas poucas naves, circunavegando a Irlanda, conseguiram escapar para contar a terrível história da derrota. As outras naufragaram e encontram-se até hoje no fundo do mar do Norte.

A virada faz parte do jogo. Agora, os protestantes ingleses e holandeses levaram a guerra para o território do inimigo. Antes do final daquele século, Houtman, com a ajuda de um livreto escrito por Linschoten (um holandês que estivera a serviço dos portugueses), descobriu a rota para as Índias. Em decorrência disso, foi fundada a Companhia Holandesa das Índias Orientais e deflagrou-se uma guerra sistemática contra as colônias portuguesas e espanholas na Ásia e na África.

Foi nessa era dos primórdios das conquistas coloniais que um curioso processo foi julgado nos tribunais holandeses. No começo do século XVII, um capitão holandês de nome Van Heemskerk – que ficara famoso como chefe de uma expedição que tentara encontrar a passagem de nordeste para as Índias e passara um ano nas praias congeladas de Nova Zembla – capturou um navio português no estreito de Málaca. Você há de se lembrar que o papa dividira o mundo em duas metades, uma das quais fora dada aos espanhóis e a outra, aos portugueses. Estes naturalmente consideravam as águas costeiras das ilhas indianas como de sua propriedade; e como, naquele momento, não estavam em guerra contra as Sete Províncias Unidas dos Países Baixos, afirmaram em juízo que o capitão de uma companhia comercial holandesa não tinha o menor direito de entrar em seus domínios para roubar seus navios. Os diretores da Companhia Holandesa das Índias Orientais contrataram para defender sua causa um jovem e brilhante advogado chamado De Groot, ou Grócio. Ele fez a incrível alegação de que o oceano é livre para quem nele quiser navegar. Para além da distância a que pode chegar uma bala de canhão atirada de terra, o mar é, ou (segundo Grócio) deve ser, uma estrada livre e aberta para os navios de todas as nações. Foi a primeira vez que essa surpreendente doutrina foi publicamente defendida num tribunal. Todos os outros

A história da humanidade

povos que tinham atividade marítima a repudiaram. Para contrapor-se aos efeitos da famosa alegação de Grócio em favor do *Mare Liberum* ou "Mar Aberto", o inglês John Selden escreveu seu famoso tratado sobre o *Mare Clausum* ou "Mar Fechado", tratado que versava sobre o direito natural de um soberano a encarar os mares vizinhos a seu país como pertencentes a seu próprio território. Menciono aqui esse fato porque a questão ainda não foi resolvida e, na última guerra, causou dificuldades e complicações de toda espécie.

Voltemos agora à guerra entre espanhóis, holandeses e ingleses. Em menos de vinte anos, as mais preciosas colônias das Índias, bem como o cabo da Boa Esperança, o Ceilão, as colônias do litoral chinês e até mesmo o Japão já estavam nas mãos dos protestantes. Em 1621, foi fundada uma Companhia das Índias Ocidentais que conquistou parte do Brasil e, na América do Norte, construiu uma fortaleza chamada Nova Amsterdam na foz do rio que Henry Hudson descobriu em 1609.

Essas novas colônias enriqueceram a tal ponto a Inglaterra e a República Holandesa que estas puderam contratar soldados estrangeiros para lutar suas guerras em terra enquanto elas mesmas dedicavam-se ao comércio. Para a Inglaterra e a Holanda, a revolta protestante trouxe independência e prosperidade. Mas, em muitas outras partes da Europa, trouxe tamanha sucessão de horrores que, em comparação, a última guerra se parece mais com uma excursão dos inocentes alunos da escola dominical.

A Guerra dos Trinta Anos, que se deflagrou em 1618 e só terminou com o famoso Tratado de Vestefália, em 1648, foi o resultado natural de um século de ódio religioso cada vez maior. Foi, como eu já disse, uma guerra terrível. Todos lutaram contra todos, e a luta só terminou quando todos os lados já estavam totalmente exauridos e não podiam mais lutar.

Em menos de uma geração, certas regiões da Europa central transformaram-se num deserto inculto onde camponeses esfomeados brigavam com os lobos pela carcaça de um cavalo morto. Cinco sextos de todas as cidades e povoados alemães foram destruídos. O Palatinado, na Alemanha ocidental, foi saqueado vinte e oito vezes. E uma população de dezoito milhões de pessoas reduziu-se a quatro milhões.

Hendrik Willem van Loon

A morte de Hudson

As hostilidades começaram assim que Fernando II, da casa dos Habsburgo, foi eleito imperador. Fruto de uma cuidadosa formação jesuíta, Fernando era um filho devoto e obediente da Igreja. Cumpriu da melhor maneira possível o voto que fez na juventude: de erradicar dos seus domínios todas as seitas e heresias. Dois dias antes de sua eleição, seu principal adversário, Frederico, eleitor protestante do Palatinado e genro de Jaime I da Inglaterra, fora sagrado rei da Boêmia, numa violação flagrante dos desejos do próprio Fernando.

Imediatamente, o exército Habsburgo marchou sobre a Boêmia. O jovem rei procurou em vão quem o ajudasse contra esse formidável inimigo. Os holandeses estavam dispostos a ajudá-lo, mas pouco podiam fazer, engajados que estavam numa guerra desesperada contra o ramo espanhol dos Habsburgo. Os Stuart, da Inglaterra, estavam mais interessados em fortalecer o seu poder absoluto em casa do que em desperdiçar soldados e dinheiro numa aventura desesperada na distante Boêmia. Depois de lutar por alguns meses, o eleitor palatino foi expulso e seus domínios foram anexados aos da casa católica da Baviera. Foi esse o começo da grande guerra.

Então, o exército Habsburgo, sob o comando de Tilly e Wallenstein, cruzou à força de armas toda a porção protestante da Alemanha até chegar às margens do Báltico. Um vizinho católico representava sério perigo para o rei protestante da Dinamarca. Cristiano IV tentou defender-se, e para tanto atacou seus inimigos antes que eles se tornassem fortes demais para ele. O exército dinamarquês marchou sobre a Alemanha, mas foi derrotado. Para garantir a vitória, Wallenstein usou de tamanha energia e tamanha violência que a Dinamarca foi obrigada a pedir água. Naquela época, só uma cidade do Báltico permanecia nas mãos dos protestantes: a cidade de Stralsund.

Foi lá que, no começo do verão de 1630, desembarcou Gustavo Adolfo da casa de Vasa, rei da Suécia, famoso por ter defendido o seu país contra os russos. Príncipe protestante, dotado de ilimitada ambição, desejoso de fazer da Suécia o centro de um grande império setentrional, Gustavo Adolfo foi recebido pelos príncipes protestantes da Europa como o salvador da causa luterana. Derrotou Tilly, que acabara de dizimar os habitantes protestantes de Magdeburgo. As tropas de Gustavo Adolfo deram início então à sua grande marcha pelo coração da Alemanha na tentativa de chegar às terras dos Habsburgo na Itália. Com a retaguarda ameaçada pelos católicos, Gustavo voltou-se de repente e derrotou o principal exército Habsburgo na batalha de Lützen. Infelizmente, o rei sueco foi morto num momento em que se separou de suas tropas. Mas o poderio habsburgo ficara abalado.

Fernando, que era um sujeito desconfiado, começou imediatamente a suspeitar dos seus próprios subordinados. Wallenstein, seu comandante-chefe, foi assassinado com o seu apoio. Os Bourbon católicos, que governavam a França e odiavam seus rivais Habsburgo, uniram-se de imediato aos suecos protestantes quando ouviram falar disso. Os exércitos de Luís XIII invadiram o leste da Alemanha, e os generais franceses Turenne e Condé vieram somar sua fama à dos suecos Baner e Weimar, especializando-se no assassínio, na pilhagem e em incendiar as propriedades habsburgas. Com isso, os suecos adquiriram muita fama e riqueza e causaram inveja nos dinamarqueses. Assim, os dinamarqueses protestantes declararam guerra aos suecos também protestantes, que eram aliados dos franceses católicos, cujo líder político, o cardeal de Richelieu, acabara de privar os huguenotes (os protestantes franceses) do direito de culto que o Édito de Nantes, de 1598, lhes garantira.

Hendrik Willem van Loon

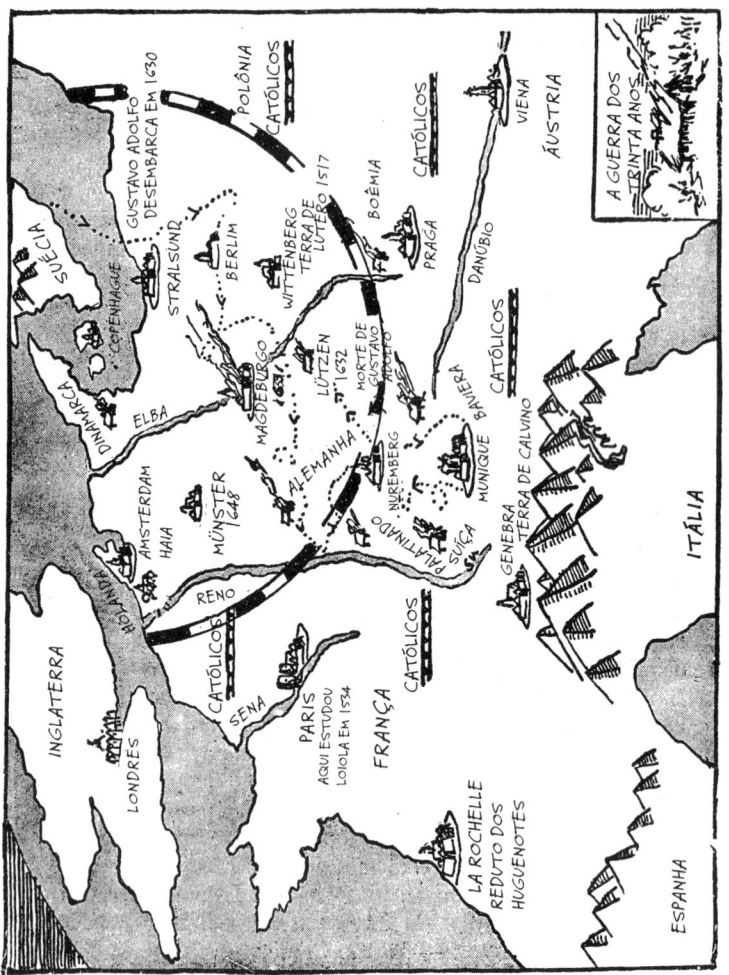

Como de hábito, quando chegou ao fim com o tratado de Vestefália, em 1648, a guerra nada havia decidido. As potências católicas continuaram católicas, e as potências protestantes permaneceram fiéis às doutrinas de Lutero, Calvino e Zwínglio. Os protestantes suíços e holandeses tiveram reconhecidas as suas repúblicas independentes. A França conservou as cidades de Metz, Toul e Verdun e uma parte da Alsácia. O Sacro Império Romano continuou a existir como uma espécie de Estado-espantalho, sem homens, sem dinheiro, sem esperança e sem coragem.

O único bem que adveio da Guerra dos Trinta Anos foi um bem negativo: desencorajou tanto os católicos quanto os protestantes de tentar fazer a mesma coisa outra vez. A partir de então, católicos e protestantes deixaram-se em paz. Não que o fanatismo religioso e o ódio teológico tenham sido eliminados da terra; muito pelo contrário. As lutas entre católicos e protestantes terminaram, mas as disputas entre as diversas seitas protestantes continuaram tão amargas quanto sempre tinham sido. Na Holanda, uma diferença de opinião acerca da verdadeira natureza da predestinação (um ponto obscuro de teologia, mas que era muito importante para o seu tataravô) causou um conflito que só terminou com a decapitação de João de Oldenbarneveldt, o estadista holandês responsável pelo sucesso da república durante os primeiros vinte anos de sua independência e o grande gênio organizador da Companhia das Índias. Na Inglaterra, as disputas levaram à guerra civil.

Amsterdam em 1648

Mas, antes de eu lhe falar sobre esse conflito que terminou com a primeira execução legal de um rei europeu, devo dizer algo sobre a história anterior da Inglaterra. Neste livro, estou procurando relatar somente os acontecimentos passados que podem lançar alguma luz sobre as condições do mundo moderno. Se deixo de mencionar alguns países, a causa disso não é um secreto desprezo de minha parte. Gostaria de poder lhe contar tudo o que aconteceu na Noruega, na Suíça, na Sérvia e na China. Porém, essas nações não exerceram quase nenhuma influência sobre o desenvolvimento da Europa nos séculos XVI e XVII. Por isso não falo delas, embora me incline perante elas com uma reverência educada e muito respeitosa. A Inglaterra, porém, é um caso muito diferente. As coisas que o povo dessa pequena ilha fez nos últimos quinhentos anos moldaram a história de todos os cantos do mundo. Sem um conhecimento adequado de história inglesa, você não será capaz de entender as notícias que lê nos jornais. Por isso, é necessário que você saiba como a Inglaterra criou uma forma de governo parlamentar enquanto todo o restante do continente europeu ainda era regido por monarcas absolutos.

45
A REVOLUÇAO INGLESA
*Como o conflito entre o "direito divino dos reis"
e o "direito do parlamento", menos divino mas
mais racional, terminou em desastre para o rei Carlos I*

César, o primeiro explorador do noroeste da Europa, cruzou o canal da Mancha em 55 a.C. e conquistou a Inglaterra. Durante quatro séculos o país foi uma província romana. Mas, quando os bárbaros começaram a ameaçar Roma, as guarnições das fronteiras foram chamadas de volta para casa a fim de defender o país, e a Grã-Bretanha ficou sem governo e sem proteção.

Assim que esse fato se tornou conhecido das ávidas tribos saxônias do norte da Alemanha, elas velejaram pelo mar do Norte e estabeleceram-se na próspera ilha. Fundaram vários reinos anglo-saxões independentes (chamados "anglo-saxões" por causa dos invasores, os anglos ou ingleses e os saxões), mas esses pequenos Estados viviam em perpétuo conflito entre si e nenhum dos reis era forte o suficiente para firmar-se como chefe de um país unido.

Por mais de quinhentos anos, Mércia e Northumbria, Wessex e Sussex, Kent e East Anglia (etc. etc.) ficaram à mercê dos ataques dos piratas escandinavos. Por fim, no século XI, a Inglaterra, junto com a Noruega e o norte da Alemanha, passou a fazer parte do vasto império dinamarquês de Canuto, o Grande, e os últimos vestígios de independência desapareceram.

Com o tempo, os dinamarqueses acabaram sendo expulsos, mas assim que a Inglaterra se libertou foi conquistada pela quarta vez. Os novos inimigos eram os descendentes de uma outra tribo normanda que, no começo do século X, invadira a França e fundara o ducado da Normandia. Guilherme, duque da Nor-

Hendrik Willem van Loon

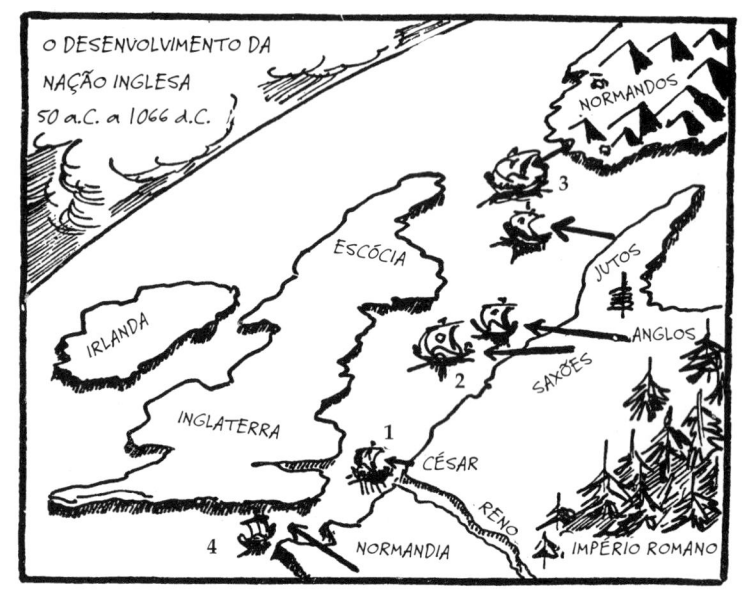

A nação inglesa

mandia, que por muito tempo contemplara com olhos cobiçosos o outro lado do canal da Mancha, cruzou o mesmo canal em outubro de 1066. Na Batalha de Hastings, travada em 14 de outubro desse ano, ele derrotou as débeis forças de Haroldo de Wessex, último dos reis anglo-saxões, e foi coroado rei da Inglaterra. Mas nem Guilherme nem os seus sucessores das casas de Anjou e dos Plantagenetas encaravam a Inglaterra como o seu verdadeiro lar. Para eles, a ilha era apenas um apêndice da grande herança a que tinham direito no continente – uma espécie de colônia habitada por um povo atrasado a quem eles impunham sua língua e sua civilização. Aos poucos, porém, a "colônia" foi predominando sobre a "metrópole" normanda. Ao mesmo tempo, os reis de França estavam tentando desesperadamente se livrar de seus poderosos vizinhos normando-ingleses, que na verdade não passavam de súditos desobedientes da Coroa francesa. Depois de um século de guerra, o povo francês, unido sob o comando de uma jovem chamada Joana d'Arc, expulsou os "estrangeiros" do solo pátrio. Joana, feita prisioneira na batalha de Compiègne em 1430 e vendida aos soldados ingleses por seus captores borgonheses, foi queimada na fogueira sob a acusação de bruxaria. Porém, os ingleses não conseguiram ganhar territórios no continente, e os reis puderam finalmente dedicar todo o seu tempo ao seu domínio insular. Como a nobreza feudal da ilha estivera engajada numa daquelas estranhas rixas que eram tão comuns na Idade Média quanto a rubéola e a varíola, e como a maior parte dos antigos proprietários de terras tinham sido mortos nessa chamada "Guerra das Duas Rosas", os reis conseguiram com facilidade aumentar o seu poder. No final do século XV, a Inglaterra já era um país fortemente centralizado, governado por Henrique VII da casa de Tudor, cujo famoso tribunal, a

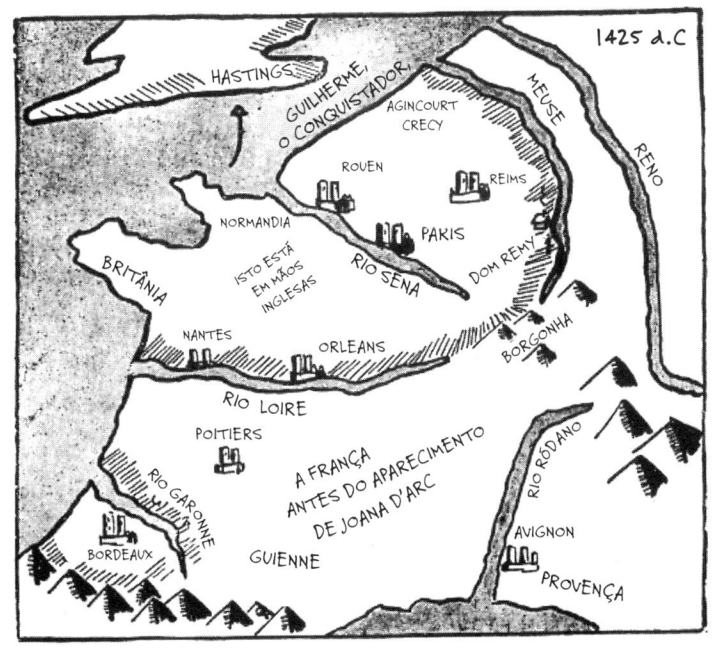

A Guerra dos Cem Anos

"Câmara Estrelada" de terrível memória, suprimiu com o máximo rigor todas as tentativas por parte dos nobres sobreviventes de recuperar algo da sua influência sobre o governo do país.

Em 1509 Henrique VII foi sucedido por seu filho Henrique VIII, e a partir desse momento a história da Inglaterra adquiriu nova importância, pois o país deixou de ser uma ilha medieval para tornar-se um Estado moderno.

Henrique não tinha nenhum interesse profundo pela religião. Aproveitou um desacordo com o papa em torno de um de seus muitos divórcios para declarar-se independente de Roma e fazer da Igreja da Inglaterra a primeira das "igrejas nacionalistas", nas quais o governante temporal é também o chefe espiritual de seus súditos. Essa reforma pacífica, ocorrida em 1534, não só deu à casa de Tudor o apoio do clero britânico, que por muito tempo permanecera vulnerável aos ataques violentos de muitos propagandistas luteranos, como também fez aumentar o poder real mediante o confisco das terras e propriedades dos mosteiros. Ao mesmo tempo, tornou Henrique querido dos comerciantes, que, na qualidade de prósperos e altivos habitantes de uma ilha separada do restante do continente europeu por um canal largo e profundo, tinham um profundo desgosto por tudo o que fosse "estrangeiro" e não queriam que um bispo italiano comandasse suas honestas almas britânicas.

Henrique morreu em 1547 e legou o trono a seu filhinho de dez anos. Os guardiães da criança, adeptos das modernas doutrinas luteranas, fizeram de tudo para promover a causa do protestantismo. Porém, o menino morreu antes dos dezesseis anos de idade e foi sucedido por sua irmã Maria, esposa de Filipe II da Espanha. Maria queimou na fogueira os bispos da nova "igreja nacional" e de muitas outras maneiras seguiu o exemplo de seu real marido espanhol.

Felizmente morreu e, em 1558, foi sucedida por Elisabeth, filha de Henrique VIII e Ana Bolena, a segunda de suas seis esposas, por ele decapitada quando deixou de agradá-lo. Elisabeth, que passara algum tempo na prisão e só fora libertada a pedido do sagrado imperador romano, era inimiga declarada de tudo o que fosse católico ou espanhol. Partilhava da indiferença de seu pai pelos assuntos de religião, mas herdou dele a excelente capacidade de avaliar o caráter das pessoas, e empregou os quarenta e cinco anos do seu reinado para fortalecer o poder de sua dinastia e aumentar as rendas e os domínios territoriais de suas alegres ilhas. Foi auxiliada nessas tarefas por alguns homens que, reunidos em torno do trono, fizeram da era elisabetana um período de tamanha importância que você deve se dar ao cuidado de estudá-la em detalhes.

Elisabeth, porém, não se sentia totalmente segura no trono. Tinha uma rival, e uma rival perigosa. Maria, da casa de Stuart, filha de uma duquesa francesa e de um pai escocês, viúva do rei Francisco II da França e nora de Catarina de Médici (que organizou a chacina da Noite de São Bartolomeu), era mãe de um menininho que viria depois a ser o primeiro rei inglês da casa dos Stuart. Era católica fervorosa e amiga de todos os inimigos de Elisabeth. Sua falta de habilidade política e os métodos violentos de que se valeu para castigar seus súditos calvinistas desencadearam uma revolução na Escócia e forçaram-na a refugiar-se em território inglês. Por dezoito anos permaneceu na Inglaterra tramando incessantemente contra a mulher que lhe deu abrigo, a qual foi finalmente forçada a seguir a recomendação de seus fiéis conselheiros e "degollar a rainha escoseza".

Em 1587, a rainha foi devidamente "degollada", o que provocou uma guerra com a Espanha. Porém, as frotas inglesa e holandesa unidas derrotaram a Invencível Armada de Filipe II, como já vimos, e o golpe que tinha por objetivo esmagar o poder dos dois principais redutos anticatólicos tornou-se uma lucrativa empreitada comercial.

Agora por fim, depois de muitos anos de hesitação, os ingleses e os holandeses viram-se no direito de invadir as Índias e a América para vingar os males sofridos por seus irmãos protestantes nas mãos dos espanhóis. Os ingleses estiveram entre os primeiros sucessores de Colombo. Navios ingleses, comandados pelo piloto veneziano Giovanni Cabot, tinham sido os primeiros a descobrir e explorar o continente norte-americano, em 1496. O Labrador e a Terra Nova não tinham muita importância como possíveis colônias, mas o oceano ao largo da Terra Nova

Giovanni e Sebastiano Cabot avistam o litoral da Terra Nova

ofereceu ricas recompensas à frota pesqueira inglesa. Um ano depois, em 1497, o mesmo Cabot explorou o litoral da Flórida.

Vieram então os anos movimentados de Henrique VII e Henrique VIII, em que minguou a quantidade de dinheiro disponível para explorações no estrangeiro. Mas sob Elisabeth, com o país em paz e Maria Stuart metida no calabouço, os navegantes podiam fazer-se à vela sem temer pelo destino dos entes queridos que deixavam para trás. Enquanto Elisabeth ainda era criança, Willoughby aventurou-se a contornar o cabo Norte; e um de seus capitães, Richard Chancellor, batendo para o leste em busca de uma possível rota para as Índias, chegou a Archangelsk, na Rússia, onde estabeleceu relações diplomáticas e comerciais com os misteriosos soberanos do distante império moscovita. Nos primeiros anos do reinado de Elisabeth, a essa viagem seguiram-se muitas outras. Mercadores aventureiros, operando em nome de uma "companhia de sociedade anônima", lançaram os fundamentos das companhias de comércio que em séculos futuros viriam a dominar as colônias. Meio piratas, meio diplomatas, dispostos a apostar tudo numa única viagem bem-sucedida, contrabandistas de tudo o que pudesse ser transportado nos porões de um navio, compradores e vendedores de homens e de mercadorias, totalmente indiferentes a qualquer coisa que não o seu próprio lucro, os marinheiros de Elisabeth levaram a bandeira inglesa e a fama de sua Rainha Virgem aos quatro cantos dos sete mares. Enquanto isso, William Shakespeare divertia Sua Majestade, e os melhores cérebros e intelectos da Inglaterra cooperavam com a rainha para tentar transformar a herança feudal de Henrique VIII num moderno Estado nacional.

Em 1603, a velha senhora morreu aos setenta anos de idade. Seu primo, bisneto de Henrique VII e filho de Maria Stuart (que fora sua rival e inimiga), sucedeu-a no trono sob o nome de Jaime I. Pela Graça de Deus, achou-se soberano de um país que escapara à sorte de seus rivais no continente. Enquanto protestantes e católicos chacinavam-se mutuamente na Europa continental, na vã tentativa de esmagar o poder de seus adversários e firmar a soberania exclusiva do seu próprio credo, a Inglaterra estava em paz e "reformava-se" à vontade, sem chegar aos extremos nem de Lutero, nem de Loiola. Isso deu ao reino insular uma enorme vantagem na luta pela posse das colônias. Garantiu à Inglaterra uma liderança nos assuntos internacionais que

O palco elisabetano

esse país conserva até o dia de hoje. Nem mesmo o desastroso episódio dos Stuart pôde obstar esse desenvolvimento normal. Os Stuart, que sucederam à casa de Tudor, eram "estrangeiros" na Inglaterra. Parecem não ter percebido nem compreendido esse fato. A casa de Tudor, nativa, podia até roubar um cavalo; mas os Stuart, "estrangeiros", não podiam nem sequer olhar para o freio do cavalo sem provocar uma forte insatisfação popular. A velha rainha Bess regera seus domínios de acordo com a sua vontade. De modo geral, porém, adotara uma política que enchia de dinheiro os bolsos dos honestos (ou nem tanto) comerciantes britânicos. Por isso, a rainha sempre garantira o apoio incondicional de seu povo agradecido. E as pequenas liberdades que tomava com os direitos e prerrogativas do parlamento eram habilmente desconsideradas, em vista dos maiores benefícios que advinham da política exterior forte e bem-sucedida de Sua Majestade.

Exteriormente, o rei Jaime deu continuidade à mesma política. Mas faltava-lhe aquele entusiasmo pessoal que caracterizara sua grande predecessora. O comércio exterior continuou sendo estimulado. Os católicos continuavam sem liberdade alguma. Porém, quando a Espanha sorriu para a Inglaterra num esforço de restabelecimento de relações cordiais, Jaime retribuiu o sorriso. A maioria dos ingleses não gostou disso, mas Jaime era o rei, e eles ficaram quietos.

Logo houve outros motivos de atrito. O rei Jaime e seu filho Carlos I, que o sucedeu em 1625, criam ambos firmemente no princípio de que tinham o "direito divino" de administrar seu reino como bem entendessem, sem dar atenção aos desejos de seus súditos. A idéia não era nova. Os papas, que sob diversos aspectos eram os sucessores do imperador romano (ou, antes, do ideal imperial romano de um único Estado indiviso que se estendesse por todo o mundo conhecido), sempre se consideraram e foram publicamente reconhecidos como "Vigários (Vice-Reis) de Cristo na Terra". Ninguém questionava o direito de Deus de governar o mundo segundo Sua vontade. A conseqüência natural disso é que poucos arriscavam-se a duvidar do direito do divino "Vice-Rei" de fazer a mesma coisa e exigir a obediência das massas por ele ser o representante direto do Soberano Absoluto do Universo, sujeito tão-somente ao próprio Deus Todo-Poderoso.

Quando a Reforma Luterana consolidou-se, os direitos que antes cabiam ao papado foram assumidos pelos muitos soberanos europeus que se tornaram protestantes. Na qualidade de chefes de suas próprias igrejas nacionais ou dinásticas, eles insistiam em ser "Vigários de Cristo" dentro dos limites de seu próprio território. Os povos não questionaram o direito de seus soberanos de tomar para si esse título. Aceitaram-no com naturalidade, assim como nós, hoje em dia, aceitamos a idéia de um sistema representativo, que nos parece a única forma justa e razoável de governo. Não é justo, portanto, afirmar que foi o luteranismo ou o calvinismo que provocou aquele sentimento de irritação com que era recebida a afirmação – sempre repetida em voz alta – do "direito divino" do rei Jaime. A descrença sincera dos ingleses no direito divino dos reis deve ter tido outros motivos.

A primeira negação categórica do "direito divino" dos soberanos fez-se ouvir em terras holandesas, quando os Estados Gerais repudiaram seu soberano de direito, o rei Filipe II da Espanha, em 1581. "O rei", disseram, "descumpriu sua parte no contrato; por isso, o rei é despedido como qualquer servo infiel." Depois disso, a idéia de que o rei tem certas responsabilidades perante seus súditos espalhou-se por muitas nações localizadas à beira do mar do Norte. Essas nações encontravam-se numa situação favorável, pois eram ricas. O povo pobre da Europa central, sempre à mercê da guarda pessoal do soberano, não podia se dar ao luxo de discutir um problema que os faria cair de imediato nas mais profundas masmorras do castelo mais próximo. Porém, os mercadores da Holanda e da Inglaterra, que possuíam o capital necessário para manter grandes exércitos e frotas navais e que sabiam manipular como ninguém a arma todo-poderosa chamada "crédito", não sofriam desse temor. Estavam dispostos a apostar o "direito divino" de seu dinheiro contra o "direito divino" de qualquer Habsburgo, Bourbon ou Stuart. Sabiam que seus florins e seus *shillings* valiam mais do que os canhestros exércitos feudais que eram as únicas armas à disposição do rei. Por isso, ousaram agir numa época em que outros estavam condenados a sofrer em silêncio ou a correr o risco de ir para o patíbulo.

Quando os Stuart começaram a incomodar o povo inglês com a afirmação de que tinham o direito de fazer o que bem entendessem e não estavam sujeitos a nada nem a ninguém, a classe média inglesa usou a Câmara dos Comuns como primeira linha de defesa contra esse abuso do poder real. A coroa se recusou a ceder, e o rei mandou que o parlamento não metesse o nariz onde não fora chamado. Por onze longos anos, Carlos I governou sozinho. Cobrou impostos que a maioria das pessoas considerava ilegais e administrou seu reino como se fosse o quintal de seu castelo. Tinha assessores capazes, e temos de admitir que ele tinha coragem para fazer valer suas convicções.

Infelizmente, em vez de garantir para si o apoio de seus fiéis súditos escoceses, Carlos envolveu-se numa querela com os presbiterianos da Escócia. De má vontade, mas obrigado a tanto pela sua necessidade de dinheiro vivo, teve por fim de convocar o parlamento. Este, de cenho franzido, se reuniu em abril de 1640. Foi dissolvido poucas semanas depois. Um novo parlamento foi convocado em novembro, mas mostrou-se ainda menos flexível do que o anterior. Seus membros entendiam que a questão do "governo por direito divino" ou "governo pelo parlamento" tinha de ser decidida de uma vez por todas. Atacaram o rei na pessoa de seus principais conselheiros, dos quais executaram uma meia dúzia. Anunciaram que não se deixariam dissolver sem a sua própria aprovação. Por fim, em 1º de dezembro de 1641, apresentaram ao rei um "Grande Protesto" que continha o relato detalhado das muitas queixas do povo contra seu soberano.

Carlos, que esperava granjear apoio para sua causa junto aos distritos rurais, saiu de Londres em janeiro de 1642. Ambos os lados organizaram exércitos e prepararam-se para a guerra franca entre o poder absoluto da Coroa e o poder absoluto do parlamento. Nessa luta, destacou-se rapidamente a seita religiosa mais poderosa da Inglaterra, os chamados puritanos (anglicanos que haviam tentado purificar suas doutrinas ao máximo). Os regimentos de "homens de Deus" comandados por Oliver Cromwell, com sua disciplina férrea e sua profunda confiança na santidade de seus objetivos, logo tornaram-se modelos para todo o exército de oposição. Duas vezes Carlos foi derrotado. Depois da batalha de Naseby, em 1645, fugiu para a Escócia. Os escoceses o venderam aos ingleses.

Seguiu-se então um período de intrigas e uma revolta dos presbiterianos escoceses contra os puritanos ingleses. Em agosto de 1648, depois de três dias de batalha em Preston Pans, Cromwell pôs fim a essa segunda guerra civil e tomou Edimburgo. Entretanto, seus soldados, cansados de tanto palavreado e do tempo perdido em infrutíferos debates religiosos, decidiram agir por conta própria e excluíram do parlamento todos quantos não concordavam com o ponto de vista puritano. Depois disso, os "Restos" (*The Rump*), ou o que restava do antigo parlamento, acusaram o rei de alta traição. A Câmara dos Lordes recusou-se a julgar o caso. Foi nomeado um tribunal especial que condenou o rei à morte. Em 30 de janeiro de 1649, o rei Carlos saiu silenciosamente de uma janela do White Hall direto para o patíbulo. Naquele dia, o povo soberano, agindo através dos representantes por ele escolhidos, pela primeira vez executou um soberano que não conseguira compreender sua posição no Estado moderno.

O período que se seguiu à morte de Carlos costuma levar o nome de Oliver Cromwell. A princípio, ele foi o ditador não-oficial da Inglaterra; em 1653, foi nomeado lorde protetor. Governou por cinco anos e usou esse período para dar continuidade às políticas de Elisabeth. Mais uma vez a Espanha tornou-se a arquiinimiga dos ingleses, e a guerra contra os espanhóis foi apresentada como uma causa nacional sagrada.

O comércio da Inglaterra e os interesses dos comerciantes foram sobrepostos a quaisquer outros, e um rigorosíssimo credo protestante foi imposto com mão de ferro. Cromwell conseguiu manter a posição da Inglaterra em relação ao mundo exterior, mas fracassou lamentavelmente em suas reformas sociais. O mundo é composto de muitas pessoas, que quase nunca pensam todas do mesmo jeito. Esse fato parece ser muito benéfico a longo prazo. O governo de uma única porção da comunidade, e para essa mesma porção, não pode sobreviver por muito tempo. Os puritanos foram uma força benéfica quando tentaram coibir os abusos do poder real. Mas, na qualidade de soberanos absolutos da Inglaterra, tornaram-se intoleráveis.

Quando Cromwell morreu, em 1658, foi fácil para os Stuart recuperar o antigo reinado. Com efeito, foram saudados como "libertadores" pelo povo, que constatou que o jugo dos mansos puritanos era tão duro de levar quanto o do autocrático rei Carlos. Os ingleses prometeram que, se os Stuart estivessem dispostos a esquecer o direito divino de seu falecido e saudoso patriarca e a reconhecer a superioridade do parlamento, seriam súditos leais e fiéis.

Duas gerações procuraram garantir o êxito desse novo arranjo. Mas os Stuart, ao que parece, não haviam aprendido a lição e não conseguiram se desfazer de seus velhos hábitos. Carlos II, que voltou em 1660, era um sujeito agradável, mas completamente inútil. Sua indolência e sua insistência inata em tomar sempre o caminho mais fácil, aliadas a um êxito manifesto no papel de mentiroso, impediram um rompimento efetivo entre ele e seu povo. Pelo Decreto de Uniformidade, passado em 1662, ele esmagou o poder do clero puritano, banindo das paróquias todos os clérigos dissidentes. Pela chamada Lei dos Conventículos, de 1664, procurou impedir que os dissidentes realizassem reuniões religiosas, ameaçando-os de deportação para as Índias Ocidentais. Isso começou a se parecer demais com os passados dias do direito absoluto. O povo começou a manifestar os conhecidos sinais de impaciência, e o parlamento repentinamente se viu com dificuldades para fornecer dinheiro ao rei.

Como não podia arrancar dinheiro à força de um parlamento relutante, Carlos emprestou-o secretamente de seu primo e vizinho, o rei Luís de França. Traiu seus aliados protestantes em troca de duzentas mil libras por ano e riu-se na cara dos simplórios membros do parlamento.

A independência econômica de repente deu ao rei uma nova fé em sua força. Ele passara os muitos anos de exílio entre seus parentes católicos e alimentava uma secreta simpatia pela religião católica. Quem sabe não conseguiria reconduzir a Inglaterra à união com Roma? Fez passar uma Declaração de Anistia que suspendia as antigas leis desfavoráveis aos católicos e aos dissidentes. Isso aconteceu na mesma época em que corriam rumores de que Jaime, irmão mais novo de Carlos, se convertera para o catolicismo. Essas coisas atiçaram a desconfiança dos homens comuns, que começaram a temer uma terrível conjuração papista. Um novo espírito de inquietude espalhou-se pelo país. A maioria das pessoas, porém, queria impedir a deflagração de uma nova guerra civil. Para elas, a opressão real e um rei católico – sim, até mesmo o direito divino – eram preferíveis a um novo episódio de derramamento de sangue entre membros da mesma raça. Outros, porém, eram menos clementes. Eram os temidos dissidentes, que invariavelmente contavam com a coragem que vem da convicção profunda. Eram comandados por vários nobres que não queriam assistir à volta dos velhos dias do poder real absoluto.

Por quase dez anos, os dois grandes partidos – os *Whigs* (constituído pela classe média e chamado por esse nome pejorativo porque, em 1640, um regimento de *Whigamores* ou tropeiros escoceses, comandados pelo clero presbiteriano, marchara a Edimburgo para combater o rei) e os *Tories* (epíteto originalmente aplicado, também pejorativamente, aos irlandeses monarquistas, mas que agora denominava os partidários do rei) – se opuseram, sem porém que nenhum deles se dispusesse a desencadear uma crise. Deixaram que Carlos morresse pacificamente em sua cama e permitiram que o católico Jaime II sucedesse a seu irmão em 1685. Mas Jaime, depois de ameaçar o país com a terrível invasão estrangeira de um "exército permanente" (comandado por franceses católicos), assinou em 1688 uma segunda Declaração de Anistia e ordenou que fosse lida em todas as igrejas anglicanas. Com isso, ultrapassou a linha demarcatória que, mesmo pelos monarcas mais populares, só pode ser transposta em circunstâncias muito excepcionais. Sete bispos se recusaram a obedecer à ordem real e, acusados de "calúnia sediciosa", foram levados perante um tribunal. O júri que pronunciou o veredicto de "inocentes" conquistou o apoio popular.

Nesse momento difícil, Jaime (que, no segundo casamento, tomara como esposa uma mulher da casa católica de Módena-Este, chamada Maria) teve um filho. Isso significava que o trono seria entregue a um menino católico e não a suas irmãs mais velhas Maria e Ana, que eram protestantes. De novo o povo se sentiu desconfiado. Maria de Módena era velha demais para ter filhos! Tudo fazia parte de um plano secreto! Um bebê estranho tinha sido introduzido no palácio por algum padre jesuíta para que a Inglaterra tivesse um monarca católico. E por aí afora. Ao que parecia, uma nova guerra civil estava a ponto de se desencadear. Foi então que sete homens bem conhecidos, tanto *Whigs* como *Tories*, escreveram uma carta a Guilherme III – marido de Maria, filha mais velha de Jaime, e *stadtholder* ou chefe da República Holandesa – pedindo-lhe que fosse à Inglaterra para libertar o país de seu soberano legal, mas indesejável.

Em 5 de novembro de 1688, Guilherme desembarcou em Torbay. Como não queria que seu sogro se transformasse num mártir, ajudou-o a escapar são e salvo para a França. Em 22 de janeiro de 1689, convocou o parlamento. Em 13 de fevereiro do mesmo ano, ele e sua mulher Maria foram proclamados co-regentes da Inglaterra, e o país foi salvo para a causa protestante.

O parlamento, chegando assim a ser algo mais do que um simples grupo de conselheiros reais, aproveitou ao máximo sua oportunidade. A antiga Petição de Direitos, de 1628, foi sacada de um canto esquecido dos arquivos. Uma segunda Declaração de Direitos, ainda mais drástica, exigia que o soberano da Inglaterra pertencesse à Igreja Anglicana. Afirmava, além disso, que o rei não tinha mais o direito de suspender as leis ou de permitir que certos cidadãos privilegiados as desobedecessem. Estipulava que "não se hão de cobrar impostos nem convocar exércitos sem o consentimento do parlamento". Assim, em 1689, a Inglaterra chegou a um grau de liberdade então desconhecido nos outros países da Europa.

Mas não é só por essa grande medida liberal que o governo de Guilherme ainda é lembrado na Inglaterra. Foi durante a sua vida que se desenvolveu o governo por um ministério "responsável". É claro que nenhum rei pode governar sozinho. Precisa sempre de alguns conselheiros confiáveis. Os Tudor tinham o seu Grande Conselho, composto de nobres e clérigos. Esse conselho ficou grande demais e foi depois reduzido ao pequeno "Conselho Privado". No decorrer do tempo, esses conselheiros se acostumaram a reunir-se com o rei num gabinete do palácio. O conselho passou a ser conhecido como "Conselho do Gabinete", e depois somente como o "Gabinete".

Guilherme, como a maioria dos soberanos ingleses que o precederam, escolhia conselheiros de todos os partidos. Porém, com o aumento da força do parlamento, verificou ser impossível dirigir a política do país com a ajuda dos *Tories* enquanto os *Whigs* tinham maioria na Câmara dos Comuns. Por isso, despediu todos os *Tories* e convocou um gabinete composto inteiramente de *Whigs*. Alguns anos depois, quando os *Whigs* perderam poder na Câmara dos Comuns, o rei foi obrigado, por conveniência, a buscar apoio entre os principais *Tories*. Até sua morte, em 1702, Guilherme esteve muito ocupado nas guerras contra Luís de França para tomar conta do governo da Inglaterra. Praticamente todos os assuntos importantes eram deixados a cargo de seu Conselho de Gabinete. Quando Ana, cunhada de Guilherme, sucedeu-o em 1702, esse estado de coisas continuou. Quando morreu, em 1714 (e, infelizmente, nenhum de seus dezessete filhos sobreviveu à mãe), o trono coube a Jorge I da casa de Hanover, filho de Sofia, neta de Jaime I.

Jorge I era um monarca rústico que nunca aprendeu a falar inglês e se perdia completamente nos complexos labirintos dos arranjos políticos ingleses. Deixava tudo a cargo de seu Conselho de Gabinete e não comparecia às reuniões deste, que o entediavam, uma vez que ele não compreendia uma única palavra das discussões. Foi assim que o Gabinete criou o hábito de governar a Inglaterra e a Escócia (cujo parlamento se unira ao parlamento inglês em 1707) sem incomodar o rei, que tendia a passar boa parte de seu tempo na Europa continental.

Nos reinados de Jorge I e Jorge II, o Conselho de Gabinete do rei foi composto por uma série de grandes *Whigs* (um dos quais, sir Robert Walpole, permaneceu no cargo por vinte e um anos). O líder do conselho foi reconhecido por fim não só como representante oficial do Gabinete mas também como o líder do partido que detinha a maioria no parlamento. As tentativas de Jorge III de tomar o governo em suas próprias mãos foram tão desastrosas que nunca mais se repetiram. E, a partir do começo do século XVIII, a Inglaterra gozou de um governo representativo, com um ministério responsável que cuidava dos assuntos do país.

Para não faltarmos com a verdade, temos de deixar claro que esse governo não representava todas as classes da sociedade. A cada doze homens ou mais, apenas um tinha o direito de votar. Porém, o governo inglês dessa época foi o germe da moderna forma de governo representativo. De maneira tranqüila e ordeira, o poder foi tirado do rei e colocado nas mãos de um número cada vez maior de representantes do povo. Nem por isso a felicidade geral se instaurou na Inglaterra, mas o país foi salvo da maioria das insurreições revolucionárias que se mostraram tão desastrosas para o continente europeu nos séculos XVIII e XIX.

46
O EQUILÍBRIO DE PODER

Na França, por outro lado, o "direito divino dos reis" continuava forte como nunca, cheio de pompa e esplendor, e a ambição do soberano só era contida pela recém-inventada lei do "equilíbrio de poder"

Para fazer um contraponto ao capítulo anterior, vou lhe contar o que aconteceu na França naqueles anos em que o povo inglês lutava por sua liberdade. A feliz coincidência de haver o homem certo no país certo na hora certa é muito rara na história. Luís XIV foi a realização desse ideal, pelo menos no que dizia respeito à França, mas o restante da Europa teria sido muito mais feliz sem ele.

O país sobre o qual o jovem rei foi chamado a reinar era a nação mais brilhante e mais populosa da época. Luís subiu ao trono logo depois que Mazarino e Richelieu, os dois grandes cardeais, transformaram o antigo reino de França no Estado mais fortemente centralizado do século XVII. O próprio Luís era um homem de extraordinária habilidade. Nós, do século XXI, ainda vivemos numa atmosfera marcada pelas lembranças da era gloriosa do Rei-Sol. Nossa vida social se baseia na perfeição de etiqueta e na elegância de expressão alcançada pela corte de Luís XIV. Nas relações internacionais e diplomáticas, o francês ainda é a língua oficial da diplomacia e das reuniões internacionais, pois já faz dois séculos que alcançou um grau de elegância e de pureza de expressão que nenhuma outra língua ainda foi capaz de igualar. O teatro de Luís XIV ainda tem lições a nos ensinar, lições que temos sido demasiado tardos em aprender. Durante o seu reinado, a Academia Francesa (inventada por Richelieu) passou a ocupar no mundo literário uma posição cuja preeminência os outros países, por suas imitações, só fizeram confirmar. Poderíamos estender esta lista por muitas páginas. Não é por mero acaso que os modernos *menus* de restaurantes são impressos em francês. A difícil arte da culinária, uma das mais altas expressões da civilização, foi praticada pela primeira vez a pedido do grande monarca. A era de Luís XIV foi uma era de elegância e esplendor que ainda tem muito a nos ensinar.

Infelizmente, esse quadro brilhante teve um outro lado bem menos animador. A glória no estrangeiro é freqüentemente acompanhada da infelicidade dentro do próprio país, e a França não foi exceção a essa regra. Luís XIV sucedeu a seu pai no ano de 1643 e morreu em 1715. Isso significa que o governo da França esteve nas mãos de um único homem por setenta e dois anos, quase duas gerações inteiras.

Vale a pena insistir na idéia de "um único homem". Luís foi o primeiro de uma longa lista de monarcas que, em diversos países, estabeleceram aquela forma eficientíssima de autocracia que chamamos de "despotismo esclarecido". Ele não gostava dos reis que só fingem governar e que transformam os assuntos políticos em agradáveis piqueniques. Os reis daquela era de esclarecimento trabalhavam muito mais do que qualquer um de seus súditos. Levantavam-se cedo e iam dormir muito tarde; para eles, sua "divina responsabilidade" era tão importante quanto o "divino direito" que lhes permitia governar sem consultar seus súditos.

É claro que o rei não podia cuidar de tudo pessoalmente. Era obrigado a rodear-se de alguns auxiliares e conselheiros. Um ou dois generais, alguns especialistas em política exterior, uns poucos financistas e economistas espertos bastavam para tais fins. Porém, esses dignitários só podiam agir através do soberano. Não tinham existência individual. Para a massa do povo, o soberano representava em sua sagrada pessoa todo o governo do país. A glória da pátria encarnava-se na glória de uma única dinastia. Era um ideal diametralmente oposto ao nosso ideal norte-americano. A França era governada pela casa de Bourbon e para a casa de Bourbon.

As desvantagens de um tal sistema são evidentes. O rei era tudo; os demais eram absolutamente nada. A velha nobreza, tão útil, foi forçada a abdicar de sua participação no governo das províncias. Um único burocrata real, com os dedos manchados de tinta, escondido por trás das janelas esverdeadas de uma repartição pública na longínqua Paris, encarregava-se agora da tarefa que cem anos antes coubera ao senhor feudal. Este, privado do seu trabalho, mudou-se para Paris a fim de divertir-se o máximo possível na corte. Logo suas terras começaram a sofrer daquela perigosíssima doença econômica que se chama "ausência do proprietário". Numa única geração, os administradores feudais, úteis e trabalhadores, transformaram-se nos educadíssimos mas inúteis vagabundos da corte de Versalhes.

Luís tinha dez anos de idade quando se concluiu o Tratado de Vestefália e a casa dos Habsburgo, em decorrência da Guerra dos Trinta Anos, perdeu a posição de predomínio que tinha na Europa. Era inevitável que um homem tão ambicioso aproveitasse um momento favorável como esse para garantir para a sua própria dinastia as honras que antes cabiam aos Habsburgo. No ano de 1660, Luís casou-se com Maria Teresa, filha do rei da Espanha. Pouco tempo depois, morreu seu sogro Filipe IV, um dos Habsburgo espanhóis, que não regulava bem das idéias. Imediatamente, Luís reivindicou os Países Baixos espanhóis (a Bélgica) como parte do dote de sua esposa. Tal aquisição teria sido desastrosa para a paz da Europa e teria ameaçado a segurança dos Estados protestantes. Sob o comando de Jan de Witt, "raadpensionaris" ou ministro das relações exteriores das Sete Províncias Unidas dos Países Baixos, formou-se em 1664 a primeira grande aliança internacional, a Tríplice Aliança de Suécia, Inglaterra e Holanda. A aliança não durou muito. Com muito dinheiro e belas promessas, Luís comprou tanto o rei Carlos quanto os Estados suecos. A Holanda foi traída por seus aliados e entregue à própria sorte. Em 1672, os franceses invadiram os Países Baixos. Pela segunda vez os diques foram abertos e o régio sol francês se pôs em meio à lama dos pântanos holandeses. O Tratado de Nimwegen, concluído em 1678, não decidiu nada e só fez adiar uma nova guerra.

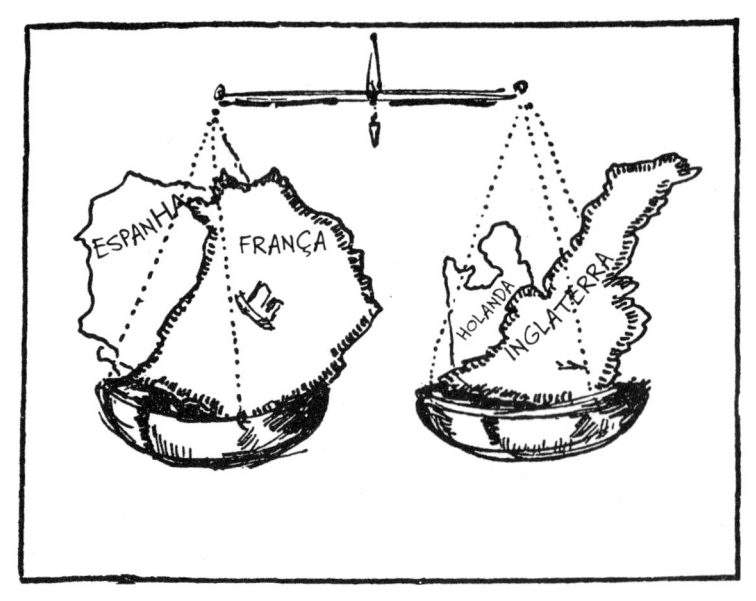

O equilíbrio de poder

Tampouco uma segunda guerra ofensiva, que durou de 1689 a 1697 e terminou com o Tratado de Ryswick, conseguiu dar a Luís a posição a que aspirava no contexto europeu. Seu velho inimigo, Jan de Witt, fora assassinado pelo populacho holandês, mas seu sucessor Guilherme III (que você conheceu no capítulo anterior) conseguiu frustrar todos os esforços de Luís para fazer da França a senhora da Europa.

A grande guerra pela sucessão espanhola – que começou em 1701, imediatamente após a morte de Carlos II, o último dos Habsburgo espanhóis, e só terminou em 1713, com o tratado de Utrecht – também não decidiu nada, mas arruinou o tesouro de Luís. Em terra, o rei francês fora vitorioso, mas as marinhas da Inglaterra e da Holanda haviam-no feito perder toda a esperança de obter uma vitória definitiva; além disso, a guerra prolongada deu origem a um novo princípio fundamental da política internacional, um princípio que, de lá para cá, impediu que uma única nação governasse por muito tempo a Europa inteira ou o mundo inteiro.

É o princípio chamado "equilíbrio de poder". Não é uma lei escrita, mas desde há três séculos vem sendo obedecido como se fosse uma lei da natureza. As pessoas que criaram essa idéia afirmavam que a Europa, neste estágio nacionalista do seu desenvolvimento, só poderia sobreviver se houvesse um equilíbrio absoluto dos muitos interesses conflitantes no continente. Não se poderia permitir que uma única potência, uma única dinastia, dominasse todas as demais. Na Guerra dos Trinta Anos, os Habsburgo foram as vítimas da aplicação dessa lei. Foram, porém, vítimas inconscientes. Nessa conflagração, as questões em jogo estavam tão ocultas por trás de uma névoa de interesses religiosos que mal e mal conseguimos vislumbrar as tendências que realmente digladiaram-se no conflito. Porém, depois dela, fica evidente que os frios cálculos e considerações econômicas são os determinantes de todos os movimentos importantes da política internacional. Desenvolve-se um novo tipo de estadista, cujos sentimentos pessoais são os da régua de cálculo e da caixa registradora. Jan de Witt foi o primeiro expoente bem-sucedido dessa nova escola política; Guilherme II foi o primeiro grande aluno; e Luís XIV, apesar de toda a sua fama e de toda a sua glória, foi a primeira vítima consciente. Depois dele, houve muitas outras vítimas.

47
A ASCENSÃO DA RÚSSIA
A história do misterioso império moscovita, que surgiu de repente na grande cena política da Europa

Como você sabe, em 1492 Colombo descobriu a América. No começo desse mesmo ano, um tirolês chamado Schnups foi nomeado chefe de uma expedição científica financiada pelo arcebispo do Tirol. Munido de boas cartas de apresentação e de um excelente crédito, ele procurou chegar à mítica cidade de Moscou. Não conseguiu. Quando atingiu as fronteiras do vasto Estado moscovita que se supunha existir no extremo oriente da Europa, foi resolutamente expulso do país, que não queria a presença de estrangeiros. Schnups foi então visitar os infiéis turcos de Constantinopla, a fim de ter algo que relatar a seu sacerdotal senhor quando voltasse de suas viagens de exploração.

Sessenta e um anos depois, Richard Chancellor, que tentava descobrir uma passagem de nordeste para as Índias e foi conduzido ao mar Branco por um vento maligno, chegou à foz do rio Dvina e encontrou o povoado moscovita de Kholmogory, a poucas horas de viagem do local onde em 1584 foi fundada a cidade de Archangelsk. Dessa vez, os viajantes estrangeiros foram convidados a ir a Moscou a fim de apresentar-se ao grão-duque. Assim fizeram, e voltaram à Inglaterra com o primeiro tratado comercial firmado entre a Rússia e o mundo ocidental. Outras nações logo fizeram o mesmo, e algo dessa estranha terra começou a ser conhecido fora de lá.

Geograficamente, a Rússia é uma imensa planície. Os montes Urais são baixos e não servem de barreira contra os invasores.

Os rios são largos, mas, em sua maioria, rasos. É um território ideal para nômades.

Enquanto o Império Romano era fundado, crescia e por fim desaparecia, tribos eslavas que havia muito tempo tinham deixado seu lar original na Europa Central vagavam sem destino pelas florestas e planícies da região localizada entre os rios Dniester e Dnieper. Os gregos tiveram algum contato com esses eslavos, que foram mencionados por viajantes dos séculos III e IV. Com exceção desses relatos esparsos, os eslavos eram tão pouco conhecidos quanto os índios Nevada eram em 1800.

Infelizmente para a paz desses povos primitivos, uma conveniente rota comercial passava pelo país deles. Tratava-se da grande estrada marítima e fluvial que ligava a Europa setentrional a Constantinopla. A rota seguia o litoral do mar Báltico até o Neva. De lá, cruzava o lago Ladoga e seguia para o sul ao longo do rio Volkhov. Cruzava o lago Ilmen e subia o pequeno rio Lovat. De lá as mercadorias eram transportadas por terra até o Dnieper, de onde desciam até o mar Negro.

Os normandos já conheciam essa rota em data muito recuada. No século IX começaram a estabelecer-se no norte da Rússia, assim como outros normandos estavam lançando os fundamentos de Estados independentes na Alemanha e na França. Mas, em 862, três irmãos normandos cruzaram o Báltico e fundaram três pequenas dinastias. Dos três, somente um, chamado Rurik, conseguiu sobreviver por um bom número de anos. Tomou posse então dos territórios de seus irmãos e, vinte anos depois de sua chegada, um Estado eslavo fora fundado, tendo Kiev por capital.

A distância entre Kiev e o mar Negro não é grande. Logo a existência de um Estado eslavo organizado foi conhecida em Constantinopla. Esse Estado representava um novo campo para os zelosos missionários da fé cristã. Monges bizantinos subiram o Dnieper, rumo norte, e logo chegaram ao coração da Rússia. Encontraram um povo que adorava estranhos deuses, os quais supostamente residiam nos bosques, nos rios e nas cavernas das montanhas. Ensinaram-lhes a história de Jesus sem ter de enfrentar a concorrência dos missionários romanos, que estavam demasiado ocupados com a educação dos pagãos teutões para

Hendrik Willem van Loon

A origem da Rússia

poder dar atenção aos distantes eslavos. Assim, a Rússia recebeu de monges bizantinos a sua religião, o seu alfabeto e os primeiros rudimentos de sua arte e arquitetura; e, como o Império Bizantino (uma relíquia do Império Romano do Oriente) se tornara demasiado oriental e perdera boa parte de seus traços europeus, os russos sofreram em conseqüência disso.

Politicamente, esses novos Estados estabelecidos nas grandes planícies russas não prosperaram. Os normandos tinham o costume de dividir toda herança igualmente entre os filhos. Depois que um pequeno Estado era fundado, logo era dividido por oito ou nove herdeiros, que por sua vez deixavam seu território para um número cada vez maior de descendentes. Era inevitável que esses pequenos Estados concorrentes guerreassem entre si. A anarquia era o estado normal das coisas. E, quando um brilho avermelhado no horizonte oriental alertou o povo da ameaça de invasão de uma selvagem tribo asiática, os pequenos Estados encontravam-se demasiado fracos e divididos para defender-se eficazmente contra esse terrível inimigo.

Foi em 1224 que aconteceu a primeira grande invasão tártara e que as hordas de Gêngis Khan – o conquistador da China, de Bokhara, de Tashkent e do Turquestão – apareceram pela primeira vez no Ocidente. Os exércitos eslavos foram batidos perto do rio Kalka, e a Rússia ficou à mercê dos mongóis. Estes, porém, desapareceram tão subitamente quanto haviam surgido. Voltaram, contudo, treze anos depois, em 1237. Em menos de cinco anos conquistaram todos os recônditos das vastas planícies da Rússia. Os tártaros foram senhores do povo russo até 1380, quando Dmitri Donskoi, grão-duque de Moscou, venceu-os nas planícies de Kulikovo.

No todo, os russos levaram mais de dois séculos para libertar-se desse jugo. Pois era de fato um jugo pesado e desagradável. Os camponeses eslavos foram transformados em miseráveis escravos; a massa do povo foi privada de todo sentimento de honra e independência. A fome, a miséria, a violência e a arbitrariedade passaram a ser as condições normais da existência humana. Até que por fim o comum dos russos, camponês ou nobre, tinha de cuidar de seus assuntos como um cão desprezado e

abatido, que já foi espancado tantas vezes que tem medo até de abanar o rabo sem a permissão do dono.
Não havia escapatória. Os cavaleiros do cã tártaro eram rápidos e impiedosos. As planícies infinitas não permitiam que os homens fugissem para os territórios vizinhos, mais seguros. Tinham de ficar quietos e suportar tudo que lhes fosse imposto por seus senhores, sob pena de enfrentar a morte. É claro que a Europa poderia intervir. Mas a Europa estava cuidando de seus próprios assuntos, resolvendo as brigas entre o papa e o imperador ou suprimindo esta ou aquela heresia. E assim a Europa deixou os eslavos entregues ao próprio destino e forçou-os a pelejar pela própria salvação.

Quem enfim salvou a Rússia foi um dos pequenos Estados fundados pelos primeiros conquistadores escandinavos. Esse Estado situava-se no coração da planície russa. Sua capital, Moscou, erguia-se sobre uma íngreme colina às margens do rio Moskva. O pequeno principado, a poder de agradar aos tártaros (quando tal se fazia necessário) e opor-se a eles (quando era seguro fazê-lo), transformou-se, no decorrer do século XIV, no líder de uma nova vida nacional. Não podemos nos esquecer de que os tártaros eram totalmente desprovidos de capacidade política construtiva. Só sabiam destruir. Seu principal objetivo ao conquistar novos territórios era obter mais renda. Para que tal renda se levantasse sob a forma de impostos, era preciso garantir a permanência de certos vestígios da antiga organização política. Por isso, havia na Rússia muitas cidadezinhas que sobreviviam pela misericórdia do Grande Cã para que cumprissem o papel de coletoras de impostos e esbulhassem as terras vizinhas a fim de engordar o tesouro tártaro.

O Estado de Moscou, que crescia rápido à custa do território circundante, finalmente tornou-se forte o bastante para arriscar uma franca rebelião contra os senhores tártaros. A rebelião saiu vitoriosa; e a fama de líder da causa da independência russa fez de Moscou um pólo natural de atração para quantos ainda acreditavam num futuro melhor para a raça eslava. Em 1453, Constantinopla foi tomada pelos turcos. Dez anos depois, sob o governo de Ivã III, Moscou informou ao mundo ocidental que o

Estado dos eslavos reclamava como sua a herança temporal e espiritual do desaparecido Império Bizantino e das tradições romanas que tinham sobrevivido em Constantinopla. Na geração seguinte, sob Ivã, o Terrível, o grão-duque de Moscou já era forte o suficiente para adotar o título de César, ou czar, e para exigir o reconhecimento das potências da Europa ocidental.

Em 1598, com Feodor I, terminou a antiga dinastia moscovita dos descendentes do escandinavo Rurik. Nos sete anos seguintes, reinou como czar um mestiço de tártaro chamado Bóris Godunov. Foi nessa época que se decidiu o destino das grandes massas do povo russo. O império russo era rico em terras, mas pobre em dinheiro. Não havia indústria nem comércio. Suas poucas cidades eram algo mais do que povoados de ruas de terra. O império era composto de um forte governo central e de grandes multidões de camponeses iletrados. O governo, que combinava influências eslavas, escandinavas, bizantinas e tártaras, não reconhecia nada senão os interesses do Estado. Para defender esses interesses, precisava de um exército. Para coletar os impostos necessários para pagar os soldados, precisava de funcionários públicos. Para pagar esses muitos funcionários, precisava de terras. Nas grandes regiões incultas do leste e do oeste do país a terra era abundante. Porém, a terra não tem valor algum a menos que tenha alguns trabalhadores que arem os campos e pastoreiem o gado. Por isso, os camponeses nômades foram tendo os seus direitos extintos um a um até que, no primeiro ano do século XVII, foram formalmente incorporados ao solo onde residiam. Os camponeses russos deixaram de ser homens livres e tornaram-se servos ou escravos, condição em que permaneceram até 1861, quando sua situação já estava tão ruim que eles começaram a morrer em grande número.

No século XVII, esse novo Estado cujo território ficava cada vez maior, à medida que se expandia em direção à Sibéria, tornou-se uma potência que o restante da Europa foi obrigado a reconhecer. Em 1613, depois da morte de Bóris Godunov, os nobres russos elegeram um de seus pares para ser czar. O eleito foi Miguel, filho de Feodor, da família moscovita dos Romanov, que moravam numa casinha ao lado do Kremlin.

Em 1672 nasceu Pedro, bisneto de Miguel e filho de outro Feodor. Quando Pedro tinha 10 anos de idade, sua meia-irmã Sofia apossou-se do trono. O menininho passava seus dias nos subúrbios da capital, onde moravam os estrangeiros. Rodeado de taverneiros escoceses, comerciantes holandeses, farmacêuticos suíços, barbeiros italianos, dançarinos franceses e professores alemães, o jovem príncipe teve uma primeira e extraordinária impressão da misteriosa e distante Europa, onde tudo se fazia de maneira diferente.

Quando tinha dezessete anos de idade, Pedro repentinamente tirou a irmã Sofia do trono e fez de si próprio o governante supremo da Rússia. Não se contentou, porém, em ser o czar de um povo semibárbaro e meio asiático. Não era fácil mudar a Rússia, da noite para o dia, de um Estado bizantino e tártaro num império europeu. Para tanto, eram necessárias mãos fortes e uma inteligência afiada. Pedro tinha as duas coisas. Em 1698, realizou a grande operação de implantar a Europa moderna no cepo da antiga Rússia. O paciente não morreu; mas, como demonstram com evidência os acontecimentos dos últimos cinco anos, também nunca se recuperou do choque.

48
RÚSSIA × SUÉCIA

*A Rússia e a Suécia fizeram muitas guerras
para decidir quem seria a potência dominante
no nordeste da Europa*

Em 1698, o czar Pedro embarcou em sua primeira viagem para a Europa ocidental. Passou por Berlim, foi à Holanda e daí à Inglaterra. Quando criança, quase se afogara num barquinho que ele mesmo fizera e que pusera para navegar no lago da casa de campo de seu pai. Essa paixão pela água acompanhou-o até o fim da vida e manifestou-se na prática em seu desejo de abrir um acesso ao mar para seu país, que ficava no meio de um continente.

Enquanto o jovem soberano, severo e malquisto pelo povo, estava longe de casa, os amigos dos velhos costumes russos puseram-se a trabalhar para desfazer todas as reformas. Uma súbita rebelião entre os membros de sua guarda pessoal, o Regimento

Pedro, o Grande, num estaleiro holandês

Streltsi, trouxe Pedro de volta para casa a passo acelerado. Pedro tomou para si o cargo de executor-chefe; os Streltsi foram enforcados, esquartejados e mortos até o último homem. Sofia, que chefiara a rebelião, foi trancada num convento, e o reinado de Pedro enfim consolidou-se. Os mesmos acontecimentos repetiram-se em 1716, quando Pedro partiu numa segunda viagem pelo Ocidente. Dessa vez, os reacionários seguiam a liderança do louco Aléxis, filho de Pedro. Mais uma vez, o czar voltou apressadamente. Aléxis foi espancado até a morte em sua cela de prisão, e os partidários dos velhos costumes bizantinos foram forçados a marchar por milhares e milhares de quilômetros rumo a seu destino final, as temidas minas siberianas. Depois disso, o descontentamento do povo não voltou a se manifestar. Pedro pôde dedicar-se em paz às suas reformas até o dia de sua morte.

Não é fácil dar uma lista dessas reformas em ordem cronológica. O czar trabalhava com pressa e com fúria. Não seguia nenhum sistema específico. Assinava seus decretos com tamanha rapidez que é difícil enumerá-los. Pedro parecia sentir que tudo o que acontecera antes estava errado. Por isso, a Rússia inteira tinha de ser mudada o mais rápido possível. Quando morreu, deixou um exército bem treinado de duzentos mil homens e uma frota guerreira de cinqüenta navios. O antigo sistema de governo fora abolido de um só golpe. A Duma, a convenção dos nobres, tinha sido dissolvida; em lugar dela, o czar rodeara-se de um conselho de funcionários de Estado, chamado de Senado.

A Rússia foi dividida em oito grandes "governos" ou províncias. Estradas e cidades foram construídas. Indústrias foram criadas ao bel-prazer do czar, sem que se levasse em conta a disponibilidade de matéria-prima. Canais foram abertos; minas foram escavadas nas montanhas do Oriente. Nesse país de analfabetos, fundaram-se escolas e estabelecimentos de ensino superior, junto com universidades, hospitais e escolas profissionalizantes. Engenheiros navais holandeses, mercadores e artesãos do mundo inteiro foram encorajados a mudar-se para a Rússia. Fundaram-se editoras, cujos livros, porém, tinham todos de ser lidos pelos censores imperiais. Os deveres de cada uma das classes da sociedade foram estipulados numa nova lei, e todo o sistema jurídico civil e criminal foi coligido numa série de livros impressos. Os antigos costumes russos foram abolidos por decreto; policiais armados de tesouras vigiavam as estradas rurais e transformavam os cabeludos mujiques russos em agradáveis imitações dos barbeados europeus ocidentais.

O czar não tolerava nenhuma divisão de poder em matéria de religião. Não poderia haver a menor possibilidade de uma rivalidade entre o imperador e o papa, como acontecera na Europa. Em 1721, Pedro fez-se o chefe supremo da Igreja Russa. O Patriarcado de Moscou foi abolido e em seu lugar foi constituído o Santo Sínodo, que doravante seria a maior autoridade religiosa do país.

Como, porém, essas muitas reformas jamais poderiam efetivar-se enquanto os partidários da antiga Rússia tivessem na cidade de Moscou um centro de reunião, Pedro decidiu mudar seu governo para uma nova capital. Em meio aos pântanos insalubres da margem do Báltico, ele construiu a sua cidade. Começou a drenar as terras em 1703. Quarenta mil camponeses trabalharam por anos a fio para lançar as fundações da cidade imperial. Os suecos atacaram-na e tentaram destruí-la; a miséria e as doenças mataram dezenas de milhares de operários, mas o czar não desistiu. No inverno e no verão, os trabalhos continuaram sem pausa, e a cidade logo começou a crescer. Em 1712, foi oficialmente declarada "residência imperial". Doze anos depois, já tinha 75.000 habitantes. Duas vezes por ano, era inundada pelo Neva. Porém, a espantosa força de vontade do czar fez com que se construíssem diques e canais, e as enchentes acabaram. Quando Pedro morreu, em 1725, era dono da maior cidade do norte da Europa.

É claro que o súbito crescimento desse rival tão perigoso gerou preocupações em todos os seus vizinhos. Pedro, por seu lado, acompanhava com interesse as muitas vicissitudes de seu rival no Báltico, o reino da Suécia. Em 1654, Cristina, filha única de Gustavo Adolfo (o herói da Guerra dos Trinta Anos), renunciou ao trono e foi a Roma, onde morreu como católica devota. Um sobrinho protestante de Gustavo Adolfo sucedeu à última representante de casa de Vasa. Sob os reinados de Carlos X e Carlos

Hendrik Willem van Loon

Pedro, o Grande, constrói sua nova capital

XI, a nova dinastia levou a Suécia ao seu mais alto ponto de desenvolvimento. Mas, em 1697, Carlos XI morreu de repente e foi sucedido por um menino de quinze anos, Carlos XII. Era esse o momento pelo qual esperavam os demais Estados do norte. Durante as grandes guerras religiosas do século XVII, a Suécia crescera à custa de seus vizinhos. Chegara o momento – assim pensavam os rivais – do acerto de contas. De imediato deflagrou-se a guerra entre a Rússia, a Polônia, a Dinamarca e a Saxônia, de um lado, e a Suécia, do outro. As inexperientes tropas de Pedro foram fragorosamente derrotadas por Carlos na famosa batalha de Narva, em novembro de 1700. Depois disso, Carlos – um dos mais curiosos gênios militares de sua época – voltou-se contra seus outros inimigos e por nove anos abriu caminho a poder de fogo e de armas pelas cidades e vilarejos da Polônia, da Saxônia, da Dinamarca e das províncias bálticas, enquanto Pedro treinava e exercitava suas tropas na distante Rússia.

Por isso, em 1709, na batalha de Poltava, os moscovitas destruíram os exércitos exaustos da Suécia. Carlos foi ainda por algum tempo uma figura pitoresca, um maravilhoso herói romântico; mas, em sua vã tentativa de vingar-se, acabou por arruinar

A história da humanidade

Moscou

seu país. Em 1718, foi acidentalmente morto ou assassinado (não se sabe qual das duas alternativas é a correta); e com o tratado de paz assinado em 1721 em Nystadt a Suécia perdeu todas as suas antigas províncias no Báltico, com exceção da Finlândia. O novo Estado russo, criado por Pedro, tornou-se a maior potência da Europa setentrional. Um novo rival, porém, já estava em gestação. O Estado da Prússia começava a tomar forma.

49
A ASCENSÃO DA PRÚSSIA
A extraordinária ascensão de um pequeno Estado num lúgubre recôndito da Alemanha setentrional: a Prússia

A história da Prússia é a história de uma província de fronteira. No século IX, Carlos Magno transferiu o centro da civilização do Mediterrâneo para as regiões selvagens do noroeste da Europa. Seus soldados francos fizeram recuar cada vez mais para o Oriente as fronteiras do império. Conquistaram muitas terras dos eslavos e lituanos pagãos que habitavam a planície localizada entre o mar Báltico e os montes Cárpatos; e os francos administravam esses distritos longínquos como os Estados Unidos costumavam administrar seus territórios antes de elevá-los à dignidade estatal.

O Estado fronteiriço de Brandemburgo foi constituído originalmente por Carlos Magno como linha de defesa de seus territórios orientais contra as expedições de pilhagem das selvagens tribos saxônias. Os wends, tribo eslava que habitava aquela região, foram subjugados no século X, e seu principal mercado, chamado Brennabor, deu nome à nova província de Brandemburgo, da qual tornou-se o centro.

Nos séculos XI, XII, XIII e XIV, diversas famílias nobres sucederam-se na função de governadores imperiais nessa província fronteiriça. Por fim, no século XV, surgiu a casa de Hohenzollern. Os Hohenzollern, na qualidade de eleitores de Brandemburgo, começaram a transformar um território arenoso e desolado num dos mais eficientes impérios do mundo moderno.

Esses Hohenzollern, que havia pouco tempo foram lançados fora do palco da história pelas forças aliadas da Europa e dos Estados Unidos, vieram originalmente do sul da Alemanha. Eram de origem muito humilde. No século XII, um certo Frederico de Hohenzollern fez um excelente casamento e foi nomeado prefeito do castelo de Nuremberg. Seus descendentes aproveitaram todas as oportunidades para expandir seu poder e, depois de alguns séculos de judiciosa espoliação, foram elevados à dignidade de eleitores, o nome que se dava aos príncipes soberanos a quem cabia eleger o imperador do antigo Império Romano-Germânico. Durante a Reforma, os Hohenzollern ficaram do lado dos protestantes e, no começo do século XVII, contavam-se entre os príncipes mais poderosos da Alemanha setentrional.

Durante a Guerra dos Trinta Anos, tanto os protestantes quanto os católicos saquearam e pilharam Brandemburgo e a Prússia com o mesmo zelo. Mas sob o governo de Frederico Guilherme, o Grande Eleitor, os estragos foram rapidamente reparados e, mediante um uso prudente e cuidadoso de todas as forças econômicas e intelectuais do país, foi fundado um Estado no qual praticamente não havia desperdício.

A Prússia moderna, um Estado em que o indivíduo, com todos os seus desejos e aspirações, está totalmente submetido e condicionado aos interesses da comunidade nacional como um todo – essa Prússia data da época do pai de Frederico, o Grande. Frederico Guilherme I era um sargento prussiano parcimonioso e trabalhador, apreciador de histórias de caserna e do fumo forte holandês, inimigo mortal de toda afetação (especialmente se fosse de origem francesa) e possuído por uma única idéia: o Dever. Severo consigo mesmo, não tolerava a fraqueza em seus súditos, fossem eles generais ou soldados comuns. O relacionamento entre ele e seu filho Frederico era tudo menos cordial – para dizer o mínimo. As maneiras rústicas do pai ofendiam o espírito refinado do filho. O amor deste pela etiqueta francesa, pela literatura, pela filosofia e pela música era visto pelo pai como sinal de efeminação. Seguiu-se um terrível conflito entre essas estranhas personalidades. Frederico tentou fugir para a Inglaterra. Foi pego, levado à corte marcial e forçado a testemunhar a decapitação de seu melhor amigo, que tentara ajudá-lo. Depois disso, como parte de seu castigo, o jovem príncipe foi levado a uma pequena fortaleza nalgum canto das províncias para aprender os detalhes de sua futura profissão de rei. No fim, isso foi uma bênção. Quando Frederico subiu ao trono, em 1740, conhecia a administração de seu país em todos os seus aspectos, desde a certidão de nascimento do filho de uma família pobre até os mínimos detalhes de um complexíssimo orçamento anual.

Como escritor, especialmente no livro que chamou de *Anti-Maquiavel*, Frederico expressou seu desprezo pela teoria política desse historiador florentino, que aconselhava seus principescos discípulos a mentir e trapacear sempre que tal fosse necessário para o bem de seu país. O príncipe ideal do livro de Frederico era um servo de seu povo, o déspota esclarecido, à moda de Luís XIV. Na prática, porém, embora Frederico trabalhasse vinte horas por dia pelo bem do povo, não tolerava que ninguém lhe desse conselhos e não admitia interferências de espécie alguma com os interesses do Estado.

Em 1740, morreu Carlos VI, imperador da Áustria. Carlos procurara assegurar a posição de sua filha única, Maria Teresa, através de um tratado solene e inequívoco escrito sobre um imenso pergaminho. Porém, assim que o corpo do velho imperador foi depositado na cripta da família dos Habsburgo, os exércitos de Frederico puseram-se em marcha rumo à fronteira austríaca a fim de ocupar aquela parte da Silésia que a Prússia reivindicava para si (como reivindicava quase todos os outros territórios da Europa central), fazendo apelo a certos direitos de posse antigos e extremamente duvidosos. Depois de algumas batalhas, Frederico conquistou toda a Silésia e, muito embora tenha passado perto da derrota, conseguiu entrincheirar-se nos territórios recém-adquiridos e defender-se de todos os contra-ataques austríacos.

A Europa não pôde deixar de notar o surgimento desse Estado novo e muito poderoso. No século XVIII, os alemães eram um povo arruinado pelas grandes guerras religiosas, um povo de quem ninguém gostava. Frederico, num esforço tão súbito e extraordinário quanto o de Pedro na Rússia, conseguiu transformar o desprezo dos adversários em medo. Os assuntos internos da Prússia eram conduzidos com tal habilidade que os súditos do príncipe tinham menos motivos para se queixar do que os habitantes de outros lugares. O tesouro não acusava um déficit, mas sim um superávit anual. A tortura foi abolida; o sistema judiciário foi melhorado; boas estradas, boas escolas, boas universidades e uma administração escrupulosamente honesta davam ao povo a sensação de que os serviços exigidos pelo Estado literalmente valiam a pena.

Depois de ser por vários séculos um simples campo de batalha para franceses, austríacos, suecos, dinamarqueses e polacos, a Alemanha, estimulada pelo exemplo da Prússia, voltou a recuperar sua autoconfiança. E tudo isso foi obra desse velhinho de nariz adunco, que trajava antigos uniformes cobertos de rapé, fazia comentários engraçados mas pouco lisonjeiros a respeito de seus vizinhos e jogava o jogo escandaloso da diplomacia do século XVIII, sem respeito algum pela verdade desde que a mentira lhe valesse algum ganho. E isso apesar de ter escrito o *Anti-Maquiavel*. Em 1786 ele encontrou seu fim. Morreu sozinho, assistido por um único servo e por seus fiéis cães, de quem gostava mais do que dos seres humanos porque, como disse, eles jamais se mostravam ingratos e permaneciam fiéis a seus amigos.

50
O SISTEMA MERCANTIL OU MERCANTILISMO
Como os Estados nacionais ou dinásticos recém-fundados na Europa procuraram enriquecer, e qual foi o significado do sistema mercantil

Já vimos que, nos séculos XVI e XVII, os Estados modernos começaram a tomar forma. Cada um deles teve uma origem diferente. Alguns resultaram do esforço deliberado de um único rei; outros aconteceram por acaso; outros ainda foram favorecidos por fronteiras geográficas naturais. Porém, uma vez fundados, todos eles procuraram fortalecer sua administração interna e exercer ao máximo sua influência sobre os assuntos externos. Tudo isso, como seria de esperar, custava muito dinheiro. O Estado medieval, que não tinha um poder centralizado, não precisava ter um tesouro demasiadamente rico. O rei tirava sua renda dos domínios da Coroa, e o funcionalismo público obtinha por si mesmo a sua renda. Já no moderno Estado centralizado a situação era mais complexa. Os velhos senhores feudais tinham desaparecido e haviam sido substituídos por burocratas ou funcionários do governo. O exército, a marinha e a administração interna custavam milhões em dinheiro. Levantou-se então a questão: onde arranjar esse dinheiro?

Na Idade Média, o ouro e a prata eram mercadorias raras. Como eu já lhe disse, o homem comum não punha os olhos em uma única peça de ouro ao longo de toda a sua vida. Só os habitantes das maiores cidades conheciam a moeda de prata. A descoberta da América e a exploração das minas peruanas mudou tudo isso. O centro de comércio transferiu-se do Mediterrâneo para o Atlântico. As antigas "cidades comerciais" da Itália per-

Hendrik Willem van Loon

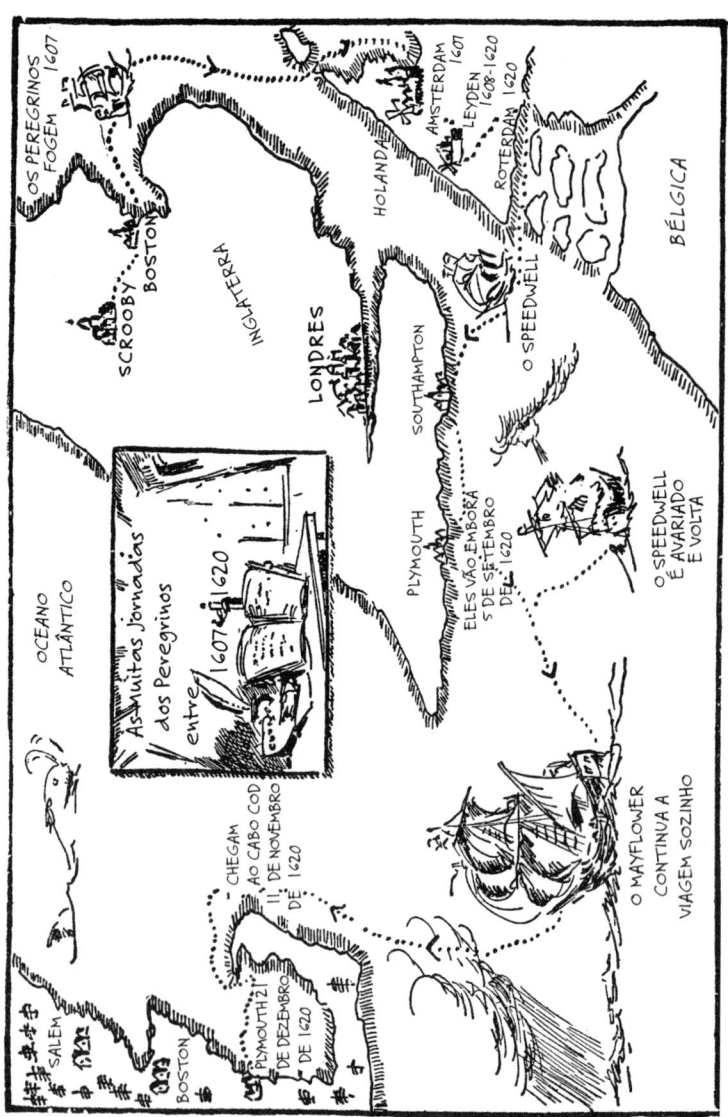

deram sua importância financeira. Foram substituídas por novas "nações comerciais", e o ouro e a prata deixaram de ser simples curiosidades.

Através da Espanha, de Portugal, da Holanda e da Inglaterra, os metais preciosos começaram a chegar ao continente europeu. O século XVI teve seus próprios teóricos de economia política, que desenvolveram uma teoria da riqueza das nações que lhes parecia perfeitamente sensata e maximamente benéfica para seus países. Segundo o raciocínio deles, o ouro e a prata eram a síntese de toda riqueza. Assim, criam que o país mais bem suprido de metais preciosos em seu tesouro e em seus bancos era por isso mesmo o país mais rico. E, como o dinheiro podia ser usado para financiar exércitos, o país mais rico era também o mais poderoso e poderia assim dominar o mundo.

Chamamos esse sistema de "sistema mercantil" ou "mercantilismo". Ele era aceito com a mesma fé cega com que os primeiros cristãos acreditavam em milagres e muitos negociantes norte-americanos de hoje em dia acreditam nas tarifas protecionistas. Na prática, o sistema mercantil funcionava assim: para acumular metais preciosos, o país precisa ter uma balança comercial favorável. Se você for capaz de exportar mais mercadorias para o país vizinho do que ele exporta para você, ele lhe deverá dinheiro e terá de lhe mandar um pouco do seu ouro. Assim, você ganha e ele perde. Em decorrência desse credo, o programa econômico de quase todos os Estados nacionais no século XVII era o seguinte:

1. Tentar obter a máxima quantidade de metais preciosos.
2. Estimular o comércio exterior, preferindo-o ao comércio dentro do próprio país.
3. Dar estímulo às indústrias que transformam matéria-prima em produtos manufaturados, que podem ser exportados.
4. Estimular o crescimento populacional, pois as indústrias precisam de operários e as comunidades agrícolas não produzem operários em número suficiente.
5. Encarregar o Estado de vigiar esse processo e intervir sempre que necessário.

Em vez de comparar o comércio internacional a uma força da natureza que sempre obedece a certas leis independentemente da intervenção humana, os homens do século XVI tentaram regulamentar seu comércio através de decretos oficiais, éditos reais e medidas de auxílio financeiro por parte dos governos.

No século XVI, Carlos V adotou esse sistema mercantil (que era então uma coisa completamente nova) e introduziu-o em seus vastos domínios. A rainha Elisabeth da Inglaterra imitou-o. Os Bourbon, especialmente o rei Luís XIV, eram adeptos fanáticos dessa doutrina. Colbert, ministro das finanças de Luís XIV, tornou-se o profeta do mercantilismo, para o qual a Europa inteira se voltava em busca de orientação.

Toda a política exterior de Cromwell foi uma aplicação prática do sistema mercantil e tinha como alvo principal a rica república rival da Holanda. Isso porque os navegantes holandeses, que levavam em seus navios as mercadorias de todos os países da Europa, tinham certa inclinação pelo livre-comércio e portanto tinham de ser destruídos a qualquer preço.

Não é difícil concluir de que modo esse sistema afetou as colônias. Sob o sistema mercantilista, a colônia não passava de um imenso armazém de ouro, prata e especiarias, que deveriam ser extraídos para o bem da metrópole. O suprimento de metais preciosos e de matérias-primas da Ásia, das Américas e da África foi submetido ao monopólio dos Estados que detinham o domínio sobre esta ou aquela colônia. Não se permitia a entrada de nenhum estrangeiro na colônia, nem se permitia que os "nativos" comerciassem com um mercador cujo navio não levasse a bandeira da metrópole.

Não há dúvida de que o mercantilismo estimulou o desenvolvimento de novas indústrias em países que antes não conheciam a atividade manufatureira. Além disso, o mercantilismo fez com que se construíssem estradas, se abrissem canais e se incrementassem os meios de transporte. Exigiu uma habilidade maior dos operários e deu aos comerciantes uma posição social melhor, enfraquecendo ao mesmo tempo o poder dos aristocratas senhores de terras.

A história da humanidade

Como a Europa dominou o mundo

Hendrik Willem van Loon

O poderio marítimo

Por outro lado, causou uma miséria terrível. Submeteu os nativos das colônias a um vergonhoso regime de exploração e deixou os habitantes das metrópoles vulneráveis a um destino ainda mais funesto. Colaborou em grande medida para transformar todos os países em verdadeiros quartéis militares e dividiu o mundo inteiro em pedacinhos de território, cada qual trabalhando unicamente em vista do seu benefício direto e fazendo de tudo para esmagar o poder dos países vizinhos a fim de tomar posse de seus tesouros. Deu tanta importância à posse das riquezas que o "ser rico" passou a ser visto como a máxima virtude do cidadão comum. Os sistemas econômicos surgem e desaparecem como as novidades cirúrgicas e as tendências do vestuário feminino, e, durante o século XIX, o sistema mercantil foi substituído por um sistema de competição livre e aberta. Pelo menos, foi isso que me disseram.

51
A REVOLUÇÃO NORTE-AMERICANA
No final do século XVIII, chegaram à Europa os estranhos relatos de algo que acontecera no ermo continente norte-americano. Os descendentes dos homens que haviam castigado o rei Carlos pela sua insistência no "direito divino dos reis" acrescentaram uma nova página à antiga história da luta dos homens por sua independência

Por conveniência, vamos retroceder alguns séculos e contar de novo os primórdios da história da grande luta pela posse das colônias.

Assim que um certo número de nações européias se constituiu com base em novos interesses nacionais ou dinásticos, ou seja, durante a Guerra dos Trinta Anos e logo depois dela, os governantes dessas nações, amparados pelo capital de seus comerciantes e pelos navios de suas companhias de comércio, continuaram a lutar por mais territórios na Ásia, na África e nas Américas.

Os espanhóis e os portugueses já exploravam os oceanos Índico e Pacífico mais de um século antes de os holandeses e ingleses entrarem na disputa. Esse fato acabou por favorecer os últimos. Os trabalhos mais árduos de exploração e reconhecimento já estavam feitos. Além disso, os primeiros navegadores haviam a tal ponto se indisposto com os habitantes originais da Ásia, das Américas e da África que tantos os ingleses quanto os holandeses foram recebidos de braços abertos, como amigos e libertadores. Não podemos afirmar que os ingleses e holandeses tinham virtudes superiores às de outras raças; mas podemos dizer que eram, antes de tudo, comerciantes. Nunca deixaram que as questões religiosas levassem a melhor sobre a praticidade e o bom senso. Durante seus primeiros contatos com as raças mais fracas, todas as nações européias portaram-se com uma escandalosa brutalidade. Os ingleses e os holandeses, por sua vez, soube-

A luta pela liberdade

ram impor-se limites. Desde que obtivessem suas especiarias, seu ouro, sua prata e seus impostos, dispunham-se a deixar que os nativos vivessem como bem entendessem. Por isso, não tiveram dificuldades para estabelecer-se nas regiões mais ricas do mundo. Tão logo isso aconteceu, porém, Holanda e Inglaterra começaram a combater-se mutuamente pela posse de outras colônias. O estranho é que essas guerras coloniais nunca foram decididas nas próprias colônias. Foram travadas a cinco mil quilômetros de distância pelas marinhas dos países litigantes. Um dos princípios mais interessantes da guerra antiga e moderna (uma das poucas leis históricas em que podemos confiar) reza que "a nação que tem supremacia sobre o mar tem também supremacia sobre a terra". Até agora essa lei nunca deixou de vigorar, mas é possível que a invenção do avião a tenha alterado. No século XVIII, porém, não havia máquinas voadoras, e foi a marinha britânica que garantiu para a Inglaterra a posse de suas imensas colônias americanas, indianas e africanas.

A série de batalhas navais travadas entre a Inglaterra e a Holanda no século XVII não nos interessa aqui. Essa guerra terminou como tendem a terminar todos os conflitos entre potências tão desiguais. Já a guerra entre a Inglaterra e a França (sua outra rival) é mais importante para nós, pois, embora a superior frota britânica tenha enfim derrotado a marinha francesa, o fato é que

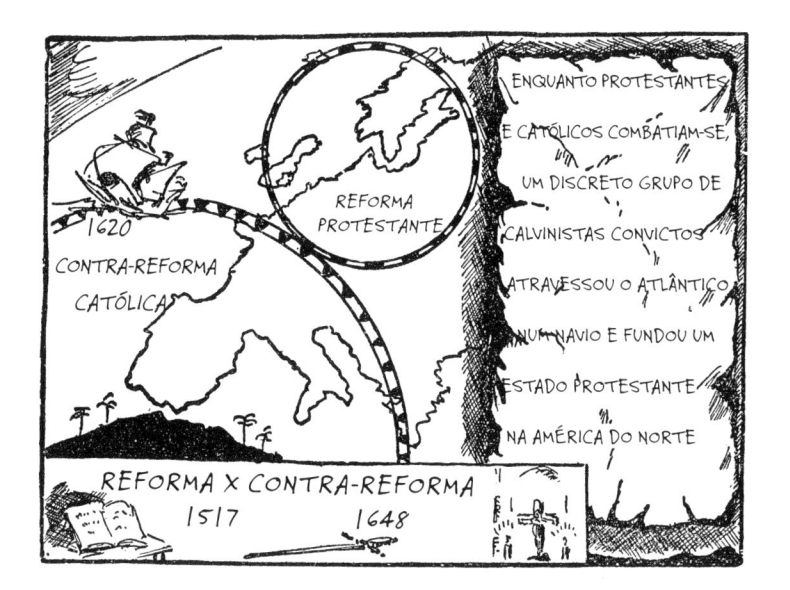

Os peregrinos

boa parte das batalhas preliminares foi travada aqui, no continente norte-americano. Neste vasto país, tanto a França quanto a Inglaterra reivindicavam para si todas as terras que já haviam sido descobertas e também as outras, que nenhum homem branco ainda havia contemplado. Em 1497, Cabot desembarcara no norte da América; vinte e sete anos depois, Giovanni Verrazano visitara este mesmo litoral. Cabot velejara sob a bandeira inglesa, e Verrazano, sob a francesa. Por isso, tanto a Inglaterra quanto a França proclamaram-se legítimas proprietárias de todo este continente.

No século XVII, cerca de dez pequenas colônias inglesas foram fundadas entre o Maine e as Carolinas. Geralmente, essas colônias serviam de refúgio para uma ou outra seita de dissidentes religiosos ingleses, como os puritanos, que em 1620 chegaram à Nova Inglaterra, e os *quakers*, que se estabeleceram na Pensilvânia em 1681. Eram pequenas comunidades de fronteira localizadas próximas ao litoral, onde as pessoas se fixavam para fazer

Hendrik Willem van Loon

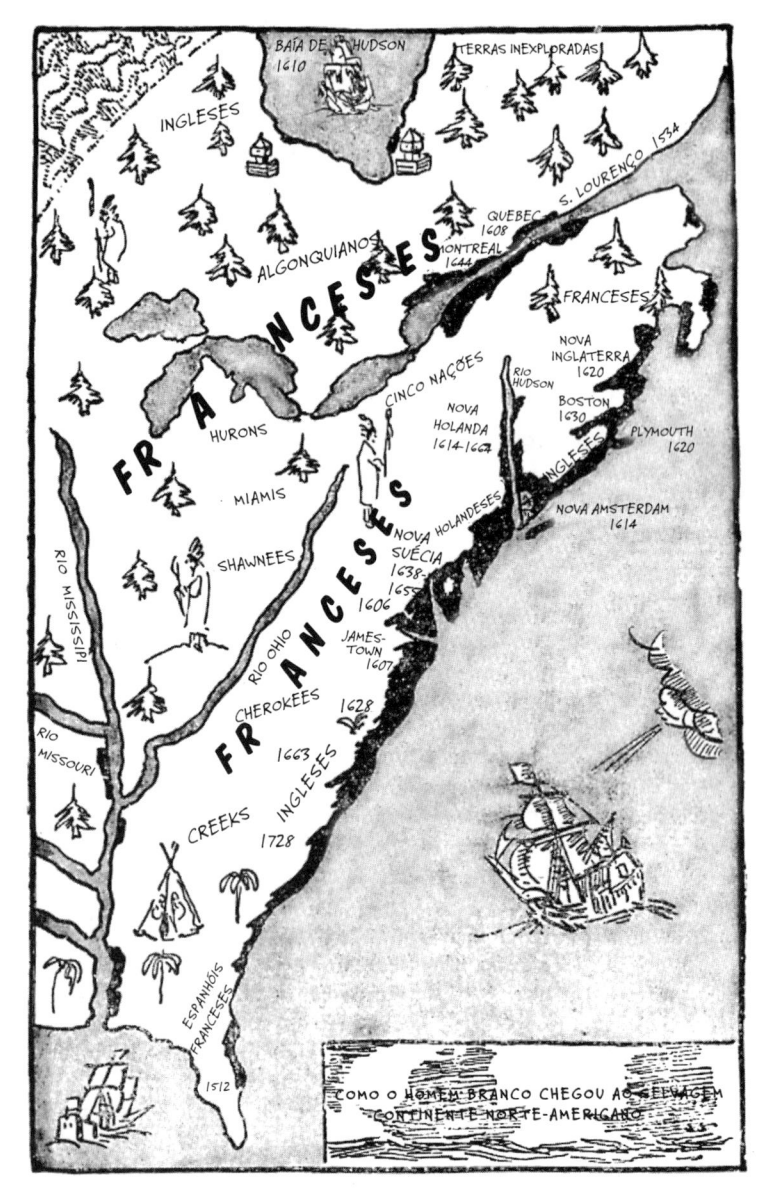

Como o homem branco estabeleceu-se na América do Norte

novo lar e recomeçar a vida num ambiente mais feliz, longe da supervisão e dos ditames do rei.

As colônias francesas, por outro lado, sempre pertenceram à Coroa. Não se admitia que huguenotes ou protestantes nelas se estabelecessem, por medo de que contaminassem as almas dos índios com suas perigosas doutrinas reformistas e talvez prejudicassem o trabalho missionário dos padres jesuítas. As colônias inglesas, por isso, foram criadas sobre fundamentos muito mais sãos do que suas rivais e vizinhas francesas. Foram uma expressão da energia comercial da classe média inglesa, ao passo que os assentamentos franceses eram habitados por pessoas que cruzavam o oceano a mando do rei e ficavam à espera da primeira oportunidade de voltar para Paris.

Politicamente, porém, a situação das colônias inglesas estava longe de ser satisfatória. Os franceses descobriram a desembocadura do São Lourenço no século XVI. A partir da região dos Grandes Lagos, haviam batido firme para o sul, descido o Mississipi e construído várias fortificações às margens do golfo do México. Depois de um século de exploração colonial, uma linha de sessenta fortes franceses separava do interior do continente os assentamentos ingleses no litoral.

As concessões de terras que a Coroa inglesa fizera às várias companhias coloniais garantia a essas companhias a posse de "todas as terras de mar a mar". Isso parecia muito bonito no papel, mas, na prática, o território inglês terminava onde começava a linha de fortificações francesas. A tarefa de romper essa barreira não era impossível, mas cobrou seu preço em vidas e em dinheiro e provocou uma série de terríveis guerras de fronteira nas quais ambos os lados matavam seus vizinhos brancos com a ajuda das tribos indígenas.

Enquanto os Stuart governaram a Inglaterra, não houve perigo de guerra com a França. Os Stuart precisavam dos Bourbon para estabelecer na Grã-Bretanha uma forma autocrática de governo e esmagar o poder do parlamento. Em 1689, porém, o último Stuart saiu de terras inglesas, e o holandês Guilherme, arquiinimigo de Luís XIV, sucedeu-o no trono. Dessa época até o

Hendrik Willem van Loon

Um pequeno forte em terras desabitadas

A história da humanidade

Na cabine do *Mayflower*

tratado de Paris, firmado em 1763, a França e a Inglaterra combateram pela posse da Índia e da América do Norte.

Nessas guerras, como eu já disse, a frota inglesa sempre levou a melhor sobre a francesa. Isolada de suas colônias, a França perdeu a maior parte delas; e, quando se firmou a paz, o continente norte-americano inteiro estava nas mãos dos ingleses, tendo a França perdido todos os trabalhos de exploração de Cartier, Champlain, La Salle, Marquette e muitos outros.

Só uma pequena parte desses vastos domínios era habitada. De Massachusetts, no norte, onde os peregrinos (uma seita de puritanos extremamente intolerantes que, por isso mesmo, não encontraram paz nem na Inglaterra anglicana nem na Holanda calvinista) desembarcaram em 1620, até as Carolinas e a Virgínia (as províncias onde se plantava fumo e que tinham sido fundadas em vista somente do lucro), estendia-se uma estreita faixa de território esparsamente povoado. Porém, os homens que vi-

Hendrik Willem van Loon

Os franceses exploram o Ocidente

viam nessa terra nova de ar limpo e céus imensos eram muito diferentes dos que haviam ficado na terra-mãe. Nas solidões do novo continente, eles aprenderam a depender somente de si mesmos. Descendiam de antepassados robustos e enérgicos, pois as pessoas preguiçosas e tímidas não se atreviam, naquela época, a cruzar o oceano. O colono norte-americano odiava as restrições e a falta de espaço que tornavam tão infeliz a sua vida no país de onde vinha. Queria mandar em si mesmo, e foi isso que as classes dominantes da Inglaterra não compreenderam. O governo britânico perturbava os colonos, e estes, que não queriam ser incomodados, começaram por sua vez a perturbar o governo.

O primeiro inverno na Nova Inglaterra

A história da humanidade

Os maus sentimentos causaram novos ressentimentos. Não é necessário contar aqui em detalhes, mais uma vez, a história do que de fato aconteceu e do que poderia não ter acontecido caso o rei da Inglaterra fosse mais inteligente do que Jorge III ou menos dado à indiferença e à sonolência do que seu ministro Lorde North. Quando os colonos compreenderam que as dificuldades não seriam resolvidas por argumentos pacíficos, decidiram pegar em armas. De súditos leais transformaram-se em rebeldes que se expunham à pena de morte caso fossem capturados pelos soldados alemães que Jorge contratava para lutar em suas guerras, como era aliás costume naquela época, em que príncipes teutônicos vendiam regimentos inteiros a quem lhes pagasse mais.

A guerra entre a Inglaterra e suas colônias americanas durou sete anos. No decorrer da maior parte desse período, a vitória final dos rebeldes parecia pouco provável. Muita gente, especialmente nas cidades, permanecia fiel ao rei, favorecia a idéia de um acordo e estaria disposta a pedir a paz. Porém, a grande figura de Washington vigiou pela causa dos colonos.

Habilmente assessorado por um punhado de homens corajosos, Washington usou seus batalhões perseverantes mas mal equipados para enfraquecer as forças do rei. Mais de uma vez, quando a derrota parecia inevitável, sua estratégia mudou o rumo das batalhas. Seus homens nem sempre tinham o que comer. No inverno, não tinham roupas nem calçados apropriados e eram forçados a viver em trincheiras insalubres. Porém, tinham confiança absoluta em seu líder e foram-lhe fiéis até o momento da vitória final.

Porém, logo no início da Revolução, houve um acontecimento bem mais interessante do que as campanhas de George Washington e os triunfos diplomáticos de Benjamin Franklin, que foi à Europa angariar dinheiro do governo francês e dos banqueiros de Amsterdam. A certa altura, os representantes das diversas colônias reuniram-se na Filadélfia para discutir assuntos que a todos tocavam de perto. Era o primeiro ano da Revolução. A maioria das grandes cidades do litoral ainda estava nas mãos dos ingleses. Diariamente chegavam de navio mais soldados para reforçar os exércitos leais ao rei. Só os homens mais profun-

Hendrik Willem van Loon

damente convictos da justiça de sua causa teriam coragem de tomar a importantíssima decisão que foi tomada entre junho e julho do ano de 1776.

Em junho, Richard Henry Lee, da Virgínia, propôs ao Congresso Continental uma moção na qual afirmava "que estas colônias unidas são e por direito devem ser Estados livres e independentes; que estão absolvidas de sua sujeição à Coroa inglesa; e que todo vínculo político entre elas e o estado da Grã-Bretanha está, como deve estar, totalmente dissolvido".

A moção foi apoiada por John Adams, de Massachusetts. Foi votada no dia 2 de julho e, no dia 4, foi seguida por uma Declaração de Independência, oficial, obra de Thomas Jefferson, sério e atilado estudioso de política e estadística, que depois veio a ser um dos mais famosos presidentes dos Estados Unidos.

Quando a notícia desse acontecimento chegou à Europa, seguida ainda da vitória definitiva dos colonos e da adoção da famosa constituição de 1787 (a primeira constituição escrita da história), não pôde senão despertar grande interesse. O sistema dinástico dos Estados altamente centralizados que se desenvolve-

George Washington

A história da humanidade

OS PRINCIPAIS ACONTECIMENTOS DA LUTA PELA
INDEPENDÊNCIA DOS ESTADOS UNIDOS

CANADÁ

QUEBEC

MONTREAL

S. LOURENÇO

LAGO ONTÁRIO

EXPEDIÇÃO DE BURGOYNE

NOVA ESCÓCIA

HALIFAX

LAGO ERIE

LAGO CHAMPLAIN

TICONDEROGA

TERRAS DESABITADAS

SARATOGA

LEXINGTON
BOSTON

WASHINGTON EXPULSA OS INGLESES DE BOSTON

RIO HUDSON I

1.
BATALHA DE LEXINGTON, 19 DE ABRIL DE 1775. O EXÉRCITO CONTINENTAL, SOB WASHINGTON, FAZ CERCO A BOSTON DE JULHO DE 1775 A 17 DE MARÇO DE 1776. OS INGLESES RECUAM PARA HALIFAX.

WASHINGTON SALVA SEU EXÉRCITO DA DESTRUIÇÃO

II

NOVA YORK

PRINCETON
TRENTON
FILADÉLFIA

14 DE JULHO DE 1776 DECLARAÇÃO DE INDEPENDÊNCIA

III

2

BALTIMORE

3.
DEPOIS DO FRACASSO DA CAMPANHA DO NORTE, OS INGLESES TOMAM NOVA YORK A 15 DE SETEMBRO DE 1776, MAS NÃO CONSEGUEM DESTRUIR AS FORÇAS DE WASHINGTON. PARA DIVIDIR AS COLÔNIAS EM DUAS PARTES, UM EXÉRCITO INGLÊS VINDO DO CANADÁ ABRE PASSAGEM POR TICONDEROGA. AS TROPAS, PORÉM, NÃO ERAM TREINADAS PARA LUTAR NA SELVA E, ASSIM, BURGOYNE E TODOS OS SEUS HOMENS SE RENDEM PERTO DE SARATOGA EM 17 DE OUTUBRO DE 1777.

WASHINGTON DERROTA CORNWALLIS

YORKTOWN
5

5
CHARLESTON

5.
DEPOIS DO FRACASSO DA CAMPANHA NO CENTRO DO PAÍS, AS TROPAS INGLESAS SÃO LEVADAS PARA O SUL. CAPTURAM CHARLESTON EM 12 DE MAIO DE 1780 E COMEÇAM ENTÃO SUA MARCHA PARA O NORTE. A EXPEDIÇÃO TERMINA A 19 DE OUTUBRO DE 1781, QUANDO CORNWALLIS E TODOS OS SEUS HOMENS SE RENDEM EM YORKTOWN, NA VIRGÍNIA. ASSIM TERMINOU A GUERRA.

4. DEPOIS DA RENDIÇÃO DE BURGOYNE, A FRANÇA RECONHECE OS ESTADOS UNIDOS EM 8 DE FEVEREIRO DE 1778. EM JUNHO DE 1778, UMA FROTA FRANCESA CHEGA COM QUATRO MIL HOMENS.

A grande revolução norte-americana

335

ra depois das guerras religiosas do século XVII alcançara o ápice do seu poder. Em toda parte, o palácio real crescera até assumir proporções gigantescas, ao passo que as cidades se rodeavam de uma área cada vez maior de favelas e cortiços. Os habitantes desses pardieiros estavam dando sinais de inquietude. É certo que nada podiam fazer, mas também os membros das classes superiores, os nobres e os profissionais liberais, estavam começando a cultivar certas dúvidas acerca das condições políticas e econômicas sob as quais o povo vivia. O sucesso dos colonos norte-americanos mostrou-lhes que muitas coisas tidas como impossíveis até pouco tempo atrás eram, na verdade, possíveis.

Segundo o poeta, o tiro que inaugurou a batalha de Lexington "foi ouvido no mundo inteiro". Exagero. Os chineses, os japoneses e os russos (sem falar nos australianos e nos havaianos, que haviam sido recentemente redescobertos pelo capitão Cook, a quem depois mataram) não chegaram a escutá-lo. Ele se fez ouvir, porém, do outro lado do oceano Atlântico. Ribombou no barril de pólvora do descontentamento europeu e, na França, causou uma explosão que abalou todo aquele continente, de Madri a Petrogrado, e soterrou os representantes da velha escola política e da velha diplomacia sob toneladas e mais toneladas de escombros democráticos.

52
A REVOLUÇÃO FRANCESA
A grande Revolução Francesa proclama a todos os povos da terra os princípios da liberdade, da igualdade e da fraternidade

Antes de falarmos sobre uma revolução, é bom explicitarmos o sentido dessa palavra. Segundo a definição de um grande escritor russo (e os russos devem saber do que estão falando quando se referem a este assunto), uma revolução é "a derrubada rápida, no prazo de uns poucos anos, de instituições que levaram séculos para lançar raízes e que parecem tão fixas e imutáveis que nem mesmo os reformadores mais ardorosos ousam atacá-las em seus escritos. É a queda, a derrocada ligeira de tudo o que até aquela época constitui a essência da vida social, religiosa, política e econômica de uma nação".

Tal revolução aconteceu na França no século XVIII, num momento em que a velha civilização desse país já estava velha e deteriorada. Na época de Luís XIV, o rei se tornara TUDO e reunia todas as funções do Estado em sua pessoa. A nobreza, os antigos funcionários públicos do Estado federal, encontrou-se sem nada que fazer e tornou-se um ornamento social da corte real.

Esse Estado francês do século XVIII, porém, custava uma quantidade incrível de dinheiro. Esse dinheiro tinha de ser arrecadado sob a forma de impostos. Infelizmente, os reis de França não tinham sido fortes o suficiente para obrigar a nobreza e o clero a pagar a sua parte desses impostos. Por isso, toda a carga tributária recaía sobre os ombros dos agricultores. A situação destes, porém, que habitavam choças abomináveis e já não tinham contato direto com seus antigos senhores de terras, mas se haviam tornado vítimas de administradores cruéis e incompetentes, ia de mal a pior. Por que deveriam trabalhar e se esforçar? A maior produtividade da terra só faria acarretar mais impostos; nada ficaria para eles, que assim negligenciavam até o limite de sua coragem o trabalho nos campos.

Temos, assim, um rei que vaga pelo vão esplendor dos salões gigantescos de seus palácios, seguido habitualmente por ávidos caçadores de cargos públicos, os quais vivem da renda arrancada de camponeses que não vivem em melhor situação do que o gado dos campos. É uma situação feia, e não estamos exagerando. Esse "Antigo Regime" teve, porém, um outro lado que não podemos esquecer.

Uma classe média abastada e vinculada à nobreza (pelo processo normal: a filha do banqueiro rico casa-se com o filho do barão falido) e uma corte composta das pessoas mais divertidas e interessantes da França haviam levado a nobre arte do viver elegante ao seu mais elevado grau de desenvolvimento. Como os melhores cérebros do país não podiam ocupar-se de questões de economia política, tinham de passar seu tempo livre a discutir idéias abstratas.

No campo dos pensamentos e da moral como no do vestuário, a moda tende habitualmente a chegar aos extremos; por isso, era perfeitamente natural que a sociedade mais artificial daquela época se interessasse tremendamente por aquilo que concebia como "a vida simples". O rei e a rainha, proprietários absolutos e incontestes da França inteira, com todas as suas colônias e protetorados, foram, acompanhados de seus cortesãos, morar em pitorescas casinhas de campo, onde se vestiam de ordenhadoras e cavalariços e brincavam de ser pastores e pastorinhas num aprazível vale da antiga Hélade. Ao redor deles, os cortesãos faziam mesuras, os músicos da corte compunham formosos minuetos, os barbeiros da corte inventavam perucas e penteados cada vez mais caros e elaborados, até que, por puro e simples tédio e pela falta de coisas importantes para fazer, todo esse mundo artificial de Versalhes (o grande palácio-cenário que Luís XIV construíra a certa distância de sua cidade barulhenta e inquieta) já não falava de mais nada exceto dos assuntos que menos tinham a ver com aquela vida – do mesmo modo que um homem esfomeado não fala de nada exceto de comida.

Quando Voltaire – velho e corajoso filósofo, dramaturgo, historiador e romancista, grande inimigo de toda tirania política e religiosa – começou a lançar as bombas de sua crítica sobre todas as coisas que tinham relação com a Ordem Estabelecida, o mundo francês aplaudiu-o em uníssono e suas peças teatrais eram apresentadas para platéias lotadas. Quando Jean-Jacques Rousseau teceu seus elogios sentimentais ao homem primitivo e ofereceu aos seus contemporâneos descrições primorosas da felicidade dos habitantes originais deste planeta (acerca dos quais ele sabia tão pouco quanto sabia a respeito de crianças, muito embora fosse reconhecido como elevada autoridade em matéria de educação infantil), a França inteira leu o seu *Contrato social**; e essa sociedade, na qual o rei e o Estado eram um só, chorou lágrimas amargas quando ouviu o apelo de Rousseau a um retorno aos dias benditos em que a verdadeira soberania estivera nas mãos do povo e quando o rei não fora mais do que um servo de seu povo.

Quando Montesquieu publicou suas *Cartas persas*, nas quais dois distintos viajantes persas viram de cabeça para baixo toda a sociedade francesa da época e fazem zombaria de tudo, desde o rei até o mais humilde de seus seiscentos pasteleiros, o livro foi lançado sucessivamente em quatro novas edições e conquistou milhares de leitores por sua famosa discussão sobre "O Espírito das Leis", na qual o nobre barão comparava o excelente sistema inglês ao atrasado sistema francês e defendia, em lugar da monarquia absoluta, a fundação de um Estado no qual os poderes executivo, legislativo e judiciário fossem separados e funcionassem independentemente uns dos outros. Quando Lebreton, livreiro parisiense, anunciou que os senhores Diderot, d'Alembert, Turgot e mais uma vintena de escritores consagrados publicariam uma "Enciclopédia" que deveria conter em suas páginas "a soma de todas as novas idéias, da nova ciência e do novo conhecimento", a reação do público foi extremamente satisfató-

---

* Trad. bras., São Paulo, Martins Fontes, 3.ª ed., 1996.

ria; e quando, vinte e dois anos depois, o último dos vinte e oito volumes estava terminado, a intervenção atrasada da polícia não pôde reprimir o entusiasmo com que a sociedade francesa recebeu essa contribuição importantíssima, mas também extremamente perigosa, às discussões da época.

A guilhotina

Devo lhe dar agora um pequeno aviso. Quando você lê um romance sobre a Revolução Francesa, ou assiste a uma peça de teatro, ou a um filme de cinema, facilmente fica com a impressão de que a Revolução foi obra do populacho dos bairros miseráveis de Paris. Isso não é verdade. A multidão costuma aparecer em cena quando ocorrem revoluções, mas sempre movida e comandada pelos profissionais liberais de classe média que usam as massas famintas como eficientes aliadas na guerra contra o rei e sua corte. As idéias fundamentais que provocaram a Revolução foram inventadas por uns poucos intelectos brilhantes e, antes de tudo, foram introduzidas nos elegantes salões do "Antigo Regime" para proporcionar uma agradável diversão às entediadíssimas damas e cavalheiros da corte de Sua Majestade. Essas pessoas agradáveis, mas descuidadas, brincaram com os perigosos fogos de artifício da crítica social até que algumas centelhas caíram pelas frestas do assoalho, que já estava velho e podre como todo o restante do edifício. Infelizmente, essas faíscas foram parar no porão, onde havia um grande amontoado de trastes velhos espalhados em grande confusão. Ouviu-se um grito de fogo. O proprietário da casa, porém, que se interessava por todas as coisas, menos pela administração de sua propriedade, não soube o que fazer para apagar a pequena fogueirinha que se havia formado. As chamas se espalharam, e o edifício inteiro foi consumido pelo grande incêndio que chamamos de Revolução Francesa.

Por conveniência, podemos dividir a Revolução Francesa em duas partes. De 1789 a 1791 houve a tentativa mais ou menos organizada de criar-se uma monarquia constitucional. Essa tentativa falhou, em parte pela falta de boa-fé e excesso de estupidez do próprio monarca, em parte por circunstâncias sobre as quais ninguém tem controle.

De 1792 a 1799 houve uma república e um primeiro esforço de estabelecimento de uma forma democrática de governo. Porém, a transformação violenta já fora precedida de muitos anos de inquietação e de diversas tentativas de reforma, sinceras mas ineficazes.

Quando a França já estava com uma dívida de quatro bilhões de francos, o tesouro encontrava-se permanentemente vazio e já não havia no reino nenhum objeto sobre o qual ainda se pudessem cobrar impostos, até mesmo o bom rei Luís (que era um excelente chaveiro e um grande caçador, mas um estadista de terceira categoria) percebeu, vagamente, que tinha de fazer algo. Assim, convocou Turgot para o ministério das finanças. Anne Robert Jacques Turgot, barão de l'Aulne, homem de sessenta e poucos anos e esplêndido representante da classe dos senhores de terras, que naquela época desaparecia a passo acelerado, já tinha governado com êxito uma província e era um hábil economista político amador. Fez tudo o que pôde, mas infelizmente não podia fazer milagres. Sendo impossível arrancar ainda mais impostos dos camponeses miseráveis, era preciso obter os fundos necessários da nobreza e do clero, que nunca haviam pago um centavo. Isso fez de Turgot o homem mais odiado de toda Versalhes. Foi, além disso, obrigado a enfrentar a inimizade de Maria Antonieta, a rainha, que se punha contra qualquer um que ousasse pronunciar perto dela a palavra "economia". Logo Turgot foi chamado de "utopista inepto" e de "professor teórico", depois do que, como é óbvio, sua posição ficou insustentável. Em 1776, foi forçado a renunciar.

Depois do "professor" foi a vez de um Prático Homem de Negócios. Tratava-se, no caso, de um suíço habilidoso chamado Necker, que enriquecera especulando em cereais e como sócio de um banco internacional. Sua ambiciosa esposa instigara-o a aceitar o cargo para que pudesse garantir uma boa posição social para a filha, a qual, aliás, já como esposa do embaixador sueco em Paris, Barão de Staël, tornou-se uma figura famosa dos círculos literários franceses do começo do século XIX.

Necker pôs-se a trabalhar com zelo, como fizera Turgot. Em 1781, publicou uma cuidadosa avaliação das finanças francesas. O rei nada compreendeu desse "Compte Rendu". Havia pouco enviara tropas para a América do Norte a fim de ajudar os colonos na luta contra o inimigo comum, os ingleses. A expedição mostrou-se inesperadamente cara, e o rei pediu a Necker que levantasse o dinheiro necessário. Quando, em vez de fazer isso, ele apresentou mais números e estatísticas e começou a publicar a temida advertência das "necessárias economias", seus dias já estavam contados. Em 1781, foi despedido como um servo incompetente.

Depois do Professor e do Prático Homem de Negócios foi a vez daquele financista bem-falante que garante a qualquer um cem por cento de renda sobre o seu dinheiro por mês, desde que a pessoa confie em seu sistema infalível. Era Charles Alexandre de Calonne, funcionário público carreirista que baseara sua ascensão tanto numa certa habilidade quanto em sua mais absoluta falta de honestidade e de escrúpulos. Calonne encontrou o país gravemente endividado, mas era um homem inteligente, disposto a agradar a todos, e rapidamente inventou um remédio para o problema. Para pagar as antigas dívidas, contraiu dívidas novas. Esse método não é novo e, desde tempos imemoriais, seu resultado tem sido desastroso. Em menos de três anos, mais de oitocentos milhões de francos tinham vindo somar-se à dívida francesa por obra e graça desse ministro de finanças que parecia nunca se preocupar e, com um sorriso nos lábios, estava sempre disposto a assinar seu nome embaixo das exigências de dinheiro que lhe eram feitas por Sua Majestade e por sua adorável rainha, que aprendera os hábitos de esbanjadora ainda em sua juventude passada em Viena.

Por fim, até mesmo o parlamento de Paris (que não era um órgão legislativo, mas sim um supremo tribunal de justiça), embora não fosse minimamente desleal ao soberano, determinou que se procurasse uma solução. Calonne queria emprestar mais oitenta milhões de francos. O ano não tinha sido bom para a agricultura, e a miséria e a fome tomavam conta dos distritos rurais. Caso não se tomassem medidas sensatas, a França iria à falência. O rei, como sempre, não tinha a menor idéia da seriedade da situação. Não seria de bom alvitre consultar os representantes do povo? Desde 1614 que não se convocavam os Estados Gerais. Em vista da ameaça de pânico, exigia-se que os Estados se reunissem. Mas Luís XVI, que jamais conseguiu tomar uma decisão, recusou-se a ir tão longe.

Para aplacar o clamor popular, ele convocou em 1787 uma reunião dos Notáveis. Isso não era outra coisa senão uma reunião das melhores famílias, que conversavam sobre todas as medidas que se poderiam tomar, sem porém tocar nos privilégios feudais e clericais de isenção de impostos. Não é razoável pensar que uma determinada classe social vai cometer um suicídio político e econômico pelo bem de outro grupo de concidadãos. Os 127 Notáveis recusaram-se obstinadamente a abrir mão de

Luís XVI

qualquer um de seus antigos direitos. O povo nas ruas, que já estava com muita fome, exigia que Necker, em quem confiavam, fosse chamado de volta ao governo. Os Notáveis responderam que "Não". O povo começou a quebrar vidraças e a fazer outras coisas pouco elegantes. Os Notáveis fugiram, e Calonne foi despedido.

Nomeou-se então um novo e insípido ministro das finanças, o cardeal Loménie de Brienne, e o rei Luís, praticamente obrigado por seus súditos famintos, concordou em convocar os Estados Gerais "assim que possível". É evidente que essa vaga promessa não satisfez a ninguém.

Fazia quase um século que a França não sofria um inverno tão severo. A safra tinha sido destruída pelas enchentes ou senão simplesmente congelara nos campos. Todas as oliveiras da Provença morreram. Alguns tentavam fazer caridade, mas não foi possível fazer muita coisa pelos dezoito milhões de famintos. Em toda parte ocorriam revoltas e tumultos. Se ocorressem na geração anterior, o exército os teria abafado. Porém, os trabalhos da nova escola filosófica estavam começando a dar seu fruto. As pessoas começavam a compreender que o mosquete não era remédio eficaz contra a falta de comida no estômago, e os próprios soldados (recrutados dentre os populares) já não eram dignos de confiança. Era absolutamente necessário que o rei tomasse uma medida definitiva para reconquistar a boa vontade do povo, mas mais uma vez ele hesitou.

Aqui e ali, nas províncias, os seguidores da nova escola estabeleciam pequenas repúblicas independentes. O grito de "sem representação não há taxação" (o *slogan* dos rebeldes norte-americanos de vinte e cinco anos antes) se fez ouvir entre os fiéis filhos da classe média. A França era ameaçada pela anarquia geral. Para aplacar o povo e aumentar a popularidade do rei, o governo de repente suspendeu a rigorosa censura a que antes submetia todos os livros publicados. Imediatamente a França foi inundada por uma torrente de papel e tinta. Todos, nobres e plebeus, criticavam e eram por sua vez criticados. Mais de 2 mil panfletos foram publicados. Loménie de Brienne foi atingido por um sem-número de injúrias. Necker foi rapidamente chamado de volta para acalmar, da melhor maneira possível, a inquietude nacional. De imediato, a bolsa de valores subiu trinta por cento. E o povo, por consenso, suspendeu o juízo por mais algum tempo. Em maio de 1789, deveriam reunir-se os Estados Gerais e, então, a sabedoria da nação como um todo resolveria em breve período o difícil problema de transformar de novo o reino de França num Estado são e feliz.

Essa idéia predominante – a de que a sabedoria do povo como um todo teria o poder de resolver todas as dificuldades – mostrou-se enfim desastrosa, pois coibiu todos os esforços pessoais naqueles meses importantíssimos. Em vez de manter o governo firmemente nas próprias mãos naquele momento crítico, Necker deixou que as coisas seguissem seu rumo. Por isso, mais uma vez espocaram clamorosos debates sobre a melhor maneira de reformar o antigo reino. Em toda parte o poder da polícia estava enfraquecido. O povo dos subúrbios de Paris, sob o comando de agitadores profissionais, começou aos poucos a descobrir a própria força e passou a representar o papel que seria o seu durante os longos anos de turbulência, ao longo dos quais atuou como a força bruta que os verdadeiros líderes da Revolução usavam a seu bel-prazer para assegurar para si as conquistas que não podiam ser obtidas de maneira legítima.

Para dar uma migalha ao povo e à classe média, Necker decidiu que eles teriam dupla representação nos Estados Gerais. Sobre esse assunto, o abade Siéyès escreveu então um famoso panfleto, *O Que Significa o Terceiro Estado?*, no qual chegava à conclusão de que o Terceiro Estado (o nome que então se dava à classe média) deveria significar tudo, não significara nada no passado e agora desejava significar alguma coisa. O abade expressava os sentimentos da grande maioria das pessoas que pensavam realmente nos interesses do país.

Por fim realizaram-se as eleições, sob as piores condições possíveis. Depois delas, 308 clérigos, 285 nobres e 621 representantes do Terceiro Estado fizeram as malas para ir a Versalhes. O Terceiro Estado foi obrigado a levar uma bagagem adicional: volumosos relatórios chamados *cahiers* nos quais estavam postas por escrito as muitas queixas, reclamações e sugestões dos represen-

A Bastilha

tados. O palco estava montado para o grande ato final no qual a França seria salva.

Os Estados Gerais se reuniram a 5 de maio de 1789. O rei estava de mau humor. O Clero e a Nobreza deixaram bem claro que não estavam dispostos a renunciar a nem um privilégio sequer. O rei mandou que as três ordens de representantes se reunissem em salas diferentes e discutissem suas queixas em separado. O Terceiro Estado se recusou a obedecer à ordem real. Seus membros fizeram a esse respeito um juramento solene, reunidos numa quadra de pelota (apressadamente modificada para receber essa reunião ilegal) a 20 de junho de 1789. Insistiam em que as três ordens, Nobreza, Clero e Terceiro Estado, se reunissem juntas, e foi isso o que disseram a Sua Majestade. O rei cedeu.

Na qualidade de "Assembléia Nacional", os Estados Gerais começaram a discutir o estado do reino de França. O rei ficou bravo e mais uma vez hesitou. Disse que jamais abriria mão de

A história da humanidade

seu poder absoluto. Depois, foi caçar, esqueceu-se completamente dos cuidados da nação e, quando voltou da caçada, cedeu. Pois tinha o real hábito de fazer a coisa certa na hora errada e da maneira errada. Quando o povo pedia A, o rei os repreendia e nada lhes dava. Depois, quando o palácio já estava cercado por uma multidão ululante de miseráveis, o rei se rendia e dava a seus súditos o que eles haviam pedido. Porém, dessa vez, o povo já queria A mais B. A comédia se repetia. Quando o rei apunha sua assinatura ao decreto real que concedia a seus amados súditos A e B, eles já estavam ameaçando matar toda a família real caso não recebessem A mais B mais C. E assim por diante, até o final do alfabeto e patíbulo acima.

Infelizmente, o rei sempre esteve uma letra atrás. E nunca compreendeu esse fato. Mesmo quando deitou a cabeça sobre a guilhotina, considerava-se um homem ofendido, que fora tratado de maneira indigna por um povo a quem amara ao máximo de sua capacidade.

Como eu já disse várias vezes, na história a conjunção "se" não tem valor nenhum. Para nós, é fácil dizer que a monarquia poderia ter sido salva "se" Luís fosse um homem mais enérgico e menos afável. Porém, o rei não estava sozinho. Mesmo "se" fosse dono de uma força tão impiedosa quanto a de Napoleão, sua carreira naqueles dias difíceis poderia ter sido facilmente arruinada por sua esposa, filha de Maria Teresa da Áustria, possuidora de todas as virtudes e vícios característicos de uma jovem criada na corte mais medieval e autocrática daquela época.

Ela decidiu fazer algo e planejou uma contra-revolução. Necker foi subitamente despedido, e tropas leais ao regime foram chamadas a Paris. Quando a multidão ouviu falar disso, atacou a fortaleza da Bastilha, que era uma prisão, e a 14 de julho de 1789 destruiu esse conhecido e odiado símbolo do poder autocrático, que havia muito já não era uma prisão política, tendo passado a ser usado como casa de detenção para gatunos e batedores de carteira. Muitos nobres entenderam o que estava acontecendo e deixaram o país. Já o rei, como sempre, não fez nada. No dia da queda da Bastilha, tinha saído para caçar, matara vários veados e estava muito contente.

Assim, a Assembléia Nacional pôs-se a trabalhar e, em 4 de agosto, ao som dos gritos das multidões de Paris, aboliu todos os antigos privilégios. A isso seguiu-se, em 27 de agosto, a "Declaração dos Direitos do Homem", o famoso preâmbulo à primeira constituição francesa. Até aí, tudo ia bem; mas, ao que parece, a corte ainda não aprendera a lição. Correram as suspeitas de que o rei mais uma vez planejava tolher as reformas e assim, em 5 de outubro, deflagrou-se uma segunda rebelião em Paris. O tumulto chegou a Versalhes, e o povo não se aplacou até trazer o rei de volta ao seu palácio parisiense. Não confiavam nele enquanto estivesse isolado em Versalhes. Queriam tê-lo sob os seus olhos, onde pudessem controlar sua correspondência com seus parentes em Viena, em Madri e em outras cortes da Europa.

Enquanto isso, na Assembléia, um nobre de nome Mirabeau, que se fizera líder do Terceiro Estado, estava começando a pôr ordem no caos. Porém, morreu a 2 de abril de 1791, antes que pudesse salvaguardar a posição do rei. Este, que começou a temer pela própria vida, tentou fugir no dia 21 de junho. Foi reconhecido pela sua imagem cunhada nas moedas e, detido perto da cidade de Varennes por membros da Guarda Nacional, foi levado de volta a Paris.

Em setembro de 1791, a primeira constituição da França foi ratificada, e os membros da Assembléia Nacional foram para casa. A 1º de outubro de 1791, a Assembléia Legislativa reuniu-se para dar continuidade aos trabalhos da Assembléia Nacional. Nessa nova convenção de representantes do povo havia muitos elementos radicalmente revolucionários. Os mais audazes dentre eles eram chamados de jacobinos, pois realizavam suas reuniões políticas no claustro jacobino. Esses jovens (a maioria dos quais eram profissionais liberais) fizeram discursos extremamente violentos, e, quando os jornais levaram essas arengas a Berlim e Viena, o rei da Prússia e o imperador decidiram fazer algo para salvar seus bons irmão e irmã. Na ocasião, estavam extremamente ocupados partilhando entre si o reino da Polônia, onde facções políticas rivais haviam provocado um tal estado de desordem que o país estava à mercê de qualquer um que estivesse disposto a abocanhar algumas províncias. Mesmo assim,

A história da humanidade

conseguiram enviar um exército para invadir a França e salvar o rei.

Foi então que um terror pânico se espalhou pelas terras francesas. Todo o ódio acumulado ao longo de anos e anos de fome e sofrimento chegou a um horrível clímax. A ralé parisiense invadiu o palácio das Tulherias. A fiel guarda suíça tentou defender o seu senhor, mas Luís, incapaz de tomar uma decisão, ordenou que os guardas "suspendessem o fogo" quando a multidão já batia em retirada. O povo, embriagado de sangue, do barulho e de vinho barato, chacinou a guarda suíça até o último homem, invadiu o palácio e foi atrás de Luís, que fugira para a sala de reunião da Assembléia, onde teve ali mesmo a dignidade real suspensa e foi levado como prisioneiro ao antigo castelo do Templo.

Porém, os exércitos da Áustria e da Prússia prosseguiram em seu avanço; o pânico mudou-se em histeria e transformou homens e mulheres em bestas selvagens. Na primeira semana de setembro de 1792, a multidão entrou nas prisões e matou todos os prisioneiros. O governo não interferiu. Os jacobinos, comandados por Danton, sabiam que essa crise representava o sucesso ou o fracasso da Revolução e que só a audácia mais brutal poderia salvá-los. A Assembléia Legislativa foi dissolvida e em seu lugar, a 21 de setembro de 1792, reuniu-se uma nova Convenção Nacional. Tratava-se de um órgão composto em sua quase integridade por revolucionários radicais. O rei foi formalmente acusado de alta traição e levado perante a Convenção. Foi considerado culpado e, por 361 votos a 360 (sendo o voto de Minerva dado por seu próprio primo, o duque de Orleans), foi condenado à morte. A 21 de janeiro de 1793, em silêncio e com toda a dignidade, consentiu que o levassem ao cadafalso. Nunca compreendera o porquê daqueles tiros e de toda aquela confusão, e fora orgulhoso demais para fazer perguntas.

Então os jacobinos voltaram-se contra os elementos mais moderados da Convenção, os girondinos, assim chamados por provirem em sua maioria do distrito da Gironda, localizado no sul. Instituiu-se um tribunal revolucionário especial, e vinte e um dos principais líderes girondinos foram condenados à morte. Os demais suicidaram-se. Eram homens honestos e capazes, mas eram também demasiado filosóficos e moderados para sobreviver àqueles anos de medo.

Em outubro de 1793, a Constituição foi suspensa pelos jacobinos "até que a paz fosse declarada". Todo o poder foi depositado nas mãos de uma pequena Junta de Salvação Pública, chefiada por Danton e Robespierre. A religião e o calendário cristãos foram abolidos. Chegara a "Era da Razão" (acerca da qual Thomas Payne escrevera com tanta eloqüência durante a revolução norte-americana) e, com ela, o "Terror" que, durante mais de um ano, matou pessoas boas, más e indiferentes, à razão de setenta ou oitenta por dia.

O governo autocrático do rei estava destruído. Foi substituído pela tirania de uns poucos que alimentavam tal amor pelas virtudes democráticas que se sentiam obrigados a matar quem quer que não compartilhasse dos seus pontos de vista. A França

A Revolução Francesa invade a Holanda

virou um verdadeiro matadouro. Todos suspeitavam de todos, e ninguém se sentia seguro. Por puro medo, uns poucos membros da antiga Convenção, que temiam ser os novos candidatos ao cadafalso, voltaram-se por fim contra Robespierre, que já havia por sua vez decapitado a maior parte dos seus antigos colegas. Robespierre, "o único democrata puro e verdadeiro", tentou se suicidar e não conseguiu. Sua mandíbula deslocada foi rapidamente enfaixada, e nessas condições ele foi arrastado à guilhotina. A 27 de julho de 1794 (9 de Termidor do ano II, de acordo com a estranha cronologia da Revolução) o Reinado do Terror terminou e todos os habitantes de Paris dançaram de alegria.

A situação perigosa em que se encontrava a França, porém, obrigou a que o governo permanecesse nas mãos de uns poucos homens fortes até que os muitos inimigos da Revolução fossem expulsos do solo francês. Enquanto os soldados revolucionários, esfomeados e seminus, travavam batalhas desesperadas no Reno, na Itália, na Bélgica e no Egito e derrotavam um por um todos os inimigos da Grande Revolução, foram nomeados cinco diretores que governaram a França por quatro anos. Depois disso, o poder foi entregue nas mãos de um general bem-sucedido de nome Napoleão Bonaparte, que se tornou "Primeiro Cônsul" da França em 1799. E, no decorrer dos quinze anos seguintes, o velho continente europeu se tornou o laboratório de uma série de experimentos políticos nunca antes vistos.

53
NAPOLEÃO

Napoleão nasceu em 1769, terceiro filho de Carlo Maria Buonaparte, honesto tabelião da cidade de Ajácio, na ilha da Córsega, e de Letícia Ramolino. Portanto, Napoleão não era francês de nascimento, mas italiano, nativo de uma ilha (uma antiga colônia grega, cartaginesa e romana no mar Mediterrâneo) que havia muito tempo vinha lutando para recuperar sua independência, primeiro contra os genoveses e, depois de meados do século XVIII, contra os franceses, que bondosamente se haviam oferecido para ajudar os corsos em sua luta pela liberdade mas depois haviam ocupado a ilha para gozar de seus benefícios.

Em seus primeiros vinte anos de vida, o jovem Napoleão foi um patriota corso profissional – uma espécie de *sinn feiner* corso, que esperava libertar seu país do jugo do odiado inimigo francês. Porém, a Revolução Francesa inesperadamente reconheceu os direitos dos corsos; e Napoleão, que recebera excelente formação na escola militar de Brienne, aos poucos passou a servir a seu país de adoção. Embora jamais tenha aprendido a escrever corretamente o francês nem tenha conseguido falá-lo sem um forte sotaque italiano, tornou-se na prática um francês. Com o tempo, passou a ser visto como a mais elevada expressão de todas as virtudes francesas. Atualmente, é encarado como o símbolo do gênio gálico.

Napoleão trabalhou rápido. No todo, sua carreira não durou mais de vinte anos. Nesse curto período, ele moveu mais guer-

A história da humanidade

ras, granjeou mais vitórias, marchou mais quilômetros, conquistou mais territórios, matou mais gente, realizou mais reformas e, para resumir, perturbou mais o continente europeu do que qualquer outra pessoa antes dele (Alexandre Magno e Gêngis Khan inclusive).

Não era muito alto e sofreu de saúde fraca na infância. Nunca impressionou ninguém por sua boa aparência e até o fim de seus dias se sentiu constrangido quando teve de figurar em ocasiões sociais. Não era de família nobre nem de família rica. Durante a maior parte de sua juventude, foi aliás muito pobre e muitas vezes teve de passar o dia sem comer ou foi obrigado a ganhar alguns centavos de modo escuso.

Também não nasceu para ser um gênio da literatura. Quando concorreu a um prêmio oferecido pela academia de Lyon, seu ensaio ficou em penúltimo lugar: o décimo quinto de dezesseis concorrentes. Porém, Napoleão superou todas essas dificuldades por meio de sua crença absoluta e inabalável em seu próprio destino e em seu futuro glorioso. A ambição foi a mola-mestra de sua vida. A exaltada idéia de si mesmo, a adoração daquele N maiúsculo com que assinava toda a sua correspondência e que sempre reaparecia nos ornamentos de seus palácios apressadamente construídos, a vontade absoluta de tornar o nome de Napoleão o mais importante do mundo depois do nome de Deus – foram esses os desejos que guindaram Napoleão a um pináculo de fama que nenhum outro homem jamais alcançou.

Quando era ainda subtenente, o jovem Bonaparte gostava muito de ler as "Vidas de Homens Famosos" escritas pelo historiador grego Plutarco. Porém, nunca tentou imitar o elevado caráter desses heróis de tempos passados. Napoleão parece ter sido desprovido de todos os sentimentos de consideração e bondade que tornam o homem diferente dos animais. Será muito difícil saber ao certo se ele chegou a amar outra pessoa além de si mesmo. É verdade que não levantava a voz para sua mãe, mas Letícia tinha o porte e os costumes de uma grande dama e, como toda boa mãe italiana, sabia reger seus filhos e garantir o respeito deles. Por alguns anos Napoleão gostou de Josefina, sua bela esposa nascida nas colônias, filha de um oficial francês da Martinica e viúva do visconde de Beauharnais, que fora executado por Robespierre por ter perdido uma batalha para os prussianos. Porém, divorciou-se dela por não conseguir que ela lhe desse um filho e herdeiro e casou-se então com a filha do imperador austríaco, o que lhe pareceu uma boa jogada política.

Durante o cerco de Toulon, quando granjeou grande fama como comandante de artilharia, Napoleão estudou Maquiavel com exímio cuidado. Seguiu os conselhos do estadista florentino e nunca cumpriu suas promessas quando tinha algo a ganhar em descumpri-las. A palavra "gratidão" não fazia parte de seu dicionário. É verdade que também não esperava gratidão dos outros. Era totalmente indiferente ao sofrimento humano. No Egito, em 1798, executou prisioneiros de guerra a quem prometera a vida, e, na Síria, tranqüilamente permitiu que seus próprios feridos fossem mortos pelo clorofórmio quando viu que não poderia fazê-los chegar aos navios. Ordenou que o duque de Enghien fosse condenado à morte por uma corte marcial tendenciosa e que fosse fuzilado contrariamente à lei, tudo isso porque "os Bourbon precisavam de um aviso". Decretou que os oficiais alemães aprisionados durante a guerra pela independência alemã fossem fuzilados contra o paredão mais próximo; e quando Andreas Hofer, o herói tirolês, caiu em suas mãos ao cabo de uma heróica resistência, foi executado como um traidor comum.

Em suma, quando estudamos o caráter do imperador, começamos a compreender a ansiedade das mães inglesas que obrigavam seus filhinhos a ir dormir sob a ameaça de que "Bonaparte, que come criancinhas no café da manhã, vai vir pegar vocês se não forem bonzinhos". Não obstante, depois de dizer tantas coisas desagradáveis sobre esse estranho tirano, que administrava com extremo cuidado todos os departamentos de seu exército mas se esquecia do departamento médico, e que estragava seus uniformes com água de colônia porque não suportava o cheiro de suor de seus soldados – depois de dizer tantas coisas desagradáveis e estando ainda perfeitamente disposto a acrescentar muitas outras, tenho de confessar que estou tomado por um certo sentimento de dúvida.

A história da humanidade

Eis-me aqui, sentado junto a uma confortável escrivaninha cheia de livros, com um olho na máquina de escrever e outro na gata Alcaçuz, que adora brincar com papel carbono; eis-me aqui a dizer que o imperador Napoleão era uma pessoa completamente desprezível. Porém, caso acontecesse de eu olhar pela janela para a Sétima Avenida, e caso a infindável procissão de carros e caminhões de súbito estancasse, e caso eu ouvisse o pesado rufar dos tambores e visse o homenzinho em seu uniforme verde surrado, montado em seu cavalo branco – nesse caso, não sei, mas parece-me que eu largaria aqui meus livros, minha gatinha, minha casa e tudo o mais para segui-lo aonde quer que ele me conduzisse. Meu próprio avô fez isso, e Deus sabe que ele não era talhado para o heroísmo. Os avós de milhões de outras pessoas fizeram o mesmo. Não recebiam recompensa alguma, mas tampouco a esperavam. Desfaziam-se alegremente das pernas, dos braços e até da vida para servir a esse estrangeiro que os conduzia a milhares de quilômetros de casa, que os fazia marchar de frente contra a artilharia russa, inglesa, espanhola, italiana ou austríaca e que olhava silenciosamente para o nada enquanto eles enfrentavam a agonia da morte.

Se você me pedir uma explicação, terei de admitir que não tenho nenhuma para lhe dar. O máximo que posso fazer é aventar algumas hipóteses. Napoleão era o melhor de todos os atores, e o continente europeu inteiro era o seu palco. A todo momento e em todas as circunstâncias, ele sabia qual era a atitude que mais impressionaria os espectadores e quais as palavras que mais fundo neles calariam. Quer discursasse no deserto do Egito, tendo a Esfinge e as pirâmides por pano de fundo, quer falasse a homens trêmulos de frio nas úmidas planícies da Itália, ele detinha sempre o comando da situação. Mesmo no fim, exilado num pedacinho de rocha no meio do Atlântico, doente e à mercê de um governador inglês aborrecido e intolerável, era ele quem estava no centro do palco.

Depois da derrota de Waterloo, ninguém mais viu o imperador, com exceção de uns poucos amigos de confiança. O povo da Europa sabia que ele fora levado à ilha de Santa Helena; sabia que era guardado dia e noite por uma guarnição de soldados ingleses; sabia que a marinha britânica guardava a guarnição que guardava o imperador em sua fazenda, em Longwood. Porém, ele não saía do pensamento nem de seus amigos nem dos inimigos. Quando por fim a doença e o desespero o levaram, seus olhos silenciosos continuaram a assombrar o mundo. Mesmo hoje, ele continua sendo uma força tão presente na vida dos franceses quanto há cem anos, quando as pessoas desmaiavam só de ver esse homem pálido que estabulou seus cavalos nos templos mais sagrados do Kremlin russo e tratou o papa e os poderosos desta terra como se fossem seus lacaios.

Uns dois volumes seriam necessários para descrever em grandes linhas a sua vida. Se eu fosse lhe falar sobre a grande reforma política que impôs ao Estado francês, sobre seus novos códigos jurídicos, pouco depois adotados na maioria dos países europeus, sobre suas atividades em todos os campos da vida pública, teria de escrever milhares de páginas. Porém, posso explicar-lhe em poucas palavras por que ele alcançou tanto sucesso na primeira metade de sua carreira e por que fracassou nos últimos dez anos. De 1789 a 1804, Napoleão foi o grande líder da Revolução Francesa. Não lutava somente pela glória de seu próprio nome. Derrotou Áustria, a Itália, Inglaterra e a Rússia porque, ao lado de seus soldados, ele era o apóstolo do novo credo de "Liberdade, Igualdade e Fraternidade", o inimigo da nobreza cortesã e o amigo do povo.

Porém, em 1804, Napoleão fez-se imperador hereditário dos franceses e mandou buscar em Roma o papa Pio VII para coroá-lo, como Leão III, no ano 800, coroara aquele outro grande rei dos francos, Carlos Magno, cujo exemplo estava sempre diante dos olhos de Napoleão.

Uma vez sentado no trono, o antigo chefe revolucionário tornou-se uma imitação barata de um monarca habsburgo. Esqueceu-se de sua mãe espiritual, o clube político dos jacobinos. Deixou de ser o defensor dos oprimidos. Tornou-se o chefe de todos os opressores e passou a manter seus batalhões de fuzilamento sempre prontos a executar quem se opusesse à sua imperial vontade. Em 1806, ninguém derramou uma só lágrima quando os tristes restolhos do Sacro Império Romano-Germânico foram lançados na lata de lixo da história e quando a última relíquia da antiqüíssima glória romana foi destruída pelo neto de um camponês italiano. Porém, quando os exércitos napoleônicos invadiram a Espanha, impuseram aos espanhóis um rei a quem detestavam e massacraram os madrilenhos que permaneceram fiéis a seus antigos governantes, a opinião pública ficou contra o herói de Marengo, de Austerlitz e de cem outras batalhas revolucionárias. Então, e só então, quando Napoleão já não era o herói da Revolução, mas sim a personificação de todas as características indesejáveis do Antigo Regime, foi possível à Inglaterra conduzir à sua maneira o sentimento de ódio que rapidamente se disseminou e que transformou todos os homens honestos em inimigos do imperador francês.

Desde o começo os ingleses se sentiram profundamente desgostoso ao ler nos jornais os detalhes horripilantes do reinado do Terror. Eles haviam realizado sua própria Revolução Gloriosa (no reinado de Carlos I) com um século de antecedência, mas ela fora um acontecimento simples em comparação com os tumultos de Paris. Aos olhos do inglês comum, um jacobino era um monstro a ser abatido a sangue-frio e Napoleão era o Príncipe dos Demônios. A marinha inglesa havia imposto à França um bloqueio naval desde 1798. Havia impossibilitado o cumprimento do plano de Napoleão de invadir a Índia através do Egito e o havia forçado a bater ignominiosamente em retirada depois das grandes vitórias obtidas às margens do Nilo. E por fim, em 1805, a Inglaterra teve a oportunidade pela qual esperava havia tanto tempo.

Perto do cabo Trafalgar, no litoral sudoeste da Espanha, Nélson aniquilou a frota napoleônica, a qual não teve oportunidade de se recuperar. Desse momento em diante, o imperador ficou preso em terra. Mesmo assim, teria sido capaz de conservar-se no poder como soberano reconhecido do continente europeu caso tivesse compreendido os sinais dos tempos e aceitado a paz honrosa que as outras potências lhe ofereceram. Porém, Napoleão estava ofuscado pelo brilho da própria glória. Não admitia que outros fossem seus iguais e não tolerava rivais. Assim, seu ódio voltou-se contra a Rússia, a misteriosa terra das planícies infinitas, com seu inexaurível estoque de carne para canhão.

Enquanto a Rússia foi governada por Paulo I, o filho imbecil de Catarina, a Grande, Napoleão soube como lidar com a situação. Porém, Paulo foi ficando cada vez irresponsável, até que seus súditos exasperados foram obrigados a assassiná-lo (para evitar que fossem todos mandados às minas da Sibéria). O imperador Alexandre, filho de Paulo, não partilhava o afeto do pai pelo usurpador que concebia como o maior inimigo da humanidade, o eterno perturbador da paz. Era um homem piedoso que se acreditava destinado por Deus a livrar o mundo da praga corsa. Uniu-se à Prússia, à Inglaterra e à Áustria e foi derrotado. Por cinco vezes tentou e nas cinco fracassou. Em 1812, de novo provocou Napoleão até que o imperador francês, cego pela ira, jurou que ditaria em Moscou os termos do armistício. Então, de muitos lugares – da Espanha, da Alemanha, da Holanda, da Itália, de Portugal –, regimentos relutantes foram enviados para o norte a fim de vingar devidamente o orgulho ferido do imperador.

O resto dessa história é conhecido de todos. Depois de dois meses de marcha, Napoleão alcançou a capital russa e estabele-

A retirada de Moscou

ceu seu quartel-general no recinto sagrado do Kremlin. Na noite de 15 de setembro de 1812, Moscou pegou fogo. O incêndio grassou por quatro dias. À tardinha do quinto dia, Napoleão deu a ordem de retirada. Duas semanas depois começou a nevar. O exército abriu caminho passo a passo pela lama e pelo gelo até 26 de novembro, quando chegou ao rio Berezina. Foi então que os russos começaram a atacar com toda a força. Os cossacos assolavam a *Grande Armée* que já não era um exército, mas uma multidão desorganizada. Em meados de dezembro, os primeiros sobreviventes começaram a surgir nas cidades do leste da Alemanha.

Houve então muitos rumores de uma revolta iminente. Os povos da Europa pensavam consigo: "Chegou a hora de nos livrarmos desse jugo insuportável." E começaram a recuperar as antigas espingardas que haviam escapado às revistas dos onipresentes espiões franceses. Mas, antes que pudessem tomar qualquer atitude, Napoleão já estava de volta com um novo exército. Deixara para trás seus soldados derrotados e, em seu pequeno trenó, correra até Paris, onde fez um apelo final por novas tropas que o ajudassem a defender da invasão estrangeira o sagrado solo francês.

Meninos de dezesseis e dezessete anos o seguiram quando ele se deslocou para o leste a fim de dar combate às tropas aliadas. A 16, 18 e 19 de outubro de 1813 ocorreu a terrível batalha de Leipzig, na qual por três dias meninos de verde e meninos de azul lutaram entre si até tingir de sangue o rio Elster. À tarde de 17 de outubro, os exércitos de reserva da infantaria russa romperam as linhas francesas e Napoleão fugiu.

Voltou então a Paris. Abdicou em favor de seu filho ainda pequeno, mas as potências aliadas insistiram em que Luís XVIII, irmão do falecido Luís XVI, fosse o detentor do trono francês. Assim, rodeado de cossacos e lanceiros prussianos, o obtuso príncipe Bourbon fez sua entrada triunfal em Paris.

Quanto a Napoleão, foi feito soberano da pequena ilha de Elba, no Mediterrâneo, onde organizava seus cavalariços em mini-exércitos e travava grandes batalhas num tabuleiro de xadrez.

Porém, assim que ele saiu da França o povo começou a perceber quantas vantagens havia perdido. Os vinte anos passados, por tumultuosos que tivessem sido, foram também um período de glória. Paris era a capital do mundo. O gordo rei Bourbon, que em seu exílio nada tinha aprendido e nada tinha esquecido, tornou-se odiado por todos em virtude de sua indolência.

A 1º de março de 1815, quando os representantes das potências aliadas estavam prontos para começar o trabalho de desembaralhar o mapa da Europa, Napoleão aportou de repente perto de Cannes. Em menos de uma semana, todo o exército francês desertou dos Bourbon e correu para o sul a fim de depor suas espadas e baionetas aos pés do *petit caporal*. Napoleão marchou direto para Paris, aonde chegou em 20 de março. Dessa vez foi mais cuidadoso. Ofereceu a paz, mas os aliados insistiram na guerra. A Europa inteira levantou-se contra o "pérfido corso". Mais que depressa, o imperador marchou para o norte a fim de esmagar seus inimigos antes que eles fossem capazes de unir forças. Porém, Napoleão não era mais o mesmo. Ficava doente e cansava-se com facilidade. Dormia quando deveria estar comandando o ataque de suas vanguardas. E além de tudo sentia a falta de muitos antigos e fiéis generais, que estavam mortos.

No começo de junho, seu exército entrou na Bélgica. No dia 16 desse mês ele derrotou os prussianos comandados por Blücher. Porém, um dos subordinados de Napoleão não conseguiu destruir o exército prussiano em sua retirada, como lhe tinha sido ordenado que fizesse.

Dois dias depois, Napoleão defrontou-se com Wellington perto de Waterloo. Era o dia 18 de junho, um domingo. Às duas da tarde, os franceses pareciam ter ganho a batalha. Às três, uma leve poeira levantou-se no horizonte oriental. Napoleão pensou que ela representava a chegada de sua própria cavalaria, que transformaria a derrota inglesa num massacre. Às quatro, percebeu que tinha se enganado. Rogando pragas e maldições, o velho Blücher mandou suas tropas, já quase mortas de cansaço, para o coração da refrega. O embate rompeu as fileiras da guarda imperial. Napoleão não tinha mais reservas. Assim, deu a ordem de "salve-se quem puder" a seus homens e fugiu.

A história da humanidade

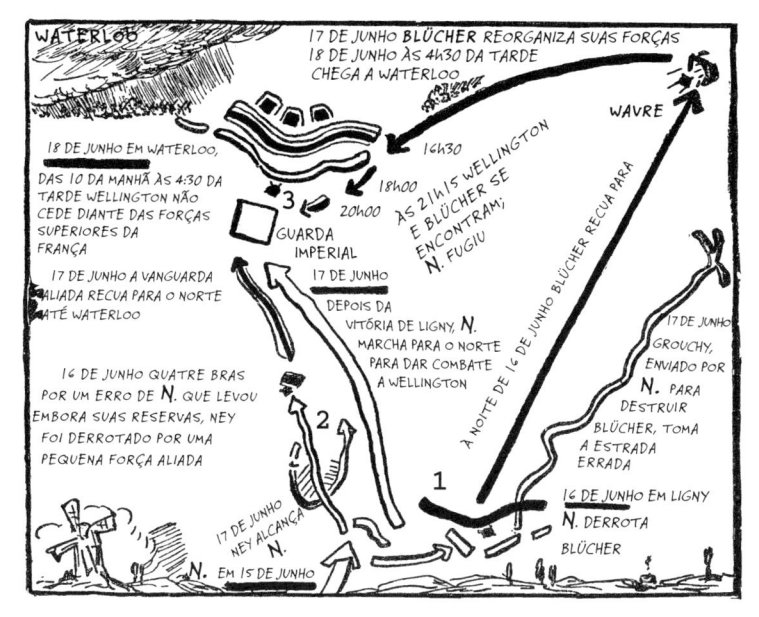

A batalha de Waterloo

Pela segunda vez abdicou em favor do filho. Meros cem dias depois de fugir de Elba, dirigiu-se de novo ao litoral. Pretendia ir para os Estados Unidos. Em 1803, vendera por tostões à jovem república norte-americana a colônia francesa de Louisiana (que corria o sério risco de ser dominada pelos ingleses). Pensou: "Os norte-americanos demonstrarão sua gratidão e me darão um pedacinho de terra onde poderei passar tranqüilo e em paz os últimos dias de minha vida." Porém, a marinha inglesa mantinha cerrada vigilância sobre todos os portos franceses. Preso entre os exércitos dos aliados e os navios ingleses, Napoleão não teve escolha. Os prussianos queriam fuzilá-lo; talvez os ingleses fossem mais clementes. Ele esperou em Rochefort, torcendo para que algo lhe fosse proposto. Um mês depois de Waterloo, recebeu do novo governo francês a ordem de sair do solo pátrio em vinte e quatro horas. Sempre trágico, escreveu uma carta ao príncipe-regente da Inglaterra (o rei Jorge III estava num asilo

Hendrik Willem van Loon

Zarpando para Trafalgar

A história da humanidade

Napoleão vai para o exílio

para loucos) na qual dava a conhecer a Sua Alteza sua intenção de "entregar-se à misericórdia dos inimigos e, como Temístocles, esperar ser recebido junto à lareira dos adversários...".

Em 15 de julho, subiu a bordo do Belerophon e rendeu sua espada ao almirante Hotham. Em Plymouth foi transferido para o Northumberland, que por sua vez o levou a Santa Helena. Lá passou os últimos sete anos de sua vida. Tentou escrever suas memórias, brigou com seus guardas e sonhou com os dias passados. Curiosamente, em suas divagações, voltava ao ponto de onde partira: lembrava-se dos dias em que lutara pela Revolução. Procurava convencer-se de que fora sempre um amigo verdadeiro dos grandes princípios da "Liberdade, Igualdade e Fraternidade", que os estropiados soldados da Convenção haviam levado aos confins da terra. Gostava de falar sobre a sua carreira de comandante-chefe e de cônsul. Quase nunca falava do império. Às vezes pensava em seu filho, o duque de Reichstadt, que morava em Viena e era tratado como um "parente pobre" por seus jovens primos Habsburgo, cujos pais tremiam só de ouvir falar no nome d'Ele. Quando veio o fim, estava conduzindo suas tropas à vitória. Ordenou que Ney atacasse com seus guardas e então morreu.

Porém, se você quiser mesmo uma explicação para a estranha carreira desse homem, se quiser mesmo saber como um só homem pôde governar tanta gente por tanto tempo pela pura e simples força de sua vontade, não leia os livros que têm sido escritos sobre ele. Os autores dos livros ou odiavam o imperador ou o amavam. Você ficará sabendo de muitos fatos, mas é mais importante "sentir" a história do que conhecê-la em detalhes. Não leia; espere até ter a oportunidade de ouvir um bom artista a cantar uma canção chamada *Os dois granadeiros*. A letra foi escrita por Heine, o grande poeta alemão que viveu durante toda a era napoleônica. A música foi composta por Schumann, outro alemão, que via o imperador – inimigo de seu país – toda vez que este vinha visitar seu imperial sogro. Essa canção, portanto, foi composta por dois homens que tinham todos os motivos do mundo para odiar o tirano.

Vá ouvi-la. Então você compreenderá algo que nem mil livros poderão lhe dizer.

54
A SANTA ALIANÇA
Assim que Napoleão foi mandado para Santa Helena, os governantes que tantas vezes tinham sido batidos pelo odiado "corso" reuniram-se em Viena e tentaram desfazer as muitas mudanças provocadas pela Revolução Francesa

As Altezas Imperiais, as Altezas Reais, as Graças, os Duques, os Ministros Extraordinários e Plenipotenciários, junto com as simples Excelências e acompanhadas de todo um exército de secretários, criados e parasitas, voltaram então a trabalhar, depois de ter sua atividade tão rudemente interrompida pelo súbito retorno do terrível Corso (que agora suava em bicas sob o sol quente de Santa Helena). A vitória foi devidamente comemorada com jantares, festas ao ar livre e bailes onde se dançava a "valsa", uma dança nova e indecorosa que escandalizava as senhoras e senhores que se lembravam ainda dos minuetos do Antigo Regime.

Por quase uma geração essas pessoas tinham vivido retiradas. Por fim o perigo havia passado. Todas falavam com extrema eloqüência das terríveis misérias que tinham sofrido e esperavam ser compensadas por cada centavo perdido nas mãos dos inomináveis jacobinos, que ousaram matar um rei ungido, aboliram as perucas e trocaram as calças curtas da corte de Versalhes pelas pantalonas rasgadas dos subúrbios de Paris.

Talvez você considere absurda a referência a esses detalhes. Mas saiba que o Congresso de Viena foi uma longa série de absurdos como esse, e, por vários meses, a questão das "calças curtas x calças longas" interessou mais aos delegados do que a resolução dos problemas da Espanha ou da Saxônia. Sua Majestade, o rei da Prússia, chegou ao extremo de mandar costurar para si um par de calças curtas a fim de testemunhar publicamente o seu desprezo por tudo o que cheirasse a revolução.

Outro potentado alemão, que não queria ficar atrás em seu nobre ódio pela Revolução, decretou que todos os impostos pagos por seus súditos ao usurpador francês fossem pagos outra vez ao soberano legítimo, que de longe estendera seu amor ao povo sujeito ao monstro da Córsega. E assim por diante, de disparate em disparate, até que o observador solta um grito sufocado e exclama: "Mas por que, em nome dos céus, as pessoas não reclamaram?" Por quê? Porque as pessoas estavam completamente exaustas, desesperadas, e não se importavam com o que acontecesse, com quem, como ou de onde fossem governadas, desde que houvesse paz. Estavam cansadas de guerras, revoluções e reformas.

Na década de 80 do século anterior, todas haviam dançado em torno da árvore da liberdade. Príncipes haviam abraçado suas cozinheiras, e duquesas tinham dançado a carmanhola com seus lacaios, na crença sincera de que o Milênio da Igualdade e da Fraternidade brilhara enfim sobre este mundo cão. Quem chegou à casa das pessoas, porém, não foi o milênio, mas o comissário revolucionário, que alojou doze soldados imundos na sala de estar e levou consigo a prataria da família quando voltou a Paris a fim de relatar ao seu governo o entusiasmo com que o "país liberto" recebera a Constituição com que o povo francês brindara seus vizinhos.

Quando as pessoas ouviram falar que a última irrupção de distúrbios revolucionários em Paris fora reprimida por um jovem oficial chamado Bonaparte, ou Buonaparte, que voltara seus canhões contra a multidão, soltaram um suspiro de alívio. Um pouquinho menos de liberdade, igualdade e fraternidade parecia coisa muito boa e desejável. Mas em pouco tempo o jovem oficial chamado Buonaparte ou Bonaparte tornou-se um dos três cônsules da República Francesa; depois, o único cônsul; depois, por fim, imperador. Como era muito mais eficiente do que qualquer outro soberano anterior, sua mão descia pesada sobre seus pobres súditos. Ele não demonstrava misericórdia alguma. Convocava os filhos do povo para o exército, casava suas filhas com seus generais e roubava suas pinturas e esculturas a fim de enriquecer seus próprios museus. Transformou a Europa inteira num quartel de guerra e matou quase uma geração inteira de homens.

Agora que ele tinha ido embora, as pessoas (com exceção de uns poucos militares profissionais) tinham um único desejo: não queriam ser incomodadas. Por algum tempo tinham podido mandar em si mesmas e votar em seus prefeitos, vereadores e juízes. O sistema malogrou-se estrepitosamente. Os novos governantes eram inexperientes e extravagantes. Por puro desespero, as pessoas voltaram-se para os representantes do Antigo Regime e disseram: "Por favor, governem-nos como costumavam fazer. Digam-nos o quanto temos de pagar de impostos e não nos incomodem. Estamos muito ocupados a reparar os danos da era da liberdade."

Não há dúvida de que os homens que coordenaram o famoso Congresso fizeram todo o possível para atender a esse anseio de tranqüilidade e paz. A Santa Aliança, principal resultado do Congresso, fez do policial o mais importante dignitário do Estado e ameaçava dos mais terríveis castigos os que ousassem criticar um único ato oficial.

A Europa estava em paz, mas na paz do cemitério.

Os três homens mais importantes em Viena eram o imperador Alexandre da Rússia; Metternich, que representava os interesses da casa austríaca dos Habsburgo; e Talleyrand, bispo emérito de Autun, que conseguira sobreviver às muitas mudanças de governo na França pelo puro poder de sua astúcia e de sua inteligência e tinha ido à capital austríaca para salvar para seu país o quanto pudesse resgatar da ruína napoleônica. À semelhança do alegre jovem da canção, que nunca percebe que foi insultado, esse penetra entrou na festa e comeu e bebeu com tanta gana quanto se tivesse sido convidado. Aliás, em pouco tempo já estava sentado à cabeceira da mesa, entretendo a todos com suas histórias divertidas e granjeando a boa vontade dos presentes pelo encanto de suas maneiras.

Menos de um dia depois de chegar a Viena, ele percebeu que os aliados se dividiam em dois partidos hostis. De um lado esta-

Hendrik Willem van Loon

O espectro que assombrava a Santa Aliança

vam a Rússia, que queria a Polônia, e a Prússia, que queria anexar a Saxônia; do outro estavam a Áustria e a Inglaterra, que queriam impedir essas anexações porque não tinham interesse em que a Prússia ou a Rússia dominassem a Europa. Talleyrand atiçou os dois lados um contra o outro com grande habilidade, e foi graças a seus esforços que o povo francês não pagou pelos dez anos de opressão a que os oficiais do império tinham submetido o continente europeu. Ele argumentou que o povo francês não tivera escolha. Napoleão os obrigara a obedecer à sua vontade. Mas agora Napoleão já estava longe e Luís XVIII estava sentado no trono. "Dêem-lhe uma oportunidade", suplicou Talleyrand. Os aliados, contentes de ver um rei legítimo sobre o trono de um país revolucionário, cederam, e os Bourbon tiveram de fato a sua oportunidade, que aliás aproveitaram tão mal que foram expulsos ao cabo de quinze anos.

O segundo homem do triunvirato de Viena foi Metternich, primeiro-ministro austríaco, capitão da política estrangeira da casa de Habsburgo. Wenzel Lothar, príncipe de Metternich-Winneburg, era exatamente o que o seu nome dá a entender: um grão-senhor, um cavalheiro de boa aparência e excelentes maneiras, riquíssimo e capaz como ninguém, mas filho de uma sociedade que vivia a milhares de quilômetros de distância das multidões transpirantes que trabalhavam como bestas de carga nas cidades e nos campos. Ainda jovem, Metternich estudava na Universidade de Estrasburgo quando ocorreu a Revolução Francesa. Estrasburgo, a cidade que deu origem à *Marselhesa*, era um centro de atividade dos jacobinos. Metternich se lembrava de que sua agradável vida social tinha sido infelizmente interrompida, de que uma porção de cidadãos incompetentes haviam de repente sido chamados a desempenhar tarefas para as quais não estavam preparados e de que o populacho comemorara o raiar da nova liberdade tirando a vida de pessoas totalmente inocentes. Não conseguira vislumbrar o entusiasmo sincero das massas, a luz da esperança no olhar de mulheres e crianças que levavam pão e água para os esfarrapados soldados da Convenção, os quais passavam pela cidade a caminho da frente de guerra e de uma morte gloriosa em nome da pátria francesa.

Aquele espetáculo enchera de nojo o jovem austríaco. Não era civilizado. Quando tinha de haver guerra, ela devia ser travada por jovens audazes e devidamente uniformizados, dando carga pelos verdes campos em cavalos bem ajaezados. Mas transformar um país inteiro num quartel militar malcheiroso, onde mendigos eram transformados em generais da noite para o dia – isso era maldade e desatino. "Vejam só no que deram suas boas idéias", dizia ele aos diplomatas franceses que encontrava num jantarzinho tranqüilo oferecido por um dos inúmeros grão-duques austríacos. "Vocês queriam liberdade, igualdade e fraternidade e tiveram Napoleão por governante. Não teria sido melhor se tivessem ficado contentes com a ordem natural das coisas?" E explicava então o seu sistema da "estabilidade". Defendia um retorno à normalidade dos dias anteriores à guerra, dias em que todos eram felizes e ninguém falava bobagens sobre "todos serem iguais a todos". Essa atitude dele era totalmente sincera; e, como era dotado de grande força de vontade e de uma tremenda capacidade de persuasão, foi um dos mais perigosos inimigos das idéias revolucionárias. Só morreu em 1859; ou seja, viveu o suficiente para assistir à completa derrocada de todas as suas teorias e práticas políticas, derrubadas e descartadas pela revolução de 1848. Tornou-se então o homem mais odiado da Europa, e mais de uma vez arriscou-se a ser linchado por turbas revoltosas de cidadãos indignados. Porém, até o último suspiro, aferrou-se firmemente à crença de que tinha agido corretamente.

Sempre teve a convicção de que as pessoas preferem a paz à liberdade e tentou dar-lhes o que julgava ser o melhor. E, com toda imparcialidade, temos de reconhecer que seus esforços pelo estabelecimento da paz universal foram relativamente bem-sucedidos. As grandes potências não voaram nas gargantas umas das outras por quase quarenta anos – na verdade, até a Guerra da Criméia entre a Rússia, a Inglaterra, a França, a Itália e a Turquia, em 1854. Para o continente europeu, esse é um recorde.

O terceiro herói desse congresso realizado ao som da valsa foi o imperador Alexandre. Alexandre fora criado na corte de sua avó, a famosa Catarina, a Grande. Dividido entre as lições dessa velha astuta, que o ensinou a considerar a glória da Rússia

A história da humanidade

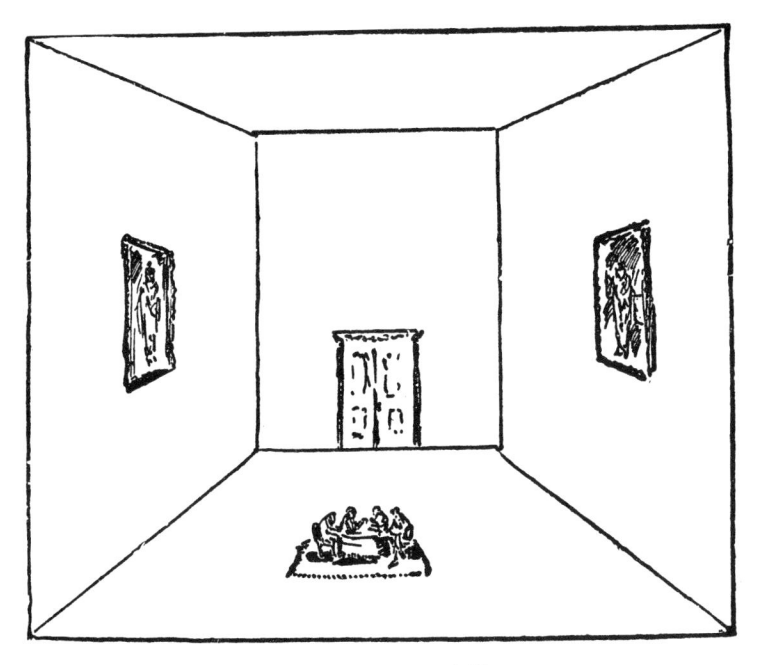

O verdadeiro Congresso de Viena

como o maior de todos os bens, e as do seu professor particular, um suíço admirador de Voltaire e Rousseau, que encheu sua mente de um amor genérico pela humanidade, o menino cresceu e se transformou numa curiosa mistura de tirano egoísta com revolucionário sentimental. Sofreu grandes ignomínias durante a vida de seu pai maluco, Paulo I. Foi obrigado a testemunhar os massacres ocorridos nos campos de batalha napoleônicos. Mas um dia a maré virou e seus exércitos obtiveram para os aliados uma importante vitória. A Rússia tornou-se a salvadora da Europa, e o czar desse povo poderoso passou a ser aclamado como uma espécie de semideus que viria salvar o mundo de seus muitos males.

Mas Alexandre não era muito inteligente. Não conhecia tão bem a natureza humana quanto Talleyrand e Metternich. Não compreendia o estranho jogo da diplomacia. Era vaidoso (no lugar dele, quem não seria?) e adorava ouvir os aplausos da multidão; em pouco tempo tornou-se a "atração principal" do Congresso, enquanto Metternich, Talleyrand e Castlereagh (o hábil representante da Inglaterra) sentavam-se juntos à mesa em torno de uma garrafa de vinho húngaro e tomavam as decisões práticas. Como precisavam da Rússia, eram muito educados com Alexandre; mas, quanto menos ele se envolvesse com os trabalhos que de fato se desenvolviam no Congresso, tanto melhor para eles. Chegaram até a estimular o czar em seus planos de constituir uma Santa Aliança, para que ele se mantivesse ocupado enquanto eles se dedicavam ao trabalho.

Alexandre era um sujeito sociável e gostava de ir a festas e conhecer pessoas. Nessas ocasiões ele se sentia contente, mas havia também em sua personalidade um elemento muito diferente. Ele tentava se esquecer de algo e não conseguia. Na noite de 23 de março de 1801, estava sentado numa sala do Palácio de São Miguel, em Petrogrado, à espera da notícia da abdicação de seu pai. Mas Paulo se recusava a assinar o documento que os oficiais bêbados haviam posto à sua frente; enraivecidos, eles puseram-lhe um cachecol ao redor do pescoço e o estrangularam. Depois desceram ao andar de baixo para informar a Alexandre que ele era o imperador de todas as terras russas.

A lembrança dessa noite terrível acompanhava o czar, que era pessoa muito sensível. Fora educado na escola dos grandes filósofos franceses, que não acreditavam em Deus, mas na Razão Humana. A Razão por si só, porém, não bastava para resolver o problema do imperador, que começou a ouvir vozes e a ter visões. Tentou encontrar um meio de pagar a dívida que tinha para com a própria consciência. Tornou-se extremamente piedoso e começou a interessar-se pelo misticismo, esse estranho amor pelas coisas misteriosas e desconhecidas que já é tão antigo quanto os templos de Tebas e Babilônia.

As tremendas tensões da era revolucionária influenciaram de maneira muito estranha o caráter das pessoas daquela época. Os sobreviventes de vinte anos de ansiedade e medo já não eram totalmente normais. Toda vez que a campainha tocava, eles se sobressaltavam. Aquele toque poderia trazer a notícia da "morte honrosa" de um filho único. As palavras de ordem da Revolução, "amor fraterno" e "liberdade", soavam vazias aos ouvidos de camponeses castigados pela miséria. As pessoas em geral apegavam-se a qualquer coisa que lhes oferecesse uma nova solução aos terríveis problemas da vida. No seu sofrimento e na sua fraqueza, tornavam-se facilmente vítimas de impostores de todo tipo, que posavam de profetas e pregavam uma estranha doutrina nova tirada das passagens mais obscuras do Livro do Apocalipse.

No ano de 1814, Alexandre, que já consultara um grande número de benzedores milagreiros, ouviu falar de uma nova vidente que vaticinava a chegada do fim do mundo e exortava as pessoas a arrepender-se antes que fosse tarde. A mulher em questão, chamada baronesa Von Krüdener, era uma russa de idade desconhecida e reputação duvidosa, que fora casada com um diplomata russo na época do imperador Paulo. Esbanjou o dinheiro do marido e o humilhou com seus estranhos casos amorosos. Levou vida dissoluta até sofrer um colapso nervoso, e por certo tempo não regulou bem das idéias. Depois converteu-se ao testemunhar a morte súbita de uma amiga. Desse dia em diante, passou a desprezar todas as alegrias mundanas. Confessou seus anteriores pecados a seu sapateiro, um piedoso irmão morávio, seguidor do reformador Johannes Huss, que fora queimado como herege pelo Concílio de Constança em 1415.

A baronesa passou os dez anos seguintes na Alemanha, especializando-se em "converter" reis e príncipes. A maior ambição de sua vida era convencer Alexandre, o salvador da Europa, do erro em que se encontrava. E como Alexandre, em sua infelicidade, encontrava-se disposto a ouvir qualquer pessoa que lhe trouxesse um mínimo de esperança, não foi difícil arranjar que os dois se encontrassem. Na noite de 4 de junho de 1815, ela entrou na tenda do imperador e encontrou-o a ler a Bíblia. Não sabemos o que disse a Alexandre, mas o fato é que quando o deixou, três horas depois, ele estava banhado em lágrimas e jurava que "por fim sua alma encontrara a paz". Daquele dia em diante, a baronesa foi sua fiel companheira e conselheira espiritual. Foi junto com ele para Paris e depois para Viena; e, quando Alexandre não estava dançando, é porque estava numa das reuniões de oração de Von Krüdener.

Talvez você se pergunte por que eu contei essa história de modo tão detalhado. Por acaso as mudanças sociais do século XIX não são mais importantes do que a carreira de uma mulher desequilibrada que melhor faríamos em esquecer? É claro que são, mas existem muitos livros nos quais você pode aprender essas outras coisas de modo muito mais preciso e detalhado. Meu desejo é que esta história leve você a aprender algo mais do que uma mera sucessão de fatos. Quero que você estude todos os acontecimentos históricos ciente de que nada acontece por acaso. Não se satisfaça com a afirmação de que "tal e tal coisa aconteceu em tal momento e em tal lugar". Procure descobrir os motivos ocultos que estão por trás de todas as ações; então, você compreenderá muito mais o mundo que o rodeia e terá mais possibilidade de ajudar o próximo, que é (no final das contas) o único modo de vida verdadeiramente satisfatório.

Não quero que você conceba a Santa Aliança como um pedaço de papel que foi assinado em 1815 e encontra-se hoje morto e esquecido em algum arquivo do Estado. Talvez esteja esquecido, mas não está morto de maneira alguma. A Santa Aliança foi a responsável direta pela promulgação da Doutrina Monroe, e essa doutrina, da "América para os americanos", incide de modo muito direto sobre a sua vida. É por isso que quero que você saiba exatamente de que modo esse documento veio a existir e quais foram os verdadeiros motivos por trás dessa aparente manifestação de piedade e devoção cristã ao dever.

A Santa Aliança nasceu da cooperação entre um homem desventurado que sofrera um choque mental terrível e tentava pacificar sua alma perturbada, de um lado, e, de outro, uma mulher ambiciosa que, depois de levar vida dissipada, perdera a beleza e os atrativos e, para satisfazer a sua vaidade e o seu desejo de fama, proclamava-se a messias de um credo novo e estranho. Não estou revelando nenhum segredo quando lhe conto esses detalhes. Homens sóbrios, como Castlereagh, Metternich e Talleyrand, compreendiam plenamente as capacidades limitadas da sentimental baronesa. Metternich não teria dificuldade alguma para enviá-la de volta à Alemanha. Bastava, para tanto, mandar um bilhetinho ao todo-poderoso comandante da polícia imperial. Porém, a França, a Inglaterra e a Áustria dependiam da boa vontade da Rússia. Não podiam se dar ao luxo de ofender Alexandre, e toleravam a tola baronesa porque eram obrigados a tanto. E, embora considerassem a Santa Aliança uma idiotice que não valia a folha de papel em que estava escrita, escutaram pacientemente o czar quando ele lhes fez uma leitura preliminar de sua primeira tentativa de criar a Fraternidade entre os Homens sobre o fundamento das sagradas escrituras. Pois era esse o objetivo da Santa Aliança, e aqueles que assinaram o documento declaravam solenemente que, "na administração de seus respectivos Estados e nas relações políticas com todos os demais governos, tomariam por único guia e orientação os preceitos daquela Santa Religião, a saber, os preceitos de Justiça, Paz e Caridade Cristã, os quais, longe de aplicar-se somente à vida privada dos indivíduos, tem de exercer sua imediata influência nos conselhos dos príncipes e orientar todos os passos destes, sendo os únicos meios de consolidar as instituições humanas e remediar suas imperfeições". Em seguida, os aliados prometiam uns aos outros que permaneceriam unidos "pelos laços de uma fraternidade verdadeira e indissolúvel, e, considerando uns aos outros como verdadeiros compatriotas, em todas as ocasiões e lugares ajudar-se-iam e assistir-se-iam mutuamente". E acrescentavam mais palavras nesse mesmo teor.

Ao fim e ao cabo, a Santa Aliança foi assinada pelo imperador da Áustria, que não compreendeu em absoluto do que se tratava. Foi assinada também pelos Bourbon, que precisavam da amizade dos inimigos de Napoleão. Foi assinada ainda pelo rei da Prússia, que esperava obter o apoio de Alexandre para seus planos de uma "Prússia maior", e por todas as naçõezinhas européias que se encontravam à mercê da Rússia. A Inglaterra jamais assinou esse documento, que Castlereagh entendia como conversa fiada. O papa não assinou porque se ressentiu dessa intromissão de um ortodoxo russo e uma protestante em assuntos que só a ele diziam respeito. E o sultão não assinou porque nem sequer ouviu falar do documento.

As grandes massas européias, porém, logo foram obrigadas a reparar em que esse documento existia. Por trás das frases ocas da Santa Aliança estavam os exércitos da Quíntupla Aliança que Metternich tecera entre as grandes potências. Esses exércitos não estavam para brincadeira. Fizeram com que todos soubessem que a paz européia não deveria ser perturbada pelos ditos liberais, que na verdade não eram outra coisa senão jacobinos disfarçados que esperavam pela volta dos dias revolucionários. O entusiasmo pelas grandes guerras de libertação de 1812, 1813, 1814 e 1815 começou a abrandar e foi seguido pela crença sincera na chegada de tempos mais felizes. Os soldados que sentiram o peso das batalhas queriam viver em paz e fizeram questão de deixar isso bem claro.

Porém, eles não queriam aquela paz que a Santa Aliança e o conselho das potências européias lhes impuseram. Sentiram-se traídos e o disseram. Mas disseram-no bem baixinho, com todo o cuidado, para não serem ouvidos por algum espião da polícia secreta. A reação foi vitoriosa. Foi uma reação provocada por homens que acreditavam sinceramente em que seus métodos eram necessários para o bem da humanidade. Porém, seu jugo era tão pesado quanto seria se suas intenções fossem menos nobres. No fim, esse jugo causou um sofrimento enorme e desnecessário e retardou em muito o progresso ordenado do desenvolvimento político.

55
A GRANDE REAÇÃO
Eles tentaram garantir para o mundo uma era de paz imperturbável, e para isso suprimiram todas as novas idéias. Fizeram do espião policial o principal funcionário do Estado, e logo as prisões de todos os países estavam abarrotadas de pessoas que defendiam o direito de os povos se governarem segundo as próprias determinações

Era quase impossível desfazer os estragos causados pela enchente napoleônica. Linhas divisórias antiqüíssimas haviam sido irremediavelmente apagadas. Os palácios de quarenta dinastias foram a tal ponto avariados que tiveram de ser condenados como inabitáveis. Outras residências reais aumentaram muito de tamanho, mas à custa de vizinhos menos afortunados. Estranhos pedaços de doutrina revolucionária haviam sido deixados para trás pelas águas vazantes e já não podiam ser removidos sem pôr em risco toda a comunidade. Porém, os engenheiros políticos do Congresso deram o melhor de si, e eis o que conseguiram realizar.

A França perturbara por tantos anos a paz mundial que as pessoas já a temiam quase instintivamente. Pela boca de Talleyrand, os Bourbon prometeram comportar-se, mas os Cem Dias haviam ensinado à Europa o que esperar caso Napoleão conseguisse fugir uma segunda vez. Por isso, a República Holandesa foi transformada num reino, e a Bélgica (que não se unira à luta holandesa pela independência no século XVI e por isso sempre tinha feito parte dos domínios dos Habsburgo, primeiros os espanhóis e depois os austríacos) foi incorporada a esse novo reino da Holanda ou dos Países Baixos. Ninguém queria essa união, nem no norte protestante nem no sul católico, mas ninguém foi consultado. A união parecia adequada para a paz da Europa, e essa era a consideração principal.

A Polônia alimentava grandes esperanças, pois o príncipe polonês Adam Czartoryski era um dos amigos mais íntimos do czar Alexandre e servira-lhe de conselheiro durante a guerra e no Congresso de Viena. Porém, a Polônia foi transformada numa província semidependente da Rússia, tendo Alexandre como rei. A solução não agradou a ninguém, foi motivo de muitas amarguras e provocou três revoluções.

A Dinamarca, aliada fiel de Napoleão até o fim, foi severamente castigada. Sete anos antes, uma frota inglesa tinha descido o Kattegat e, sem aviso nem declaração de guerra, tinha bombardeado Copenhague e capturado a frota dinamarquesa para que Napoleão não pudesse usá-la. O Congresso de Viena foi um passo além. Tomou da Dinamarca a Noruega (que desde a união de Calmar, em 1397, estava unida à Dinamarca) e deu-a a Carlos XIV da Suécia em recompensa por ter ele traído Napoleão, que o introduzira na profissão de rei. Curiosamente, o rei sueco era um ex-general francês de nome Bernadotte, que foi para a Suécia como enviado de Napoleão e foi convidado a assumir o trono desse país quando o último soberano da casa dos Holstein-Gottorp morreu sem deixar filho nem filha. De 1815 a 1844 governou o seu país de adoção (cuja língua nunca aprendeu) com grande habilidade. Era um homem inteligente e gozava do respeito de seus súditos, tanto suecos quanto noruegueses, mas não conseguiu jamais unir dois países que a natureza e a história haviam separado. O Estado escandinavo dual nunca chegou a dar certo e, em 1905, de maneira pacífica e ordeira, a Noruega tornou-se um reino independente. Os suecos deram-lhe "adeus" e, sabiamente, deixaram-na seguir o próprio caminho.

Os italianos, que desde a época do Renascimento viram-se à mercê de uma longa série de invasores, depositavam também grandes esperanças no general Bonaparte. O imperador Napoleão, porém, decepcionara-os terrivelmente. Em vez da Itália unida que o povo queria, o país tinha sido dividido num grande número de pequenos principados, ducados, repúblicas e o Estado Papal, que (depois de Nápoles) constituía a região mais miserável e mais mal governada de toda a península. O Congresso de Viena aboliu algumas repúblicas napoleônicas e em lugar delas ressuscitou diversos principados antigos, dados de presente a dignos membros (homens e mulheres) da família Habsburgo. Os infelizes espanhóis, que haviam dado início à grande revolta nacionalista contra Napoleão e tinham sacrificado o melhor sangue do país por seu rei, foram severamente punidos quando o Congresso permitiu que Sua Majestade voltasse a seus domínios. Esse sujeito vil, chamado Fernando VII, passou quatro anos nas prisões de Napoleão. Aproveitara seus dias costurando vestimentas para as imagens de seus santos padroeiros. Para comemorar sua volta, reinstituiu a Inquisição e a câmara de tortura, as quais haviam sido abolidas pela Revolução. Era um ser repulsivo, desprezado tanto por seus súditos quanto por suas quatro esposas, mas a Santa Aliança o manteve sobre seu trono legítimo, e todos os esforços dos melhores espanhóis para se livrar dessa praga e fazer da Espanha uma monarquia constitucional terminaram em execuções e derramamento de sangue.

Portugal já estava sem rei desde 1807, quando a família real fugiu para o Brasil. As terras portuguesas foram usadas como bases de suprimento para o exército de Wellington durante a Guerra da Península Ibérica, que durou de 1808 a 1814. Depois de 1815, Portugal continuou a ser uma espécie de província britânica até que a casa de Bragança voltou ao trono, deixando um de seus membros no Rio de Janeiro como imperador do Brasil. O Brasil, aliás, foi o único império americano que durou mais do que uns poucos anos. Só terminou em 1889, quando o país se tornou república.

No leste, nada se fez para melhorar as terríveis condições de vida dos eslavos e dos gregos, que ainda eram súditos do sultão turco. Em 1804, um pastor de porcos sérvio chamado Jorge Negro (o fundador da dinastia Karageorgevich) desencadeou uma revolta contra os turcos, mas foi derrotado por seus inimigos e assassinado por um de seus supostos amigos, o líder sérvio rival, chamado Milosh Obrenovich (que veio a ser o fundador da dinastia Obrenovich). Assim, os turcos continuaram sendo os senhores incontestes dos Bálcãs.

Os gregos tinham perdido sua independência havia já dois mil anos e foram súditos sucessivamente dos macedônios, dos romanos, dos venezianos e dos turcos. Esperavam então que seu compatriota Capo d'Istria, um nativo de Corfu, junto com o príncipe Czartoryski, o melhor amigo do czar Alexandre, pudessem fazer algo por eles. Porém, o Congresso de Viena não estava interessado nos gregos; estava interessado, isso sim, em manter sobre o trono todos os monarcas "legítimos", fossem eles cristãos, muçulmanos ou outros. Por isso, nada se fez.

O último, talvez o maior disparate do Congresso, foi o tratamento que deu à questão alemã. A Reforma e a Guerra dos Trinta Anos haviam não só destruído a prosperidade do país como também o haviam reduzido a um inútil monturo político feito de alguns reinos, uns poucos grão-ducados, um grande número de ducados e centenas de margravados, principados, baronias, eleitorados, cidades livres e vilas livres, governados pela mais estranha coletânea de soberanos que já se viu fora do teatro de ópera cômica. Frederico, o Grande, mudou tudo isso quando criou uma Prússia forte, mas esse Estado não sobreviveu a ele por muitos anos.

Napoleão censurou a exigência de independência da maior parte desses pequenos países e, em 1806, só sobravam cinqüenta e dois de um total original de mais de trezentos. Na época da grande luta pela independência, muitos soldados jovens passaram a sonhar com uma nova Alemanha forte e unida. Mas não pode haver união sem uma liderança forte; quem seria o líder?

Nas terras de língua alemã, havia cinco reinos. Dois dos soberanos, o da Áustria e o da Prússia, eram reis pela graça de Deus. Os outros três, da Baviera, da Saxônia e de Württemberg, eram reis pela graça de Napoleão; por terem sido capangas fiéis do imperador, não tinham boa imagem de patriotas junto aos outros alemães.

O Congresso estabeleceu uma nova Confederação Alemã, uma liga de trinta e oito Estados soberanos, sob a presidência do rei da Áustria, chamado dali em diante de imperador da Áustria. Foi um arranjo improvisado que não agradou a ninguém. É verdade que se criou uma Dieta alemã – a reunir-se em Frankfurt, antiga cidade onde era coroado o imperador – para discutir "assuntos de interesse comum e políticas comuns". Porém, na

A história da humanidade

Dieta, os trinta e oito delegados representavam trinta e oito interesses diferentes; e, como nenhuma decisão podia ser tomada se não fosse por unanimidade (regra parlamentar que em séculos anteriores já havia arruinado o reino da Polônia), a famosa Confederação Alemã logo se tornou motivo de chacota em toda a Europa, e a política do antigo império logo passou a assemelhar-se à dos nossos vizinhos centro-americanos nas décadas de quarenta e cinqüenta do século XX.

Isso era humilhante demais para pessoas que haviam sacrificado tudo por um ideal nacional. Porém, o Congresso não se interessava pelos sentimentos pessoais dos "súditos", e as discussões foram encerradas.

Por acaso alguém se manifestou contra isso? Com certeza. Assim que o sentimento de ódio contra Napoleão começou a se acalmar, assim que o entusiasmo da grande guerra começou a diminuir, assim que as pessoas perceberam claramente o crime que tinha sido cometido em nome da "paz e estabilidade", elas começaram a murmurar. Ameaçaram até revoltar-se abertamente. Mas o que podiam fazer? Estavam impotentes e postas à mercê do sistema policial mais impiedoso e eficiente que o mundo já conhecera.

Os membros do Congresso de Viena acreditavam com toda sinceridade que "o Princípio Revolucionário levou à criminosa usurpação do trono pelo ex-imperador Napoleão". Sentiam-se chamados a erradicar os adeptos das ditas "idéias francesas", como Filipe II não fizera mais do que seguir a voz de sua consciência ao queimar os protestantes e enforcar os mouros. No começo do século XVI, o homem que não acreditasse no direito divino do papa de reger seus súditos a seu bel-prazer era considerado "herege", e todos os cidadãos fiéis tinham o dever de matá-lo. No começo do século XIX, no continente europeu, o homem que não acreditasse no direito divino do rei de regê-lo a seu bel-prazer, ou ao bel-prazer de seu primeiro-ministro, era também um "herege", e todos os cidadãos de bem tinham o dever de denunciá-lo ao policial mais próximo para que fosse punido.

Porém, os governantes europeus de 1815 haviam aprendido de Napoleão a arte da eficiência e desincumbiam-se de suas tarefas muito melhor do que em 1517. O período compreendido entre 1815 e 1860 foi a era do espião político. Os espiões estavam por toda parte. Viviam em palácios mas encontravam-se também nas mais baixas espeluncas. Espiavam pelo buraco da fechadura do gabinete ministerial e ouviam as conversas das pessoas que respiravam o ar fresco do parque municipal. Ficavam de guarda na fronteira a fim de que ninguém pudesse sair do país sem um passaporte devidamente visado e inspecionavam todos os pacotes para que nenhum livro com perigosas "idéias francesas" penetrasse nos domínios de seu real senhor. Sentavam-se entre os alunos em plena sala de aula, e ai do professor que pronunciasse uma só palavra contra a ordem estabelecida. Seguiam os meninos e meninas no caminho para a igreja para garantir que não faltassem ao culto.

Em muitas dessas tarefas, contavam com a ajuda dos padres. A Igreja sofreu muito durante os dias da Revolução. Teve suas propriedades confiscadas; muitos sacerdotes foram mortos; a geração que aprendera o catecismo de Voltaire, de Rousseau e dos outros filósofos franceses dançou em volta do Altar da Razão quando a Junta de Salvação Pública aboliu a adoração de Deus em outubro de 1793. Os sacerdotes seguiram os *émigrés* em seu longo exílio. Mas voltaram no rastro dos exércitos aliados e puseram-se a trabalhar com a máxima disposição.

Até mesmo os jesuítas voltaram em 1814 e retomaram seu antigo trabalho de educar a juventude. A ordem jesuíta fora extremamente bem-sucedida, talvez até demais, na luta contra os inimigos da Igreja. Estabelecera "províncias" nos quatro cantos do mundo para ensinar aos nativos as bênçãos do Cristianismo, mas logo transformou-se numa espécie de companhia comercial que não parava de estorvar o trabalho das autoridades civis. Na época em que estava ativo o marquês de Pombal, o grande ministro e reformador de Portugal, os jesuítas foram expulsos das terras portuguesas; em 1773, a pedido da maior parte das potências católicas da Europa, a ordem foi suprimida pelo papa Clemente XIV. Agora eles estavam de volta e pregavam os princípios da "obediência" e do "amor pela dinastia legítima" aos filhos de pessoas que haviam alugado vitrines de loja para rir de

Maria Antonieta enquanto esta encaminhava-se ao patíbulo em que havia de encontrar o fim de seus sofrimentos.

E nos países protestantes, como a Prússia, as coisas não estavam nem um pouco melhores. Os grandes líderes patrióticos de 1812, os poetas e escritores que tinham pregado uma guerra santa contra o usurpador, eram taxados agora de perigosos "demagogos". Suas casas eram revistadas, sua correspondência era examinada e eles eram obrigados a apresentar-se regularmente ao chefe de polícia para explicar o que estavam fazendo. Os sargentos do Estado prussiano descarregaram toda a sua fúria sobre a geração mais jovem. Quando um grupo de estudantes comemorou o terceiro centenário da Reforma com festividades barulhentas mas inofensivas no antigo Wartburg, os burocratas prussianos vislumbraram uma revolução iminente. Quando um estudante de teologia – mais sincero do que inteligente – matou um espião do governo russo que operava na Alemanha, as universidades foram postas sob supervisão policial e vários professores foram presos ou exonerados sem passar por nenhum tipo de julgamento.

A Rússia, como seria de esperar, levou suas atividades antirrevolucionárias a um grau ainda mais absurdo. Alexandre estava se recuperando do seu ataque de piedade cristã e enveredava aos poucos pelo caminho da melancolia. Conhecia as suas limitações e percebeu que tinha sido vítima de Metternich e da baronesa Von Krüdener. Cada vez mais deu as costas para o Ocidente e tornou-se um legítimo monarca russo, voltando seus interesses para Constantinopla, a velha cidade santa que fora a primeira mestra dos eslavos. Quanto mais velho ficava, tanto mais trabalhava e tanto menos conseguia realizar. E, enquanto permanecia sentado em seu gabinete, seus ministros transformavam a Rússia inteira num imenso quartel militar.

O quadro que desenhei não é bonito. Talvez eu pudesse ter encurtado minha descrição da Grande Reação. Porém, é muito conveniente que você tenha um conhecimento detalhado dessa era. Não foi essa a primeira tentativa que se fez de atrasar o relógio da história, e o resultado foi o de sempre.

56
INDEPENDENCIA NACIONAL

O amor pela independência nacional, porém, era forte demais para ser destruído desse modo. Os sul-americanos foram os primeiros a rebelar-se contra as medidas reacionárias do congresso de Viena. A Grécia, a Bélgica, a Espanha e um grande número de outros países europeus seguiram o mesmo caminho e o século XIX se encheu dos rumores de muitas guerras de independência

De nada adianta dizer que, "se o Congresso de Viena tivesse feito isto e mais isto em vez de fazer aquilo e aquilo outro, a história da Europa no século XIX teria sido diferente". O Congresso de Viena foi uma reunião de homens que tinham passado por uma revolução e vivido vinte anos de guerras terríveis e praticamente contínuas. Eles se reuniram expressamente para dar à Europa a "paz e estabilidade" que, a seu ver, as pessoas queriam e precisavam. Eram o que chamamos de reacionários. Criam sinceramente na incapacidade das massas populares de governar-se a si mesmas. Redesenharam o mapa da Europa do modo que lhes pareceu prometer a maior possibilidade de um sucesso duradouro. Fracassaram, mas não por maldade premeditada. Eram, em sua maior parte, membros da escola antiga que se lembravam da felicidade dos dias de sua juventude e desejavam a qualquer preço a volta daquele período de bem-aventurança. Não conseguiram perceber o quanto certos princípios revolucionários haviam se entranhado no povo do continente europeu. Isso foi uma infelicidade, mas não um pecado. Porém, uma das coisas que a Revolução Francesa ensinou, não só à Europa como também às Américas, foi o direito dos povos à sua própria "nacionalidade".

Napoleão, que não tinha respeito por nada nem por ninguém, era totalmente impiedoso no lidar com as aspirações nacionais e patrióticas. Porém, os primeiros generais revolucionários haviam proclamado a nova doutrina de que "a nacionalidade não está em fronteiras políticas, nem em crânios arredondados, nem em narizes achatados, mas sim no coração e na alma das pessoas". Enquanto ensinavam às crianças francesas a grandeza da nação francesa, encorajavam os espanhóis, os holandeses e os italianos a fazer o mesmo com suas próprias crianças. Logo esses povos – que partilhavam todos da crença de Rousseau nas virtudes superiores do Homem Original – começaram a investigar seu passado e encontraram, enterrados por baixo ainda das ruínas do sistema feudal, os ossos de raças poderosas das quais se supunham os frágeis descendentes.

A primeira metade do século XIX foi a era das grandes descobertas históricas. Em toda parte os historiadores se ocupavam de publicar cartas medievais e crônicas da Alta Idade Média, e em todos os países o resultado disso foi um grande orgulho pátrio. Esse sentimento se baseava em grande medida numa interpretação errônea dos fatos históricos. Porém, na prática da política, o que importa não é a verdade, mas aquilo que as pessoas acreditam ser verdadeiro. E, na maioria dos países, tanto o rei quanto os súditos criam firmemente na glória e na fama de seus ancestrais.

O Congresso de Viena não tinha nenhuma tendência ao sentimentalismo. Suas Excelências dividiram o mapa da Europa segundo os interesses de meia dúzia de dinastias e puseram as "Aspirações Nacionais" no Índex, ou seja, na lista de livros proibidos, junto com todas as demais perigosas "doutrinas francesas".

A história, porém, não respeita os congressos. Por um ou outro motivo (talvez se trate de uma lei histórica que até agora escapou à atenção dos eruditos), as "nações" pareciam ser necessárias para o desenvolvimento ordenado da sociedade humana, e a tentativa de deter essa maré foi tão fútil quanto o esforço metternichiano de impedir as pessoas de pensar.

Curiosamente, as primeiras agitações tiveram lugar num canto longínquo do mundo: a América do Sul. As colônias espanholas desse continente gozaram de um período de relativa independência durante as guerras napoleônicas. Chegaram até a permanecer fiéis ao rei da Espanha quando este foi preso pelo imperador francês e recusaram-se a reconhecer José Bonaparte, que em 1808 foi feito rei da Espanha por seu irmão.

Com efeito, a única parte da América que sofreu muitas perturbações por causa da Revolução foi a ilha do Haiti, a Espanhola da primeira viagem de Colombo. Em 1791, a Convenção Francesa, num súbito arroubo de fraternidade humana, concedeu aos irmãos negros todos os privilégios que antes cabiam somente a seus senhores brancos. Imediatamente arrependeram-se de ter tomado essa medida, mas a tentativa de negar a promessa original deu início a muitos anos de guerra encarniçada entre o general Leclerc, cunhado de Napoleão, e Toussaint l'Ouverture, o chefe negro. Em 1801, Toussaint foi convidado a visitar Leclerc para deliberar a paz. Deu-se-lhe a promessa solene de que não seria molestado. Ele confiou em seus adversários brancos, foi embarcado num navio e pouco tempo depois morreu numa prisão francesa. Porém, os negros conquistaram a sua independência mesmo assim e fundaram uma república. Aliás, os haitianos deram um grande apoio à luta do primeiro grande patriota sul-americano para libertar seu país do jugo espanhol.

Simon Bolívar, natural de Caracas, na Venezuela, nascido em 1783, foi educado na Espanha, visitou Paris (onde viu o governo revolucionário em funcionamento), morou por algum tempo nos Estados Unidos e depois voltou ao seu país natal, onde o disseminado descontentamento com a Espanha estava começando a tomar uma forma definida. Em 1811, a Venezuela declarou a sua independência e Bolívar tornou-se um dos grandes generais revolucionários. Em dois meses, os rebeldes foram derrotados e Bolívar fugiu.

Nos cinco anos seguintes, ele foi o líder de uma causa aparentemente perdida. Sacrificou toda a sua riqueza, mas não teria sido capaz de lançar sua expedição final, a que triunfou, não fosse pelo apoio do presidente do Haiti. A partir dali a revolta alastrou-se por todo o continente sul-americano e logo ficou claro que a Espanha por si jamais seria capaz de suprimir a rebelião. Pediu então o apoio da Santa Aliança.

Esse pedido preocupou a Inglaterra. Os armadores ingleses haviam tomado o lugar dos holandeses no papel de fazer o comércio entre todos os países do mundo, e tinham a esperança de amealhar gordos lucros com a declaração de independência dos países sul-americanos. Esperavam também que os Estados Unidos interviessem na questão, mas o Senado não partilhava desses planos; além disso, também na Casa Branca a opinião majoritária era a de que a Espanha fizesse o que bem entendesse.

Bem nessa época mudou o ministério na Inglaterra. Os *Whigs* saíram de cena e deram lugar aos *Tories*. George Canning subiu à Secretaria de Estado. Deu a entender que a Inglaterra daria pleno apoio naval ao governo norte-americano, com todo o poderio de sua frota, caso o dito governo se declarasse contrário aos planos da Santa Aliança em relação às colônias rebeldes do continente sul-americano. Assim, a 2 de dezembro de 1823, o presidente Monroe fez um discurso ao congresso e disse: "Os Estados Unidos considerariam perigosa para nossa paz e segurança qualquer tentativa, por parte das potências aliadas, de fazer chegar o seu sistema a qualquer parte deste hemisfério ocidental." Disse ainda: "O governo norte-americano consideraria uma tal atitude por parte da Santa Aliança como manifestação de uma disposição hostil em relação aos Estados Unidos." Quatro semanas depois, o texto da "Doutrina Monroe" estava impresso nos jornais da Inglaterra, e os membros da Santa Aliança foram obrigados a tomar uma decisão.

Metternich hesitou. Pessoalmente, estaria disposto a enfrentar o desagrado dos norte-americanos (que haviam descuidado do exército e da marinha desde o final da guerra anglo-americana de 1812). Mas a atitude ameaçadora de Canning e os problemas da Europa continental o obrigaram a tomar cuidado. A expedição da Santa Aliança não aconteceu, e o México e os países sul-americanos conquistaram sua independência.

Já os problemas da Europa continental avolumavam-se e intensificavam-se. Em 1820, a Santa Aliança mandou tropas à Espanha para garantir a paz. Tropas austríacas foram empregadas com o mesmo objetivo na Itália quando os Carbonários (a sociedade secreta dos Queimadores de Carvão) começaram a propagandear a idéia de uma Itália unida e provocaram uma rebelião contra o inominável Fernando de Nápoles.

Hendrik Willem van Loon

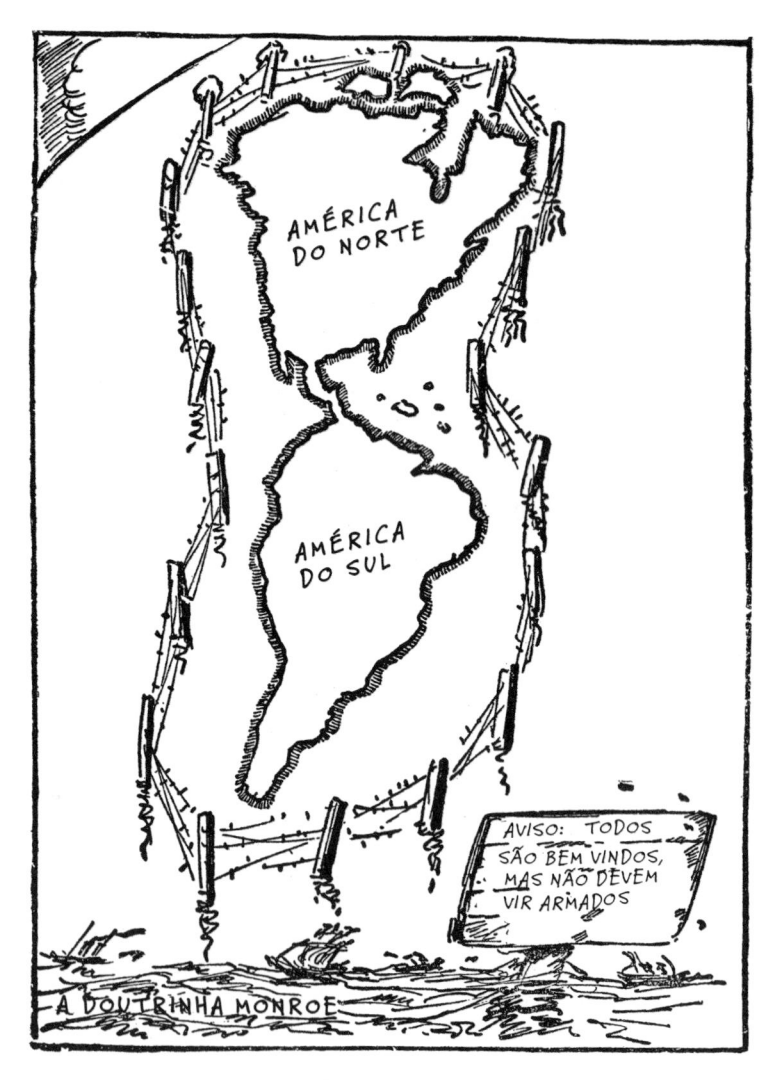

A Doutrina Monroe

A história da humanidade

Más notícias chegavam também da Rússia, onde a morte de Alexandre precipitou uma insurreição revolucionária em São Petersburgo, um levante curto e sangrento chamado de Revolta Decaberista ou Dezembrista (pois aconteceu em dezembro), que terminou com o enforcamento de um bom número de russos patriotas que se haviam enojado do reacionarismo dos últimos anos de Alexandre e queriam dar à Rússia uma forma constitucional de governo.

O pior, porém, ainda estava por vir. Metternich tentou garantir o apoio contínuo das cortes européias através de uma série de conferências realizadas em Aix-la-Chapelle, Troppau, Laibach e, por fim, Verona. Os delegados das diversas potências viajavam a essas agradáveis estações de águas onde o primeiro-ministro austríaco costumava passar o verão. Sempre prometiam fazer de tudo para suprimir as revoltas, mas não tinham certeza de que o conseguiriam. O povo estava começando a enfezar-se; na França, em específico, a situação do rei não era nem um pouco satisfatória.

Mas as verdadeiras dificuldades tiveram origem nos Bálcãs, esse portão da Europa ocidental pelo qual passaram os invasores desse continente desde a noite dos tempos. O primeiro estouro fez-se ouvir na Moldávia, a antiga província romana chamada Dácia, que se separou do império no século III. Depois disso tornou-se uma terra perdida, uma espécie de Atlântida cujos habitantes continuaram a falar a língua romana e ainda se chamavam de romenos e ao seu país, de Romênia. Nesse país, em 1821, um jovem príncipe grego chamado Alexandre Ypsilanti desencadeou uma revolta contra os turcos. Assegurou a seus seguidores que poderiam contar com a proteção da Rússia. Porém, os mensageiros de Metternich correram a São Petersburgo, e o czar, completamente persuadido pelo argumento austríaco de "paz e segurança", recusou-se a ajudar. Ypsilanti foi obrigado a fugir para a Áustria, onde passou na prisão os sete anos seguintes.

Nesse mesmo ano, 1821, começaram os problemas na Grécia. Desde 1815 uma sociedade secreta de patriotas gregos preparava uma revolta. De repente hastearam a bandeira da independência na Moréia (o antigo Peloponeso) e expulsaram as guarnições turcas. Os turcos reagiram segundo o seu hábito. Capturaram o patriarca grego de Constantinopla, visto como um papa por todos os gregos e muitos russos, e enforcaram-no no domingo de Páscoa de 1821, junto com vários bispos. Os gregos responderam com o massacre de todos os muçulmanos de Tripolitsa, a capital da Moréia, e os turcos retaliaram com um ataque contra a ilha de Quios, onde chacinaram vinte e cinco mil cristãos e venderam outros quarenta e cinco mil como escravos para a Ásia e o Egito.

Então os gregos apelaram às cortes européias, mas Metternich lhes disse literalmente que "cozinhassem em sua própria gordura" (não estou brincando, mas sim citando Sua Alteza Sereníssima, que informou ao czar que "esse fogo de revolta deve consumir-se fora do âmbito da civilização"), e as fronteiras foram fechadas aos voluntários que quisessem ir ao resgate dos patrióticos helenos. A causa parecia perdida. A pedido da Turquia, um exército egípcio desembarcou na Moréia e logo a bandeira turca estava de novo tremulando na Acrópole, a antiga cidadela de Atenas. Então, o exército egípcio pacificou o país "à moda turca" e Metternich assistiu aos acontecimentos com tranqüilo interesse, à espera do dia em que esse "atentado contra a paz européia" fosse coisa do passado.

De novo foi a Inglaterra quem lhe frustrou os planos. A maior glória da Inglaterra não está no seu imenso império colonial, nem em sua riqueza, nem em sua marinha, mas sim no heroísmo silencioso e na independência de seu cidadão comum. O inglês obedece à lei porque sabe que é o respeito pelos direitos alheios que estabelece a diferença entre um canil e uma sociedade civilizada. Porém, ele não reconhece a ninguém o direito de intrometer-se em sua liberdade de pensamento. Quando o seu país faz algo que lhe parece errado, ele levanta a voz para denunciá-lo; o governo a quem ataca por sua vez o respeita e lhe dá plena proteção contra a multidão que, hoje como nos tempos de Sócrates, adora destruir aqueles que a ultrapassam em coragem ou inteligência. Nunca houve uma boa causa, próxima ou distante, que não teve alguns ingleses entre os seus mais fanáticos adeptos. A massa do povo inglês não é diferente da de outras terras. São pessoas que cuidam de seus assuntos imediatos e não têm tempo para perder com "aventuras esportivas" sem nenhuma finalidade prática. Porém, admiram o vizinho excêntrico que larga tudo para lutar por um povo desconhecido da Ásia ou da África; e, se ele é morto, elas lhe dão um enterro cerimonioso e o citam para seus filhos como exemplo de coragem e cavalheirismo.

Nem os espiões policiais da Santa Aliança tinham poder contra essa característica nacional. No ano de 1824, Lorde Byron, um rico jovem inglês que escrevia poesias que comoviam toda a Europa, içou as velas de seu iate e zarpou para o sul a fim de ajudar os gregos. Três meses depois, correu pela Europa a notícia de que o herói havia morrido em Missolonghi, o último reduto dos gregos. Sua morte solitária cativou a imaginação dos povos. Em todos os países constituíram-se entidades de ajuda aos gregos. O marquês de Lafayette, decano da Revolução Norte-Americana, defendeu a causa grega na França. O rei da Baviera enviou centenas de oficiais para ajudar. Dinheiro e suprimentos chegaram em abundância para os homens esfomeados de Missolonghi.

Na Inglaterra, George Canning, que derrotara os planos da Santa Aliança para a América do Sul, era agora o primeiro-ministro. Viu aí a sua oportunidade de pôr Metternich em cheque pela segunda vez. As frotas inglesa e russa já estavam no Mediterrâneo, enviadas por governos que já não ousavam reprimir o entusiasmo popular pela causa dos patriotas gregos. A marinha francesa também zarpou porque a França, depois das cruzadas, assumira o papel de defensora da fé cristã em terras maometanas. A 20 de outubro de 1827, os navios dessas três nações atacaram a frota turca na baía de Navarino e a destruíram. Poucas vezes a notícia de uma vitória foi recebida com tão grandes demonstrações de alegria. Os povos da Europa ocidental e da Rússia, que não gozavam de liberdade alguma em seus próprios países, consolaram-se ao lutar numa imaginária guerra de libertação em prol dos gregos oprimidos. Em 1829 tiveram a sua recompensa. A Grécia tornou-se uma nação independente, e a política da reação e da estabilidade sofreu a sua segunda grande derrota.

Seria absurdo que eu, neste livrinho, tentasse lhe dar um relato detalhado da luta pela independência nacional em todos os outros países. Já existem vários livros excelentes dedicados a esse assunto. Descrevi a luta pela independência da Grécia porque foi o primeiro ataque bem-sucedido contra os bastiões da reação que o Congresso de Viena erigira para "conservar a estabilidade da Europa". A poderosa fortaleza da repressão ainda resistia, e Metternich ainda estava no comando, mas o fim já estava próximo.

Na França, os Bourbon haviam estabelecido um regime quase insuportável cujos oficiais de polícia tentavam desmanchar a obra da Revolução Francesa com um desprezo absoluto pelos cânones e leis da guerra civilizada. Quando Luís XVIII morreu, em 1824, o povo já havia gozado por nove anos de uma "paz" que se mostrara ainda menos afortunada do que os dez anos de guerra do império. Luís foi sucedido por seu irmão Carlos X.

Luís era membro da famosa família dos Bourbon, que, embora não aprendesse nada, também não se esquecia de nada. A memória daquela manhã na cidade de Hamm, em que lhe chegou a notícia da decapitação de seu irmão, permanecia em sua mente como um aviso constante do que poderia acontecer com reis que não interpretassem corretamente os sinais dos tempos. Carlos, por outro lado, que conseguira acumular uma dívida particular de cinqüenta milhões de francos antes dos vinte anos de idade, não sabia nada, não se lembrava de nada nem queria aprender nada. Assim que sucedeu ao irmão, tratou de estabelecer um governo "de padres, por padres e para padres"; o duque de Wellington, que fez esse comentário, não podia ser chamado de um liberal radical, mas Carlos governava de tal maneira que chegou a deixar perplexo até mesmo esse confiável defensor da lei e da ordem. Quando Carlos tentou fechar os jornais que ousavam criticar o seu governo e dissolveu o parlamento pelo apoio que este deu à imprensa, seus dias já estavam contados.

Na noite de 27 de julho de 1830 ocorreu uma revolução em Paris. No dia 30 do mesmo mês, o rei fugiu para o litoral e embarcou para a Inglaterra. Foi assim que terminou a "famosa farsa de quinze anos" e os Bourbon foram definitivamente depostos do trono de França. Eram irremediavelmente incompetentes. A França poderia então ter voltado a uma forma republicana de governo, mas Metternich jamais teria tolerado tal coisa.

A situação já era extremamente perigosa. A faísca da rebelião atravessou a fronteira francesa e fez explodir outro barril de pólvora de discórdias nacionalistas. O novo reino da Holanda nunca chegou a ter sucesso. Os povos belga e holandês não tinham nada em comum, e o rei de ambos, Guilherme de Orange (descendente de um tio de Guilherme, o Taciturno), embora fosse um sujeito esforçado e excelente homem de negócios, não tinha o tato e a maleabilidade de que precisaria para manter a paz entre seus irreconciliáveis súditos. Além disso, a horda de padres católicos que voltara à França encontrara também o caminho da Bélgica, e todas as medidas que o protestante Guilherme tentava tomar eram deploradas por grandes multidões de cidadãos revoltosos e taxadas de atentados contra a "liberdade da Igreja Católica". Em 25 de agosto houve uma revolta popular contra as autoridades holandesas em Bruxelas. Dois meses depois, os belgas declararam-se independentes e elegeram como rei Leopoldo de Coburg, tio da rainha Vitória da Inglaterra. Foi uma excelente solução para o problema. Os dois países, que jamais deveriam ter sido unidos, separaram-se e a partir de então conviveram em paz e harmonia como bons vizinhos.

Naquela época em que as estradas de ferro eram poucas e curtas, as notícias demoravam a se espalhar; porém, quando o sucesso dos revolucionários franceses e belgas foi conhecido na Polônia, houve imediatamente um embate entre os poloneses e seus governantes russos, que levou a um ano de carnificina e terminou com a vitória absoluta dos russos, os quais "estabeleceram a ordem às margens do Vístula" à conhecida moda russa. Nicolau I, que sucedeu a seu irmão Alexandre em 1825, acreditava firmemente no direito divino de sua própria família, e os milhares de refugiados poloneses que encontraram abrigo na Europa ocidental deram testemunho do fato de que os princípios da Santa Aliança não eram, na Rússia, simples palavras vazias.

Também na Itália houve um momento de inquietude. Maria Luísa, duquesa de Parma e esposa do ex-imperador Napoleão, a quem abandonou depois da derrota de Waterloo, foi expulsa do país; e no Estado Papal o povo exasperado tentou fundar uma república independente. Porém, os exércitos austríacos marcharam sobre Roma e logo tudo voltou ao estado anterior. Metternich continuou a morar no Ball Platz, a residência do chanceler da dinastia Habsburgo; os espias policiais voltaram a trabalhar, e a paz reinou suprema. Dezoito anos teriam ainda de se passar para que a Europa, numa segunda e bem-sucedida tentativa, conseguisse enfim se livrar da terrível herança do Congresso de Viena.

De novo quem deu o sinal de revolta foi a França, que é o indicador das revoluções na Europa. Carlos X tinha sido sucedido por Luís Filipe, filho daquele famoso duque de Orleans que virou jacobino, votou pela morte de seu primo, o rei, e representou um importante papel nos primeiros tempos da Revolução sob o nome de "Philippe Egalité" ou "Filipe Igualdade". Esse primeiro Filipe foi morto quando Robespierre tentou expurgar a nação de todos os "traidores" (o que significava na prática as pessoas que não partilhavam de suas próprias opiniões), e o filho Luís Filipe foi forçado a fugir do exército revolucionário. Depois disso, o jovem Luís Filipe viajou muito. Lecionou na Suíça e passou uns dois anos a explorar o desconhecido "faroeste" dos Estados Unidos. Depois da queda de Napoleão, voltou a Paris. Era muito mais inteligente dos que seus primos Bourbon. Era um homem simples que passeava nos parques públicos como qualquer bom pai de família, com um guarda-chuva de seda vermelha debaixo do braço e seguido por uma multidão de filhos. Porém, a França já deixara para trás a época dos reis, e Luís não ficou sabendo disso até a manhã de 24 de fevereiro de 1848, quando uma multidão invadiu as Tulherias, expulsou Sua Majestade e proclamou a república.

Quando as notícias desse acontecimento chegaram a Viena, Metternich disse despreocupadamente que os acontecimentos de 1793 repetiam-se e que os aliados seriam mais uma vez obrigados a marchar sobre Paris a fim de pôr cobro a essa rude agitação democrática. Porém, duas semanas depois, a própria capital austríaca estava sublevada. Metternich escapou da multidão pela porta de trás de seu palácio, e o imperador Fernando foi obrigado a outorgar a seus súditos uma constituição que incorporava em si a maior parte dos princípios revolucionários que o primeiro-ministro passara trinta e três anos tentando suprimir.

Dessa vez, a Europa inteira sentiu o abalo. A Hungria declarou-se independente e começou uma guerra contra os Habsburgo, sob a liderança de Luís Kossuth. Esse embate desigual durou mais de um ano e só foi terminado pelos exércitos do czar Nicolau, que atravessaram os montes Cárpatos e tornaram a Hungria de novo segura para a autocracia. Então, os Habsburgo estabeleceram cortes marciais extraordinárias e enforcaram a maior parte dos patriotas húngaros que não tinham sido capazes de derrotar em batalha.

Na Itália, a ilha da Sicília declarou-se independente de Nápoles e expulsou o seu rei Bourbon. No Estado Papal, o primeiro-ministro Rossi foi assassinado e o papa foi obrigado a fugir. Voltou no ano seguinte à testa de um exército francês que permaneceu em Roma para proteger Sua Santidade da fúria de seus súditos até 1870. Nesse ano foi chamado de volta à França para defendê-la contra os prussianos, e Roma tornou-se a capital da Itália. No norte, Milão e Veneza revoltaram-se contra a Áustria. Receberam o apoio do rei Alberto da Sardenha, mas um forte exército austríaco, sob o comando do velho Radetzky, entrou no vale do Pó, derrotou os sardenhos perto de Custozza e Novara e obrigou Alberto a abdicar em favor de seu filho Vitório Emanuel, que poucos anos depois viria a ser o primeiro rei de uma Itália unificada.

Na Alemanha, as revoltas de 1848 tomaram a forma de uma grande manifestação nacional em favor da unidade política e de uma forma representativa de governo. Na Baviera, o rei, que vinha desperdiçando seu tempo e seu dinheiro com uma senhora irlandesa que posava de dançarina espanhola (chamava-se Lola Montez e seu corpo está enterrado no Potter's Field de Nova York), foi expulso pelos estudantes universitários insurretos. Na Prússia, o rei, de cabeça descoberta, foi obrigado a prometer solenemente uma forma constitucional de governo perante os caixões dos mortos nos conflitos de rua. E, em março de 1849, um parlamento alemão constituído de 550 delegados de todas as partes do país reuniu-se em Frankfurt e propôs que o rei Frederio Guilherme da Prússia fosse o imperador de uma Alemanha unificada. Mas então a maré começou a mudar. O incompetente Fernando abdicou em favor de seu sobrinho Francisco José. O bem treinado exército austríaco ainda era favorável ao imperador. O carrasco teve muito o que fazer, e os Habsburgo, como sempre acontecia com essa estranha família – que, como um gato, sempre caía de pé –, tiveram fortalecida a sua posição de senhores da Europa central e oriental. Jogaram com esperteza o jogo da política e usaram os ciúmes dos demais Estados alemães para impedir a elevação do rei da Prússia à dignidade imperial. A experiência das derrotas ensinara-lhes o valor da paciência. Os Habsburgo sabiam esperar. Foi isso o que fizeram, e, enquanto os liberais falavam sem parar e se deixavam embriagar por seus belos discursos, os austríacos juntaram forças, dissolveram o parlamento de Frankfurt e restabeleceram a antiga e impossível Confederação Alemã que o Congresso de Viena impusera a um mundo perplexo.

Porém, entre os homens que estiveram nesse estranho parlamento de entusiastas teóricos havia um senhor de terras prussiano chamado Bismarck, que fez excelente uso de seus olhos e ouvidos. Ele tinha um profundo desprezo pela oratória. Sabia (como sempre souberam todos os homens de ação) que as palavras nada realizam. A seu modo, era um patriota sincero. Formado na antiga escola diplomática, sabia mentir mais do que seus adversários, além de beber mais do que eles e andar melhor a cavalo.

Bismarck estava convicto de que a frágil confederação de pequenos Estados tinha de transformar-se num país forte e unido para resistir às demais potências européias. Criado em meio a idéias feudais de lealdade, chegou à conclusão de que os senhores do novo Estado deviam ser os membros da casa de Hohenzollern – dos quais era o servo mais fiel – em vez dos incompetentes Habsburgo. Para realizar isso, o primeiro passo era livrar a Alemanha da influência austríaca, e Bismarck começou a fazer os preparativos necessários para essa dolorosa operação.

A Itália, enquanto isso, resolveu o seu próprio problema e livrou-se do odiado domínio austríaco. A unificação italiana foi obra de três homens: Cavour, Mazzini e Garibaldi. Dos três, foi Cavour – o engenheiro civil de olhos míopes e óculos de aro fino – quem atuou como o cuidadoso piloto político. Mazzini, que passou a maior parte de sua vida em mansardas de diversos países da Europa, escondido da polícia austríaca, era o agitador do povo; e Garibaldi, com seu grupo de cavaleiros de camisas vermelhas, conquistava a imaginação popular.

Tanto Mazzini quanto Garibaldi acreditavam na forma republicana de governo. Cavour, porém, era monarquista, e os outros, que lhe reconheciam a superioridade em matéria de estadística, aceitaram a decisão dele e sacrificaram suas próprias ambições pelo bem da pátria amada.

Cavour tinha pela casa da Sardenha os mesmos sentimentos que Bismarck tinha pelos Hohenzollern. Com infinito cuidado e ilimitada astúcia, pôs-se a trabalhar para deixar o rei da Sardenha numa posição a partir da qual Sua Majestade tivesse condições de assumir a liderança de todo o povo italiano. A situação política incerta de todo o restante da Europa foi-lhe de grande auxílio, e nenhum país contribuiu tanto para a independência da Itália quanto a França, sua vizinha antiga e confiável (às vezes nem tanto).

Foi nesse país turbulento que, em novembro de 1852, a república teve um fim súbito mas não inesperado. Napoleão III, filho de Luís Bonaparte (antigo rei da Holanda) e pequeno sobrinho de um grande tio, restabeleceu o império e proclamou-se imperador "pela Graça de Deus e pela Vontade do Povo".

Esse jovem educado na Alemanha, que entremeava seu francês de ásperas guturais teutônicas (do mesmo modo que o primeiro Napoleão sempre falou com forte sotaque italiano a língua de seu país adotivo), fez de tudo para pôr a tradição napoleônica a seu próprio serviço. Porém, tinha muitos inimigos e não se sentia completamente seguro no trono que assumira de repente. Tinha conquistado a amizade da rainha Vitória, mas essa tarefa não era difícil, pois a boa rainha não era particularmente inteligente e era extremamente vulnerável à bajulação. Já os demais soberanos europeus tratavam o imperador francês com in-

Giuseppe Mazzini

sultuosa arrogância e passavam noites em claro a pensar novos esquemas pelos quais pudessem deixar bem claro a seu "Bom Irmão" novo-rico o quão sinceramente o desprezavam. Napoleão foi obrigado a encontrar um meio de desbaratar essa oposição, quer pelo amor, quer pelo temor. Conhecia bem o fascínio que seus súditos tinham pela palavra "glória". Como foi forçado a arriscar-se pelo trono, decidiu apostar bem alto no jogo do império. Usou um ataque da Rússia à Turquia como pretexto para declarar a Guerra da Criméia, na qual a Inglaterra e a França aliaram-se contra o czar e a favor do sultão. Essa guerra foi um empreendimento extremamente caro e muito pouco lucrativo. Nem a França, nem a Inglaterra, nem a Rússia colheram triunfos de glória.

Mas a Guerra da Criméia teve um lado bom. Deu à Sardenha a oportunidade de entrar como aliada do lado vencedor, e, quando a paz foi declarada, permitiu que Cavour cobrasse a gratidão da Inglaterra e da França.

Depois de fazer uso da situação internacional para que a Sardenha fosse reconhecida como uma das principais potências européias, o inteligente italiano provocou uma guerra entre a Sardenha e a Áustria em junho de 1859. Assegurou-se do apoio de Napoleão, dando-lhe em troca as províncias da Sabóia e a cidade de Nice, que na realidade era uma cidade italiana. O exército franco-italiano derrotou os austríacos em Magenta e Solferino, e as antigas províncias e ducados austríacos foram unificados num único reino italiano. Florença foi a capital dessa nova Itália até 1870, quando os franceses convocaram seus exércitos que estavam em Roma para defender a França contra os alemães. Assim que os franceses saíram, as tropas italianas entraram na cidade eterna e a casa da Sardenha fez morada no velho Palácio do Quirinal, que um papa antigo construíra sobre as ruínas das termas do imperador Constantino.

O papa, entretanto, mudou-se para o outro lado do rio Tibre e escondeu-se por trás das muralhas do Vaticano, que fora a residência de muitos predecessores seus depois que voltaram do exílio em Avinhão, em 1377. Protestou veementemente contra o roubo de seus domínios e endereçou cartas de apelo aos fiéis católicos que teriam a tendência de deplorar o triste estado a que fora reduzido. O número desses fiéis, porém, era pequeno e continua diminuindo. Isso porque, uma vez liberto dos cuidados de um Estado, o papa pôde dedicar todo o seu tempo a questões de natureza espiritual. Postado muito acima das mesquinhas brigas dos políticos europeus, o papado assumiu uma nova dignidade que se mostrou extremamente benéfica para a Igreja e tornou-a uma nova força motriz do progresso social e religioso internacional. É assim que a Igreja Católica tem demonstrado uma compreensão muito mais atilada dos modernos problemas econômicos do que a maioria das Igrejas protestantes.

Foi assim também que afinal se desmanchou a tentativa do Congresso de Viena de resolver a questão italiana deixando a península inteira nas mãos da Áustria.

O problema alemão, por outro lado, ainda não estava resolvido, e mostrou-se no fim o mais difícil de resolver. O fracasso da revolução de 1848 desencadeou a migração de maioria dos indivíduos mais enérgicos e liberais dentre os alemães. Esses jovens foram para os Estados Unidos, para o Brasil, para as novas colônias da Ásia e da América. Sua obra foi continuada na Alemanha por outra casta de homens.

Na nova Dieta que se reuniu em Frankfurt depois do colapso do parlamento alemão e do fracasso dos liberais em sua tentativa de unificar o país, o reino da Prússia foi representado pelo mesmo Otto von Bismarck que mencionamos há algumas páginas. A essa altura, Bismarck já conquistara a completa confiança do rei da Prússia, e isso era tudo o que ele queria. As opiniões do parlamento e do povo da Prússia não o interessavam em absoluto. Ele testemunhara com os próprios olhos a derrota dos liberais. Sabia que não seria capaz de livrar-se da Áustria sem uma guerra e, para dar início à concretização de seus planos, começou a fortalecer o exército da Prússia. O Landtag, exasperado com seus métodos ditatoriais, recusou-se a fornecer-lhe o crédito necessário. Bismarck nem sequer se preocupou em discutir o assunto. Foi em frente e aumentou o exército com os fundos que a câmara dos pares prussianos e o rei colocaram à sua disposição. Passou então a procurar uma causa nacional que pudesse ser usada para criar uma onda de patriotismo em todo o povo alemão.

Havia no norte da Alemanha dois ducados, Schleswig e Holstein, que desde a Idade Média eram foco de problemas. Ambos eram habitados por um certo número de dinamarqueses e um certo número de alemães; mas, embora fossem governados pelo rei da Dinamarca, não eram parte inalienável do Estado dinamarquês, o que gerava inúmeras dificuldades. Deus não permita que eu ressuscite agora essa questão, que parece ter sido resolvida pelos decretos do recente Congresso de Versalhes. Mas o fato é que os alemães de Holstein não se furtaram a vituperar os dinamarqueses, e os dinamarqueses de Schleswig fizeram muita questão de deixar bem claro qual era a sua origem racial; toda a Europa passou a discutir o problema, as associações artísticas e atléticas da Alemanha escutavam arengas sentimentais sobre os "irmãos perdidos", e as diversas chancelarias tentavam descobrir do que tudo se tratava quando, de repente, a Prússia mobilizou seus exércitos para "salvar as províncias perdidas". A Áustria, chefe oficial da Confederação Alemã, não podia permitir que a Prússia agisse sozinha em empreitada tão importante; assim, o exército dos Habsburgo foi igualmente mobilizado. As tropas unidas das duas grandes potências cruzaram as fronteiras dinamarquesas e, depois de debelar a corajosa resistência dos habitantes locais, ocuparam os dois ducados. A Dinamarca apelou ao resto da Europa, mas os europeus tinham outras coisas em que pensar e os dinamarqueses ficaram entregues à própria sorte.

Então Bismarck preparou o palco para o segundo ato de seu programa imperial. Usou a divisão dos espólios para comprar uma briga com a Áustria. Os Habsburgo caíram na armadilha. O novo exército prussiano, criação de Bismarck e de seus fiéis generais, invadiu a Boêmia e em menos de seis semanas destruiu a última das tropas austríacas em Könniggrätz e Sadova, deixando aberta a estrada para Viena. Bismarck, porém, não queria ir longe demais. Sabia que precisaria conservar alguns amigos na Europa. Ofereceu aos Habsburgo derrotados excelentes condições de rendição, desde que renunciassem à presidência da Confederação. Foi menos misericordioso com muitos Estados alemães menores que haviam ficado do lado da Áustria, e anexou-os à Prússia. A maior parte dos Estados setentrionais constituíram então uma nova organização, a Confederação do Norte da Alemanha, e a Prússia vitoriosa assumiu a liderança não-oficial do povo alemão.

A Europa ficou perplexa com a rapidez desse trabalho de consolidação. A Inglaterra mostrou-se indiferente, mas a França deu sinais de preocupação. A influência de Napoleão sobre o povo francês estava diminuindo gradualmente. A Guerra da Criméia custara caro e não realizara nada.

Em 1863, um exército francês tentou impor ao povo mexicano um grão-duque austríaco, chamado Maximiliano, como imperador, mas essa segunda aventura terminou bruscamente assim que o norte ganhou a Guerra Civil Norte-Americana. O governo de Washington obrigou os franceses a tirar de cena as suas tropas, o que deu aos mexicanos a oportunidade de libertar seu país do inimigo e matar o indesejado imperador.

Napoleão precisava dar a seu trono um novo revestimento de glória. Em poucos anos, a Confederação do Norte da Alemanha seria uma perigosa rival da França. Napoleão chegou à conclusão de que uma guerra contra a Alemanha faria bem à sua dinastia. Procurou então um pretexto e encontrou-o na Espanha, essa pobre vítima de infindáveis revoluções.

Naquela época, o trono espanhol estava vago e fora oferecido ao ramo católico da casa dos Hohenzollern. O governo francês opusera objeções, e os Hohenzollern educadamente recusaram-se a aceitar a Coroa. Mas Napoleão, que estava dando mostras de estar doente, sofria demasiado a influência de sua bela esposa, Eugênia de Montijo, filha de um cavalheiro espanhol e neta de William Kirkpatrick, o cônsul norte-americano em Málaga, de onde vêm as uvas. Embora Eugênia fosse astuta, era inculta como a maior parte das mulheres espanholas daquela época. Vivia à mercê de seus diretores espirituais, dignos cavalheiros que não nutriam o menor respeito pelo rei protestante da Prússia. "Seja audaz", foi o conselho da imperatriz a seu marido; mas ela se esqueceu de acrescentar a segunda metade desse famoso provérbio persa, no qual o herói é admoestado a "ser audaz, mas não demais". Napoleão, convicto da força de seu exército, dirigiu-se ao rei da Prússia e insistiu em que ele lhe desse garantias de que "jamais permitiria outra candidatura de um príncipe Hohenzollern à Coroa espanhola". Como os Hohenzollern haviam acabado de recusar essa honra, a exigência mostrou-se supérflua – e foi isso que Bismarck disse ao governo francês. Napoleão, porém, não ficou satisfeito.

Corria o ano de 1870, e o rei Guilherme estava na estação de águas de Sem. Lá, certo dia, foi abordado pelo ministro francês, que tentou reabrir a discussão. O rei respondeu educadamente que o dia estava muito bonito, que a questão espanhola estava decidida e que não havia mais nada a falar sobre o assunto. Como era de costume, um relato desse encontro foi enviado por telégrafo a Bismarck, que cuidava de todos os assuntos de relações exteriores. Bismarck modificou o telegrama recebido antes de fornecê-lo às imprensas prussiana e francesa. Muitos o desprezam por isso, mas Bismarck pôde apresentar as desculpas de que a adulteração de notícias oficiais tem sido um privilégio de todos os governos civilizados desde tempos imemoriais. Quando o telegrama "editado" foi publicado, o bom povo de Berlim pensou que seu velho e venerável rei, de elegantes bigodes brancos, tinha sido insultado por um arrogante francesinho; e o povo de Paris, igualmente bom, encheu-se de fúria porque seu ministro, apesar de ter agido com toda a cortesia, fora expulso do recinto por um lacaio do rei da Prússia.

Assim, os dois povos foram à guerra; e, em menos de dois meses, Napoleão e a maior parte de seu exército já eram prisioneiros dos alemães. O Segundo Império chegou ao fim e a Terceira República preparou-se para defender Paris contra os invasores germânicos. Paris resistiu por cinco longos meses. Dez dias antes da rendição da cidade, assinada lá perto, no palácio de Versalhes (construído pelo mesmo Luís XIV que fora tão perigoso inimigo dos alemães), o rei da Prússia foi publicamente proclamado imperador da Alemanha, e o ribombar dos canhões deixou bem claro aos parisienses famintos que um novo Império Alemão assumira o lugar da inofensiva Confederação de Estados e Estadinhos teutônicos.

Foi assim, pela força, que a questão alemã foi finalmente resolvida. No final de 1871, cinqüenta e seis anos depois da memorável reunião de Viena, a obra do Congresso estava completamente desfeita. Metternich, Alexander e Talleyrand haviam tentado dar ao povo europeu uma paz duradoura. Os métodos por eles empregados provocaram uma infinidade de guerras e revoluções, e o sentimento comum de fraternidade do século XVIII foi substituído por uma era de nacionalismo exagerado que ainda não terminou.

57
A ERA DO MOTOR

*Mas, enquanto os povos da Europa lutavam
pela independência de suas nações, o mundo
em que viviam foi completamente mudado por uma
série de invenções que fizeram do canhestro e deselegante
motor a vapor do século XVIII o mais fiel
e eficiente escravo do homem*

O maior benfeitor da humanidade morreu há mais de meio milhão de anos. Era uma criatura peluda de testa baixa e olhos fundos, mandíbula grande e dentes fortes como os de um tigre. Não se sentiria muito à vontade num congresso de modernos cientistas, mas estes o venerariam como seu grande mestre. Pois esse sujeito usou uma pedra para quebrar uma noz, e um pedaço de pau para levantar uma pesada rocha. Foi o inventor do martelo e da alavanca, nossas primeiras ferramentas, e fez mais do que qualquer ser humano depois dele para dar à nossa raça a grande vantagem que leva sobre os outros animais com quem convivemos neste planeta.

De lá para cá, o homem tem usado um grande número de ferramentas para tentar facilitar a própria vida. A primeira roda (um disco cortado de uma árvore caída) causou tanta "sensação" nas comunidades do ano 100.000 a.C. quanto o primeiro avião causou há apenas alguns anos.

Em Washington, conta-se a história de um diretor do Registro de Patentes que, no começo da década de 1830, propôs que esse escritório fosse abolido, uma vez que "todas as coisas que poderiam ser inventadas já tinham sido inventadas". Sentimento semelhante deve ter se disseminado pelo mundo pré-histórico quando a primeira vela foi montada sobre uma jangada e as pessoas tornaram-se capazes de navegar sem ter de remar nem impulsionar-se com varas ou cordas amarradas à praia.

A história da humanidade

Com efeito, um dos capítulos mais interessantes da história é o do esforço do homem para fazer com que algo ou alguém trabalhe por ele enquanto ele se senta tranqüilo ao sol, ou pinta figuras sobre a rocha, ou adestra jovens lobos e tigres para comportar-se como animais domésticos e pacíficos.

É claro que, nas épocas muito antigas, havia sempre a possibilidade de escravizar um camarada mais fraco e obrigá-lo a cuidar das tarefas desagradáveis da vida. Os gregos e romanos antigos eram tão inteligentes quanto somos nós, mas um dos motivos pelos quais não chegaram a projetar máquinas mais interessantes era a existência da escravidão. Por que um matemático perderia seu tempo a pensar em fios, polias e engrenagens, por que encheria o ar de barulho e fumaça quando podia ir ao mercado e comprar a baixo preço todos os escravos de que precisava?

Durante a Idade Média, embora a escravidão tenha sido abolida e substituída por uma forma bem leve de servidão, as guildas desencorajavam a idéia do uso de máquinas porque imaginavam que tal uso impediria muitos companheiros de trabalhar. Além disso, o povo da Idade Média não se interessava pela produção de bens em grande quantidade. Os alfaiates, os açougueiros e os carpinteiros trabalhavam em vista das necessidades imediatas da comunidade em que viviam e não tinham nenhum desejo de competir com seus irmãos nem de produzir mais do que o estritamente necessário.

No Renascimento, em que os preconceitos da Igreja contra as investigações científicas já não podiam ser impostos com tanto rigor quanto eram antes, um grande número de homens começou a dedicar a vida à matemática, à astronomia, à física e a química. Dois anos antes de deflagrar-se a Guerra dos Trinta Anos, um escocês chamado John Napier publicou um livrinho no qual descrevia a invenção dos logaritmos. Durante a guerra propriamente dita, Gottfried Leibniz de Leipzig aperfeiçoou o sistema do cálculo infinitesimal. Oito anos antes da paz de Vestefália nasceu Newton, o grande filósofo naturalista inglês, e nesse mesmo ano morreu Galileu, astrônomo italiano. Enquanto isso, a Guerra dos Trinta Anos tinha destruído a prosperidade da Europa central, despertando repentinamente um interesse generalizado pela "alquimia", a estranha pseudociência da Idade Média, pela qual as pessoas tinham a esperança de transformar os metais comuns em ouro. Essa transformação se revelou impossível, mas os alquimistas, em seus laboratórios, acabaram por ter muitas novas idéias e muito colaboraram com os trabalhos dos químicos, seus sucessores. A obra de todos esses homens deu ao mundo um fundamento científico sólido sobre o qual era possível construir até o mais complicado dos motores, e vários homens de mentalidade prática construíram sobre esse fundamento. Na Idade Média, a madeira era o material utilizado para as poucas peças de maquinário então fabricadas. Porém, ela desgastava-se rapidamente. O ferro era um material muito melhor, mas era escasso em toda parte, exceto na Inglaterra. Era nesse país, portanto, que se fundia a maior quantidade desse mineral. Para fundir ferro, são necessárias fornalhas enormes. No começo, as fornalhas eram alimentadas com madeira, mas aos poucos as florestas foram desaparecendo. Então passou-se a usar "carvão mineral" (árvores pré-históricas petrificadas). Mas, como você sabe, o carvão tem de ser tirado do fundo da terra e transportado até os altos-fornos; além disso, as minas têm de ser permanentemente drenadas da água que sempre ameaça invadi-las.

Esses dois problemas tinham de ser resolvidos de uma só vez. Por enquanto ainda se podia usar cavalos para puxar as cargas de carvão, mas a questão do bombeamento de água exigia um maquinário especial. Vários inventores ocuparam-se de tentar resolver o problema. Todos sabiam que o novo motor teria de ser movido a vapor de água. A idéia do motor a vapor era muito antiga. Héron de Alexandria, que viveu no século I a.C., nos descreve diversas máquinas movidas a vapor. Os renascentistas brincavam com a idéia de carruagens movidas a vapor. O marquês de Worcester, contemporâneo de Newton, nos fala de um motor a vapor em seu livro de invenções. Um pouco depois disso, em 1698, Thomas Savery de Londres pediu a patente de uma bomba d'água. Ao mesmo tempo, um holandês chamado Christian Huygens estava tentando aperfeiçoar um motor no qual a pólvora era utilizada para deflagrar explosões regulares, como ocorre com a gasolina em nossos modernos motores a explosão.

Em toda a Europa as pessoas ocupavam-se dessa idéia. Denis Papin, um francês, amigo e assistente de Huygens, fez experimentos com motores a vapor em diversos países. Inventou uma pequena carroça movida a vapor e um barco de roda de pás. Porém, quando tentou navegar com seu barco, este foi confiscado pelas autoridades a pedido do sindicato dos barqueiros, que temiam que uma tal máquina os privasse de seus meios de vida. Papin morreu em Londres na mais extrema pobreza depois de gastar todo o seu dinheiro em suas invenções. Porém, na época de sua morte, outro entusiasta da mecânica chamado Thomas Newcomen estava trabalhando para resolver o problema da bomba a vapor. Cinqüenta anos depois, seu motor foi aperfeiçoado por James Watt, de Glasgow, fabricante de instrumentos musicais. Em 1777, Watt deu ao mundo o primeiro motor a vapor de verdadeiro valor prático.

Porém, nesses séculos em que se fizeram experimentos com o "motor de calor", o panorama político mudou em extremo. Os ingleses sucederam os holandeses como distribuidores dos bens do mundo e conquistaram novas colônias. Levavam à Inglaterra as matérias-primas produzidas nas colônias e lá as transformavam em produtos manufaturados, que então eram exportados aos quatro cantos do mundo. No século XVII, os colonos da Geórgia e das Carolinas começaram a cultivar um novo arbusto que produzia uma estranha substância lanosa chamada "algodão". Depois de colhido, o algodão era enviado à Inglaterra, onde o povo de Lancashire o transformava em tecidos. O trabalho de tecelagem era feito à mão nas próprias casas dos trabalhadores. Em pouco tempo, o processo de tecelagem recebeu diversos aperfeiçoamentos. Em 1730, John Kay inventou a "lançadeira automática". Em 1770, James Hargreaves patenteou sua "fiandeira de múltiplos fusos". Eli Whitney, norte-americano, inventou o descaroçador de algodão para realizar uma tarefa que antes era feita à mão à razão de meio quilo de algodão por dia. Por fim, Richard Arkwright e o reverendo Edmund Cartwright inventaram grandes teares movidos a água. E então, na década de 80 do século XVIII, na mesma época em que os Estados Gerais da França foram convocados para as famosas reuniões que vieram por fim a revolucionar o sistema político europeu, os motores de Watt foram dispostos de modo que impulsionassem os teares de Arkwright, e esse fato desencadeou uma revolução econômica e social que mudou as relações entre os seres humanos em praticamente todas as partes do mundo.

Assim que o motor estacionário teve o seu êxito comprovado, os inventores voltaram sua atenção para o problema de impulsionar carros e barcos por meio de alguma engenhoca mecânica. O próprio Watt desenhou os projetos de uma "locomotiva a vapor", mas antes ainda de aperfeiçoar suas idéias, em 1804, uma locomotiva fabricada por Richard Trevithick arrastou uma carga de vinte toneladas em Pen-y-darran, na região das minas do País de Gales.

Nessa mesma época, estava em Paris um norte-americano de nome Robert Fulton, joalheiro e retratista. Ele tentava convencer Napoleão de que, com o uso de seu submarino, o Nautilus, e do seu "barco a vapor", os franceses seriam capazes de destruir a supremacia naval da Inglaterra.

Não foi Fulton quem teve a idéia do barco a vapor. Sem dúvida alguma, ele a copiou de John Fitch, um gênio de mecânica do estado de Connecticut, cujo vapor, de elegante projeto e construção, navegou as águas do rio Delaware já em 1787. Porém, Napoleão e seus consultores científicos não acreditavam na possibilidade prática de um barco automotor; e, embora o motor escocês da pequena embarcação tenha funcionado sem falhas sobre o Sena, o grande imperador deixou de beneficiar-se dessa arma formidável que lhe poderia ter dado a oportunidade de vingar-se da derrota de Trafalgar.

Fulton, que era um verdadeiro homem de negócios, voltou aos Estados Unidos e organizou uma bem-sucedida companhia de barcos a vapor junto com Robert R. Livingston, signatário da Declaração de Independência, que era embaixador norte-americano em Paris quando Fulton lá estava tentando vender sua invenção. O primeiro barco dessa companhia, o Clermont, recebeu o monopólio das águas do estado de Nova York e, equipado com um motor construído por Boulton e Watt, de Birmingham, Inglaterra, começou a fazer uma linha regular entre Nova York e Albany em 1807.

A história da humanidade

A cidade moderna

Já o pobre John Fitch, o primeiro a usar o "barco a vapor" para fins comerciais, teve um triste fim. Doente e sem dinheiro, esgotou seus últimos recursos quando seu quinto barco, cujo propulsor era uma hélice, foi destruído. Seus vizinhos riram-se dele, como cem anos depois se ririam do professor Langley, que construía estranhas máquinas de voar. Fitch tinha a esperança de franquear ao seu país o acesso aos amplos rios do Oeste, mas seus compatriotas preferiam viajar de jangada ou a pé. Em 1798, desesperado e miserável, Fitch tomou veneno e morreu.

Porém, vinte anos depois, o Savannah, um vapor de 1.850 toneladas que fazia seis nós por hora (o Mauritânia é só quatro vezes mais rápido), já cruzava o oceano de Savannah a Liverpool no tempo recorde de vinte e cinco dias. A multidão parou de zombar e, entusiasmada, atribuiu ao homem errado o crédito da invenção.

Seis anos depois, o inglês George Stephenson, que construía locomotivas cuja finalidade era a de levar carvão das minas aos altos-fornos e fiações de algodão, construiu a sua famosa "máquina de viajar" que reduziu o preço do carvão em quase seten-

ESTE VAPOR DE JOHN FITCH FEZ UMA VIAGEM DE EXPERIÊNCIA DE 20 MILHAS EM 1788. EM 1790 ERA USADO COMERCIALMENTE NO RIO DELAWARE. VEJA OS JORNAIS DA FILADÉLFIA DE 1790

O primeiro barco a vapor

ta por cento e possibilitou o estabelecimento do primeiro serviço regular de transporte de passageiros, entre as cidades de Manchester e Liverpool. Nele, as pessoas viajavam de uma cidade a outra à velocidade inaudita de vinte e quatro quilômetros por hora. Doze anos depois, essa velocidade já era de trinta e dois quilômetros por hora. Atualmente, qualquer carrinho (descendente direto das maquininhas automotivas de Daimler e Levassor, da década de 1880) é capaz de correr mais do que essas primeiras marias-fumaça.

Mas, enquanto esses engenheiros de mente prática aperfeiçoavam seus barulhentos "motores de calor", um grupo de cientistas "puros" (homens que dedicam quatorze horas por dia ao estudo "teórico" daqueles fenômenos científicos sem os quais nenhum progresso mecânico seria possível) estava seguindo uma nova trilha que prometia levá-los aos domínios mais secretos e ocultos da natureza.

Há dois mil anos, vários filósofos gregos e romanos (com destaque para Tales de Mileto e Plínio, o qual morreu enquanto tentava estudar a erupção do Vesúvio do ano 79, que soterrou sob as cinzas as cidades de Pompéia e Herculano) já haviam notado os estranhos movimentos da palha e de penas de pássaro quando postas ao lado de uma peça de âmbar que fora esfregada na lã. Os escolásticos da Idade Média não se interessaram por esse misterioso poder "elétrico", mas, logo depois do Renascimento, o inglês William Gilbert, médico particular da rainha Elisabeth, escreveu seu famoso tratado sobre o caráter e o comportamento dos ímãs. Durante a Guerra dos Trinta Anos, Otto von Guericke, burgomestre de Magdeburgo e inventor da bomba de ar, construiu a primeira máquina elétrica. No decorrer dos cem anos seguintes, um grande número de cientistas dedicou-se ao estudo da eletricidade. Em 1795, nada menos de três profissionais inventaram a famosa garrafa de Leyden. Nessa mesma época, Benjamin Franklin, o maior gênio universal dos Estados Unidos depois de Benjamin Thompson (que, depois de fugir de New Hampshire em virtude de sua simpatia pela causa britânica, passou a ser conhecido como conde Rumsford), estava dedicando sua atenção a esse tema. Descobriu que o raio e a faísca ou descarga elétrica eram manifestações da mesma força, a eletricidade, e continuou a estudar esses fenômenos até o fim de sua útil e movimentada vida. Depois foi a vez de Volta, com sua famosa "pilha elétrica"; e de Galvani, de Day, do professor dinamarquês Hans Christian Oersted, de Ampère, de Arago e de Faraday, que buscaram diligentemente conhecer a verdadeira natureza das forças elétricas.

Esses homens comunicaram de graça suas descobertas ao mundo, e Samuel Morse (que, como Fulton, começou sua carreira como artista) pensou em usar essa nova corrente elétrica para transmitir mensagens de uma cidade a outra. Pretendia, para tanto, usar um fio de cobre e uma maquininha que tinha inventado. As pessoas zombaram dele. Assim, Morse foi obrigado a financiar suas próprias pesquisas. Logo gastou todo o dinheiro que tinha, ficou pobre e as pessoas zombaram ainda mais. Pediu então a ajuda do congresso norte-americano, e um Comitê Espe-

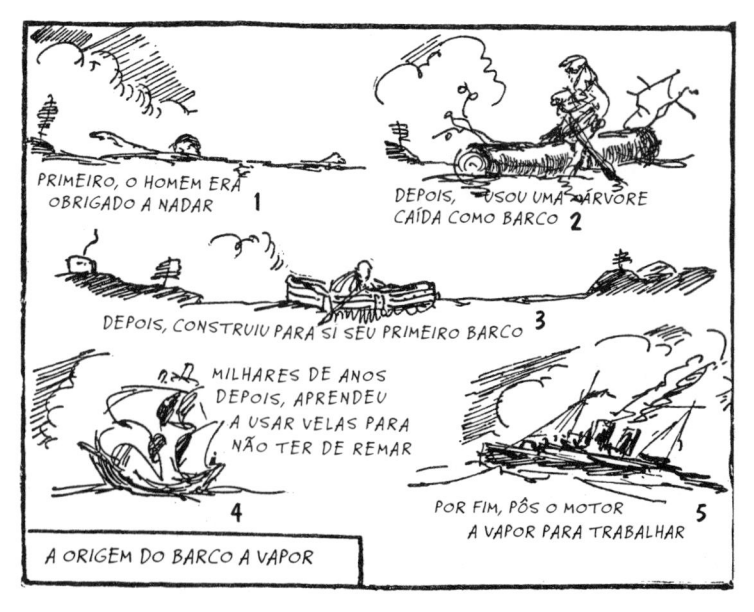

A origem do barco a vapor

A história da humanidade

cial de Comércio prometeu-lhe apoio. Porém, os membros do congresso não estavam interessados, e Morse teve de esperar doze anos para só então receber uma pequena verba. Construiu então um "telégrafo" entre Baltimore e Washington. Em 1837, havia demonstrado o seu primeiro "telégrafo" bem-sucedido numa das salas de aula da Universidade de Nova York. Por fim, em 24 de maio de 1844, a primeira mensagem de longa distância foi enviada de Washington a Baltimore; hoje, o mundo inteiro está coberto de fios telegráficos, e podemos mandar notícias da Europa à Ásia em alguns segundos. Vinte e três anos depois, Alexander Graham Bell usou a corrente elétrica para fazer seu telefone. Cinqüenta anos depois, Marconi aperfeiçoou essas idéias e inventou um sistema de envio de mensagens que já simplesmente não usava os bons e velhos fios de cobre.

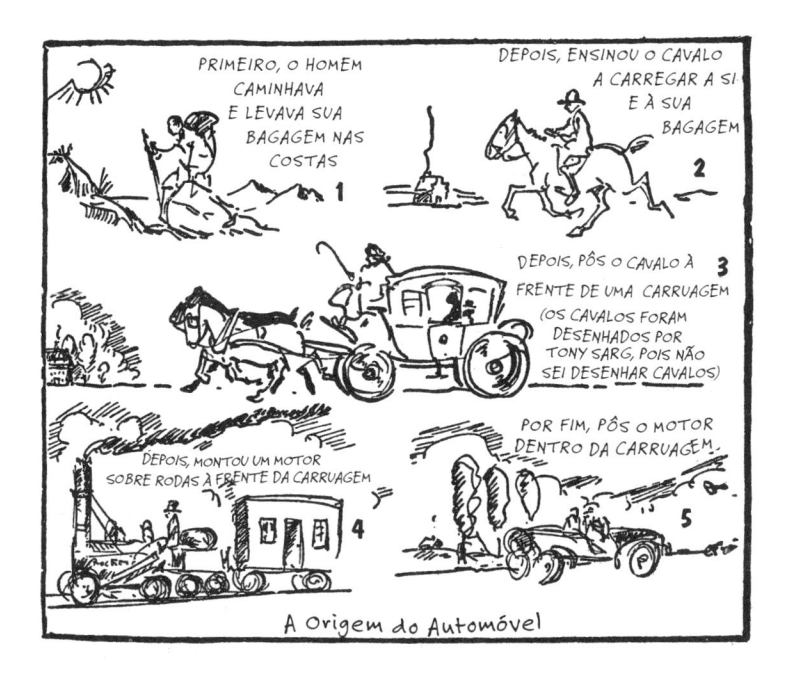

A origem do automóvel

Enquanto Morse, na Nova Inglaterra, trabalhava em seu "telégrafo", Michael Faraday, em Yorkshire, construía seu primeiro "dínamo". Essa maquininha ficou pronta em 1831, enquanto a Europa ainda tremia em virtude das grandes revoluções de julho que tão severamente haviam posto em risco os planos do Congresso de Viena. O primeiro dínamo cresceu, cresceu e cresceu mais um pouco e, hoje, é capaz de nos fornecer calor, luz (você já conhece as lampadinhas incandescentes que Edison criou em 1878, trabalhando a partir de experimentos franceses e ingleses das décadas de 40 e 50) e energia para máquinas de todo tipo. Pode ser que eu esteja enganado, mas acho que o motor elétrico logo tirará de circulação o "motor de calor", do mesmo modo que, em épocas recuadas, os animais pré-históricos mais bem organizados eliminaram seus vizinhos menos eficientes.

Eu, particularmente (mas não sei nada sobre máquinas), vou ficar muito feliz com isso, pois o motor elétrico, que funciona a partir da força da água, é um servo limpo e de agradável companhia, ao passo que o "motor de calor", essa maravilha do século XVIII, é uma criatura suja e barulhenta, que está sempre a encher o mundo de ridículas chaminés, poeira e fuligem e vive exigindo que o alimentem com carvão, carvão que tem de ser extraído das minas, pondo em risco as vidas de milhares de pessoas.

E se eu não fosse historiador, mas romancista, e pudesse usar a imaginação e deixar de me ater aos fatos, descreveria agora o dia feliz em que a última locomotiva a vapor seria levada ao Museu de História Natural para ser colocada ao lado do esqueleto do dinossauro, do pterodátilo e de outras criaturas extintas numa época há muito passada.

58
A REVOLUÇÃO SOCIAL
*Porém, os novos motores eram muito caros
e só os ricos podiam comprá-los. Os antigos carpinteiros
e sapateiros que antes trabalhavam por conta própria
em suas oficinas foram obrigados a vender
seu trabalho aos proprietários das grandes ferramentas
mecânicas, e, enquanto estes ganhavam mais dinheiro
do que antes, aqueles perderam sua independência
e não gostaram disso nem um pouco*

Antigamente, todos os trabalhos eram realizados por operários independentes que se sentavam em suas lojas na frente de suas casas, eram os proprietários de suas próprias ferramentas, puxavam as orelhas de seus próprios aprendizes e, dentro dos limites prescritos pelas guildas, cuidavam de seus negócios da maneira que lhes agradava. Levavam uma vida simples e eram obrigados a trabalhar muito, mas mandavam em si mesmos. Caso se levantassem e vissem que o dia estava bom para pescar, eles iam pescar e não havia ninguém que pudesse lhes impedir.

Porém, a invenção das máquinas modernas mudou tudo isso. A máquina, na verdade, não é outra coisa senão uma ferramenta muito grande. Um trem que o conduz à velocidade de cem quilômetros por hora é na realidade um par de pernas muito rápidas, e o martelo pneumático que amassa grandes placas de ferro é apenas um punho muito forte, feito de aço.

Porém, ao passo que todos nós podemos ter um bom par de pernas e um punho forte, o trem, o martelo pneumático e o tear mecânico são máquinas muito caras. Geralmente não são de propriedade de uma única pessoa, mas de uma companhia de pessoas que contribuem cada qual com uma quantia em dinheiro e depois dividem os lucros de sua estrada de ferro ou tecelagem de acordo com a quantia que cada uma investiu.

Assim, quando as máquinas foram aperfeiçoadas até se tornarem realmente práticas e lucrativas, os construtores dessas

> QUANDO A ACRÓPOLE FOI CONSTRUÍDA, ERAM NECESSÁRIOS CEM HOMENS PARA PUXAR UMA PEDRA PESADA
>
> HOJE EM DIA, ALGUMAS GOTAS DE GASOLINA FAZEM O MESMO TRABALHO EM MENOS TEMPO

Força humana e força mecânica

grandes ferramentas – os fabricantes de máquinas – passaram a procurar consumidores que tivessem condições de comprá-las pagando em dinheiro.

Na Alta Idade Média, quando a terra constituía praticamente a única forma de riqueza, os nobres eram as únicas pessoas consideradas ricas. Porém, como eu já lhe disse num capítulo anterior, eles quase não possuíam ouro e prata; usavam o antigo sistema da troca e cambiavam vacas por cavalos e ovos por mel. Durante as Cruzadas, os burgueses das cidades conseguiram acumular riquezas mediante o reavivamento do comércio entre o Oriente e o Ocidente e tornaram-se sérios rivais dos lordes e cavaleiros.

A Revolução Francesa destruiu por completo a riqueza da nobreza e aumentou enormemente a da classe média ou "burguesia". Os anos de inquietude que se seguiram à Grande Revolução ofereceram a muitos membros da classe média a oportunidade de acumular muito mais bens do que na verdade lhes cabia. As terras da Igreja foram confiscadas pela Convenção Francesa e vendidas em leilão. A corrupção era total. Especuladores de terra roubaram milhares de quilômetros quadrados de terras férteis e, durante as guerras napoleônicas, usaram seu capital para enriquecer excessiva e ilicitamente com o comércio de cereais e pólvora. Assim, passaram a possuir muito mais riqueza do que precisavam para cuidar de seus lares; tornaram-se capazes de construir fábricas e contratar homens e mulheres para trabalhar nas máquinas.

Isso provocou uma mudança abrupta na vida de centenas de milhares de pessoas. Em poucos anos, muitas cidades dobraram o número de seus habitantes. O antigo centro cívico, que fora de fato o "lar" dos cidadãos, foi se rodeando de subúrbios horrendos, de construção barata, onde os operários dormiam depois de onze, doze ou treze horas passadas nas fábricas, e de onde voltavam ao trabalho assim que soasse o apito.

Em toda a zona rural se falava da fabulosa quantidade de dinheiro que circulava nas cidades. O menino camponês, acostumado com a vida ao ar livre, foi para a cidade. Em dois tempos perdeu a saúde em meio à fumaça, à fuligem e à sujeira daquelas fábricas primitivas e mal ventiladas; em geral morria no albergue dos indigentes ou no hospital.

É claro que a migração de tantas pessoas das fazendas para as fábricas não se realizou sem enfrentar algum tipo de oposição. Como uma única máquina fazia o trabalho de cem homens, os outros noventa e nove que perderam o emprego não gostaram do acontecido. Muitas vezes atacavam os edifícios das fábricas e ateavam fogo às máquinas, mas já no século XVII havia companhias de seguros organizadas, de modo que, via de regra, os proprietários estavam bem protegidos contra essas perdas.

Em pouco tempo, máquinas mais novas e melhores foram instaladas, a fábrica foi rodeada de uma alta muralha e os tumultos terminaram. As antigas guildas não podiam de maneira alguma sobreviver nesse novo mundo de vapor e ferro. Deixaram de existir, e os trabalhadores tentaram organizar sindicatos re-

A fábrica

gularizados. Porém, os donos de fábricas, que através de sua riqueza podiam exercer grande influência sobre os políticos de seus países, foram à legislatura e fizeram aprovar leis que proibiam a constituição dos sindicatos de trabalhadores, sindicatos que supostamente prejudicariam a "liberdade de ação" dos operários.

Por favor, não pense que os parlamentares que aprovaram essas leis eram tiranos malignos. Eram os verdadeiros filhos do período revolucionário, em que todos falavam de "liberdade" e muitas vezes matavam seus vizinhos que não amavam tanto a liberdade quanto deveriam amar. Como a "liberdade" era a maior virtude do ser humano, não era correto que os sindicatos impusessem aos trabalhadores um determinado número de horas de trabalho e um determinado salário. Os operários tinham de ser sempre "livres para vender seus serviços no mercado aberto", do mesmo modo que os empregadores tinham de ser "livres" para conduzir seus negócios como bem lhes aprouvesse. A era do mercantilismo, quando o Estado regulava a vida industrial de toda a comunidade, estava terminando. A nova idéia de "liberdade" exigia que o Estado ficasse totalmente de fora e deixasse o comércio "acontecer".

A história da humanidade

A segunda metade do século XVIII não foi somente uma época de dúvidas intelectuais e políticas; também as antigas idéias econômicas foram substituídas por idéias novas, mais adequadas às necessidades da época. Vários anos antes da Revolução Francesa, Turgot, que foi um dos malfadados ministros de finanças de Luís XVI, pregou a nova doutrina da "liberdade econômica". Turgot morava num país que sofrera de um excesso de burocracia, de regulamentos, de fiscais, de leis. "Elimine-se a supervisão oficial", escreveu ele, "deixe-se o povo agir como quiser e tudo estará bem." Logo o seu famoso conselho de *laissez-faire* tornou-se o grito de batalha dos economistas da época.

Ao mesmo tempo, na Inglaterra, Adam Smith estava trabalhando em seu volumoso *A riqueza das nações**, que fazia novo apelo em favor da "liberdade" e dos "direitos do comércio". Trinta anos adiante, depois da queda de Napoleão, quando as potências reacionárias da Europa conquistaram sua vitória em Viena, a mesma liberdade que era negada às pessoas em seus relacionamentos políticos foi-lhes imposta na vida econômica e industrial.

Como eu disse no começo deste capítulo, o uso generalizado das máquinas mostrou-se altamente vantajoso para o Estado. A riqueza aumentou rapidamente. A máquina possibilitou que um único país, a Inglaterra, por exemplo, levasse sozinho todo o fardo das guerras napoleônicas. Os capitalistas (as pessoas que proporcionavam o dinheiro com que as máquinas eram compradas) tiveram lucros enormes. Tornaram-se ambiciosos e começaram a interessar-se pela política. Tentaram competir então com a aristocracia senhora de terras, que ainda exercia grande influência sobre o governo da maioria dos países europeus.

Na Inglaterra, cujos parlamentares ainda eram eleitos de acordo com um decreto real de 1265 e onde um grande número de centros industriais recém-criados ainda não tinham representação parlamentar, esses novos políticos garantiram a aprovação do Projeto de Reforma de 1832, que mudou o sistema eleitoral e deu à casta dos donos de fábricas mais influência sobre o poder legislativo. Esse fato, porém, causou grande descontentamento

* Trad. bras., Martins Fontes, São Paulo, 2003.

em milhares de operários de fábrica, que ficaram sem voz nenhuma no governo. Também eles começaram a exigir o direito de voto. Apresentaram suas reivindicações num documento que veio depois a ser conhecido como "Carta do Povo". Os debates em torno dessa carta foram ficando cada vez mais violentos. Ainda não se haviam resolvido quando se deflagraram as revoluções de 1848. Com medo de um novo levante do jacobinismo e da violência, o governo inglês pôs à testa do exército o duque de Wellington, que já contava então oitenta anos de idade, e convocou novos voluntários. Londres foi posta em estado de sítio e fizeram-se todos os preparativos para suprimir a revolução esperada.

Porém, o Cartismo ou Movimento Cartista cometeu suicídio, pois era mal conduzido, e os esperados atos de violência não ocorreram. A nova classe de ricos donos de fábricas (não gosto da palavra "burguesia", que já foi utilizada *ad nauseam* pelos apóstolos de uma nova ordem social) aos poucos foi adquirindo mais influência sobre o governo, e a vida industrial nas grandes cidades continuou a transformar grandes áreas de pastagens e terras aráveis em miseráveis favelas que ladeiam as entradas de todas as modernas cidades européias.

59
EMANCIPAÇÃO
O uso generalizado de máquinas não trouxe a era de felicidade e prosperidade que fora prevista pela geração que assistiu à substituição da diligência pela estrada de ferro. Vários remédios foram sugeridos, mas nenhum deles chegou a resolver o problema

Em 1831, pouco antes da aprovação do primeiro Projeto de Reforma, o inglês Jeremy Bentham, grande estudioso dos métodos legislativos e o mais prático reformador político da época, escreveu o seguinte a um amigo: "Para ficar em paz, é preciso dar paz aos outros. Para dar paz aos outros, é preciso parecer amá-los. Para parecer amá-los, é preciso amá-los de fato." Jeremy era um homem sincero. Declarou aquilo em que acreditava. Suas opiniões eram partilhadas por milhares de compatriotas seus que se sentiam responsáveis pelas condições de vida de seus semelhantes menos afortunados e procuraram ajudá-los. E Deus sabe que já era hora de fazer algo!

O ideal de "liberdade econômica" (o *laissez-faire* de Turgot) fora necessário na antiga sociedade em que as restrições medievais obstaculizavam toda a atividade industrial. Porém, essa "liberdade de ação" que assim tornou-se a lei máxima da terra conduziu a um estado de coisas terrível, assustador. O número de horas de trabalho nas fábricas só era limitado pela força física do trabalhador. Enquanto uma mulher conseguisse se sentar em frente à sua roda de fiar sem desmaiar de fadiga, esperava-se que ela trabalhasse. Crianças de cinco e seis anos de idade eram levadas às fiações de algodão a fim de serem salvas dos perigos das ruas e da vida ociosa. Aprovou-se uma lei que obrigava os filhos dos indigentes a trabalhar, sob pena de, não o fazendo, serem acorrentados às máquinas. Em troca de seus serviços, eles recebiam uma quantidade suficiente de comida – ruim – para não morrer e uma espécie de chiqueiro onde podiam passar a noite. Muitas vezes estavam tão cansados que dormiam durante o trabalho. Para mantê-los acordados, um capataz de chicote fazia a ronda da fábrica e, sempre que necessário, batia-lhes nas mãos para lembrá-los de cumprir seus deveres. É claro que, nessas circunstâncias, milhares de criancinhas morreram. A situação era lamentável, e os empregadores, que eram seres humanos e, bem ou mal, ainda tinham coração, queriam sinceramente abolir o "trabalho infantil". Porém, como o homem era "livre", decorria daí que as crianças também eram "livres". Além disso, se o sr. Jones tentasse fazer sua fábrica funcionar sem empregar crianças de cinco e seis anos de idade, seu concorrente, o sr. Stone, contrataria um grande número de menininhos, levando o sr. Jones à falência. Por isso, o sr. Jones tinha de continuar empregando a força de trabalho infantil até o parlamento se decidir a proibir isso para todos os empregadores.

Porém, como o parlamento já não era dominado pela antiga aristocracia senhora de terras (que desprezava os donos de fábricas novos-ricos, com suas bolsas cheias de dinheiro, e tratava-os com evidente desprezo), mas sim pelos representantes dos centros industriais, pouca coisa se fez enquanto a lei proibiu a associação dos trabalhadores em sindicatos. É claro que as pessoas inteligentes e decentes daquela época percebiam essa terrível situação. Mas não podiam fazer nada. As máquinas tinham pegado o mundo de surpresa; muitos anos tiveram de se passar e milhares de homens e mulheres de bem tiveram de se esforçar para que a máquina se tornasse o que ela deve ser: a serva do homem, e não sua senhora.

Curiosamente, o primeiro ataque desferido contra o escandaloso sistema de emprego que então era comum em todas as partes do mundo teve como beneficiários os escravos negros da África e da América. A escravidão foi introduzida no continente americano pelos espanhóis. Eles tentaram empregar os índios como trabalhadores nos campos e nas minas, mas os índios, quando não podiam viver livremente, simplesmente se deitavam e morriam; para salvá-los da extinção, um sacerdote de misericordioso coração sugeriu que se trouxessem negros da África para trabalhar. Os negros eram fortes e capazes de suportar os maus-tratos. Além disso, a vida ao lado do homem branco lhes daria a oportunidade de aprender o cristianismo e assim salvar suas almas. Em suma, sob todos os pontos de vista, a escravidão dos africanos seria um excelente negócio, tanto para o bondoso homem branco quanto para os seus ignorantes irmãos negros. Porém, com a chegada das máquinas, a demanda de algodão aumentou; os negros foram forçados a trabalhar mais ainda do que trabalhavam antes e, como os índios, também eles começaram a morrer por causa do tratamento que recebiam dos capatazes e feitores.

Relatos de uma incrível crueldade chegavam constantemente à Europa e, em todos os países, homens e mulheres começaram a organizar-se pela abolição da escravatura. Na Inglaterra, William Wilbeforce e Zachary Macaulay (pai de um grande historiador cuja *História da Inglaterra* você deve ler se quiser saber o quanto um livro de história pode ser interessante) organizaram uma associação pelo fim da escravidão. Em primeiro lugar fizeram aprovar uma lei que tornava ilegal o "comércio de escravos". Depois de 1840, já não havia um único escravo nas colônias britânicas. A Revolução de 1848 pôs fim à escravatura nas colônias francesas. Em 1858, os portugueses fizeram aprovar uma lei em que prometiam a liberdade a seus escravos num prazo de vinte anos. Os holandeses aboliram a escravidão em 1863 e, nesse mesmo ano, o czar Alexandre II devolveu a seus servos a liberdade que lhes fora tirada havia mais de dois séculos.

Nos Estados Unidos da América, essa questão motivou graves dificuldades e uma guerra prolongada. Embora a Declaração de Independência tivesse estabelecido o princípio de que "todos os homens são criados iguais", abrira-se uma exceção para os homens e mulheres de pele escura que trabalhavam nas plantações dos estados do sul. Com o tempo, o horror do povo do norte pela instituição da escravidão cresceu, e esse povo não fez questão de esconder seus sentimentos. Os sulistas, porém, alegavam que não podiam plantar algodão sem fazer uso do trabalho escravo, e por quase cinqüenta anos um tumultuado debate se arrastou pelo congresso e pelo senado.

Norte e sul obstinaram-se em suas posições. Quando o acordo já parecia impossível, os estados do sul ameaçaram deixar a União. Esse foi um ponto extremamente perigoso na história norte-americana. Muitas coisas "poderiam" ter acontecido. O fato de não terem acontecido se deve a um grande homem, um homem muito bom.

A 6 de novembro de 1860, Abraham Lincoln, advogado de Illinois que por si mesmo se educara, foi eleito presidente pelo Partido Republicano, que era muito forte nos estados antiescravagistas. Conhecia pessoalmente os males da servidão humana e sabia, pela astúcia e pelo bom-senso, que no continente setentrional não havia lugar para duas nações inimigas. Quando alguns estados se separaram da União e constituíram os "Estados Confederados da América", Lincoln aceitou o desafio. De todos os estados do norte se convocaram voluntários. Centenas de jovens apresentaram-se cheios de entusiasmo, e seguiram-se quatro anos de uma sangrenta guerra civil. O sul, mais bem preparado e contando com o brilhante comando de Lee e Jackson, derrotava repetidamente os exércitos do norte. Foi então que se fez valer a força econômica da Nova Inglaterra e do Oeste. Um oficial desconhecido, de nome Grant, saiu da obscuridade e tornou-se o Carlos Martelo da grande guerra contra a escravidão. Desferiu ininterruptamente seus rudes golpes sobre as já frágeis defesas do sul. No começo de 1863, o presidente Lincoln publicou sua "Proclamação de Emancipação" com a qual libertava todos os escravos. Em abril de 1865, Lee rendeu o último de seus corajosos exércitos em Appomattox. Poucos dias depois, o presidente Lincoln foi assassinado por um lunático. Mas sua obra já estava feita. Com exceção de Cuba, que ainda estava sob o domínio espanhol, a escravidão estava abolida em todas as partes do mundo civilizado.

Porém, na mesma época em que o homem negro passava a gozar de mais liberdade, os trabalhadores "livres" da Europa não tinham a mesma sorte. Com efeito, muitos escritores e observadores de nossos tempos se surpreendem pelo fato de as massas de trabalhadores (o chamado proletariado) não terem morrido de tanta miséria. Viviam em casas imundas situadas em trechos miseráveis dos bairros mais pobres; alimentavam-se mal; não recebiam mais do que a instrução necessária para que pudessem desempenhar sua função na fábrica; em caso de morte e acidente, seus familiares nada recebiam. Mas os produtores de bebidas alcoólicas (que exerciam grande influência sobre os legisladores) encorajavam os operários a esquecer-se de seus males, oferecendo-lhes quantidades ilimitadas de uísque e gim a um preço muito baixo.

A incrível melhora que ocorreu desde as décadas de 1830 e 1840 não se deve aos esforços de um único homem. Os melhores cérebros de duas gerações dedicaram-se à tarefa de salvar o mundo dos desastrosos resultados da súbita introdução das máquinas. Essas pessoas não tentaram destruir o sistema capitalista. Tal coisa seria tolice, pois a riqueza acumulada por outras pessoas pode, quando bem utilizada, fazer grandes benefícios à humanidade. Mas tentaram combater a idéia de que pode haver verdadeira igualdade entre o homem rico e dono de fábricas que pode fechar as portas de suas instalações a seu bel-prazer sem correr o risco de passar fome e o operário que precisa aceitar o emprego que lhe for oferecido pelo salário que lhe for concedido para não ter de enfrentar a possibilidade de morrer de fome junto com sua esposa e filhos.

Essas pessoas trabalharam para fazer aprovar certas leis que coordenam as relações entre os donos de fábricas e os operários. Sob esse aspecto, os reformadores têm obtido um êxito cada vez maior em todos os países. Hoje em dia, a maioria dos trabalhadores está protegida; as horas de trabalho foram reduzidas à excelente média de oito, e os filhos dos operários são mandados à escola em vez de ir às minas e aos salões de cardagem dos cotonifícios.

Porém, houve também outros homens que contemplaram o espetáculo das chaminés fumegantes, que ouviram o estrépito dos trens de ferro, que viram os armazéns cheios de excedentes de todos os tipos de materiais e que se perguntaram qual seria o objetivo a que essa tremenda atividade conduziria nos anos vindouros. Lembraram-se de que a raça humana havia vivido por centenas de milhares de anos sem a competição comercial e industrial. Seriam eles capazes de mudar a ordem das coisas e eliminar um sistema de rivalidade que muitas vezes sacrificava aos lucros a própria felicidade do ser humano? Essa idéia – essa vaga esperança de tempos melhores – não ocorreu num único país. Na Inglaterra, Robert Owen, proprietário de muitos cotonifícios, fundou uma chamada "comunidade socialista" que obteve grande sucesso. Mas, quando morreu, a prosperidade de Nova Lanark foi-se embora junto com ele. A tentativa de Louis Blanc, jornalista francês, de fundar "oficinas sociais" em toda a França fracassou igualmente. Com efeito, os escritores socialistas, cujo número se multiplicava, logo começaram a perceber que as pequenas comunidades isoladas da vida industrial como um todo jamais seriam capazes de realizar alguma coisa. Primeiro era preciso estudar os princípios fundamentais de toda a sociedade industrial e capitalista para depois sugerir remédios eficazes.

Os socialistas práticos, como Robert Owen, Louis Blanc e François Fournier, foram substituídos por teóricos do socialismo, como Karl Marx e Friedrich Engels. Dos dois, Marx é o mais conhecido. Era um homem brilhante cuja família havia muito tempo morava na Alemanha. Ouviu falar das experiências de Owen e Blanc e começou a interessar-se por questões relativas ao trabalho, aos salários e ao desemprego. Porém, suas opiniões liberais tornaram-no malquisto da polícia alemã. Marx foi obrigado a fugir para Bruxelas e depois para Londres, onde levava uma existência pobre e miserável como correspondente do *New York Tribune*.

Até então, ninguém prestara muita atenção a seus livros sobre temas econômicos. Mas em 1864 ele organizou a primeira associação internacional de trabalhadores e três anos depois, em 1867, publicou o primeiro volume de seu conhecido tratado *O capital*. Marx acreditava que a história humana é um longo conflito entre os que "têm" e os que "não têm". A introdução e o uso generalizado das máquinas teriam criado uma nova classe social, a dos capitalistas, que usariam seu excesso de riqueza para comprar os instrumentos de trabalho, que seriam então usados pelos operários para produzir ainda mais riqueza, que seria de novo usada para construir-se mais fábricas, e assim até o fim dos tempos. Enquanto isso, segundo Marx, o Terceiro Estado (a burguesia) ficava cada vez mais rico e o Quarto Estado (o proletariado), cada vez mais pobre; e Marx previu que, no fim, um único homem seria o dono de toda a riqueza do mundo, ao passo que todos os outros seriam seus empregados e ficariam dependentes de sua boa vontade.

Para impedir que isso acontecesse, Marx aconselhou os trabalhadores do mundo inteiro a unir-se e lutar por determinadas medidas políticas e econômicas que ele detalhara num Manifesto publicado em 1848, o ano da última grande revolução européia.

É claro que essas opiniões não eram bem vistas pelos governos europeus; muitos países, a Prússia em especial, fizeram aprovar leis severas contra os socialistas, e os policiais tinham ordens de dissolver à força as reuniões de socialistas e prender os oradores. Porém, esse tipo de perseguição nunca alcança o seu objetivo. Os mártires são a melhor propaganda possível para qualquer causa que não conte com maciço apoio popular. Na Europa, o número de socialistas aumentava a cada dia; logo, porém, ficou claro que os socialistas não estavam trabalhando para provocar uma revolução violenta, mas sim usando seu poder cada vez maior nos diversos parlamentos para promover os interesses das classes trabalhadoras. Socialistas chegaram a ser chamados para compor ministérios e cooperaram com católicos e protestantes progressistas para desmanchar os males causados pela Revolução Industrial e garantir uma repartição mais justa dos muitos benefícios dados pelo uso de máquinas e pelo aumento na produção de riqueza.

60
A ERA DA CIÊNCIA
O mundo sofreu, porém, outra mudança, mais importante ainda do que as revoluções política e industrial. Depois de serem oprimidos e perseguidos por muitas gerações, os cientistas adquiriram enfim sua liberdade de ação e trabalharam para descobrir as leis fundamentais que regem o universo

Os egípcios, os babilônios, os caldeus, os gregos e os romanos – todos eles deram suas contribuições às primeiras noções de ciência e de investigação científica. Porém, as grandes migrações do século IV destruíram o mundo clássico do Mediterrâneo; e a Igreja cristã, que se interessava mais pela vida da alma do que pela do corpo, passou a ver a ciência como uma manifestação da arrogância humana que tem a pretensão de desvendar os mistérios de Deus Todo-Poderoso, e que por isso mesmo está muito próxima dos sete pecados capitais.

Em certa medida, limitada ainda, o Renascimento rompeu essa muralha dos preconceitos medievais. A Reforma, porém, que ultrapassou o Renascimento no começo do século XVI, foi hostil ao ideal da "nova civilização", e mais uma vez os homens de ciência foram ameaçados de severos castigos caso tentassem ir além dos estreitos limites do conhecimento dado pelas Sagradas Escrituras.

Nosso mundo é repleto de estátuas de grandes generais sobre cavalos empinados, conduzindo seus fiéis soldados às glórias da vitória. Aqui e ali, uma modesta placa de mármore demarca o local onde repousam os restos mortais de um grande cientista. Daqui a mil anos, isso provavelmente não será mais assim, e as crianças dessa feliz geração vão conhecer a intrépida coragem e a quase inconcebível devoção ao dever dos homens que foram os pioneiros desse conhecimento abstrato sem o qual

O filósofo

a existência concreta do mundo moderno jamais teria sido possível.

Muitos desses pioneiros da ciência sofreram a pobreza, o desprezo e a humilhação. Viviam em águas-furtadas e morriam em masmorras. Não ousavam publicar o nome nos frontispícios de seus livros e não se aventuravam a divulgar suas conclusões na terra onde nasceram, mas contrabandeavam seus manuscritos para alguma gráfica secreta de Amsterdam ou Haarlem. Viviam à mercê da cruel inimizade da Igreja, católica ou protestante, e eram tema de infindáveis sermões nos quais os fiéis eram incitados a fazer violência contra os "hereges".

Aqui e ali encontravam asilo. Na Holanda, onde o espírito de tolerância sempre foi mais forte, as autoridades – embora não vissem com bons olhos as investigações científicas – recusavam-se a interferir na liberdade de pensamento dos cidadãos. Esse país se tornou uma espécie de refúgio da liberdade intelectual, onde filósofos, matemáticos e físicos franceses, ingleses e alemães podiam gozar de um período de repouso e respirar um pouco de ar fresco.

Já lhe contei em outro capítulo que Roger Bacon, o grande gênio do século XIII, foi impedido por vários anos de escrever uma única palavra para não ter de se haver com as autoridades da Igreja. Quinhentos anos depois, os colaboradores da grande *Enciclopédia* filosófica viviam sob a constante supervisão da gendarmeria francesa. Meio século mais tarde, Darwin, que ousou questionar o relato da criação do homem relevado pela Bíblia, foi condenado de todos os púlpitos como um inimigo da raça humana. Mesmo hoje, os que ousam penetrar nos domínios ocultos da ciência ainda são perseguidos. Agora mesmo, enquanto escrevo estas linhas, o Sr. Bryan está discursando para uma grande multidão sobre o "Perigo do Darwinismo", prevenindo seus ouvintes dos erros do grande naturalista britânico.

Tudo isso, porém, são meros detalhes. Os trabalhos que têm de ser feitos invariavelmente o são, e os benefícios últimos das descobertas e invenções recaem sobre as mesmas massas de pessoas que sempre desprezam o homem de visão, considerando-o um idealista e um inútil.

No século XVII, os cientistas ainda preferiam estudar os longínquos céus e avaliar a posição do nosso planeta em relação aos demais corpos celestes. Mesmo assim, a Igreja reprovava essa ímpia curiosidade, e Copérnico, que foi o primeiro a propor a idéia de que o Sol está no centro do universo, só publicou sua obra no dia de sua morte. Galileu passou a maior parte de sua vida sob a supervisão das autoridades eclesiásticas, mas não deixou de usar seu telescópio e passou a Isaac Newton um grande número de observações práticas que ajudaram o matemático inglês a determinar com exatidão a existência desse estranho há-

Galileu

bito dos objetos, o hábito de cair no chão, que veio depois a ser conhecido como lei da gravitação universal. A formulação dessa lei exauriu, pelo menos por um certo tempo, o estudo dos céus, e o homem começou a estudar a terra. A invenção de um microscópio manipulável (um instrumentozinho estranho e desajeitado) por Antony van Leeuwenhoek na segunda metade do século XVII deu ao homem a oportunidade de estudar as criaturas "microscópicas" responsáveis por tantas doenças. Lançaram-se assim os fundamentos da ciência da "bacteriologia", que nos últimos quarenta anos livrou o mundo de diversos males mediante a descoberta dos microrganismos que os causam. O microscópio permitiu ainda que os geólogos empreendessem um estudo mais cuidadoso das rochas e dos fósseis (vegetais pré-históricos petrificados) que encontravam bem abaixo da superfície da terra. Esse estudo os convenceu de que a terra era muito mais velha do que afirmava o livro do Gênesis; e, em 1830, sir Charles Lyell publicou os seus *Princípios de geologia*, que negam o relato bíblico da criação e nos dão uma descrição muito mais maravilhosa da formação da terra pelo crescimento lento e desenvolvimento gradual.

Nessa mesma época o marquês de Laplace estava elaborando uma nova teoria da criação que fazia da Terra uma mera manchinha no mar nebuloso a partir do qual se formou o sistema planetário; Bunsen e Kirchhoff, usando o espectroscópio, investigavam a composição química das estrelas e do nosso bom vizinho, o Sol, cujas curiosas manchas foram observadas pela primeira vez por Galileu.

Entretanto, ao cabo de uma guerra rancorosa e incansável contra as autoridades eclesiásticas católicas e protestantes, os anatomistas e fisiologistas por fim obtiveram permissão para dissecar cadáveres, e assim substituíram as adivinhações do charlatanismo medieval por um conhecimento positivo de nossos órgãos e suas funções.

Numa única geração (de 1810 a 1840), fez-se mais progresso em todos os ramos da ciência do que em todas as centenas de milhares de anos que se passaram desde a primeira vez em que o homem olhou para as estrelas e se perguntou por que elas existiam. Deve ter sido uma época muito triste para os que foram educados segundo o antigo sistema. E podemos compreender por que eles odiavam homens como Lamarck e Darwin, que não lhes disseram literalmente que nós "descendemos do macaco" (uma acusação que nossos avós pareciam encarar como um insulto pessoal), mas que deram a entender que a orgulhosa raça humana evoluíra de uma longa linhagem de ancestrais cujos mais remotos antepassados seriam as pequenas águas-vivas que foram os primeiros habitantes deste nosso planeta.

O digno mundo da classe média abastada que dominou o século XIX não se furtava a fazer uso da iluminação a gás, da iluminação elétrica, das muitas aplicações práticas das grandes descobertas científicas; mas o simples investigador, o homem das "teorias científicas" sem as quais progresso algum seria possível, esse continuou a ser objeto de desconfiança até uma época bem recente. Mas, por fim, seus serviços foram reconhecidos. Hoje em dia, os ricos que no passado doavam sua riqueza para a construção de catedrais constroem grandes laboratórios onde homens silenciosos lutam contra os inimigos ocultos da humanidade e muitas vezes sacrificam a própria vida para que as gerações vindouras possam gozar de mais felicidade e saúde.

Aconteceu efetivamente que muitos males deste mundo, encarados por nossos antepassados como inevitáveis, foram desmascarados como manifestações da nossa própria ignorância e descuido. Hoje em dia, toda criança sabe que pode evitar a febre tifóide se apenas tiver um pouco de cuidado com a água que bebe. Porém, os médicos tiveram de trabalhar duro por anos a fio para convencer o público desse fato. Poucas pessoas têm medo, hoje, da cadeira do dentista. O estudo dos micróbios que vivem em nossa boca nos possibilitou impedir a deterioração dos dentes. Caso ainda assim seja necessária uma extração, nós inalamos um pouco de gás e não sentimos mais nada. Quando os jornais de 1846 publicaram reportagens sobre a "operação sem dor" que tinha sido realizada nos Estados Unidos com a ajuda do éter, os europeus balançaram solenemente a cabeça. Para eles, era contrário à vontade de Deus que o homem escapasse à dor, destino comum de todos os mortais; e muito tempo se passou até que se generalizasse o uso do éter e do clorofórmio como anestésicos.

A história da humanidade

O avião

Hendrik Willem van Loon

Porém, a batalha do progresso já estava vencida. A brecha nas muralhas do preconceito foi se abrindo e, com o tempo, as velhas pedras da ignorância desabaram arruinadas. Os ávidos cruzados de uma ordem social nova e mais feliz entraram pela brecha assim aberta, mas depararam de repente com um novo obstáculo. Das ruínas de um passado remotíssimo ergueu-se outra cidadela da reação, e milhões de homens tiveram de dar seu sangue para que esse último bastião fosse destruído.

61
A ARTE
Um capítulo sobre a arte

Quando um bebê perfeitamente saudável está de estômago cheio e já dormiu à vontade, ele murmura uma cançãozinha para mostrar o quanto está feliz. Para os adultos, esse murmúrio nada significa. Ele se parece com "gu-zum, gu-zum, gu-u-u-u", mas para o bebê é uma música perfeita. É a sua primeira realização artística.

Quando ele fica mais velho e já consegue se sentar, começa a época da fabricação das tortas de lama. Essas tortas não interessam ao mundo exterior. São milhões de bebês que fabricam milhões de tortas de lama ao mesmo tempo. Porém, para a criança, elas representam uma nova expedição ao agradável mundo da arte. Agora, o bebê é um escultor.

Aos três ou quatro anos de idade, quando as mãos começam a obedecer ao cérebro, a criança se torna pintora. Sua mãe amorosa lhe dá uma caixa de gizes de cera, e todos os pedaços disponíveis de papel rapidamente se cobrem de estranhos garranchos e rabiscos que representam casas, cavalos e terríveis batalhas navais.

Em pouco tempo, porém, acaba-se a felicidade de simplesmente "fazer coisas". A criança começa a ir à escola, e a maior parte de seu dia se enche de trabalho. A atividade de viver, ou antes de "ganhar a vida", se torna a principal preocupação de todos os meninos e meninas. Entre o aprendizado das tabuadas e dos particípios passados dos verbos irregulares franceses, sobra pouco tempo para a "arte". E, a menos que seja muito forte o desejo de fazer certas coisas pelo puro e simples prazer de criá-las, sem esperar disso nenhum retorno financeiro, a criança chega à idade adulta e se esquece completamente de que, nos primeiros cinco anos de vida, dedicava-se quase exclusivamente à arte.

Os países não são muito diferentes das crianças. Assim que o homem das cavernas escapou dos perigos ameaçadores da prolongada era glacial e pôs sua casa em ordem, começou a fazer certas coisas que lhe pareciam bonitas, muito embora essas coisas de nada lhe servissem em sua batalha contra os ferozes animais da selva. Cobria as paredes de suas cavernas com imagens dos elefantes e veados que caçava; e cinzelava em pedra as toscas figuras das mulheres que julgava mais sedutoras.

Tão logo os egípcios, os babilônios, os persas e todos os outros povos do Oriente fundaram seus pequenos países às margens do Nilo e do Eufrates, começaram a construir palácios magníficos para seus reis, a inventar jóias cintilantes para suas mulheres e a cultivar jardins cujas muitas flores luminosas cantavam canções de alegria e cor.

Nossos próprios antepassados, nômades vindos das distantes estepes asiáticas, que viviam livres como caçadores e guerreiros, compuseram canções para celebrar os grandes feitos de seus chefes e inventaram uma forma de poesia que existe até hoje. Mil anos depois, quando se estabeleceram na Grécia e construíram suas cidades-Estado, expressaram suas alegrias (e sofrimentos) em templos magníficos, em estátuas, em comédias e tragédias e em todas as formas concebíveis de arte.

Os romanos, à semelhança de seus rivais cartagineses, ocupavam-se demais de administrar outros povos e ganhar dinheiro; assim, não eram muito amigos das aventuras do espírito, "inúteis e não-lucrativas". Conquistaram o mundo inteiro e construíram estradas e pontes, mas toda a sua arte foi tomada emprestada dos gregos. Inventaram certas formas práticas de arquitetura que atendiam às necessidades da época, mas suas estátuas, suas histórias, seus mosaicos e seus poemas eram imitações latinas de originais helenos. Sem essa qualidade vaga e difícil de definir que o mundo chama de "personalidade", a arte não pode existir; e o mundo romano desconfiava desse tipo de personalidade. O império precisava de soldados e comerciantes eficientes, e a tarefa de escrever poesias e pintar quadros foi deixada a cargo dos estrangeiros.

Veio então a Idade das Trevas. Os bárbaros da Europa ocidental eram como o proverbial macaco em loja de louças: não sabiam que uso dar às coisas que não compreendiam. Para fazer uma comparação com o ano de 1921, eles gostavam das fotos de mulheres bonitas que adornam as capas de revistas, mas jogavam na lata do lixo as águas-fortes de Rembrandt que tinham herdado dos povos que dominaram. Logo perceberam o erro cometido e tentaram remediar os danos que eles mesmos haviam causado alguns anos antes. Porém, tanto a lata de lixo quanto as águas-fortes já tinham desaparecido.

A essa altura, a própria arte dos bárbaros, que eles trouxeram consigo do Oriente, já se transformara numa coisa muito bela. Os povos do norte compensaram o descaso e a indiferença do passado com a chamada "arte da Idade Média", que, pelo menos na Europa setentrional, foi um produto do espírito germânico; praticamente não fez uso de elementos gregos e latinos e não fez uso algum das antigas formas de arte do Egito e da Assíria, sem falar nas da Índia e da China, que, para o povo daquela época, simplesmente não existiam. Com efeito, as raças do norte foram tão pouco influenciadas pelas do sul que as suas obras arquitetônicas foram extremamente mal interpretadas pelos habitantes da Itália, que as encaravam com um desprezo declarado e absoluto.

Você já ouviu a palavra "gótico". Provavelmente a associa com a imagem de uma belíssima catedral antiga, cujas finas torres alçam-se elegantemente em direção ao céu. Mas o que significa realmente essa palavra?

Significa "inculto" e "bárbaro" – algo que se podia esperar de um "godo incivilizado", um sertanejo rústico que não tinha respeito algum pelas regras estabelecidas da arte clássica e construía seus "horrores modernos" para atender ao seu próprio mau gosto, sem levar em consideração os exemplos do Fórum e da Acrópole.

Não obstante, essa arquitetura gótica foi por vários séculos a mais excelsa expressão de um sentimento artístico sincero que inspirou todo o continente setentrional. Pelo que dissemos num capítulo anterior, você há de se lembrar de como vivia o povo da Idade Média. Quando não eram camponeses nem habitavam nos povoados rurais, eram cidadãos de uma "cidade" ou *civitas*, o antigo nome que os latinos davam às tribos. E com efeito, por trás das altas muralhas e dos fossos profundos, esses bons burgueses constituíam verdadeiras tribos; partilhavam dos mesmos perigos e gozavam da segurança e da prosperidade comuns que provinham do seu sistema de mútua proteção.

Nas antigas cidades gregas e romanas, o centro da vida cívica era a praça do mercado, em frente à qual localizava-se o templo. Durante a Idade Média, a igreja, a Casa de Deus, assumiu o papel de centro. Nós, protestantes modernos, que vamos à igreja uma vez por semana e lá não passamos senão uma ou duas horas, não temos a mínima idéia de o que a igreja medieval significava para a comunidade. Lá, com uma semana de idade, você era levado à igreja para ser batizado. Na infância, visitava a igreja para aprender a história sagrada das Escrituras. Mais tarde se tornava membro da congregação e, se tivesse dinheiro suficiente, construía para si uma capelinha anexa consagrada à memória do santo padroeiro da família. O edifício sagrado ficava aberto o dia inteiro e a maior parte da noite. Em certo sentido, assemelhava-se a um clube moderno, cujos sócios eram todos os habitantes da cidade. Era na igreja que você teria a maior probabilidade de ver pela primeira vez a menina com quem mais tarde viria a se casar numa grandiosa cerimônia perante o altar-mor. E afinal, chegado o fim da jornada, seus restos mortais eram sepultados sob as pedras desse familiar edifício, para que seus filhos e os filhos de seus filhos passassem sobre a sua tumba até o dia do Juízo Final.

Uma vez que a igreja era não somente a Casa de Deus como também o verdadeiro centro de toda a vida comunitária, o edifício tinha de ser diferente de tudo o que já fora construído pelas mãos do homem. Os templos dos egípcios, dos gregos e dos romanos não passavam de santuários de divindades locais. Como não se pregavam sermões perante as imagens de Osíris, de Zeus e de Júpiter, o interior não tinha de oferecer espaço suficiente para grandes multidões. Todas as procissões religiosas dos povos mais antigos do Mediterrâneo eram realizadas ao ar livre. No norte, porém, onde o tempo não era tão bom, a maioria dos ofícios religiosos era celebrada sob o teto da igreja.

Por muitos séculos, os arquitetos lutaram contra o problema de construir um edifício grande o suficiente. A tradição romana os ensinara a construir pesadas paredes de pedra com janelas muito pequenas (para que as paredes não ficassem frágeis demais). Em cima disso repousava uma pesada cobertura de pedra. Mas no século XII, depois do início das cruzadas, quando viram os arcos ogivais dos arquitetos maometanos, os construtores ocidentais desenvolveram um novo estilo que lhes deu a primeira oportunidade de construir um edifício digno da intensa vida religiosa que se vivia naqueles tempos. E foi assim que criaram o estranho estilo a que os italianos deram o nome pejorativo de "gótico" ou bárbaro. Para atingir seus objetivos, inventaram uma cobertura abobadada sustentada por "nervuras". Porém, se tal cobertura fosse muito pesada, podia fazer desabar as paredes para os lados, como um homem de cento e cinqüenta quilos que se senta sobre uma cadeira de criança faz com que as pernas desta se abram. Para superar essa dificuldade, certos arquitetos franceses começaram a reforçar as paredes com "contrafortes", ou seja, pesadas massas de pedra que davam sustentação lateral às paredes e recebiam o peso da cobertura. E para garantir a segurança da mesma cobertura, apoiavam as nervuras desta sobre os chamados "arcobotantes" ou botaréus, um método bastante simples de construção que você vai entender de imediato quando olhar o nosso desenho.

Esse novo método de construção permitiu que os edifícios tivessem janelas enormes. No século XII, o vidro era uma curiosidade pela qual se pagava caro, e poucos edifícios particulares tinham janelas de vidro. Nem os castelos dos nobres contavam com essa proteção, o que explica as infindáveis correntes de vento que os assolavam e o fato de o povo daquela época usar casacos de peles dentro e fora de casa.

Hendrik Willem van Loon

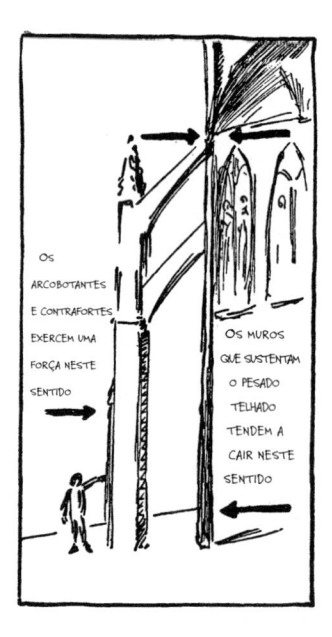

A arquitetura gótica

Felizmente, a arte da fabricação de vidros coloridos, que os povos antigos do Mediterrâneo conheciam, não tinha sido inteiramente perdida. Passou-se novamente a fabricar vitrais e em pouco tempo as janelas das igrejas góticas já contavam as histórias da Bíblia Sagrada em pequenas peças de vidro multicolorido, unidas e sustentadas por uma grande estrutura de chumbo.

Eis, então, a nova e gloriosa casa de Deus, lotada de uma ávida multidão que "vivia" sua religiosidade como nenhum povo viveu, nem antes nem depois! Nada era considerado caro demais, bom demais ou maravilhoso demais para esse edifício, Casa de Deus e Lar dos Homens. Os escultores, que desde o final do Império Romano não tinham o que fazer, retomaram então a prática de sua nobre arte. Os portais, os pilares, os contrafortes e as cornijas são todos recobertos de imagens esculpidas de Nosso Senhor e dos santos. Também as bordadeiras foram postas para trabalhar, a fim de confeccionar tapeçarias para as paredes. Os

A história da humanidade

joalheiros ofereciam as obras-primas de sua arte para que o santuário do altar fosse digno da adoração que lhe era devida. Até mesmo os pintores se esforçavam para dar sua contribuição; mas, pobres diabos, eram gravemente prejudicados pela falta de um veículo adequado para sua arte.

E vamos interpor aqui uma história.

Os romanos dos primórdios da Era Cristã cobriam os pisos e as paredes de seus templos e residências com mosaicos, imagens criadas pela justaposição de pedacinhos de vidro colorido. Porém, essa arte era extremamente difícil. Não dava aos pintores a oportunidade de expressar tudo o que tinham dentro de si, como sabem todas as crianças que já tentaram compor figuras com bloquinhos coloridos de madeira. Assim, a arte do mosaico morreu no final da Idade Média, exceto na Rússia, onde os mosaicistas bizantinos refugiaram-se depois da queda de Constantinopla e continuaram a adornar as paredes das igrejas ortodoxas até a época dos bolcheviques, que puseram fim à construção de igrejas.

O pintor medieval podia misturar seus pigmentos com a água do gesso úmido que era aplicado sobre as paredes das igrejas. Esse método de pintura sobre o "gesso fresco" (de onde o nome "afresco" que se dá a esse tipo de arte) foi muito popular durante vários séculos. Hoje em dia, é tão raro quanto a arte de pintar miniaturas em manuscritos, e, entre os milhares de artistas de uma cidade moderna, talvez se encontre um que saiba trabalhar com esse método. Porém, na Idade Média, não havia outro método, e todos os pintores eram pintores de afrescos por falta de um veículo melhor. O afresco tem certas desvantagens bastante graves. Muitas vezes, o gesso se solta das paredes depois de poucos anos, ou a umidade estraga as pinturas, como estraga os nossos papéis de parede. As pessoas tentaram de tudo para pintar sobre outro fundo que não o de gesso. Tentaram misturar seus pigmentos com vinho, com vinagre, com mel e com a pegajosa clara de ovo, mas nenhum desses métodos deu resultados satisfatórios. Os experimentos prosseguiram por mais de mil anos. Os artistas medievais atingiram um grau excelente na pintura das folhas de manuscritos, feitas de pergaminho. Porém, não conseguiam cobrir grandes espaços de madeira ou pedra com pinturas duráveis.

Por fim, na primeira metade do século XV, o problema foi resolvido nos Países Baixos do sul por Jan e Hubert van Eyck. Os famosos irmãos flamengos misturaram seus pigmentos com óleos especialmente preparados, o que lhes permitiu usar madeira, tela, pedra ou qualquer outro material como base de suas pinturas.

Porém, a essa altura, o fervor religioso da Idade Média já era coisa do passado. Os ricos burgueses das cidades substituíram os bispos no papel de patronos das artes. E como a arte invariavelmente segue o caminho da barriga cheia, os artistas passaram a trabalhar para esses empregadores mundanos e pintaram seus quadros para os reis, os grão-duques e os ricos banqueiros. Em pouco tempo, o novo método de pintura a óleo disseminou-se por toda a Europa, e em cada país desenvolveu-se uma escola específica que representava os gostos específicos das pessoas para quem eram pintados aqueles retratos e paisagens.

Na Espanha, por exemplo, Velásquez pintava os anões da corte, as tecelãs das tecelagens reais e toda sorte de pessoas e temas ligados ao rei e à corte real. Na Holanda, por outro lado, Rembrandt, Frans Hals e Vermeer pintavam o celeiro da casa do comerciante, sua deselegante esposa, seus filhos saudáveis e briguentos e os navios que faziam circular sua riqueza. Na Itália, onde o papa ainda era o principal patrono das artes, Michelangelo e Correggio continuaram a pintar Madonas e santos; ao passo que na Inglaterra, onde a aristocracia ainda era rica e poderosa, e na França, onde os reis alcançaram a preponderância absoluta no Estado, os artistas pintavam os distintos cavalheiros que participavam do governo e as belas senhoras que freqüentavam os salões de Sua Majestade.

Essa grande mudança na pintura, que decorreu da decadência da antiga Igreja e da ascensão de uma nova classe social, refletiu-se em todas as formas de arte. A invenção da imprensa possibilitou que os escritores adquirissem fama e reputação escrevendo livros para as multidões. Foi assim que nasceram as profissões do romancista e do ilustrador. Porém, as pessoas que tinham dinheiro suficiente para comprar os novos livros não eram do tipo que gosta de ficar em casa à noite, simplesmente sentadas ou olhando para o teto. Queriam se divertir. Os poucos menestréis da Idade Média não eram suficientes para dar conta da demanda de entretenimento. Pela primeira vez desde as cidades-Estado gregas de dois mil anos antes, os dramaturgos profissionais tiveram oportunidade de exercer sua ocupação. A Idade Média só conhecera o teatro como parte de certas cerimônias religiosas. As tragédias dos séculos XIII e XIV contavam a história das dores de Nosso Senhor. Porém, no século XVI, o teatro mundano apareceu novamente. É verdade que, a princípio, a posição social dos dramaturgos e atores não era muito elevada. William Shakespeare era visto como uma espécie de atração de circo que divertia seus conhecidos com suas tragédias e comédias. Mas quando morreu, em 1616, já começara a gozar do respeito de seus companheiros, e os atores já não eram constantemente supervisionados pela polícia.

William teve como contemporâneo um incrível espanhol chamado Lope de Vega, que escreveu nada menos de oitocentas peças mundanas e quatrocentas religiosas. Lope era um homem considerado e teve sua obra aprovada pelo papa. Cem anos depois, o francês Molière foi considerado digno de servir de companhia a ninguém menos do que o Rei-Sol Luís XIV.

De lá para cá, o teatro tornou-se cada vez mais querido das pessoas. Hoje em dia, toda cidade digna desse nome tem pelo menos um "teatro", e o "drama silencioso" do cinema chegou até os menores povoados do sertão.

Estava reservada a uma outra arte, porém, a posição de a mais popular de todas as artes. Estou falando da música. A maioria das antigas formas de arte exigiam uma grande habilidade técnica. Anos e anos de prática são necessários para que nossa desajeitada mão seja capaz de seguir os comandos do cérebro e reproduzir nossas visões no mármore ou sobre uma tela. É preciso uma vida inteira para aprender a representar ou a escrever um bom romance. E o público precisa ser muito bem educado para aprender a apreciar as melhores obras da pintura, da literatura e da escultura. Porém, qualquer pessoa que não seja completamente desafinada é capaz de acompanhar uma melodia, e quase todos conseguem apreciar algum tipo de música. Na Idade Média havia música, mas só a música eclesiástica. Os cânticos sagrados eram determinados por normas severíssimas de ritmo e harmonia, que logo se tornaram monótonas. Além disso, não podiam ser entoados nas ruas ou na praça do mercado.

O Renascimento mudou tudo isso. A música tornou-se mais uma vez a melhor amiga do homem, sua companheira na alegria e na tristeza.

Os egípcios, os babilônios e os antigos judeus tinham sido grandes apreciadores da música. Chegaram até a combinar diversos instrumentos para formar orquestras. Os gregos, porém, desprezavam a ruidosa música bárbara. Gostavam de escutar as recitações dos nobres poemas de Homero e Píndaro e permitiam que os recitadores acompanhassem a poesia ao som da lira (o mais elementar de todos os instrumentos de corda). Ninguém podia ir além disso sem correr o risco de ser censurado pelo povo. Os romanos, por outro lado, adoravam ouvir música orquestral enquanto jantavam e faziam suas orgias, e inventaram a maioria dos instrumentos que (sob uma forma *muito* modificada) usamos ainda hoje. A Igreja primitiva rejeitou essa música, que lembrava em demasia o maligno mundo pagão recém-destruído. Os bispos dos séculos III e IV limitavam-se a tolerar umas poucas canções entoadas pelos membros das congregações. Como os fiéis tendiam a desafinar quando não eram acompanhados por um instrumento qualquer, a Igreja permitiu depois o uso do órgão, uma invenção do século II da nossa era, que consistia na junção de um fole com a antiga flauta de Pã.

Vieram depois as grandes migrações. Os últimos músicos romanos foram mortos ou tornaram-se artistas itinerantes que vagavam de cidade em cidade e tocavam na rua, mendigando tostões como o harpista que toca em frente à moderna estação rodoviária.

Porém, a ressurreição da civilização mundana nas cidades da Baixa Idade Média gerou uma nova e urgente necessidade de músicos. Instrumentos como a trompa, que só era usada nas caçadas e nas guerras, foram remodelados até poder emitir sons que não ofendessem os ambientes dos banquetes e dos salões de

O trovador

dança. Um arco de crina de cavalo passou a ser usado para tocar a antiga guitarra e, já antes do final da Idade Média, esse instrumento de seis cordas (o mais antigo de todos os instrumentos de cordas, surgido no Egito e na Assíria) se transformou na moderna rabeca de quatro cordas que, sob a forma do violino, foi levada aos cimos da perfeição por Stradivarius e outros artesãos italianos do século XVIII.

E por fim foi inventado o piano moderno, o mais comum e disseminado de todos os instrumentos musicais, que seguiu o homem europeu até as solidões da selva e os campos gelados da Groenlândia. O órgão foi o primeiro instrumento de teclado, mas o músico que o tocava dependia da cooperação de alguém que movesse os foles, tarefa hoje desempenhada por um motor elétrico. Assim, os músicos procuraram um instrumento mais jeitoso e menos pomposo para ajudá-los a formar os membros dos coros das igrejas. No grande século XI, um monge beneditino chamado Guido, da cidade de Arezzo (terra natal do poeta Petrarca), inventou o moderno sistema de notação musical. Em meados daquele mesmo século, marcado aliás por um grande interesse popular pela música, surgiu o primeiro instrumento que combinava teclas e cordas. Devia ter um som parecido com o tilintar dos pianos infantis que hoje podem ser encontrados em qualquer loja de brinquedos. Na cidade de Viena – a cidade em que os músicos itinerantes da Idade Média (que formavam par com os malabaristas e cartomantes) constituíram a primeira guilda de músicos, em 1288 –, o pequeno monocórdio transformou-se em algo que podemos reconhecer como o ancestral direto do moderno Steinway. Da Áustria, o que se chamava na época de "clavicórdio" (porque tinha *claves* ou teclas) foi para a Itália. Lá foi aperfeiçoado e transformou-se na "espineta", assim chamada por causa do seu inventor, o veneziano Giovanni Spinetti. Por fim, no século XVIII, em algum momento entre os anos de 1709 e 1720, Bartolomeu Cristofori construiu um "cravo" que permitia ao intérprete tocar alto e baixo, ou, como se dizia em italiano, *piano* e *forte*. Esse instrumento, acrescido de mais algumas modificações, tornou-se o nosso "pianoforte" ou piano.

Então, pela primeira vez, o mundo se viu dotado de um instrumento conveniente e fácil de tocar, que podia ser dominado em poucos anos, não precisava ser constantemente afinado como as harpas e violinos e era muito mais agradável aos ouvidos do que as tubas, clarinetes, trombones e oboés da Idade Média. Assim como o fonógrafo deu a milhões de filhos do mundo moderno o seu primeiro contato com a música, assim também o primitivo "pianoforte" levou o conhecimento da música a círculos muito mais amplos. A música tornou-se parte da educação de todos os homens e mulheres de boa família. Príncipes e ricos mercadores financiavam orquestras particulares. O músico deixou de ser um saltimbanco itinerante e se tornou um membro importante da comunidade. A música foi combinada à arte dramática, e dessa combinação nasceu a ópera moderna. Originalmente, só uns poucos príncipes ricos tinham condições de custear uma companhia de ópera. Porém, à medida que aumentava o gosto popular por esse tipo de diversão, muitas cidades construíram seus próprios teatros, onde óperas italianas e, depois, alemãs eram apresentadas e agradavam a todos, com exceção de algumas seitas cristãs rigorosas que ainda desconfiavam profundamente da música e tinham-na como algo belo demais para fazer bem à alma.

Em meados do século XVIII, a vida musical da Europa ia de vento em popa. Surgiu então um homem maior do que todos os outros, o humilde organista da igreja de São Tomás de Leipzig, chamado pelo nome de Johann Sebastian Bach. Nas obras que compôs para todos os instrumentos, que iam de canções cômicas e danças populares até os mais solenes oratórios e hinos sagrados, ele lançou os fundamentos da música moderna. Quando morreu, em 1750, foi sucedido por Mozart, que criava texturas musicais da mais pura beleza, que nos evocam a imagem de um fino bordado de harmonia e ritmo. Veio então Ludwig van Beethoven, homem de vida trágica, que inventou a orquestra moderna mas não pôde ouvir as melhores dentre as suas obras, pois ficou surdo em decorrência de um resfriado de que sofreu em seus anos de pobreza.

Beethoven viveu no período da grande Revolução Francesa. Imbuído da esperança de dias melhores e mais gloriosos, dedicou uma de suas sinfonias a Napoleão, ato do qual depois veio a se arrepender. Quando morreu, em 1827, Napoleão já estava morto e a Revolução Francesa também, mas o motor a vapor já fora inventado e estava enchendo o mundo de ruídos grotescos que nada tinham em comum com os sonhos da Terceira Sinfonia.

Com efeito, a nova ordem criada pelo vapor, pelo ferro, pelo carvão e pelas grandes fábricas não via grande utilidade na arte, na pintura, na escultura, na poesia e na música. Já não existiam os antigos protetores das artes, a Igreja, os príncipes e os comerciantes da Idade Média e dos séculos XVII e XVIII. Os senhores do novo mundo industrial eram ocupados demais e cultos de menos; assim, não se importavam com águas-fortes, sonatas e pedaços de marfim entalhado, e muito menos ainda com os homens que criavam essas coisas e que não atendiam a nenhuma necessidade prática da comunidade em que viviam. E os operários das fábricas foram obrigados a ouvir o ruído dos motores até perder também, por sua vez, todo o gosto pelas melodias das flautas e rabecas que tinham tornado mais agradável a existência de seus antepassados camponeses. A nova era industrial foi uma madrasta para as artes. Arte e vida separaram-se totalmente. As pinturas restantes agonizavam lentamente nos museus. E a música foi monopolizada por uns poucos "virtuoses" que a tiraram das casas e a levaram para as salas de concerto.

Devagar e sempre, porém, as artes estão voltando à antiga forma. As pessoas começam a compreender que Rembrandt, Beethoven e Rodin são os verdadeiros profetas e líderes de suas raças e que um mundo sem arte e sem felicidade é semelhante a um quarto de crianças onde não se ouvem risos.

62
A EXPANSÃO COLONIAL E A GUERRA
Um capítulo que deveria lhe dar muitas informações sobre a política nos últimos cinqüenta anos, mas que na realidade consiste em várias explicações e alguns pedidos de desculpas

Se eu soubesse o quanto é difícil escrever uma história do mundo, jamais teria tomado a peito essa tarefa. É claro que qualquer pessoa perseverante o suficiente para enfurnar-se por doze anos entre as emboloradas estantes de uma biblioteca pode escrever um livro em vários volumes que relate os acontecimentos ocorridos em todos os países em todos os séculos. Porém, não era esse o objetivo deste livro. Os editores queriam uma história que tivesse ritmo – uma história que não andasse, mas galopasse. E agora que já quase terminei, descobri que certos capítulos galopam, mas outros arrastam-se lentamente pelos terrenos desertos de eras há muito esquecidas – que algumas partes quase não progridem, ao passo que outras dançam um verdadeiro *jazz* de ação e romantismo. Não gostei disso e sugeri que destruíssemos o manuscrito inteiro e recomeçássemos da estaca zero. Os editores, porém, não o permitiram.

A segunda melhor solução que encontrei para meus problemas consistiu em levar o original datilografado para alguns amigos caridosos e pedir-lhes que lessem meu texto e me oferecessem seus conselhos. A experiência me desanimou. Cada um deles tinha os seus preconceitos, os seus passatempos e as suas preferências. Todos quiseram saber por que, onde e como eu ousei omitir a nação de que mais gostavam, o personagem histórico que mais admiravam ou até mesmo o criminoso hediondo que apreciavam. Para alguns deles, Napoleão e Gêngis Khan eram candidatos a altas honrarias. Expliquei que eu fizera de tudo para ser justo com Napoleão, mas que a meu ver ele foi muito inferior a homens como George Washington, Gustavo Wasa, Augusto, Hamurábi, Lincoln e inúmeros outros, todos os quais foram obrigados a contentar-se com uns poucos parágrafos por pura falta de espaço. Quanto a Gêngis Khan, a única superioridade que nele reconheço é a de ter sido um genocida consumado, e procurei fazer o mínimo de publicidade de sua figura.

O pioneiro

"Até aí, tudo bem", disse o crítico seguinte, "mas o que dizer dos puritanos? Estamos comemorando o terceiro centenário da chegada deles a Plymouth. Você deveria dar-lhes mais espaço." Respondi que, se estivesse escrevendo uma história dos Estados Unidos, os puritanos mereceriam metade dos primeiros doze capítulos; mas que esta era uma história da humanidade e que o acontecido no rochedo de Plymouth só adquiriu importância internacional muitos séculos depois; que os Estados Unidos tinham sido fundados por treze colônias, e não por uma só; que os vultos mais importantes dos primeiros vinte anos da história dos Estados Unidos não vieram de Massachusetts, mas da Virgínia, da Pensilvânia e da ilha de Nevis; e que, por todos esses moti-

A história da humanidade

vos, os puritanos teriam de se contentar com uma página de texto e um mapa especial.

Depois veio o especialista em pré-história. Por que, em nome do grande Tiranossauro, eu não dedicara mais espaço à maravilhosa raça dos homens de Cro-Magnon, que há dez mil anos alcançaram um estágio de civilização tão elevado?

Sim, realmente, por que não? O motivo é simples. Não acredito tanto quanto alguns de nossos mais famosos antropólogos na perfeição dessas antigas raças. Rousseau e os filósofos do século XVIII criaram a figura do "bom selvagem", que supostamente vivia num estado de felicidade perfeita no início dos tempos. Os cientistas modernos descartaram o "bom selvagem", tão querido pelos nossos avós, e substituíram-no pelo "esplêndido selvagem" dos vales franceses, que há trinta e cinco mil anos teria posto fim ao domínio dos brutos de testa baixa e vida idem que viviam em Neandertal e outras localidades da Alemanha. Mostraram-nos os elefantes que os homens de Cro-Magnon pintaram e as estátuas que esculpiram, e rodearam-nos de uma aura de glória.

Não tenho a intenção de dizer que eles estão errados. Mas afirmo que o que sabemos desse período é muito pouco para podermos reconstituir essa antiga sociedade da Europa ocidental com um grau qualquer (mesmo mínimo) de certeza. E prefiro simplesmente não dizer certas coisas a correr o risco de afirmar coisas que não existiram.

Outros críticos me acusaram de ter sido pura e simplesmente injusto. Por que tinha deixado de lado países como a Irlanda, a Bulgária e o Sião ao mesmo tempo em que falara de outros como a Holanda, a Islândia e a Suíça? Respondi que não tinha feito questão de mencionar nenhum país específico. Eles se impuseram pela pura força das circunstâncias e eu simplesmente não pude deixá-los de fora. E, para que esta questão fique bem compreendida, vou declarar agora os princípios que nortearam minhas decisões sobre quem faria e quem não faria parte deste livro de história.

O princípio seguido foi um só. "O país ou a pessoa em questão criou uma nova idéia ou fez um ato original sem os quais a história de toda a raça humana teria sido diferente?" Não era uma questão de gosto pessoal. Tudo dependia de um discernimento automático, quase matemático. Nenhum povo desempenhou na história papel mais pitoresco do que os mongóis, e nenhum povo – do ponto de vista das realizações e progressos da inteligência – mostrou-se menos útil do que os mongóis para o restante da humanidade.

A carreira de Tiglath-Pileser, o assírio, é repleta de episódios dramáticos. Porém, no que nos diz respeito, ele poderia muito bem jamais ter existido. Do mesmo modo, a história da República Holandesa não é interessante porque certa vez os marinheiros do Ruyter foram pescar no rio Tâmisa, mas sim porque essa terra pantanosa situada às margens do mar do Norte serviu de asilo para uma grande variedade de pessoas estranhas que tinham idéias estranhas acerca de assuntos pouco conhecidos do grande público.

É bem verdade que Atenas ou Florença, nos dias de sua glória, tinham menos que um décimo da população de Kansas City. Porém, nossa atual civilização seria muito diferente se essas duas cidades do Mediterrâneo não tivessem existido. E, sem nenhum desdouro para o excelente povo do condado de Wyandotte, o mesmo não se pode dizer da movimentada metrópole localizada às margens do Missouri.

E, como estou tratando de assuntos pessoais, quero declarar agora um outro fato.

Quando vamos ao médico, nós buscamos descobrir desde antes se ele é um cirurgião, um clínico geral, um homeopata ou um curandeiro, pois queremos saber a partir de qual ponto de vista vai encarar o nosso problema. Temos de ter tanto cuidado para escolher um historiador quanto para escolher um médico. Nós pensamos: "Ora, a história é só história", e paramos por aí. Porém, o escritor formado num rigoroso lar presbiteriano nos sertões da Escócia vai ter idéias diferentes acerca de todas as questões de relacionamento humano do que um outro que desde cedo foi levado a ouvir as brilhantes palestras de Robert Ingersoll, o inimigo de todos os demônios revelados. Com o tempo, ambos podem se esquecer da sua primitiva formação e nun-

A história da humanidade

ca mais freqüentar nem a igreja nem a sala de aulas. Porém, a influência dos primeiros anos permanece, e eles não podem deixar de exprimi-la em tudo o que dizem, fazem e escrevem.

No prefácio deste livro, eu lhe disse que não seria um guia infalível; agora que chegamos quase ao fim, repito o alerta. Nasci e fui criado na atmosfera do antigo liberalismo que se seguiu às descobertas de Darwin e dos demais pioneiros do século XIX. Quando criança, passava quase todo o meu tempo com um tio que colecionava os livros de Montaigne, o grande ensaísta francês do século XVI. Por ter nascido em Roterdam e ter estudado em Gouda, eu deparava constantemente com a figura de Erasmo; e, por um motivo desconhecido, esse grande expoente da tolerância passou a exercer grande influência sobre o meu ser intolerante. Mais tarde, descobri Anatole France; e meu primeiro contato com a língua inglesa se deu através de um encontro acidental com o *Henry Esmond* de Thackeray, um livro que deixou em mim uma impressão mais profunda do que qualquer outro escrito em inglês.

Se eu tivesse nascido numa agradável cidade do meio-oeste norte-americano, provavelmente teria certo afeto pelos hinos religiosos aprendidos na infância. Porém, as primeiras lembranças que tenho da música referem-se a uma tarde em que minha mãe me levou para ouvir nada menos do que uma fuga de Bach. E a perfeição matemática do grande mestre protestante me influenciou a tal ponto que mal posso ouvir os hinos comuns de nossos cultos de oração sem sentir uma agonia intensa e uma dor quase insuportável.

Se eu tivesse nascido na Itália e tivesse sido banhado pelo sol do alegre vale do Arno, eu adoraria muitas imagens coloridas e ensolaradas que hoje me deixam indiferentes. Isso porque minhas primeiras impressões artísticas se formaram num país em que a rara luz solar incide sobre a terra pantanosa com uma brutalidade quase cruel, dispondo todas as coisas em violentos contrastes de preto e branco. Declaro todos esses fatos de propósito, para que você conheça as tendências pessoais do homem que escreveu este livro de história e possa compreender o seu ponto de vista.

Depois dessa digressão curta, mas necessária, voltamos à história dos últimos cinqüenta anos. Muitas coisas aconteceram nesse período, mas poucas, na época em que aconteceram, pareciam ter grande importância. A maioria das grandes potências deixaram de ter uma simples atuação política e tornaram-se grandes empreendimentos comerciais. Construíram ferrovias, fundaram e subsidiaram linhas marítimas para todas as partes do mundo, fizeram ligações telegráficas entre seus diferentes territórios e aumentaram paulatinamente suas propriedades em outros continentes. Os menores pedaços de território da África e da Ásia foram reivindicados por uma ou outra das grandes potências rivais. A França se tornou uma nação colonial com interesses na Argélia, em Madagascar, em Anã e no golfo de Tonkina (na Ásia oriental). A Alemanha reclamou para si certas partes da África de sudoeste e do leste, construiu povoados nos Camarões (no litoral ocidental da África), na Nova Guiné e em muitas ilhas do Pacífico e usou o assassinato de alguns missionários como conveniente pretexto para ocupar o porto chinês de Kiaochau, no mar Amarelo. A Itália tentou a sorte na Abissínia, mas foi fragorosamente derrotada pelos soldados do Negus e, para consolar-se, ocupou o território turco de Trípoli, no norte da África. A Rússia, depois de ocupar toda a Sibéria, tomou Port

A conquista do oeste

Arthur da China. O Japão derrotou a China na guerra de 1895, ocupou a ilha de Formosa e, em 1905, começou a reivindicar todo o império coreano. Em 1883, a Inglaterra, dona do maior império colonial que o mundo já conheceu, tomou a peito a tarefa de "proteger" o Egito. Desempenhou-a com eficiência e deu grandes benefícios materiais a esse esquecido país, que desde a abertura do canal de Suez, em 1868, vivia sob a constante ameaça de invasão estrangeira. Nos trinta anos seguintes, travou uma série de guerras coloniais em diversas partes do mundo e, em 1902 (depois de três anos de combates cruentos), conquistou as repúblicas bôeres independentes do Transvaal e do Estado Livre de Orange. Enquanto isso, encorajou Cecil Rhodes a lançar as fundações de um grande Estado africano que ia da Cidade do Cabo até quase a foz do Nilo, e diligentemente tomou para si todas as ilhas e províncias que ainda não tinham um suserano europeu.

O astuto rei da Bélgica, Leopoldo, usou as descobertas de Henry Stanley para fundar em 1885 o Estado Livre do Congo. Originalmente, esse imenso império tropical era uma "monarquia absoluta". Porém, depois de muitos anos de uma administração escandalosamente ruim, foi anexado pelo povo belga, que fez dele uma colônia (em 1908) e aboliu os terríveis abusos que eram tolerados pelo inescrupuloso rei, a quem pouco importava a condição dos nativos desde que pudesse pôr suas mãos no marfim e na borracha.

Os Estados Unidos tinham já tantas terras que não quiseram mais territórios. Porém, o terrível estado de anarquia que se vivia em Cuba – uma das últimas colônias espanholas do hemisfério ocidental – praticamente forçou o governo de Washington a agir. Depois de uma guerra rápida e sem grandes incidentes, os espanhóis foram expulsos de Cuba, de Porto Rico e das Filipinas, e os dois últimos tornaram-se colônias dos Estados Unidos.

Essa evolução econômica do mundo era perfeitamente natural. As fábricas da Inglaterra, da França e da Alemanha, cada vez mais numerosas, exigiam uma quantidade cada vez maior de matérias-primas; e os trabalhadores europeus, também cada vez mais numerosos, precisavam de cada vez mais comida. Em toda parte as pessoas clamavam por mais mercados, por mercados mais ricos, por minas de carvão e de ferro mais acessíveis, por mais plantações de borracha e poços de petróleo, por suprimentos mais gordos de trigo e outros cereais.

Os acontecimentos puramente políticos do continente europeu reduziram-se à insignificância aos olhos de homens que planejavam estabelecer linhas de vapor no lago Vitória ou ferrovias pelo interior de Shantung. Eles sabiam que na Europa ainda havia muitos problemas a resolver, mas não se importaram com isso; e por pura e simples indiferença e descuido deixaram a seus descendentes um terrível legado de ódio e infelicidade. Por séculos sem conta, o sudeste da Europa fora palco de rebeliões e outros episódios de derramamento de sangue. Na década de 1870, os povos da Sérvia, da Bulgária, de Montenegro e da Romênia quiseram novamente lutar por sua liberdade, enquanto os turcos (apoiados por muitas potências ocidentais) tentavam impedir essa mesma liberdade.

Depois de um período de massacres particularmente atrozes ocorridos na Bulgária em 1876, o povo russo perdeu a paciência. O governo foi forçado a intervir, do mesmo modo que o presidente McKinley se viu obrigado a ir a Cuba para pôr cobro aos esquadrões de fuzilamento do general Weyler em Havana. Em abril de 1877, os exércitos russos cruzaram o Danúbio, tomaram de assalto o passo de Shipka e, depois de capturar a cidade de Plevna, marcharam rumo ao sul até chegar aos portões de Constantinopla. A Turquia recorreu ao auxílio inglês. Muitos ingleses manifestaram-se contra o seu governo quando este tomou o partido do sultão. Porém, Disraeli (que havia acabado de dar à rainha Vitória o título de imperatriz da Índia e gostava dos pitorescos turcos ao mesmo tempo em que odiava os russos, que eram crudelíssimos com os judeus que habitavam dentro de suas fronteiras) decidiu intervir. A Rússia foi obrigada a assinar o tratado de San Stefano (1878), e a resolução do problema dos Bálcãs foi deixada a cargo de um congresso que se reuniu em Berlim em junho e julho desse mesmo ano.

Essa famosa conferência foi completamente dominada pela personalidade de Disraeli. O próprio Bismarck tinha medo desse velho astuto, com seu cabelo cuidadosamente engomado e sua arrogância suprema, temperada por um humor cínico e um dom incrível para a lisonja. Em Berlim, o primeiro-ministro inglês protegeu cuidadosamente os interesses de seus amigos turcos. Montenegro, a Sérvia e a Romênia foram reconhecidos como reinos independentes; o principado da Bulgária recebeu uma semi-independência sob o cetro do príncipe Alexandre de Battenberg, sobrinho do czar Alexandre II. Mas a nenhum desses países se deu a oportunidade de desenvolver os próprios recursos e capacidades, como teriam podido fazer se a Inglaterra não se importasse tanto com o destino do sultão, cujos domínios eram necessários para proteger o Império Britânico de futuras agressões russas.

Para piorar ainda mais as coisas, o congresso permitiu que a Áustria tomasse dos turcos a Bósnia e a Herzegovina, a ser "administradas" como parte dos territórios habsburgos. É verdade que a Áustria de fato as administrou bem. Essas províncias esquecidas eram tão bem geridas quanto as melhores colônias inglesas, e este é um grande elogio. Mas eram habitadas por muitos sérvios. Em tempos antigos, eles tinham constituído o grande império sérvio de Stephan Dushan, que no começo do século XIII defendeu a Europa ocidental contra a invasão turca e cuja capital, Uskub, já era um grande centro de civilização 150 anos antes de Colombo descobrir o novo mundo. Os sérvios lembravam-se de suas passadas glórias; quem não faria o mesmo? Ressentiam-se da presença austríaca em duas províncias que, a seu ver, lhes pertenciam por tradicional direito.

E foi em Sarajevo, capital da Bósnia, que o arquiduque Ferdinando, herdeiro do trono austríaco, foi assinado no dia 28 de junho de 1914. O assassino foi um estudante sérvio que agiu por pura fidelidade patriótica.

Porém, a culpa dessa terrível catástrofe – que não foi a única causa, mas foi a causa imediata da Grande Guerra Mundial – não cabe a esse jovem sérvio semi-ensandecido nem à sua vítima austríaca. Deve ser procurada na época da famosa Conferência de Berlim, quando a Europa estava ocupada demais em construir uma civilização material para dar atenção às aspirações e sonhos de uma raça esquecida num canto longínquo da antiga península balcânica.

63
UM NOVO MUNDO
A Grande Guerra, que foi na verdade uma luta por um mundo novo e melhor

O marquês de Condorcet foi um dos vultos mais nobres daquele pequeno grupo de entusiastas sinceros que precipitaram o desencadear da grande Revolução Francesa. Dedicou sua vida à causa dos pobres e dos menos favorecidos. Foi um dos auxiliares de d'Alembert e Diderot na elaboração da famosa *Enciclopédia*. Durante os primeiros anos da Revolução, foi o líder da ala moderada da Convenção.

Sua tolerância, sua bondade e seu sólido bom-senso fizeram dele um objeto de suspeita quando a traição do rei e da corte deu aos radicais a oportunidade de tomar conta do governo e matar seus opositores. Condorcet foi declarado *hors de loi* ou fora-da-lei, um renegado que a partir de então estava à mercê de todos os verdadeiros patriotas. Seus amigos ofereceram-se para escondê-lo, colocando-se assim em risco. Condorcet recusou-se a aceitar esse sacrifício. Fugiu e tentou chegar a seu castelo, onde talvez estivesse a salvo. Depois de passar três noites ao desabrigo, ferido e sangrando, entrou numa estalagem e pediu comida. Os camponeses desconfiados revistaram-no e encontraram em seus bolsos um exemplar de um livro do poeta latino Horácio. Isso queria dizer que o prisioneiro era um homem de casta nobre e não tinha nada que vagar pelas estradas numa época em que toda pessoa culta era vista como inimiga do Estado revolucionário. Tomaram Condorcet, amarraram-no, amordaçaram-no e lançaram-no na prisão da aldeia; mas pela manhã,

A história da humanidade

quando chegaram os soldados para levá-lo de volta a Paris e decapitá-lo, eis que ele estava morto.

Esse homem que deu tudo de si sem nada receber em troca tinha bons motivos para desesperar da raça humana. Escreveu, porém, algumas frases que nos soam tão verdadeiras hoje quanto há cento e trinta anos. Para seu bem, vou reproduzi-las aqui.

"A Natureza não impôs limite algum às nossas esperanças", escreveu ele, "e a imagem da raça humana, ora livre de suas cadeias e marchando a passo firme na senda da verdade, da virtude e da felicidade, oferece ao filósofo um espetáculo que o consola dos erros, dos crimes e das injustiças que ainda poluem e afligem esta terra."

A guerra

O mundo acaba de atravessar uma agonia de dor comparada à qual a Revolução Francesa não passa de um pequeno incidente. Seu impacto foi tão grande que extinguiu a última centelha de esperança nos peitos de milhões de homens. Eles cantavam um hino de progresso, e quatro anos de massacre seguiram-se a suas preces por paz. Perguntam eles: "Acaso vale a pena trabalhar e labutar pelo bem de criaturas que ainda não foram além do estágio dos trogloditas mais primitivos?"

Só há uma resposta a essa pergunta.

Essa resposta é "Sim!"

A Guerra Mundial foi uma calamidade terrível, mas não foi o fim do mundo. Muito pelo contrário, trouxe em seu bojo uma nova era.

Hendrik Willem van Loon

É fácil escrever a história da Grécia, de Roma ou da Idade Média. Os atores que representaram seus papéis nesses antigos palcos estão mortos há muito tempo. Podemos criticá-los com imparcialidade. O público que aplaudiu seus esforços já se dispersou, e nossos comentários não podem magoá-los. Mas é muito mais difícil fazer um relato fiel de acontecimentos contemporâneos. Os problemas que preenchem a mente das pessoas com quem passamos a nossa vida são nossos próprios problemas e nos atingem demasiado a fundo, quer magoando-nos, quer agradando-nos, para que possamos descrevê-los com a imparcialidade necessária para quem escreve a história e não sopra as cornetas da propaganda. Mesmo assim, vou me esforçar para lhe dizer por que concordo com o pobre Condorcet quando ele expressa a sua fé inabalável num futuro melhor.

Muitas vezes já o alertei contra a falsa impressão criada pelo uso das chamadas épocas históricas, que dividem a história do homem em quatro partes: a Antiguidade, a Idade Média, o Renascimento e Reforma e o Mundo Moderno. Este último termo é o mais perigoso. A palavra "moderno" significa que nós, homens do século XX, estamos no cume das realizações humanas. Há cinqüenta anos, os liberais ingleses que seguiam a liderança de Gladstone acharam que o problema de uma forma de governo verdadeiramente representativa e democrática tinha sido resolvido de uma vez por todas com o segundo grande Projeto de Reforma, que deu aos trabalhadores uma participação governamental tão grande quanto a dos patrões. Quando Disraeli e seus amigos conservadores publicaram o alerta contra esse perigoso "salto no escuro", eles disseram "Não". Estavam convictos de sua causa e tinham certeza de que dali para a frente todas as classes sociais haveriam de cooperar para o êxito do governo do país em que todos viviam.

De lá para cá muitas coisas aconteceram, e os poucos liberais que ainda estão vivos começam a compreender que estavam enganados.

Nenhum problema histórico tem uma solução definitiva.

Cada geração tem de combater de novo o bom combate, sob pena de perecer como pereceram os preguiçosos animais do mundo pré-histórico.

A história da humanidade

Quando você compreender essa grande verdade, sua visão do mundo e da vida há de alargar-se imensamente. Depois, vá um passo além e procure imaginar-se na posição de seus tataranetos que estarão aqui no ano 10000. Também eles vão aprender história. Mas o que vão pensar desse breve período de 4 mil anos durante o qual temos mantido registros escritos de nossas ações e pensamentos? Vão conceber Napoleão como um contemporâneo de Tiglath-Pileser, o conquistador assírio. Talvez o confundam com Genghis Khan ou com Alexandre da Macedônia. A Grande Guerra que acabou de terminar será vista sob a luz desse longo conflito pela supremacia comercial no Mediterrâneo, quando Roma e Cartago lutaram pelo domínio dos mares durante 128 anos. As agitações ocorridas nos Bálcãs no século XIX (a luta pela libertação da Sérvia, da Grécia, da Bulgária e de Montenegro) lhes parecerá uma continuação natural da desordem provocada pelas grandes migrações. Eles olharão para imagens da catedral de Rheims, que ontem mesmo foi destruída pelos canhões alemães, como nós olhamos para uma fotografia da acrópole arruinada há 250 anos numa guerra entre os turcos e os venezianos. Verão o medo da morte, que ainda é comum entre muitas pessoas, como uma superstição infantil, mas natural numa raça de homens que ainda queimava bruxas no ano de 1692. Mesmo nossos hospitais, nossos laboratórios, as salas de operação de que tanto nos orgulhamos parecerão versões ligeiramente incrementadas das oficinas dos alquimistas e dos cirurgiões medievais.

E isso tudo tem um motivo muito simples. Nós, homens e mulheres modernos, não somos "modernos" de modo algum. Muito pelo contrário, ainda pertencemos às últimas gerações da raça dos trogloditas. Os fundamentos de uma nova era só foram lançados ontem. A raça humana teve a sua primeira oportunidade de tornar-se realmente civilizada quando tomou coragem para questionar todas as coisas e fazer do "conhecimento e compreensão" os parâmetros para a criação de uma sociedade humana mais razoável e sensata. A Grande Guerra representou as "dores de crescimento" desse novo mundo.

Por muito tempo ainda, as pessoas vão escrever livros para provar que a guerra foi provocada por esta ou aquela pessoa ou acontecimento. Os socialistas vão publicar livros em que acusarão os "capitalistas" de ter causado a guerra para obter "ganhos comerciais". Os capitalistas vão responder que, com a guerra, perderam muito mais do que ganharam – que seus filhos contaram-se entre os primeiros a ir à luta e morrer – e demonstrarão que em todos os países os banqueiros fizeram de tudo para evitar a deflagração das hostilidades. Os historiadores franceses recapitularão os pecados germânicos desde a época de Carlos Magno até os dias de Guilherme de Hohenzollern; os alemães retribuirão essa homenagem fazendo a lista dos horrores franceses desde Carlos Magno até o presidente Poincaré. E, muito satisfeitos consigo próprios, todos eles provarão que foram os outros os culpados de "causar a guerra". Em todos os países, estadistas mortos ou ainda vivos vão sentar-se em frente às máquinas de escrever para explicar como tentaram a todo custo evitar as hostilidades, e como seus malignos opositores os forçaram a entrar em guerra.

Daqui a cem anos, os historiadores não vão dar a mínima para essas desculpas e acusações. Compreenderão a verdadeira natureza das causas subjacentes e saberão que as ambições pessoais, a maldade e a cobiça tiveram muito pouco que ver com a deflagração do conflito propriamente dito. O erro original, responsável por tanta infelicidade, foi cometido quando nossos cientistas começaram a criar um novo mundo de aço, de ferro, de química e de eletricidade e se esqueceram de que a mente humana é mais lenta do que a proverbial tartaruga, é mais preguiçosa do que a famosa lesma, e caminha de cem a trezentos anos atrás do pequeno grupo de líderes corajosos.

Um lobo em pele de cordeiro não deixa de ser lobo. Um cão treinado para andar de bicicleta e fumar cachimbo ainda é um cão. E um ser humano com a mente de um comerciante do século XVI não deixa de ser um ser humano com a mente de um comerciante do século XVI por estar dirigindo um Rolls-Royce de 1921.

Se você ainda não compreendeu isso, leia-o novamente. Ficará mais claro em um instante e explicará muitas coisas que aconteceram nos últimos seis anos.

A história da humanidade

A disseminação da idéia imperial

Talvez eu possa lhe dar um exemplo mais familiar para lhe mostrar o que quero dizer. Muitas vezes, nos filmes de cinema, piadas e comentários engraçados aparecem na tela*. Quando você tiver oportunidade, observe a reação da platéia. Certas pessoas parecem respirar as palavras. Não levam mais do que um segundo para ler o texto. Outras levam um pouco mais; e outras ainda levam de vinte a trinta segundos. Por fim, os homens e

---

* O autor se refere aos filmes mudos. (N. do T.)

mulheres que só praticam a leitura quando isso lhes é absolutamente necessário são os que mais demoram para compreender as piadas, e só as compreendem quando os espectadores mais atilados já começaram a decifrar o texto seguinte. A vida humana não é diferente disso, como vou lhe mostrar em seguida.

Num capítulo anterior, eu lhe disse que a idéia do Império Romano continuou viva por mil anos depois da morte do último imperador e causou a constituição de diversos "impérios de imitação". Deu aos bispos de Roma a oportunidade de fazer-se chefes da Igreja, uma vez que representavam a idéia de uma supremacia romana sobre o mundo; e levou diversos chefes bárbaros, que seriam outrossim perfeitamente inofensivos, a encetar uma carreira infindável de crime e guerra, enfeitiçados que estavam por essa palavra mágica: "Roma". Todas essas pessoas, papas, imperadores e simples guerreiros, não eram muito diferentes de mim nem de você. Mas viviam num mundo onde a tradição romana era uma questão importantíssima – uma entidade viva, algo que se gravava claramente na mente de pais, filhos e netos. Assim, estes lutavam e se sacrificavam por uma causa que hoje em dia não congregaria mais do que uma dúzia de recrutas.

Em outro capítulo ainda, eu lhe disse que as grandes guerras religiosas ocorreram mais de um século depois da primeira manifestação inequívoca da Reforma; e, se você comparar o capítulo da Guerra dos Trinta Anos com o capítulo dedicado às invenções, vai perceber que essa terrível carnificina aconteceu numa época em que os primeiros motores a vapor, grandes e desajeitados, já soltavam suas baforadas de fumaça nos laboratórios de alguns cientistas franceses, alemães e ingleses. Porém, o mundo em geral não se interessou por essas estranhas geringonças e deu continuidade a uma pomposa discussão teológica que hoje em dia não excita mais os ânimos – só causa sono.

E assim foi. Daqui a mil anos, os historiadores vão falar a mesma coisa a respeito da Europa do finado século XIX e verão que as pessoas se batiam em terríveis guerras nacionalistas enquanto os laboratórios ao redor estavam repletos de gente séria que não dava a menor importância à política desde que pudesse forçar a natureza a revelar mais alguns de seus milhões de segredos.

A história da humanidade

Aos poucos você vai compreender este ponto em que estou insistindo. Numa única geração, os engenheiros, cientistas e químicos encheram a Europa, a América e a Ásia com suas gigantescas máquinas, com seus telégrafos, com suas máquinas voadoras e seus produtos derivados de petróleo. Criaram um mundo novo em que o tempo e o espaço foram reduzidos à mais absoluta insignificância. Inventaram novos produtos e produziram-nos a um preço tão baixo que quase todos podiam comprá-los. Eu já lhe disse tudo isso, mas não há mal em repeti-lo.

Para manter em andamento o crescente número de fábricas, seus proprietários – que também se haviam tornado os governantes dos países – precisavam de matérias-primas e carvão, especialmente este último. Entretanto, a massa das pessoas ainda pensava como os homens dos séculos XVI e XVII e se apegava à antiga noção do Estado como uma organização dinástica ou política. Essa canhestra instituição medieval foi repentinamente chamada a lidar com os modernos problemas propostos por um mundo mecanizado e industrializado. Fez tudo o que podia, pautando-se pelas regras de um jogo inventado século antes. Os diversos Estados constituíram exércitos enormes e marinhas gigantescas, que foram usados para conquistar territórios em países distantes. Onde quer que houvesse um pedaço de terra, surgia uma colônia inglesa, francesa, alemã ou russa. Os nativos que se opusessem a isso eram mortos. Na maioria dos casos, não se opunham. Podiam viver em paz desde que não prejudicassem o funcionamento das minas de diamante, carvão e ouro, dos poços de petróleo e das plantações de seringueiras, e beneficiaram-se muito da ocupação estrangeira.

Acontecia às vezes que dois Estados, ambos em busca de matérias-primas, queriam o mesmo pedaço de terra ao mesmo tempo. Então ocorria uma guerra. Isso aconteceu há quinze anos quando a Rússia e o Japão lutaram pela posse de certos territórios pertencentes ao povo chinês. Tais conflitos, porém, eram excepcionais. Na verdade, ninguém queria lutar. Com efeito, a idéia de lutar com exércitos, navios de guerra e submarinos começou a parecer absurda aos homens do começo do século XX. Para eles, a idéia de violência estava associada à antiga era das monarquias absolutas e das intrigas dinásticas. A cada dia, eles liam nos jornais sobre as novas invenções e os grupos de cientistas ingleses, alemães e norte-americanos que trabalhavam juntos em perfeita harmonia com o objetivo de conquistar novos avanços na medicina ou na astronomia. Viviam num mundo movimentado, um mundo de comércio e indústria. Porém, só uns poucos perceberam que o desenvolvimento do Estado (da gigantesca comunidade de pessoas que reconhecem certos ideais comuns) estava atrasado vários séculos. Esses poucos tentaram avisar os outros, mas estes estavam muito ocupados com seus próprios negócios.

Já usei tantas alegorias que vou ter de me desculpar por apresentar mais uma. O Navio do Estado (uma expressão antiga e fiel, mas sempre nova e sempre pitoresca) dos egípcios, dos gregos, dos romanos, dos venezianos e dos comerciantes aventureiros do século XVII era uma embarcação robusta, feita de madeira seca e comandada por oficiais que conheciam tanto a tripulação quanto o barco e compreendiam muito bem as limitações da arte de navegação que haviam aprendido com seus antepassados.

Chegou então a nova era do ferro, do aço e das máquinas. O velho Navio do Estado foi reformado, primeiro em uma de suas partes, depois em outra. Suas dimensões aumentaram, suas velas foram substituídas por um motor a vapor e a qualidade das cabines melhorou, mas um número maior de pessoas foram forçadas a trabalhar na boca da fornalha e na casa das caldeiras; e, embora o trabalho fosse seguro e relativamente bem remunerado, as pessoas não o apreciavam tanto quanto o antigo serviço que prestavam no cordame. Por fim, de modo quase imperceptível, o antigo galeão de madeira transformou-se num moderno vapor oceânico. Porém, o capitão e os contramestres continuaram os mesmos. Eram nomeados ou eleitos da mesma maneira que cem anos atrás e aprendiam o mesmo sistema de navegação que tinha sido usado pelos marujos do século XV. Tinham em suas cabines as mesmas cartas marítimas e bandeiras sinalizadoras utilizadas na época de Luís XIV e Frederico, o Grande. Em suma, eram (não por própria culpa) completamente incompetentes.

A história da humanidade

O mar da política internacional não é muito grande. Quando esses vapores imperiais e coloniais começaram a apostar corrida, era de esperar que acontecessem acidentes, que de fato aconteceram. Se você passar por essa parte do oceano, ainda poderá ver os destroços.

E a moral da história é simples. O mundo sofre a premente necessidade de homens que assumam a nova liderança – que tenham a coragem de ir em busca de suas visões e reconheçam claramente que estamos ainda no início da viagem, que temos de aprender todo um novo sistema de marinharia.

Esses homens terão de passar vários anos na posição de meros aprendizes. Para chegar ao alto, terão de lutar contra todas as formas de oposição. Quando enfim chegarem à ponte de comando, é possível que um motim da tripulação invejosa os leve à morte. Porém, um dia surgirá um homem que levará o navio com segurança a seu porto de destino, e esse homem será o maior herói de todos os tempos.

64
COMO SEMPRE SERÁ

"Quanto mais penso nos problemas que nos afligem, tanto mais me convenço de que devemos tomar a Ironia e a Piedade por conselheiras e juízas, como os antigos egípcios, que invocavam a proteção da deusa Ísis e da deusa Néftis sobre os seus mortos.
"Tanto a Ironia quanto a Piedade são boas conselheiras. A primeira, com seus sorrisos, torna a vida agradável; a segunda santifica a vida com suas lágrimas.
"A Ironia que invoco não é uma divindade cruel. Não zomba nem do amor nem da beleza. É gentil e bondosa. Seu júbilo nos desarma, e é ela quem nos ensina a rir dos malfeitores e dos tolos, pelos quais, se não fosse por ela, nossa fraqueza nos levaria a sentir desprezo e ódio."

65
DEPOIS DE SETE ANOS

O Tratado de Versalhes foi escrito sob a ameaça das baionetas. E, por mais que a invenção do coronel Fuysegur seja útil nos combates corpo a corpo, nunca foi considerada um sucesso como instrumento de paz.

Para piorar a situação, todos os homens que manipulavam essas armas mortais eram idosos. Quando um bando de jovens se mete numa briga, eles lutam uns contra os outros com um ódio mortal; mas, quando a raiva acumulada vai embora, eles são capazes de retomar suas atividades cotidianas sem guardar grande rancor pessoal contra aqueles que há pouco eram seus inimigos. Porém, é muito diferente quando meia dúzia de homens grisalhos e bem barbeados, repletos da ira fútil acumulada ao longo de toda uma vida de ambições frustradas, se sentam ao redor de uma mesa para julgar outra meia dúzia de adversários indefesos que, no auge da vitória, desconsideraram todos os princípios da lei e da decência internacional.

Numa tal ocasião, que Deus tenha piedade de nós!

Infelizmente, o bom Senhor, cujo nome fora terrivelmente tomado em vão nos quatro anos anteriores, não teve a disposição de estender a mão misericordiosa a seus indignos filhos.

Eles mesmos tinham sido responsáveis por aquela carnificina. Que resolvessem, então, da melhor maneira possível os seus problemas!

De lá para cá, ficamos sabendo em que consistiu esse "melhor". E a história dos últimos sete anos é um relato quase inin-

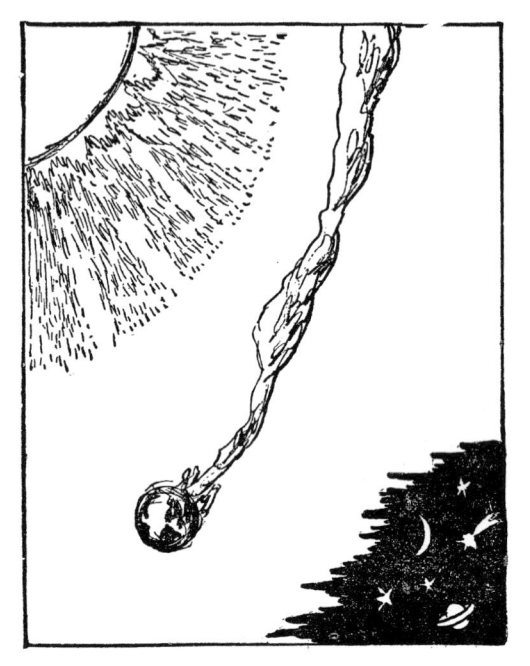

Um mundo em chamas

terrupto de disparates ignominiosos, de ganância, de crueldade e de tacanha maldade – uma época de tão impressionante imbecilidade que ganha um destaque singular nos melancólicos anais da estupidez humana, a qual (se me permitem este pequeno comentário paralelo) já não era pequena. Evidentemente, é impossível prever o que as pessoas do ano 2500 terão a dizer acerca das causas ocultas da grande conflagração que destruiu a civilização européia e conferiu ao surpreso povo norte-americano o papel de líderes da raça humana. Porém, à luz do que aconteceu antes, da transformação das nações em instituições comerciais altamente organizadas, elas provavelmente chegarão à conclusão de que algum tipo de conflito entre as duas facções comerciais rivais era absolutamente inevitável e estaria fadado a acontecer mais cedo ou mais tarde. Em português claro, elas vão reconhecer que a Alemanha se trans-

A história da humanidade

formara numa ameaça muito grande à prosperidade do Império Britânico, o qual não podia permitir que a rival continuasse a ganhar terreno como supridora geral das muitas necessidades dos povos do mundo.

Nós, que vivemos o conflito, temos muito mais dificuldade para fazer uma avaliação objetiva dos acontecimentos da última década. Mas hoje, depois de sete anos, podemos chegar a algumas conclusões relativamente seguras sem causar muita comoção entre nossos pacíficos amigos e companheiros.

A história dos quinhentos anos passados é na realidade o registro de uma luta terrível entre as chamadas "grandes potências" e aquelas que tinham a esperança de privá-las dessa posição de destaque e tornar-se elas mesmas as rainhas dos mares. A Espanha alcançou a glória passando sobre os cadáveres de Portugal e das grandes repúblicas comerciais italianas. Assim que os espanhóis estabeleceram esse famoso império sobre o qual o Sol (por um motivo geográfico ou de simples honestidade) nunca se punha, a Holanda tentou roubar suas riquezas; em vista da diferença de tamanho entre os dois países, a República Holandesa obteve um resultado altamente satisfatório. Porém, assim que a Holanda tomou posse daquelas partes do mundo que pareciam oferecer as maiores possibilidades de lucro imediato, a França e a Inglaterra entraram em cena para tirar do povo holandês os territórios recém-adquiridos. Feito isso, França e Inglaterra lutaram pelos espólios e, depois de um conflito lento e dispendioso, a Inglaterra venceu. Foi então que a Inglaterra dominou o mundo por mais de um século sem tolerar rivalidades. As pequenas nações que se interpunham no seu caminho eram pisoteadas; as grandes, que não podiam ser enfrentadas diretamente, viam-se de repente confrontadas por uma daquelas misteriosas alianças políticas cujo segredo parecia estar nas mãos dos governantes ingleses (mestres consumados da arte da política internacional).

Em vista desse desenvolvimento da situação econômica (bem conhecido e fielmente descrito em todos os livros de história escritos para a escola primária), a política seguida pelos governantes da Alemanha nas duas primeiras décadas do século XX parece quase ingênua. Certas pessoas afirmam que a culpa foi do cáiser, e os argumentos delas merecem nossa atenção. Guilherme II era um homem honesto mas pouco hábil, e foi vítima daquela estranha forma de ilusão que acomete as pessoas que por nascimento são alçadas aos assentos dos poderosos e que contemplam o resto do mundo de um tão alto pináculo de régia superioridade que logo perdem o contato com a vida comum da humanidade. Disto temos certeza: nenhum homem jamais se esforçou tanto por conquistar a boa vontade do povo inglês, e nenhum estrangeiro jamais avaliou de forma tão errônea a verdadeira natureza do caráter inglês.

Essa curiosa ilha do outro lado do mar do Norte vive de e para uma única coisa – o comércio. Os que não prejudicam o comércio inglês não chegam a ser "amigos", mas são ao menos "estranhos toleráveis". Por outro lado, os que representam uma ameaça, mesmo que remota, à hegemonia imperial são "inimigos" que precisam ser destruídos na primeira oportunidade. Os

O poderio marítimo

belos discursos e as evidentes manifestações de amizade e boa vontade por parte do anglófilo imperador teutônico não fizeram com que os ingleses esquecessem nem por um minuto que os alemães eram seus mais perigosos concorrentes e que, mais cedo ou mais tarde, tentariam vender seus produtos mais baratos para todas as partes do mundo civilizado e incivilizado.

Porém, esse é apenas um lado da questão. É importante, mas não basta para explicar os massacres por atacado que caracterizaram a última guerra.

Nos dias felizes antes da estrada de ferro e do telégrafo, quando cada país era uma entidade mais ou menos definida que seguia o próprio caminho com a determinação obstinada de um elefante que puxa um carro de circo, a querela entre os dois países candidatos à supremacia comercial teria se desenrolado lentamente e os ladinos diplomatas da velha escola provavelmente conseguiriam fazer com que ela não assumisse proporções indevidas. Infelizmente, em 1914, o mundo inteiro já era uma grande fábrica internacionalizada. Uma greve na Argentina causava sofrimentos em Berlim. O aumento do preço de certas matérias-primas em Londres podia representar uma calamidade para dezenas de milhares de abnegados cules chineses que jamais teriam ouvido falar da grande cidade sobre o Tâmisa. A invenção de um obscuro *Privat-Dozent** numa universidade alemã de terceira categoria poderia forçar dezenas de bancos chilenos a fechar as portas, ao passo que a má administração de uma antiga casa comercial de Gothenburg poderia privar milhares de meninos e meninas australianos da oportunidade de ir à universidade.

É claro que nem todas as nações haviam alcançado o mesmo nível de desenvolvimento industrial. Algumas delas ainda eram totalmente agrícolas e outras estavam apenas emergindo de um estágio de feudalismo quase medieval. Esse fato, porém, não as tornava aliadas menos desejáveis para suas vizinhas industrializadas. Muito pelo contrário. Via de regra, esses Estados possuíam uma quantidade quase ilimitada de "força humana"; e,

---

* Professor universitário não assalariado, que recolhe sua remuneração das contribuições dos estudantes. (N. do T.)

como buchas para o canhão, os camponeses russos nunca tiveram rivais na história.

De que modo esses interesses diferentes e conflitantes puderam se reunir num único grupo gigantesco de nações aliadas e por que consentiram em lutar por mais de quatro anos em vista de um objetivo comum? – essas são perguntas cujas respostas devemos deixar a cargo de nossos netos. O mundo terá de conhecer muito mais detalhes dos acontecimentos preliminares à guerra para poder emitir um juízo acerca desses patriotas desencaminhados que transformaram o continente europeu num gigantesco matadouro.

Neste dia quente de agosto do ano de 1926, tudo o que podemos fazer é chamar a atenção para um fato importante mas quase sempre esquecido pelos que se dizem historiadores, e que é o seguinte: o grande conflito europeu que começou como uma guerra mundial terminou como uma revolução mundial, e não significou uma simples interrupção do desenvolvimento nor-

Força humana

mal das coisas (como no caso de todas as anteriores guerras dos últimos trezentos anos), mas marcou o início de uma era social e econômica totalmente nova. Os velhos responsáveis pelo tratado de paz de Versalhes não puderam reconhecer esse fato, pois eram exageradamente determinados pelo ambiente em que se haviam formado.

Pensavam, falavam e agiam como se estivessem numa época havia muito passada.

Provavelmente, foi por isso que seus esforços representaram tamanha maldição para o restante da humanidade. Porém, há ainda um outro elemento que contribuiu imensamente para os efeitos desastrosos que a guerra teve sobre a democracia e os direitos das pequenas nações. Esse elemento foi a tardia participação dos Estados Unidos da América no conflito.

O povo norte-americano enquanto nação, sentindo-se protegido por trás de cinco mil quilômetros de oceano, nunca alimentou um profundo interesse pela política exterior. Acostumados a pensar por *slogans*, clichês e manchetes, alegremente ignorantes do desenvolvimento histórico da Europa (ou, aliás, de qualquer outra parte do mundo) nos últimos dois mil anos, a maioria dos concidadãos do presidente Wilson eram obrigados a obter informações históricas de segunda mão. Auxiliados e favorecidos por certos crimes inomináveis cometidos pelos líderes do exército e da marinha alemã, os criadores da propaganda aliada não tiveram dificuldade alguma para levar seus amigos norte-americanos a ver a guerra como um conflito definido entre o bem e o mal, um embate entre o branco e o preto, um duelo de morte entre os anjos anglo-saxônicos da autodeterminação e os demônios da autocracia teutônica – até que o povo norte-americano, sentimental e de coração mole (e assim tendente a chegar a um curioso extremo de sentimentalismo e crueldade), sentiu que se ficasse de fora da refrega estaria sendo infiel a tudo quanto havia de bom e honesto em sua virilidade. O país foi varrido por uma onda quente de zelo e entusiasmo, semelhante à das Cruzadas. De forma lenta e constante, as gigantescas máquinas da indústria norte-americana começaram a girar, e em pouco tempo dois milhões de homens acorriam aos campos de batalha da Europa para pôr fim às intoleráveis depravações dos hunos.

Era muito natural que esses milhões de jovens sérios e entusiasmados tentassem traduzir os motivos de sua luta em palavras compreensíveis para todos os seus compatriotas. Daí o *slogan* de "uma guerra para pôr fim à guerra". Daí os famosos quatorze pontos do presidente Wilson – o novo decálogo da justiça internacional. Daí o entusiasmo pela autodeterminação das pequenas nações, o desejo – expresso de forma hilariante – de "deixar o mundo seguro para a democracia".

Para os Balfour, os Poincaré e os Churchill (sem falar nos líderes exilados do antigo regime russo), tais palavras representavam uma indecorosa heresia. Se membros de seu próprio povo gritassem tais palavras de ordem, seriam imediatamente conduzidos perante o pelotão de fuzilamento. Porém, o comandante-chefe de 2 milhões de homens, o confiável zelador de todos os tesouros do mundo, tinha de ser ouvido com manifestações exteriores de respeito. Por isso, no último ano e meio de guerra, os líderes das diversas nações européias lutaram por certos ideais que não lhes eram menos inúteis do que as fantásticas inovações econômicas que estavam sendo pregadas aos quatro ventos, em centenas de línguas diferentes, dos antigos bastiões do Kremlin. E tão logo os alemães (agradavelmente surpresos com os razoáveis termos de rendição propostos por seus temidos antagonistas norte-americanos) desfizeram-se de seu imperador, mudaram o nome de seu país de um "império" para uma "república" e, adornados de cocares vermelhos e cantando o popular hino da fraternidade internacional, encetaram sua famosa marcha de retirada para além do Reno, os caciques aliados apressaram-se a se livrar dos tolos e incômodos ideais norte-americanos e prepararam-se para concluir uma paz baseada no famoso princípio de "ai do perdedor" que desde a época dos trogloditas tem sido aceito como a única conclusão lógica de qualquer confronto físico que se preze.

A tarefa deles teria sido muito menos complicada se o presidente Wilson não tivesse concebido o infeliz plano de participar direta e pessoalmente das negociações diplomáticas de 1919. Se tivesse permanecido em seu país, as potências européias teriam concluído um tratado baseado em seus próprios princípios de justiça e injustiça. Seria um tratado injusto do ponto de vista norte-americano, mas, justas ou injustas, as decisões deles teriam sido uma expressão sincera de uma escola definida de pensamento. O que aconteceu, porém, é que os ideais europeus e norte-americanos (que nunca puderam se misturar) ficaram tão horrivelmente mesclados que nada se decidiu definitivamente e todos os aliados permaneceram insatisfeitos, de tal modo que a paz se revelou infinitamente mais onerosa do que a guerra.

Porém, houve ainda um outro elemento que contribuiu enormemente para o caos causado pelo Tratado de Versalhes. O presidente Wilson, que era o chefe de uma federação de nações semi-independentes, concebia a existência de um Estado federado mundial. Essa idéia se mostrara possível no continente americano. Por mais de um século, deu a um número cada vez maior de estados soberanos um grau de liberdade política e bem-estar

Propaganda

econômico que fez da nação como um todo o país mais rico e mais próspero de todo o planeta. Por que o povo da Europa não poderia aprender a lição que a Virgínia, a Pensilvânia e Massachusetts haviam levado tão a sério em 1776? Por que não?

E foi assim que os líderes aliados curvaram-se servilmente e ouviram com todo o respeito o esquema do presidente Wilson para a constituição de uma Liga das Nações. Sob a pressão das circunstâncias, concordaram até em incorporar em seu tratado de paz os princípios de uma associação de Estados Unidos do Mundo. Porém, assim que o navio presidencial levantou âncora e partiu para o hemisfério ocidental, começaram a desfazer o trabalho que mais interessara ao grande presidente e retomaram os antigos ideais diplomáticos dos tratados secretos e das alianças sub-reptícias.

Entretanto, nos próprios Estados Unidos ocorreu uma profunda mudança de sentimentos. É muito fácil culpar certas características pessoais do Sr. Wilson por essa mudança de atitude em relação à Liga das Nações por parte de tantos de seus contemporâneos. Mas havia outras forças em operação, forças muito mais sutis.

Em primeiro lugar, os soldados que haviam lutado na guerra estavam voltando para casa. O fato de terem conhecido em primeira mão o estado de coisas na Europa despojou-os de toda vontade de dar continuidade à intimidade que caracterizara os dois anos anteriores.

Em segundo lugar, as pessoas em geral estavam começando a se recuperar da fúria ensandecida da guerra. Já não temiam pelas vidas de seus amados filhos e filhas e voltaram a ser capazes de pensar com sobriedade. A tradicional desconfiança da Europa voltou a fazer-se valer. Logo ficou claro que o sinistro aviso de George Washington quanto ao perigo das "alianças emaranhadas" tinha tanta influência sobre as massas populares de 1918 quanto tinha tido um século antes.

Em terceiro lugar, depois de dois anos de desfiles militares, discursos de quatro minutos e compra de apólices federais para ajudar com as despesas de guerra, era extremamente agradável voltar à tranqüila rotina de uma lucrativa carreira nos negócios.

Em suma, a recém-nascida Liga das Nações, que o presidente Wilson depôs sem cerimônia nenhuma à soleira da porta da Europa, foi então repudiada por seus próprios pais espirituais. A criança não morreu, mas levou uma vida precária e cresceu fraca e subnutrida, frágil demais para impor sua influência de maneira decisiva. Limitava-se a irritar os seus amigos toda vez que perdia tempo em reprimi-los e apontava-lhes um dedo acusador.

Mais uma vez, defrontamo-nos com um sinistro "se" da história.

"Se a Liga das Nações tivesse de fato conseguido transformar todo o mundo civilizado numa associação eficaz de Estados Unidos do Mundo..."

Os Estados Unidos partem para o estrangeiro

Não sei, mas parece-me que, mesmo sob as circunstâncias mais favoráveis, o plano do presidente Wilson não tinha senão exíguas chances de êxito.

Isso porque a guerra – estamos começando a compreender este fato agora – não foi tanto uma guerra quanto foi uma revolução, na qual a palma da vitória foi arrebatada por um insuspeito terceiro partido que de lá para cá foi identificado como o tataraneto de um certo James Watt e está passando a ser conhecido em círculos cada vez mais amplos como o "Homem de Ferro".

Hendrik Willem van Loon

O Homem de Ferro

Originalmente, o motor a vapor (como seu irmão mais novo, o motor elétrico) foi encarado como um bem-vindo acréscimo à família dos seres humanos civilizados, pois era um escravo sempre bem disposto e sempre pronto a aliviar o fardo dos homens e dos animais.

Porém, logo ficou claro que esse factótum inanimado era um ser endiabrado e cheio de astúcias; e a guerra, que deixou temporariamente em suspenso todas as coisas boas da vida, deu à geringonça de ferro a oportunidade de escravizar aqueles que na realidade deveriam ser seus senhores.

Aqui e ali, alguns cientistas sábios previram esse perigo, a ameaça que esse servo infiel representava à raça dos homens; mas sempre que um desses infelizes profetas abria a boca para dar uma palavra de alerta, era execrado como um inimigo da sociedade, um bolchevique consumado, um radical sedicioso, e era

A história da humanidade

obrigado a segurar a língua sob pena de ter de arcar com as conseqüências. Isso porque os políticos e diplomatas responsáveis pela guerra estavam agora entretidos com a tarefa seriíssima de elaborar um tratado de paz adequado, e não podiam ser perturbados em seu santo serviço. Infelizmente, a maioria desses dignitários ignora completamente os princípios elementares da ciência natural e da economia política que dominam por inteiro a sociedade industrializada e mecanizada em que vivemos, e são menos aptos a lidar com os complexos problemas modernos do que qualquer outro grupo de homens em quem eu possa pensar neste exato instante. Os plenipotenciários de Paris não eram exceção a essa regra. Reuniram-se sob a sombra do Homem de Ferro e debateram um mundo dominado pelo Homem de Ferro, mas nem por um momento tomaram consciência de sua presença; e até o fim comunicaram-se através de palavras e símbolos que representavam a mentalidade do século XVIII, mas não a do século XX.

O resultado era inevitável. É impossível pensar como em 1719 e prosperar em 1919. Mas está cada vez mais claro que foi exatamente isso que fizeram os velhos de Versalhes.

Olhe agora como ficou o mundo depois dessa orgia de ódio e insensatez – uma colcha de retalhos composta de fantásticas nacionalidades novas, que talvez possuam algum valor como curiosidades históricas, mas que jamais serão capazes de sobreviver num mundo dominado pelo carvão, pelo petróleo, pela energia hidrelétrica e pelos grandes empréstimos bancários; um continente dividido por fronteiras artificiais que talvez pareçam belas no atlas geográfico de uma criança, mas que não têm relação alguma com as necessidades urgentes da civilização moderna; um gigantesco acampamento militar habitado por homens vestidos de uniformes amarelos, verdes e roxos, que passam por medíocres imitações de seus míticos antepassados, mas, na prática, valem menos para a sociedade contemporânea do que qualquer balconista que trabalhe no porão de uma loja de armarinhos.

Talvez estas palavras soem como uma condenação brutal de um estado de coisas que ainda enche de gratidão e orgulho as almas de milhões de europeus sinceros.

Sinto muito, mas qualquer melhora duradoura terá de esperar até que os estadistas europeus se disponham a deixar as soluções dos problemas modernos a cargo de pessoas de mentalidade moderna. Enquanto isso, as pessoas em geral buscarão alívio para sua agonia e sofrimento nas panacéias oferecidas pelo bolchevismo e pelo fascismo.

Por acaso, este arroubo retórico vai explicar o mais perigoso e lamentável de todos os recentes acontecimentos políticos – a inimizade que vem rapidamente se criando entre o povo europeu e o norte-americano. Como estou procurando escrever para as crianças de todas as raças e não somente para as que vivem no feliz território que se estende do Atlântico ao Pacífico, este desfraldar da bandeira americana talvez seja considerado uma manifestação de extremo mau gosto. Porém, chegou a hora de falar claro; e, mesmo correndo o risco de passar por um patriota ferrenho (a última honra à qual aspiro), tentarei expor claramente a minha idéia.

Nem por um momento pretendo afirmar que os homens e mulheres que compõem a nação norte-americana sejam individualmente superiores a seus primos do velho mundo. Porém, felizmente para si próprios, têm pouca consciência do passado e, por isso, mais do que os povos de quaisquer outros países, são capazes de tratar dos problemas do presente mantendo os olhos abertos para o futuro. Foi assim que aceitaram o mundo moderno sem reservas; e, tendo-o aceito com todos os seus benefícios e malefícios, estão chegando rapidamente a um *modus vivendi* pelo qual o homem e seu servo inanimado serão capazes de coexistir em paz e guardando o devido respeito um pelo outro. Parece absurdo, mas é verdade: o país que alcançou a maior perfeição mecânica é também o primeiro a conseguir domar o Homem de Ferro. Para fazer isso, os norte-americanos foram obrigados a lançar pela amurada uma grande quantidade de lastros ancestrais. Sacrificaram centenas de idéias, preconceitos e ideais que foram muito úteis há duzentos ou dois mil anos, mas que hoje não valem um centavo a mais do que uma diligência ou uma imagem milagrosa. Ao que me parece, a Europa não terá esperança até que as massas de alemães, ingleses, espanhóis e todos os outros façam exatamente a mesma coisa.

Num capítulo como este, seria fácil elaborar nobres discursos sobre as realizações de Locarno e sobre a inexeqüibilidade de um programa marxista de economia aplicada; seria fácil discutir a insensatez dos políticos franceses que ainda não aprenderam que os dias de Luís XIV e de Napoleão já foram desde há muito juntar-se à Idade da Pedra entre as eras passadas da história. Porém, tudo isso não passaria de um desperdício de energia, papel e tinta.

A infelicidade que se abateu sobre o mundo nos últimos dez anos (desencadeada pela Grande Guerra, mas não causada por esse conflito sanguinário) deve-se na realidade a uma profunda mudança na estrutura econômica e social do mundo inteiro. Mas a Europa, detentora dos conhecimentos do passado, até agora não quis ou não conseguiu perceber esse fato.

O Tratado de Versalhes, o último grande gesto do Antigo Regime, quis ser um último reduto de proteção contra a chegada inevitável da era moderna. Em menos de oito anos, tornou-se uma ruína obsoleta. Teria sido considerado uma peça diplomática sublime no ano da graça de 1700. Hoje em dia, nem sequer uma em cada dez mil pessoas se deu ao trabalho de lê-lo. Isso porque o século XX é dominado por certos princípios econômicos e industriais que não reconhecem fronteiras políticas e tendem, com uma certeza absoluta e inevitável, a transformar o mundo inteiro numa única fábrica grande e próspera, passando por cima de todas as diferenças de língua e raça e de todas as glórias passadas.

O que será feito dessa fábrica, qual a forma de civilização que nascerá da cooperação inteligente e voluntária entre o homem e suas máquinas – isso eu não sei e, na realidade, não importa muito. Viver é mudar, e não é esta a primeira vez em que a raça humana depara com uma tal situação de emergência.

Nossos antepassados remotos e mais próximos passaram por crises semelhantes a essa.

Não há dúvida de que o mesmo acontecerá com nossos filhos e netos.

Hendrik Willem van Loon

Mas nós, que estamos vivos hoje, o único problema sério que temos a enfrentar é uma reorganização do mundo em torno de princípios econômicos, e não de velhos e desgastados princípios políticos.

Há sete anos, com os ouvidos ensurdecidos pelo estrondo dos canhões e os olhos obcecados pelo fulgor dos holofotes, estávamos ainda demasiado perplexos para compreender para onde tínhamos sido levados pelo grande turbilhão. Naquela época, todo homem relativamente honrado e sincero que se fingisse capaz de nos levar de volta para os dias anteriores a 1914 era encarado com um líder e tinha a garantia de nossa mais absoluta lealdade.

Hoje em dia já não é assim, pois progredimos.

Começamos a compreender que o mundo antigo e agradável em que vivíamos confiantes até o irromper da guerra já havia ultrapassado em várias décadas a sua vida útil.

Isso não quer dizer que tenhamos certeza absoluta de qual o caminho a seguir. O mais provável é que tomemos dez atalhos errados até encontrar a direção correta. Mas, enquanto isso, estamos aprendendo rapidamente uma importante lição – que o futuro pertence aos vivos, e que os mortos devem tratar de seus próprios assuntos.

66
OS ESTADOS UNIDOS CHEGAM À MAIORIDADE
O primeiro de vários capítulos de história contemporânea escritos pelo tio Willem para Piet, Jan, Dirk e Jane van Loon e seus coetâneos

À semelhança da maioria dos homens muito ocupados, seu avô deixou muitas obras por terminar. *Uma história da humanidade* foi escrita para mim e para seu pai quando éramos crianças. Seu avô tinha o plano de reescrever o livro para vocês, atualizando-o. Mas atualizando-o até quando? Eis a questão.

Se você quisesse descrever uma coisa muito grande, como uma tempestade no mar, por exemplo, sentar-se-ia sobre uma colina próxima de onde pudesse enxergar até bem longe em todas as direções. Assim, seria capaz de ver as coisas "segundo o ponto de vista correto". Se, por outro lado, estivesse no meio do mar dentro de um barco, só poderia descrever as ondas que o balançavam para cá e para lá.

O mesmo se aplica aos escritos de história. É fácil enxergar o passado a partir da alta colina do presente. Vemos o "quadro geral" das coisas. Mas, no que diz respeito à história contemporânea – e por este termo me refiro à história dos últimos vinte ou trinta anos –, ainda estamos "em alto-mar". Enquanto tenta se manter numa rota segura, o "Navio do Estado" é batido por ventos e ondas vindos de todos os lados. Não conhecemos o tamanho da tempestade nem sabemos quanto tempo ela vai durar. Tudo o que podemos fazer é seguir a bússola e esperar pelo melhor.

Costumava-se falar das "calmarias" da história, períodos em que "nada acontecia". Hoje nosso conhecimento aumentou. Sabemos que essas calmarias, como as do clima, eram puramente locais. Antes do surgimento do telégrafo, do telefone e do rádio, eventos históricos importantes como guerras, revoluções e mudanças de governo podiam acontecer num país sem que os países vizinhos tomassem conhecimento. Isso já não é possível. Graças aos modernos meios de comunicação e à nossa imprensa livre, tudo o que acontece em Lhasa, em Roma ou na Cidade do Cabo pode ser conhecido no dia seguinte pelos cidadãos de Kansas City, Nova Orleans e Vancouver. Eu disse *pode* ser conhecido. Evidentemente, existem aqueles que não querem se informar.

A última vez em que o povo norte-americano de livre e espontânea vontade decidiu ignorar os desenvolvimentos históricos ocorridos em outras partes do planeta foi depois da Primeira Guerra Mundial. (Foi nesse período de "calmaria" que *Uma história da humanidade* foi escrito, como uma advertência.) Depois de ajudar nossos aliados na guerra contra a Alemanha, achamos que já tínhamos cumprido todo o nosso dever. Em nossa alegre inconsciência, ainda ignorantes da responsabilidade de que a história haveria de nos incumbir, voltamos as costas para a Liga das Nações e deixamos que a Europa cozinhasse em seu próprio caldo.

Os *Roaring Twenties* (os exuberantes anos vinte) haviam chegado. Sob o *slogan* do presidente Harding, que pregava uma "volta à normalidade", este país entrou numa corrida selvagem pela exploração de todas as formas de empreendimento. O desperdício, a anomia e a corrupção penetraram em todos os círculos da nação, dos mais altos aos mais baixos. A morte súbita de Harding, ocorrida em circunstâncias suspeitas, fez circular rumores de que, caso ele continuasse vivo, seria deposto do cargo. Muito embora a geração atual prefira olhar para essa "Era do Jazz" com óculos cor-de-rosa, a verdade é que, se ela pintou um quadro de prosperidade, fê-lo sobre uma tela podre.

Parece estranho que eu mencione esses acontecimentos puramente locais num livro que se pretende essencialmente uma história universal, mas tenho meus motivos para fazê-lo. Assim como uma pessoa ou uma nação levam tempo para construir uma boa reputação, assim também é preciso muito tempo para fazer com

A história da humanidade

que os outros se esqueçam da nossa má reputação passada. Embora tenhamos ficado imensamente ricos e poderosos na década de 1920, foi também naquela época que o nosso prestígio como nação de cidadãos responsáveis chegou a um nível calamitosamente baixo. Ao passo que poucos norte-americanos prestavam atenção aos acontecimentos ocorridos no estrangeiro, os olhos e ouvidos do resto do mundo estavam voltados para nós.

Os romances de Sinclair Lewis e Theodore Dreiser, que retratavam a realidade norte-americana, eram traduzidos para muitas línguas e tornavam-se objeto de extensas discussões. As peças de teatro norte-americanas encontraram um novo público fora de seu país e, mais importante ainda, surgiu esse grande e novo produto de exportação, o "cinema". Nenhuma história do papel dos Estados Unidos no contexto mundial pode deixar de registrar o beijo de Judas que o nosso cinema deu a este país. Na medida em que retratava e exaltava nossas riquezas e nosso modo de vida liberal, o cinema implantou na mente das pessoas comuns do mundo inteiro uma idéia exagerada dos Estados Unidos que depois teve o seu preço. Um exemplo bastará para lhe mostrar o que quero dizer. Em todas as línguas do mundo, hoje em dia, encontra-se pelo menos uma palavra inglesa: *gangster*.

Ninguém se interessou pelo que aconteceu em 1922, quando o ex-editor do jornal socialista *Avanti* marchou sobre Roma portando uma bandeira com a figura dos "fasces", um machado envolvido num feixe de varas que simbolizava a autoridade na Roma antiga. Quando esse mesmo Benito Mussolini tornou-se "ditador" da Itália, os norte-americanos limitaram-se a dizer: "Graças a Deus, agora os trens italianos não vão mais se atrasar!" Isso de fato aconteceu. Os milhares de turistas que agora se dirigiam a Roma, Florença, Veneza e Nápoles muitas vezes tinham de parar nas esquinas enquanto uma falange de jovens trajados de negro marchava pela rua cantando a *Giovinezza*. Porém, os turistas jamais se deram conta da verdadeira intenção desses meninos cantantes e do seu "Duce" baixinho e atarracado. (Veja o Capítulo 24.)

O mundo também não prestou muita atenção a um incidente infeliz ocorrido na Odeonsplatz de Munique no ano de 1923. Lá, um grupo denominado de Partido Nacional-Socialista dos Trabalhadores Alemães tentou organizar um "Putsch" para derrubar o governo bávaro e foi recebido a tiros pela polícia. Um desses "nazistas" – como depois vieram a ser chamados – era o velho general Erich Friedrich Wilhelm Ludendorff, e por isso todos ficaram arrependidos da reação policial. O líder dos nazistas, um austríaco de profissão indeterminada, foi condenado a cumprir uma sentença de cinco anos na prisão de Landsberg, mas só ficou lá por nove meses. Aproveitou bem o seu tempo. Tendo à sua disposição um estoque ilimitado de papel e um dedicado secretário e companheiro de cela chamado Rudolf Hess, esse homenzinho irascível ditou um livro. Como não tinha muita instrução, seu uso da língua alemã era péssimo. Esse senão foi logo remediado por alguns escritores profissionais, e o *Mein Kampf* ("Minha Luta") de Adolf Hitler foi traduzido para ser lido por todo o mundo.

Poucas pessoas cuidaram de examinar o conteúdo dessa obra tediosa e bombástica. Foi uma pena. Se o tivessem feito, teriam prestado mais atenção aos esforços de um francês chamado Aristide Briand e de um alemão de nome Gustav Stresemann. Na qualidade de representantes de seus países, eles assinaram um pacto altamente conciliatório. Em 1926 ganharam juntos o Prêmio Nobel da Paz. E ficou-se por aí.

Havia também a Rússia. Não era preciso muito esforço para ignorar a Rússia, pois era isso que os russos queriam e sempre tinham querido. Desde a época dos czares alimentavam uma forte desconfiança em relação ao Ocidente, de quem haviam emprestado tudo, até mesmo a arte do balé. O governo soviético não viu motivo algum para mudar esse fato, bem como muitos outros. Pelo contrário, era extremamente importante que os estrangeiros simplesmente não conhecessem o êxito ou o fracasso dos sucessivos Planos Qüinqüenais soviéticos; e era ainda mais importante que os cidadãos da União Soviética tivessem tão poucas informações quanto possível acerca do mundo exterior.

Não obstante, os leitores mais perspicazes puderam notar o gradual desaparecimento do nome de Trotsky em todas as notícias veiculadas na União Soviética e sua substituição pelo nome de Joseph Stálin. Isso representava também uma mudança nas

A história da humanidade

políticas e nos objetivos dessa nação potencialmente poderosa, mudança essa que se evidenciou aos olhos dos que se interessavam pelo caderno de notícias internacionais dos jornais. Os demais pulavam das notícias de assassinatos na primeira página para as cotações da bolsa de valores, e aí se sentavam para dedicar-se a uma leitura séria. Porém, no dia 29 de outubro de 1929, foram as bolsas de valores que chegaram à primeira página.

O grande caldeirão de Wall Street, que vinha borbulhando alegremente, finalmente transbordou e apagou o fogo sobre o qual fervia. A exuberância dos anos vinte transformou-se em pânico. O sucessor de Harding, "Cautious Cal" Colidge, um presidente que se orgulhava da sua capacidade de nada dizer e de fazer menos ainda, entregou o cargo a Herbert Hoover. Na tentativa de reavivar o fogo das finanças, mesmo este grande economista estava tão desamparado quanto um habitante da cidade que tenta acender uma fogueira em lenha molhada sem palitos de fósforo. Aplicou todas as fórmulas conhecidas, mas o desemprego e a histeria só fizeram aumentar.

Não foi a queda das bolsas que pôs fim a uma era. Essa era, a era da exploração, já havia terminado muito tempo antes. A quebra só fez revelar até que ponto a antiga estrutura já estava apodrecida. Nos Estados Unidos, o século XIX durou até 1929.

Infelizmente, poucos daqueles que adquiriram riqueza e influência nesse período encontraram tempo para ler alguns livros de história. Se o tivessem feito, saberiam que os que querem gozar de mais privilégios têm também de assumir mais responsabilidades. Caso contrário, o navio da nação afunda. A tal incidente normalmente se segue uma revolução. Nós, norte-americanos, tivemos a nossa "revolução", que foi conhecida como a "Grande Depressão".

Nos anos seguintes, estávamos preocupados demais com nossos próprios problemas para reparar nas explosões desencadeadas em outras plagas pela nossa quebradeira financeira. Porém, estavam acontecendo certas coisas que viriam a depor sobre nossos jovens ombros uma responsabilidade de alcance global. Para gosto de uns e desgosto de outros, os Estados Unidos chegaram à maioridade.

67
OS PARCEIROS DO "EIXO"
*A "quebra que se fez sentir no mundo inteiro"
precipitou a ruína de uma paz erguida
sobre fundamentos medievais*

Num belo dia, muitos anos atrás, um certo sujeito queria tomar emprestada uma grande quantia em dinheiro. Em troca, ofereceu ao agiota ou "banqueiro" uma "cota de participação" em seus negócios. O banqueiro, que tinha espírito de jogador, decidiu pôr em leilão essas cotas ou "ações", vendendo-as pelo melhor preço. Tornou-se assim um "corretor de ações". Os mercados de ações, dos quais a Bolsa de Paris é um dos exemplos mais antigos, a princípio faziam negócios em escala pequena e local. Então, um certo corretor teve a idéia de empregar mensageiros para levar "cotações" de uma cidade a outra. Por fim, com o advento do telégrafo, as transações das bolsas de valores tornaram-se internacionais. Hoje em dia, todas as compras e vendas importantes realizadas em Wall Street põem em movimento máquinas teleimpressoras em Londres, em Buenos Aires e na Cidade do Cabo.

No final da década de 1920, os preços das ações em Wall Street foram subindo sem parar. O país foi tomado por uma febre do jogo. Em 1929, as ações de muitas empresas importantes já tinham um valor muito superior ao real. De repente, essas empresas faliram. Suas ações perderam todo o valor. Certos bancos, que haviam especulado com essas ações, faliram também. Muitas pessoas que tinham investimentos nesses bancos perderam tudo.

Experimente colocar dominós de pé, uns atrás dos outros: coloque primeiro um, atrás desse uns outros dois, atrás desses dois outros três, atrás desses três outros quatro e assim por diante. Derrube o primeiro: quando ele cair, derrubará os dois seguintes, e logo todos estarão no chão. Isso explica o que aconteceu no mundo inteiro em 1929. Primeiro um banco faliu, depois dois, depois três. Em toda parte, nas Américas, na Europa, na Ásia, os bancos começaram a fechar as portas. Primeiro caíram os pequenos, depois os grandes. Como os negócios tinham se internacionalizado, o desastre foi universal. Em 1931, o poderoso Credit-Anstalt austríaco foi à ruína. Mas o pior ainda estava por vir.

Por muitos séculos, a libra esterlina inglesa tinha sido aceita como a moeda-padrão, contra a qual todas as demais eram aquilatadas. Mas em 21 de setembro de 1931, o Banco da Inglaterra, símbolo da prosperidade e da confiabilidade britânicas, abandonou o padrão-ouro. Para saber exatamente o que isso significa, você terá de ler um livro sobre o sistema bancário. Até lá, você terá de confiar em minha palavra quando lhe digo que isso afetou severamente a estabilidade das economias nacionais no mundo inteiro. Foi também a primeira fissura que se fez notar na estrutura do Império Britânico.

Houve outros sinais que indicavam a dissolução do "império em que o sol jamais se põe". Na Índia, um hindu de fala mansa chamado Mohandas Karamchand Gandhi, chamado de "Mahatma" ou "Grande Alma" pelos seus seguidores, foi posto na prisão diversas vezes pelas autoridades britânicas. Ele estimulava seus compatriotas a conquistar sua independência mediante a "resistência passiva".

E houve o caso da Palestina, que os ingleses haviam tomado dos turcos depois da Primeira Guerra Mundial. Pela Declaração de Balfour, de 1917, os ingleses declararam-na a pátria dos judeus. O súbito aumento da imigração judaica deparou com uma oposição ferrenha por parte da população árabe local. Infelizmente, manter a paz com os árabes era igualmente importante para a Inglaterra. Eram eles que controlavam as terras próximas ao canal de Suez e as grandes reservas de petróleo do Oriente Próximo que então começavam a ser exploradas. Os britânicos, pois, mudaram de opinião e tentaram obstar o fluxo de sionistas para a bíblica terra da promissão. A extensão do fracasso britânico é testemunhada pela existência atual do Estado de Israel.

Hendrik Willem van Loon

Se você girar o globo até o outro lado (coisa que todos devem fazer de vez em quando), vai ver um conjunto relativamente pequeno de ilhas ao largo do litoral da China. É o Império do Japão, supostamente fundado pelo imperador Jimmu Tenno em 660 a.c. Pouco se sabe acerca da história remota dessa nação. Descoberto acidentalmente pelos portugueses em 1542, o Japão mostrou-se francamente hostil aos comerciantes ocidentais e aos missionários que lhes vinham no encalço. Em 1663, fechou seus portos a todos os estrangeiros, com exceção dos holandeses. Então, em 1853, o comodoro Matthew Perry, portando uma carta do presidente Fillmore, dos Estados Unidos, entrou na Baía de Tóquio. Seis anos depois, o Japão assinou um acordo comercial com os Estados Unidos primeiro e com outras nações em seguida. Como que da noite para o dia, esse império feudal tornou-se uma moderna potência industrial e militar.

Em 1895, o Japão tomou Formosa da China; em 1905, venceu uma rápida guerra contra a Rússia pelos direitos de uso dos portos e ferrovias da Manchúria; em 1910, anexou a Coréia. Aprontou-se assim para levar a cabo um dos maiores planos do imperialismo asiático desde a época de Gêngis Khan. Tinha tudo o que era necessário para essa empreitada: riqueza, indústrias, uma grande quantidade de força de trabalho humana (devida à superpopulação) e uma religião na qual o imperador era Deus e morrer por ele era uma honra. Com prudência e astúcia, ficou à espera de sua oportunidade.

Com o prestígio norte-americano em baixa e a maior parte da Europa num estado de turbulência financeira e política, o Japão escolheu o ano de 1931 para enviar suas tropas da Coréia para a Manchúria. A vitória foi rápida. A Liga das Nações enviou uma comissão para investigar o "Incidente de Manchukuo", e os Estados Unidos recusaram-se a reconhecer o Estado-fantoche estabelecido pelos japoneses sob o imperador Henrique Pu-Yi. Fazendo-se de insultado, o Japão retirou-se indignado da Liga, mas continuou mantendo relações comerciais com os Estados Unidos. O "incidente" foi esquecido.

Havia um homem que observava com interesse o desafio lançado pelo Japão à Liga das Nações. Era o autor de *Mein Kampf*, candidato às eleições presidenciais na Alemanha. Seu nome era Adolf Hitler.

A República de Weimar, sob o ponto de vista cultural, foi um dos períodos mais brilhantes da história; politicamente, porém, foi um fiasco. Desacostumados com o privilégio de constituir seus próprios partidos políticos, os alemães viram-se divididos em 125 facções diferentes e muito, muito fracas. Nessas circunstâncias, era quase impossível eleger um presidente. A República Alemã só teve dois: Friedrich Ebert, seleiro de profissão, e Paul Ludwig Hans Anton von Beneckendorff und von Hindenburg, general duas vezes reformado.

O venerável herói da Guerra Franco-Prussiana e da Primeira Guerra Mundial já tinha setenta e oito anos quando assumiu o cargo em 1925. Embora parecesse excelente nos selos de correio, não tinha condições pessoais de administrar o país. Mesmo reeleito em 1932, derrotando Adolf Hitler nas urnas, o idoso marechal-de-campo já não era páreo para o jovem cabo e seu partido nazista. Uma série de falências abalava a jovem República Alemã até os fundamentos, e Hitler aproveitou ao máximo a situação. Os únicos rivais que realmente representavam-lhe uma ameaça eram os comunistas alemães. As táticas comunistas e nazistas eram parecidas demais para que pudessem coexistir. Em 1933, os nazistas secretamente atearam fogo ao edifício do Reichstag, em Berlim, e incriminaram fraudulentamente um ex-comunista, Marinus van der Lubbe, como responsável pelo incêndio. Dessa vez o "Putsch" teve êxito. Vendo seu próprio filho entrar no partido nazista, Hindenburg cedeu às pressões e nomeou Adolf Hitler chanceler do Reich.

Com a morte de Hindenburg, em 1934, Hitler tornou-se ao mesmo tempo chanceler e presidente da Alemanha. Seguindo o exemplo do italiano Mussolini, que se alcunhara de "Il Duce" (O Comandante), Hitler tornou-se o "Führer" ou líder do povo alemão.

Como explicar a fantástica ascensão de Hitler ao poder? Ele, ou pelo menos seus conselheiros, tinha um conhecimento extraordinário da "psicologia popular". Aos militares alemães, que amargavam a péssima situação em que o Tratado de Versalhes

lhes deixara, Hitler prometeu a reabilitação. Aos homens comuns, prometeu a volta da glória e do poder da Alemanha. Da mitologia nórdica e dos escritos de Friedrich Nietzsche, elaborou uma teoria da chamada *Herrenrasse* ou Raça Superior Germânica. Mas, se os alemães eram tão fortes, por que haviam perdido a Primeira Guerra Mundial? Porque tinham sido traídos! E por quem? Hitler precisava de um bode expiatório. Seguindo o exemplo dos países eslavos, onde todo e qualquer tipo de descontentamento tendia a terminar num *pogrom*, apontou o seu dedo acusador para os judeus. Embora constituíssem menos de um por cento da população total do país, Hitler afirmou que essa minoria judia determinara a ruína da Alemanha "ariana", pacífica e trabalhadora.

E as pessoas realmente acreditaram nesse disparate? Infelizmente, sim. E não era só dentro da Alemanha que Hitler tinha seus partidários. Como Mussolini, o chanceler alemão foi aclamado em muitas partes como um homem do povo que estabelecera a ordem a partir do caos. Ainda ignorantes dos inomináveis excessos a que levaria a teoria hitleriana da "Raça Superior", todos dispuseram-se a deixar que ele transformasse o Terceiro Reich num arsenal. Estava simplesmente cumprindo sua promessa de fornecer ao mundo um conveniente bastião de defesa contra o comunismo.

Uma vez no poder, Hitler não perdeu tempo. Atropelou impiedosamente todos os indivíduos e grupos que se interpuseram em seu caminho. A velha roda dos militares, que buscava a sua recompensa por tê-lo apoiado, viu-se posta de escanteio no programa de remobilização. Como precisava da colaboração da indústria, Hitler atraiu para o seu lado os industriais tradicionalmente conservadores, promovendo entre seus seguidores um "expurgo" que vitimou os radicais socialistas. Com maquiavélica perfeição, usou um falso atentado contra sua vida como pretexto para assassinar o general von Schleicher, Ernst Röhm e outros ex-amigos. A Lei de Plenos Poderes, aprovada em 1934, tirou do povo alemão as liberdades democráticas de que haviam gozado sob a República de Weimar, mas que nunca haviam realmente apreciado. Em compensação, puderam participar de uma franca campanha de ataque aos judeus, aos católicos, aos intelectuais e aos comunistas.

As gerações futuras talvez se maravilhem da campanha de Hitler contra os comunistas. Perguntarão: "Mas o nazismo e o comunismo não eram, por acaso, ideologias correlatas?" "Não era a Alemanha o lar dos nacional-*socialistas*, e a Rússia a União das Repúblicas *Socialistas* Soviéticas?"

A semelhança ideológica não é uma vacina contra os conflitos, do mesmo modo que não é a diversidade de ideologias que os provoca. Na história, os verdadeiros problemas são mais profundos do que isso. A Alemanha de Hitler ainda era a Alemanha, e a Rússia de Stálin ainda era a Rússia. A antiqüíssima luta desses dois países pelo poder não deixou de existir. Muito pelo contrário. Na opinião de Hitler, recebeu então um embasamento lógico e "científico". Esse embasamento era dado pela geopolítica.

Proclamando a descoberta de uma inter-relação específica entre a política e a geografia, os geopolíticos dividem a massa terrestre eurasiana em duas partes: o "centro" e a "periferia". Na opinião deles, quem quer que domine o centro e ganhe acesso ao mar dominará o mundo. Esse "centro" é a Rússia. Tendo como conselheiro político o maior dos geopolíticos alemães, Karl Haushofer, Hitler apontou para a ameaça de um mundo dominado pela Rússia através do comunismo. Na verdade, porém, ele queria para si esse "centro" do continente eurasiano que é a Rússia, e foi para isso que se preparou.

Num tal contexto, é compreensível que a Rússia soviética não tenha visto com bons olhos os acontecimentos de 1933. Já nervosos com a atividade dos japoneses, os soviéticos fecharam pactos de não-agressão com os poloneses, os Estados do Báltico e a França. Então, vendo a Alemanha arrebatada pelos nazistas, a Rússia começou a buscar novos aliados. Quando Hitler, em sua primeira prova de força, desfez o trabalho de Stresemann e saiu da Liga das Nações, a União Soviética tornou-se membro.

Não há dúvida de que Mussolini era semelhante a seus compatriotas no tradicional desprezo pelos bárbaros do norte, mas estendeu a Hitler o seu apoio paternal e deu-lhe as boas-vindas. Os ministros das relações exteriores de ambos os países trocaram então uma série de corteses comunicações diplomáticas até que, em 1934, em meio a uma atmosfera programada de otimismo, Hitler foi a Roma. Apesar dos desfiles e dos banquetes, a visita resultou em atrito, pois sempre havia alguém para lembrar a espinhosa questão austríaca.

A depressão de 1929 atingiu também a Itália. Com medo de ir à bancarrota, Mussolini instituiu um sistema de controle cada vez mais rígido. As aclamações entusiasmadas com que tinham sido recebidas as primeiras proclamações do Duce assumiram uma sonoridade vazia. Mussolini diagnosticou corretamente os sintomas de insatisfação. Chegou o momento de criar uma nova causa, algo que atraísse a atenção do povo.

Também ele ficou observando o comportamento hesitante da Liga das Nações e teve uma idéia. A Itália, pensou, não passava de um reino. Roma tinha sido um império. Qual era o país mais indefeso que ele teria motivos para atacar? Seu olhar cobiçoso voltou-se para a Abissínia.

Esse "misterioso reino do Preste João" (ver p. 231), cuidando somente de seus assuntos sem se meter nos dos outros, conseguira sobreviver a dezesseis séculos de progresso humano. Seu terreno acidentado e seus guerreiros vigorosos eram legendários. Ambos serviram para deter muitos aspirantes a fundadores de impérios. Esses cristãos de pele escura não só eram extremamente habilidosos com a lança como também tinham o hábito de mutilar seus prisioneiros de guerra. Como você leu na página 453, a Itália já tentara uma vez anexar a Abissínia, ou Etiópia, como é chamada hoje. Sofreu uma derrota humilhante em Ádua, em 1887, derrota essa que pode até ter perdoado, mas jamais esqueceu. Em 1928, ambos os países assinaram um tratado solene de amizade.

Em dezembro de 1934, tropas italianas e etíopes enfrentaram-se em Ualual, na disputada fronteira da Etiópia com a Somália italiana. Mussolini fingiu-se de ofendido, exigiu reparações e recusou-se a submeter a questão ao arbitramento de uma terceira parte. Hailê Selassiê, o negus etíope, apresentou a questão à Liga das Nações. Como Mussolini esperava, a Liga foi toda ouvidos mas nada fez. Então, Mussolini anunciou ao mundo que aceitaria um arbitramento. O estratagema deu certo.

Assim que se sentiu suficientemente preparado, Mussolini invadiu a Etiópia. De pés descalços e armados de lanças, os soldados de Hailê Selassiê exibiram a coragem que os fizera famosos. Mas não eram páreo para os tanques, metralhadoras e bombardeiros italianos. Os pilotos da Itália, entre os quais o filho do próprio Duce, tripudiavam sobre os adversários e falavam sobre o quão divertido era o "esporte" de atingir com um tiro um etíope desarmado e ver as feridas de bala "abrirem-se como flores".

A Liga das Nações, num último esforço, qualificou a Itália de "agressora" e pôs em votação a aplicação de sanções contra o país. Porém, a Inglaterra não queria fechar o canal de Suez para a Itália, por medo de "precipitar uma guerra". Em 9 de maio de 1936, Mussolini proclamou que o rei da Itália era agora o imperador da Etiópia. A Liga das Nações não valia mais nada.

A jogada seguinte coube a Hitler. Depois de violar o Tratado de Versalhes, reinstituindo o recrutamento militar, ele reduziu a nada o Pacto de Locarno elaborado por Stresemann e Briand e enviou tropas alemãs para a Renânia. Estava tudo pronto para que o Führer e o Duce agissem juntos. Isso aconteceu na Espanha.

Em 1936 morreu Antonia Mercé, uma dançarina espanhola chamada "La Argentina". Com sua excepcional dignidade e talento artístico, essa mulher nascida na Argentina era um símbolo vivo das glórias espanholas. O único outro símbolo público de que a Espanha dispunha, seu rei, estava enquanto isso fazendo todo o possível para criar a impressão oposta. À semelhança de vários outros Bourbon que o precederam, Afonso XIII não era muito inteligente.

Afonso preferia divertir-se no exterior a trabalhar em casa e deixava o comando do governo a cargo do marquês de Estella, também chamado Primo de Rivera. Em 1925, esse nobre assumiu poderes ditatoriais e, mediante uma forte atividade repressiva, conseguiu preservar no país uma aparência de ordem. Porém, provocou os brios dos outros nobres que, em 1930, persuadiram o rei a se livrar dele. Em 1931, o próprio povo espanhol se livrou de seu rei. A Espanha tornou-se uma "República Trabalhista". Os espanhóis, porém, como os alemães, não tinham nem os conhecimentos nem a paciência necessários para governar-se a si mesmos. Logo dividiram-se em inúmeras facções impotentes, e as perturbações sociais que em toda parte seguiram-se à depressão norte-americana afetaram também a Espanha. Em julho de 1936, o foco das notícias internacionais deixou de ser a Abissínia e passou a ser a cidade de Melilla, no Marrocos espanhol. Ali, um grupo de generais, entre os quais Francisco Franco, ex-governador das Ilhas Canárias, fomentou uma revolta contra a recém-formada Frente Popular. Essa coalizão de esquerda obteve nas cortes, ou seja, no parlamento, uma vitória pacífica sobre os monarquistas, os republicanos e os clérigos.

O conflito que a isso se seguiu durou quase três anos. Quando terminou, a Espanha estava falida, seus cidadãos estavam esgotados e suas cidades tinham sido arrasadas pela guerra de bombardeio, que ocorreu aí pela primeira vez no continente europeu. O generalíssimo Franco, vitorioso, tornou-se o ditador ou "El Caudillo". A semelhança com Hitler e Mussolini não era mera coincidência. O que começou como uma guerra civil entre "nacionalistas" e "republicanos" transformou-se, pela intervenção armada, no primeiro conflito violento entre Berlim e Roma, de um lado, e Moscou, do outro. Berlim e Roma venceram.

Mais uma vez lhe peço que esqueça as "ideologias" e estude geografia. Então lhe ficará claro o que teria significado uma vitória "republicana" (ou seja, comunista) na Espanha. A súbita projeção da influência soviética para essa peça-chave da Europa ocidental teria ocorrido numa época em que a França estava corrupta e fraca e a Inglaterra, depois da abdicação de Eduardo VIII, severamente abalada. Por isso, tanto a França quanto a Inglaterra aceitaram a vitória de Franco como dos males o menor. O Decreto de Neutralidade de 1937, que tinha o objetivo de deixar todo o hemisfério ocidental de fora dos conflitos europeus, permitia ainda que os Estados Unidos vendessem armas para Portugal. Essas armas, convenientemente, iam parar nas mãos de Franco.

A falta de equipamento moderno e de disciplina militar dificultou a vida dos republicanos desde o início. Auxiliados por estrategistas soviéticos e por um grupo de voluntários de diversos países (a "Brigada Lincoln", por exemplo, era composta de norte-americanos), esses infelizes peões no tabuleiro de xadrez da política européia logo perderam terreno, apesar de sustentar fortemente a defesa de Madri e Valência contra os bombardeios nazistas e as estratégias de "Quinta Coluna".

Enquanto alguns jornais tentavam avisar o mundo de que as lições de tática aprendidas pelas potências participantes das "manobras espanholas" poderiam logo ser aplicadas em outros lugares, outros relatavam as atividades, ou antes a inatividade, de um Comitê de Não-Intervenção composto de vinte e uma nações, entre elas a Alemanha, a Itália e a União Soviética.

Foi nesse contexto que surgiu o Eixo.

Para quem ainda acreditava que as teorias raciais de Hitler eram alguma outra coisa que não um pretexto conveniente, os acontecimentos de 26 de novembro de 1936 devem ter sido causa de forte perplexidade. Foi nessa data que a Alemanha nazista aceitou o povo japonês (que o cáiser Guilherme já tinha chamado de o "Perigo Amarelo") como "arianos honorários" e aliados. Esse pedaço de papel, chamado de Pacto Anti-Comintern ou Anticomunista, criou o braço Berlim-Tóquio do Eixo. No ano seguinte, o Japão moveu contra a China uma guerra não-declarada, mas total.

Em 1937, Mussolini também assinou o mesmo documento. A história estava assim escrita na parede, em letras bem grandes, para todos quantos quisessem ler.

68
ISOLACIONISMO E APAZIGUAMENTO
Como os membros do Eixo começaram a repartir o mundo entre si, e por que conseguiram ir tão longe

A Primeira Guerra Mundial não foi, na realidade, uma guerra global. Foi chamada na época de "Guerra Mundial" porque a melhora das comunicações pôs em evidência o conflito na Europa e no Oriente Próximo para todas as pessoas capazes de ler um jornal. Foi também o primeiro conflito em que uma força expedicionária norte-americana foi lutar no solo europeu.

As hostilidades já ocorriam havia quase três anos quando os Estados Unidos acorreram em auxílio dos aliados Inglaterra, França e Bélgica; e as tropas norte-americanas entraram nas trincheiras sob o *slogan* de "Deixar o mundo seguro para a democracia". (Ver p. 475.)

O último tiro mal fora disparado quando se evidenciou a inanidade dessa idéia. Os aliados europeus, quer republicanos, quer monarquistas, pouco se importavam com ideologias. A única questão que lhes interessava era a conservação do "equilíbrio de poder" na Europa. Agradeceram aos Estados Unidos pela ajuda e, em troca, prometeram que continuariam fazendo negócios com os norte-americanos.

A honestidade histórica me obriga a dizer que não deveríamos ter esperado mais do que isso, pois foi para isso que entramos na guerra. Porém, a alguns norte-americanos repugnava essa atitude realista ou, como eles a chamavam, "cínica". Ficaram desiludidos. Sentiram-se traídos e enganados. Levantaram a voz para protestar contra outros "emaranhamentos externos". Assim, nos Estados Unidos, o "Isolacionismo" tornou-se uma corrente política.

Não há dúvida de que os isolacionistas agiam por patriotismo, mas o verdadeiro engano e a verdadeira traição vieram depois. Desde o momento em que subiu ao poder, em 1933, Hitler fez uso do sentimento isolacionista norte-americano para garantir a sua própria liberdade de ação na Europa. Seu Ministério da Propaganda, comandado por Joseph Goebbels, fez uso de todos os meios à disposição para dissuadir os Estados Unidos – sobrecarregado pelos seus próprios problemas internos – de "interferir" nos assuntos alemães. Vários congressistas e membros de associações como "The German-American Bund", "The America First Organization" e a Ku Klux Klan de boa vontade fizeram eco a esse sentimento. (A Klan, em homenagem a Hitler, acrescentou o anti-semitismo a seu rol de "atributos desejáveis dos norte-americanos".)

É verdade que os Estados Unidos tinham seus problemas. Franklin D. Roosevelt substituiu Hoover como presidente em 1932 e herdou a tarefa de trabalhar com as leis para tirar o país do caos econômico. Decretou um "feriado bancário", fez passar a Lei Bancária de Glass-Steagall e a Lei de Recuperação da Indústria Nacional (declarada inconstitucional em 1935) e tomou uma série de outras meditas nunca antes vistas, e assim finalmente conseguiu pôr fim à depressão.

Essas novas leis eram um amargo remédio para um povo acostumado a jamais ver o governo exercer qualquer tipo de controle sobre a iniciativa privada. Porém, o mundo já estava, como ainda está, nas garras daquela revolução social que começou quando o homem se fez senhor das máquinas. (Ver p. 414.) Como árvores num furacão, os governos velhos e rígidos foram derrubados por essa revolução, ao passo que outros se curvaram perante a tempestade e não quebraram. O mesmo movimento que produziu o comunismo na Rússia, o fascismo na Europa Central e turbulências diversas na Ásia, na África e na América do Sul serviu para fazer surgir, nos Estados Unidos, uma nova legislação social. Temos de ser muito gratos por isso. As restrições que agora se faziam sentir neste país eram simplesmente as restrições que todos sentem quando percebem que estão "crescendo". E, como já dissemos, os Estados Unidos já haviam alcançado a maioridade.

Um dos sinais mais evidentes dessa nova maturidade foi o fato de que, pela primeira vez, os Estados Unidos passaram a se interessar por esse grande continente meridional que se liga ao nosso pelo nome, pela história e pela geografia. Apesar da independência política, a maioria dos países das Américas Central e do Sul conservaram a língua e muitas das tradições da terra natal espanhola. (O Brasil é a única exceção, e mantém os mesmos laços com Portugal.) Assim, a Guerra Civil espanhola estava destinada a ter graves repercussões desde a terra do Fogo até o Rio Grande.

Severamente atingidas pela Depressão dos anos 1930, as repúblicas latino-americanas sofreram um desequilíbrio econômico que foi logo seguido de um aumento da atividade política. Assim como na Espanha, duas grandes facções logo se formaram, cada uma das quais aspirava ao pleno controle do governo de seu país. Embora nunca tenho sido idêntica, a configuração geral era mais ou menos a mesma nos diversos países latino-americanos. De um lado havia um "Partido dos Trabalhadores", cujos membros compensavam sua falta de cultura, disciplina e apoio financeiro com um entusiasmo ilimitado pelas conquistas da União Soviética. Do outro havia uma facção de caráter "nacionalista" (às vezes, "nacional-socialista"). Comandado por políticos conservadores, membros do exército e grandes industriais, esse partido tinha tudo o que faltava ao rival, com uma única exceção; e ambos os partidos eram igualmente tendentes à brutalidade e à falta de escrúpulos.

Por algum tempo, os dois partidos competiram pelo primeiro lugar. Em alguns países, chegou a haver dúvidas quanto ao resultado final da refrega. Porém, em quase todos os casos, os partidos nacionalistas conseguiram superar seus adversários em estratégia e em violência. E assim, um homem mais forte do que os outros saía das coxias e vinha ocupar o centro do palco.

Se um desses homens se tivesse deixado levar pela admiração por Franco e se dispusesse a oferecer auxílio militar aos espanhóis insurretos, o hemisfério ocidental se veria enredado naquilo que teoricamente ainda não passava de uma guerra civil na Espanha. Para evitar que tal coisa acontecesse, o presidente Roosevelt sugeriu um encontro pan-americano a se realizar em Buenos Aires. E foi ali que foi assinado o Pacto de Neutralidade de 1937. Nos anos seguintes, vários outros acordos foram assinados e colaboraram para uma primeira aproximação entre as Américas do Norte e do Sul.

Na Europa, enquanto isso, o programa do Eixo estava se desenvolvendo mais rápido do que o previsto. Baseando sua audácia na idéia de que "as pessoas não gostam de tomar partido a menos que sejam obrigadas a tal, e geralmente a essa altura já é tarde demais", Hitler vinha obtendo um sucesso extraordinário. Parece que ele não percebeu que o seu anticomunismo, anti-semitismo e antiintelectualismo estavam expulsando da Alemanha os seus principais cientistas, músicos e escritores, que *não* falavam bem da pátria no exterior. A perda de homens como Thomas Mann, Stefan Zweig, Kurt Weill e Arnold Schönberg não importava a um homem de pouca cultura como era Hitler, mas o fato de Albert Einstein contar-se entre os exilados devia tê-lo feito pensar. Junto com Einstein foi embora a fórmula que colocaria a bomba atômica nas mãos dos norte-americanos, e não dos alemães.

Com a supremacia assegurada dentro da Alemanha, chegou a hora da "expansão lógica" prevista por Hitler. (*Heute gehört uns Deutschland, Morgen die ganze Welt* – "Hoje é nossa a Alemanha; amanhã, o mundo inteiro.") A anexação da Áustria, ou *Anschluss* (ensaiada em 1934 mas impedida por Mussolini), foi planejada e executada com precisão cirúrgica.

O primeiro-ministro austríaco, Dr. Kurt Schuschnigg, foi convidado a visitar a casa de Hitler em Berchtesgaden. Em vinte e quatro horas, esse estadista confiante foi reduzido à impotência política. Exposto a todas as formas de intimidação psicológica, Schuschnigg concordou em legalizar o Partido Nazista Austríaco, perdoar os nazistas condenados, apoiar Arthur von Seyss-Inquart para o cargo de ministro da segurança pública e anexar ao exército austríaco cem oficiais alemães.

Quando voltou para casa, Schuschnigg arrependeu-se de sua timidez e, doze dias depois, desafiou Hitler e exigiu a realização de um plebiscito. Esse "ato de perfídia" era o pretexto pelo qual Hitler esperava. Quando o Führer movimentou suas tropas para a fronteira com a Áustria, Schuschnigg renunciou e fugiu do país. A 13 de março de 1938, Seyss-Inquart proclamou que a *Anschluss* era um fato consumado. A 14 de março, Hitler entrou em Viena.

O próximo país de sua lista era a Tchecoslováquia.

Cercado agora em três lados pela "Grossdeutschland", esse estado fortificado, com suas fábricas de munição, sua riqueza de recursos naturais e sua localização estratégica, tornou-se uma presa tentadora. Também não foi difícil anexá-lo. Ao longo da fronteira norte da Tchecoslováquia, na região dos montes Sudetos, viviam quase três milhões de pessoas de origem alemã, que "de repente" passaram a alimentar um forte desejo de repatriação estática. Ou seja, achavam que o Reich deveria se expandir para englobá-las. Foi assim que a tática de "Quinta Coluna" da Guerra Civil espanhola mostrou a sua verdadeira face.

Sob a liderança de Konrad Henlein, esses alemães sudetos aproveitaram a liberdade que lhes era garantida pela democracia tcheca para constituir suas próprias organizações militares, evidentemente modeladas à semelhança das organizações nazistas. Por fim, em 24 de abril de 1938, pela Declaração de Karlsbad, Henlein exigiu abertamente a autonomia dos alemães sudetos.

Mais um "se" da história. SE os governos que colaboraram para a criação da República Tcheca depois da Primeira Guerra Mundial estivessem realmente interessados na sobrevivência desse Estado, não poderiam tê-lo salvo? Será que Hitler não poderia ter sido detido antes de ficar forte demais? A resposta é que provavelmente sim. Hoje sabemos que, em 1938, Hitler estava blefando: não estava preparado para fazer valer as suas exigências por meio de uma guerra total. Mas a França e a Inglaterra também não estavam, na época, preparadas para um conflito armado. Os Estados Unidos eram neutros e a Rússia, embora tivesse vínculos diplomáticos com a França, não era bem vista como aliada pelos ingleses. Assim, Inglaterra e França adotaram uma política de "apaziguamento".

Em 12 de setembro, depois de um verão cheio de incertezas e marcado por episódios de atividade diplomática, pelo aumento da mobilização militar francesa e pela expansão da frota britânica, Hitler exigiu sem rodeios a autodeterminação para os alemães sudetos. Deflagraram-se distúrbios na Tchecoslováquia e proclamou-se a lei marcial.

Foi então que o primeiro-ministro britânico viajou a Berchtesgaden. Levando o seu famoso guarda-chuva, que os cartunistas de jornal usaram depois como símbolo do apaziguamento, Neville Chamberlain aceitou a tese de que a Tchecoslováquia não tinha o direito de pedir que a questão fosse arbitrada por um terceiro partido. Como Schuschnigg antes dele, Chamberlain só percebeu que fora enganado quando voltou para casa. Mas aí já era tarde demais. Depois de obter essa primeira concessão, Hitler exigiu não só a entrega do território sudeto, com todas as suas fábricas e estabelecimentos militares intactos, como também que se realizasse em novembro um plebiscito nas regiões da Tchecoslováquia que contassem com uma expressiva minoria alemã. Dessa fez, Chamberlain e Edouard Daladier, premiê da França, reuniram-se com representantes da Rússia, enquanto os Estados Unidos pediam a Hitler que concordasse com uma reunião de cúpula das potências européias. Na última hora, Mussolini apresentou planos para uma reunião de quatro potências, a realizar-se em Munique.

Um dos mais famosos atos de traição da história foi então aplaudido por milhões de pessoas, que respiraram aliviadas. Chamberlain, ao voltar para casa depois da reunião em que vendeu a Tchecoslováquia junto com Daladier, desceu do avião e anunciou: "Creio que é a paz para a nossa época."

A "última exigência territorial" de Hitler cumpriu-se então em passo acelerado. Enquanto a Alemanha anexava a fortificada fronteira ocidental da Tchecoslováquia, a Polônia e a Hungria abocanhavam pedaços do território tcheco a leste. Em março de 1939, o núcleo central dessa efêmera república, que ainda restava, colocou-se sob a "proteção alemã".

Enquanto isso, tropas japonesas devastavam grandes áreas do território chinês. Aos "incidentes" de Lukuchiao e Xangai vieram acrescentar-se os de Suchou, Nanquim e Hangchou. Sob o generalíssimo Chiang Kai-shek, o bem treinado exército chinês travava na defensiva uma batalha renhida contra um adversário ainda mais bem treinado e mais impiedoso. E também aí, como na Espanha e na Etiópia, quem sofreu foi a população civil desarmada. Embora o sofrimento de civis fosse tão antigo quanto a própria guerra, nunca antes fora infligido com uma brutalidade tão impessoal e mecânica – nem fora tão extensamente documentado. Essa documentação, sob a forma de cinejornais e do trabalho dos correspondentes da imprensa, não só foi permitida como até encorajada pelos membros do Eixo, cuja intenção era a de meter medo em todos os que pudessem pensar em se opor a eles. Em certa medida, esse plano deu certo. Porém, em muitos países essa "propaganda do terror" teve o efeito oposto. Os cinejornais japoneses exibidos nos Estados Unidos, junto com relatos da atividade dos nazistas em geral e da sua atividade anti-semítica em particular, muito fizeram para permitir que o presidente Roosevelt combatesse a complacência norte-americana e inaugurasse em 1938 o seu "programa de prontidão". Em 1939, nos Estados Unidos, o "isolacionismo" já era uma causa perdida. Na Europa, o "apaziguamento" logo também viria a extinguir-se da única maneira possível: pela violência.

69
A CARTA DO ATLÂNTICO
*Como a "guerra de nervos" cedeu lugar à "guerra total",
e como Hitler cometeu alguns graves erros de cálculo*

Em 22 de março de 1939, Hitler exigiu o porto báltico de Memel, que fora cedido pela Alemanha à Lituânia depois da Primeira Guerra Mundial. A cidade foi imediatamente entregue. Voltando-se então para sua antiga aliada, a Polônia, Hitler exigiu a cidade de Dantzig e o direito de construir uma ferrovia e uma rodovia através do "Corredor Polonês". A Polônia hesitou e buscou apoio junto à França e à Inglaterra. Quando perceberam enfim no que havia dado a política de apaziguamento, ambas comprometeram-se a ajudar a Polônia caso esta fosse invadida.

A Polônia também tinha a esperança de contar com o apoio do governo soviético. Porém, a União Soviética mudou repentinamente de rumo. O primeiro sinal da mudança foi um ataque verbal de Vyacheslav Molotov, ministro das relações exteriores, contra a Inglaterra. Então, em agosto de 1939, aconteceu o inimaginável. Mesmo os simpatizantes do comunismo ficaram perplexos e boquiabertos quando a Alemanha nazista e a União Soviética assinaram um acordo comercial e um pacto de não-agressão. (Uma das condições exigidas pelos nazistas e concedidas por Stálin foi que a União Soviética entregasse a Hitler os comunistas alemães que haviam fugido para a Rússia em 1933.)

"Voluntários" alemães já marchavam para Dantzig e criavam "incidentes de fronteira"; assim, o governo britânico recebeu, por votação, poderes extraordinários para declarar guerra. Em 31 de agosto de 1939, Hitler anunciou que os poloneses haviam rejeitado a *sua* proposta de paz em dezesseis artigos, um documento que na realidade jamais haviam visto. Ao amanhecer, tropas alemãs cruzaram a fronteira polonesa.

Naquele dia, Albert Forster, líder da Quinta Coluna nazista na Alemanha, proclamou a volta de Dantzig para o Reich alemão. Enquanto os tanques nazistas atravessavam a fronteira e a *Luftwaffe* (Força Aérea) exibia a sua nova e aterrorizante tática de *Blitzkrieg* (guerra-relâmpago), a Inglaterra e a França enviaram a Hitler um ultimato em que exigiam que o exército alemão se retirasse do solo polonês. O ultimato foi rejeitado. Em 2 de setembro, Inglaterra e França emitiram juntas uma declaração de guerra. A "guerra de nervos" tinha terminado; em seu lugar, começou esse conflito global que chamamos de Segunda Guerra Mundial.

As potências ocidentais não puderam mandar uma ajuda imediata, e assim a Polônia foi dividida de acordo com o cronograma. A 12 de setembro, tropas soviéticas cruzaram a fronteira oriental. A combalida cidade de Varsóvia rendeu-se aos nazistas.

Por cerca de seis meses, a Europa ocidental viveu a "guerra de mentira", uma daquelas calmarias enganosas de que falamos há pouco. Os ingleses mandaram uma força expedicionária para a França, a qual ficou em compasso de espera; e, em casa, cavaram trincheiras e também esperaram. Não obstante, os outros países membros do Império Britânico começaram a sofrer as pressões da guerra. A Austrália, a Nova Zelândia e a Índia declararam guerra à Alemanha imediatamente. No dia 5 de setembro, quando Jan Christiaan Smuts tornou-se primeiro-ministro, a União Sul-Africana derrubou uma proposta pela qual devia permanecer neutra. O Canadá uniu-se à Inglaterra no dia 12. Só a Irlanda, lembrada dos passados ressentimentos, permaneceu "neutra" e forneceu à espionagem de Hitler um posto avançado amigo e conveniente.

Na França ainda prevalecia a "mentalidade Maginot". Seguindo o exemplo de seu ministro da guerra, André Maginot, a França construíra ao longo de sua fronteira oriental fortificações gigantescas e supostamente à prova de tanques. Embora custasse dois milhões de dólares por milha, essa Linha Maginot nunca chegou a ser terminada e perdeu, assim, toda a utilidade que

A história da humanidade

poderia ter. (O dinheiro destinado à ampliação das fortificações pela fronteira com a Bélgica foi embolsado por alguns políticos.) Apesar disso, boa parte do exército francês ficava nas casamatas, e muitos soldados viveram por meses e meses em úmidos quartéis subterrâneos.

Do outro lado do Reno, a resposta de Hitler ao sr. Maginot era a "Linha Siegfried". De lá, suas tropas pouco fizeram naquele inverno, com exceção de usar alto-falantes para insultar seus antigos inimigos, recebendo dos franceses o pagamento na mesma moeda.

Em alto-mar, porém, os submarinos nazistas estavam muito ativos. A ameaça que representavam para a marinha mercante mundial fez com que a Conferência Pan-Americana, realizada no Panamá, declarasse uma "zona de segurança" ao redor do hemisfério ocidental. Os Estados Unidos proibiram seus navios de entrar nas águas dos países beligerantes, mas Roosevelt repudiou o embargo à venda de armas e ofereceu produtos de exportação aos países em guerra, por conta dos quais ficava o transporte.

Na Europa oriental, a União Soviética agiu furtivamente e instalou bases militares na Estônia, na Letônia e na Lituânia. Exigiu então o mesmo da Finlândia. Quando os finlandeses disseram que não, as tropas soviéticas atacaram.

Assim, a Europa deparou com o espetáculo de uma "guerra dentro da guerra". A Itália considerava-se suficientemente neutra para unir-se à Inglaterra e à França para mandar aviões, suprimentos e consultores em auxílio do general Von Mannerheim e do seu exército pequeno mas corajoso. Os Estados Unidos, igualmente neutros, emprestaram à Finlândia dez milhões de dólares. Por certo tempo, parecia que a Finlândia seria capaz de repelir indefinidamente os agressores. Porém, depois de três meses de uma guerra intensa, travada no inverno, a "Linha Mannerheim" finlandesa foi rompida. Em março de 1940, a Finlândia pediu paz e entregou à União Soviética dez por cento do seu território, o istmo da Carélia inclusive.

Qual o motivo dessa atitude aparentemente arbitrária por parte da Rússia soviética? Mais uma vez, peço que você olhe o mapa. Se examiná-lo de perto, vai perceber que, apesar do tratado firmado com Hitler, os líderes soviéticos estavam rodeando suas fronteiras de "territórios-tampão". A história haveria de provar a prudência dessa atitude.

Com a chegada da primavera, uma nova canção estava se tornando popular na Alemanha. Era chamada *"Wir fahren gegen England"* ("Vamos contra a Inglaterra"). A título de primeiro passo para a concretização desse plano, Hitler ordenou a invasão da Dinamarca e da Noruega. Esperava assim cercar a Inglaterra pelos flancos e assegurar o controle de bases e portos no mar do Norte. A Dinamarca foi derrotada rapidamente. A Noruega, apesar de um uso extenso da propaganda e das táticas de Quinta Coluna, resistiu bravamente. Foi aí que, pela primeira vez, tropas britânicas e francesas foram ao combate. Os alemães foram expulsos de Bergen e Trondheim. Mas no acidentado terreno norueguês só havia um fator importante: a superioridade aérea. Os alemães a tinham. A 7 de junho de 1940, o rei Haakon fugiu para Londres, um nazista norueguês chamado Vidkun Quisling foi feito ministro-presidente e uma nova palavra, com o sentido de "traidor", entrou em uso em todas as línguas do mundo.

Embora trágica, a derrota na Noruega teve um efeito positivo. No número 10 da Downing Street, residência tradicional do primeiro-ministro britânico, o pacífico guarda-chuva de Neville Chamberlain cedeu lugar ao charuto desafiador de Winston Churchill. Havia muito tempo chamado de "fomentador da guerra", esse grande estadista, líder do Partido Conservador inglês, foi aclamado então como "o homem certo para o momento". Literato, orador eloqüente, Churchill não prometeu ao povo britânico nada exceto "sangue, suor e lágrimas" e resumiu o objetivo da nova política exterior britânica nas seguintes palavras: "Vitória – vitória a qualquer preço, vitória apesar de todo o medo, vitória por mais que o caminho seja longo e árduo; pois sem vitória não há sobrevivência." (Por coincidência, percebeu-se que os primeiros compassos da Quinta Sinfonia de Beethoven têm o mesmo padrão rítmico da letra "V" em código Morse. Transmitida pela BBC pela primeira vez a 20 de julho de 1941, essa melodia tornou-se o símbolo da vitória para quantos se opunham ao Eixo.)

Mas os dias mais sombrios para a Inglaterra ainda estavam por chegar. Em 10 de maio de 1940, o dia em que Churchill foi empossado como primeiro-ministro, Hitler flanqueou a linha Maginot, invadindo a Bélgica, a Holanda e Luxemburgo. Apesar da chegada de tropas inglesas e francesas, a Holanda rendeu-se em quatro dias e a Bélgica, em dezoito. Numérica e estrategicamente inferiorizados, os aliados retrocederam para a região de Dunquerque, onde os nazistas os cercaram e praticamente os empurraram para o mar. Porém, Hitler não contava com o povo comum britânico, um povo de navegadores. Num dos resgates mais heróicos já realizados, uma frota de novecentos destróieres, lanchas, barcos de pesca, rebocadores e iates de lazer enfrentou a *Blitzkrieg* e retirou da praia três quartos das forças inglesas.

Quando a força aérea de Hitler deixou a linha Maginot tão obsoleta quanto a balestra, a França não demorou em cair. Paris foi declarada cidade aberta para que ficasse protegida contra os bombardeios. Quando o governo saiu de Paris e fugiu primeiro para Tours e por fim para Bordeaux, refletia o pânico que já assolava todo o povo francês. Estimulados por propagandistas da "Quinta Coluna" nazista, civis bloquearam as estradas radiais que saíam de Paris e impediram a movimentação das tropas rumo ao *front*. Em 10 de junho, Mussolini jogou fora a máscara de neutralidade e, nas palavras do presidente Roosevelt, "enterrou a adaga nas costas de sua vizinha". Em 15 de junho, os nazistas entraram em Paris. Uma semana depois, Hitler realizou um baile de triunfo na Floresta de Compiègne para os cinejornais. Depois, no mesmo vagão ferroviário em que fora assinado o Armistício de 1918, a França se rendeu. A Alemanha ocupou dois terços do país; o território restante passou a ser controlado por um governo-fantoche sediado em Vichy, sob o marechal Henri Pétain. A Inglaterra estava sozinha.

Pela primeira vez, o cronograma de Hitler falhou. A França caiu quase dois meses antes do que ele esperava. Ainda não estava pronto para a etapa lógica seguinte, a invasão das ilhas Britânicas. Os barcos para o transporte de tropas e os demais equipamentos já estavam encomendados, mas só foram terminados em agosto. A essa altura, a era da supremacia aérea alemã já tinha passado. Os sonhos de Hitler de acabar com o Ocidente antes de se voltar para o Oriente foram espatifados pelos "Poucos". Em agosto de 1940 começou a "Batalha da Inglaterra". Em vagas sucessivas, os aviões alemães cruzavam o canal da Mancha e demonstravam sobre as cidades de Coventry, Manchester e Londres a mesma habilidade e a mesma precisão que haviam exibido sobre Varsóvia, Oslo e Roterdam. Para sua surpresa, porém, um pequeno número de aviões ingleses subiu aos céus para enfrentá-los. Eram "Os Poucos" (*The Few*), os pilotos da Real Força Aérea que, naquele inverno sinistro, demonstraram uma coragem só igualada pela da população civil inglesa. Naquela época, as cidades inglesas iam sofrendo umas depois das outras o mesmo destino de Coventry*, e Hitler se gabava de que nem mesmo a ajuda norte-americana poderia salvar a Inglaterra de seu destino. Porém, à medida que um número cada vez maior de aviões nazistas foi sendo destruído e os bombardeiros da Real Força Aérea começaram a fazer incursões sobre território alemão, as esperanças dos invasores começaram a desaparecer. Então, em 1942, o Oitavo Esquadrão da Força Aérea Norte-Americana juntou-se à Real Força Aérea e a aguerrida ilha tornou-se um "porta-aviões insubmergível".

Mais um "se". Se as ilhas Britânicas tivessem se tornado uma base aérea nazista, será que as cidades norte-americanas teriam sentido o gosto da *Blitz* alemã? Sabendo o que já sabemos sobre os trabalhos pioneiros dos alemães com a propulsão a jato e os mísseis teleguiados, podemos dizer com segurança que sim. Felizmente, em dezembro de 1940, Roosevelt pediu ao congresso norte-americano que aprovasse um apoio aéreo irrestrito à Inglaterra e chamou os Estados Unidos de "arsenal da democracia". Em março de 1941, após seu nome ao projeto de lei de número HR 1776 e criou o Acordo de Empréstimos e Arrendamentos. Em agosto desse mesmo ano, reunidos a bordo de vasos de guerra britânicos e norte-americanos ancorados ao largo da Terra Nova, Roosevelt e Churchill elaboraram a Carta do Atlântico. Esse documento, composto de oito artigos, colocou os Estados

---

* A primeira cidade da Inglaterra a ser bombardeada pelos aviões da *Luftwaffe*. (N. do T.)

Unidos como aliado oficial da Grã-Bretanha em sua luta contra o Eixo e, assim fazendo, deu ao mundo os princípios básicos sobre os quais viria depois a elaborar-se a Carta das Nações Unidas.

Ao mesmo tempo em que prosperava a amizade anglo-americana, a aliança ítalo-germânica deparava com dificuldades. Ao passo que Roosevelt e Churchill haviam ambos repudiado expressamente todo e qualquer desejo de expansão territorial, Mussolini constatava que seu parceiro no Eixo era muito mais adepto da aquisição de novos territórios do que ele poderia ter esperado. Além disso, embora a Itália tivesse anexado a Albânia em 1939, em todos os seus movimentos subseqüentes Mussolini foi obrigado a recorrer à ajuda de Hitler.

Partindo da Líbia em setembro de 1940, os italianos rumaram para o leste pelo litoral até chegar ao Egito, e tudo isso antes que os ingleses tivessem oportunidade de retaliar. Quando estes por fim o fizeram, ameaçaram pôr a perder a obra dos tíbios conquistadores de Mussolini. Foi então que os Afrika Korps alemães, sob o comando do general Erwin Rommel, entraram em cena, retomaram Tobruk e fizeram recuar os ingleses até El Alamein.

O fiasco italiano na Grécia também foi motivado pela necessidade que Mussolini sentia de imitar seu parceiro mais bem-sucedido. No fim de outubro de 1940, ele enviou tropas da Albânia para a Grécia. Em meados de novembro, elas já tinham sido fragorosamente derrotadas. Essa vitória grega não só abateu fortemente o prestígio do Eixo como também deu à Inglaterra a desculpa de que ela precisava para enviar auxílio à Grécia e entrar na Europa pela "porta dos fundos" dos Bálcãs. A partir de lá, um exército aliado que marchasse para o norte poderia flanquear as tropas de Hitler em seu avanço previsto rumo ao Oriente. Embora a necessidade de proteger a Itália tenha adiado em um fatídico mês a sua iminente invasão da Rússia soviética, Hitler rumou para o sul. Não foram tanques italianos, mas tanques alemães que entraram em Atenas em abril de 1941.

Havia muito tempo já se sabia que Hitler tinha seu olhar voltado para os Bálcãs. Em junho de 1940, a Rússia Soviética, prevendo já a movimentação alemã, tomou a Bessarábia da Romênia. Em agosto, o restante do país estava desmobilizado e os nazistas chegaram. Assim, a Hungria e a Bulgária juntaram-se ao Eixo. Mas quando a mesma atitude foi tomada pelo governo iugoslavo, a população protestou e o rei Pedro foi obrigado a fugir. Era o pretexto de que Hitler precisava para pôr suas tropas em marcha. Só parou quando tomou a Grécia e surpreendeu os britânicos com uma invasão da ilha de Creta, efetuada por páraquedistas. Era o dia 20 de maio de 1941. Para completar a ignomínia de Mussolini, tropas britânicas já estavam de posse da Etiópia, que haviam libertado no dia anterior.

Naquele mês, Rudolf Hess, o terceiro vice-Führer da Alemanha, pulou de pára-quedas sobre a Escócia com a esperança de conseguir, através de contatos pessoais, o que a estratégia dos bombardeios de Hitler havia fracassado em obter: o fim da guerra entre a Alemanha e a Inglaterra. Hess foi capturado e feito prisioneiro de guerra, mas o motivo de sua missão logo se evidenciou. Em 22 de junho, Hitler invadiu a URSS.

A União Soviética não foi totalmente pega de surpresa. Por três semanas os dois exércitos, gigantescos e equiparados, bateram-se na fronteira. Então a "Linha Stálin" se rompeu e os alemães entraram, dispondo as tropas em leque. Foi aí que Hitler cometeu o maior erro de toda a sua carreira. Deixou que sua teoria da "Raça Superior" lhe roubasse a vitória.

Muitos russos encaravam os alemães como libertadores. Sob o comando do general Andrei Vlassov, seis divisões anticomunistas colocaram-se à disposição de Hitler. Dois milhões de homens, para quem a queda do Kremlin representaria a realização de um sonho, estavam prontos a juntar-se a elas. Mas segundo Alfred Rosenberg, o teórico racial de Hitler, os russos eram *Untermenschen* no esquema nazista, pessoas aptas somente a trabalhar como escravas na nefanda Organização Todt. Hitler devia conquistar a Rússia, não libertá-la. Selou assim o seu destino cruel. Os russos, nacionalistas apaixonados, tinham mais amor pelo seu país do que ódio pelo Politburo. Enojados com Hitler, desertaram a causa de Vlassov.

As divisões deste, tendo assumido com ele um compromisso, lutaram atrás do seu chefe, recuaram junto com os alemães e foram finalmente capturadas na Alemanha. Entregue pelos norte-americanos aos soviéticos, Vlassov e seus seguidores foram executados como traidores em 1945.

Dirigindo-se para o norte, Hitler sitiou Leningrado em setembro de 1941. Em novembro, arrasou a Criméia e atacou Sebastopol. Os russos, apesar das muitas perdas, venderam caro cada centímetro de território adquirido. Então, no caminho de Moscou, o mês que Hitler perdera com a invasão da Grécia alcançou-o por fim. Seu exército deparou com o eterno aliado da Rússia, o "general Inverno". Subnutridas em virtude da política soviética de "terra arrasada" e carentes de roupas adequadas para o inverno, as tropas alemãs tiveram de parar fora de Moscou e foram obrigadas a esperar pela primavera. Quando esta chegou, duas coisas haviam mudado: os russos tinham novos aliados e a Wehrmacht, um novo comandante-chefe. Este último, que agora conduzia a guerra por "intuição", não era outro senão o ex-cabo Adolf Hitler, que se promoveu ao cargo de marechal-de-campo. Os novos aliados da Rússia eram os Estados Unidos.

As relações entre os Estados Unidos e o Japão foram ficando cada vez mais tensas. Participante pleno do Eixo desde setembro de 1940, o Japão não pôde mais comprar material de guerra norte-americano. Os ativos japoneses nos Estados Unidos estavam congelados. Um por um, os membros mais prudentes do governo japonês foram substituídos por homens da índole do general Hideki Tojo, que se tornou primeiro-ministro em 16 de outubro de 1941.

A 7 de dezembro, enquanto o enviado de paz Saburo Kurusu estava em Washington para levar adiante as negociações, aviões japoneses atacaram de surpresa o porto chamado Pearl Harbor, no Havaí.

70
A GUERRA GLOBAL
Como o Eixo foi derrotado na "batalha da produção", mas a vitória final foi obtida por cientistas norte-americanos e ingleses e uma nova era raiou para toda a humanidade

Quanto mais se olha para o mapa, mais incrível se torna o panorama. Em dezembro de 1941, os japoneses detinham o controle do nordeste da China. Em junho de 1942, já haviam ocupado as Filipinas, a ilha de Guam e as Índias Orientais Holandesas. Dominaram a Indochina Francesa e a Tailândia e ameaçavam a Índia com suas bases na Birmânia. Desembarcaram em Attu, nas Aleutas, e em Pearl Harbor seus bombardeiros puseram fora de combate uma boa parte da frota norte-americana do Pacífico.

Foi de fato um "ano de agonia" para os que se opunham ao Eixo. Não obstante, sob certo aspecto foi também um ano de triunfo. Vinte e seis nações, muitas delas representadas por "governos no exílio", comprometeram-se com os princípios delineados na Carta do Atlântico e constituíram assim o núcleo do que viria a ser a Organização das Nações Unidas.

Quando a declaração de guerra norte-americana ao Japão foi seguida por contradeclarações por parte da Alemanha e da Itália, os Estados Unidos voltaram para a guerra toda a sua capacidade industrial. Numa era de combates altamente mecanizados, era necessário não só lutar melhor, mas também produzir mais do que o inimigo. Como em outros países, mulheres juntaram-se aos homens nas fábricas de armamentos e foram incorporadas como auxiliares no exército, na marinha e nos fuzileiros navais. Todas as habilidades técnicas e todos os ramos da ciência e da medicina foram chamados a participar. O radar, a penicilina e os materiais plásticos são apenas algumas das descobertas motivadas pelo "esforço de defesa". De noite para o dia, os vôos transatlânticos tornaram-se fenômenos cotidianos. E o governo dos Estados Unidos destinou milhões de dólares para a pesquisa de um ramo até então obscuro da ciência, o ramo da fissão atômica.

Os primeiros bombardeios realizados somente por norte-americanos sobre a Alemanha só ocorreram em 1943. Mas em 8 de novembro de 1942, menos de duas semanas depois da vitória decisiva do general sir Bernard Montgomery sobre Rommel em El Alamein, forças norte-americanas e britânicas desembarcaram na África do Norte francesa. A Alemanha ocupou imediatamente toda a França, mas não conseguiu pôr as mãos na frota francesa. Parte dela zarpou para o Norte da África e a outra parte foi sucateada no porto de Toulon.

Aquele outono foi importantíssimo em todas as frentes de guerra. Em setembro, o Exército Vermelho impôs uma derrota completa aos alemães em Estalingrado e, assim, obstou o avanço germânico rumo às regiões produtoras de petróleo do mar Cáspio. Em novembro, os japoneses, ainda sofrendo as conseqüências do bombardeio realizado em abril sobre Tóquio e Yokohama por aviões norte-americanos decolados de porta-aviões, sofreram também a sua primeira derrota naval. Uma batalha de três dias nas ilhas Salomão terminou em vitória para os Estados Unidos.

Foi num espírito de otimismo que Churchill e Roosevelt reuniram-se em Casablanca em janeiro de 1943. Stálin não pôde comparecer, e a França era representada pelos líderes rivais da França Livre, Giraud e De Gaulle, mas os aliados sentiam-se certos o bastante da vitória para exigir a "rendição incondicional" dos membros do Eixo.

Os meses seguintes deixaram-nos mais próximos da vitória. Em toda a Rússia, as forças alemãs deram início a uma lenta retirada. No Pacífico, o general Douglas MacArthur obteve uma suada vitória sobre os japoneses em Guadalcanal, nas ilhas Salomão. Sob o comando do general Dwight D. Eisenhower, o Segundo Exército norte-americano, deslocando-se para o leste na

África do Norte, encontrou-se com o exército inglês na Tunísia. Um mês depois, a 12 de maio de 1943, os sobreviventes dos orgulhosos Afrika Korps renderam-se no cabo Bon.

Com a vitória aliada na África do Norte, o prestígio de Mussolini ficou definitivamente abalado. Ao desembarque aliado na Sicília seguiu-se a queda e a detenção de Mussolini. O governo italiano, agora comandado pelo rei Vitório Emanuel III e pelo marechal Pietro Badoglio, rendeu-se incondicionalmente a 8 de setembro. Porém, uma semana depois, Mussolini foi resgatado por tropas alemãs e levado para o norte da Itália, onde proclamou a fundação de um partido fascista republicano. Os combates na Itália perduraram até 1945, pois as tropas alemãs foram recuando centímetro por centímetro ao longo da península. A destruição do belo mosteiro de Monte Cassino, que os alemães usavam de posto de observação; o bombardeio da Roma ocupada pelos alemães; o caos que resultou do desembarque aliado em Anzio; a demolição das pontes de Florença – foi esse o legado de Mussolini. Sua amizade com o Führer terminou por fazer da Itália um "território-tampão" para os alemães. Disfarçado num uniforme da Wehrmacht, o ex-Duce tentou fugir para a Alemanha em abril de 1945. Foi capturado por partisans e fuzilado.

A Segunda Guerra Mundial foi a guerra das conferências globais. O transporte aéreo possibilitou que os líderes e seus auxiliares se reunissem para discutir informalmente os problemas que interessavam a todos. Duas vezes Churchill atravessou o Atlântico para reunir-se com Roosevelt: uma vez em Washington, em 1941, e outra no Quebec, em 1943. No fim de novembro desse mesmo ano o generalíssimo Chiang Kai-shek voou para o Cairo a fim de discutir com Roosevelt e Churchill as estratégias de guerra para o Extremo Oriente; e dois dias depois os líderes britânico e norte-americano encontraram-se com o premiê Stálin em Teerã.

Com exceção das tropas que garantiam a ocupação dos territórios tomados pelos nazistas e das que enfrentavam os aliados na Itália, o grosso do exército de Hitler estava engajado na frente oriental. É compreensível que, para aliviar essa pressão, a

União Soviética tenha pedido a abertura de um "segundo *front*". A 6 de junho de 1944, com a invasão da Normandia, o desejo russo se realizou. Chegara o Dia D.

Em virtude da estratégia ousada, do planejamento detalhado e da coordenação precisa alcançada pelo Quartel-General Supremo da Força Expedicionária Aliada (QGSFEA ou SHAEF, em inglês), as tropas que atravessaram o canal da Mancha ou desceram de pára-quedas para atacar a muralha do Atlântico, fortemente defendida, foram capazes de capturar Cherbourg e Caen em menos de um mês. Sob o comando do general Eisenhower, a libertação da França logo tornou-se uma realidade. Em 15 de agosto realizou-se outro desembarque, desta vez na Riviera. Dez dias depois, os outros aliados pararam fora de Paris a fim de conceder às tropas francesas a honra de unir-se à resistência na tarefa de extirpar da capital os últimos alemães ali estacionados. Passando ao sul de Paris, o Terceiro Exército norte-americano, comandado pelo general George S. Patton, empreendeu um rápido avanço com carros blindados rumo ao Reno. Mas ao norte, na Bélgica e na Holanda, a geografia e o clima ajudaram os alemães a opor sua última e determinada resistência ao avanço aliado.

Tropas de pára-quedistas aliados desceram em Arnhem mas não puderam receber das tropas terrestres situadas ao sul o apoio de que necessitavam. Foram cercadas e praticamente dizimadas. Tanto os alemães quanto os aliados romperam os diques a fim de inundar as terras baixas, de tal modo que o território vizinho ao delta do Reno transformou-se num pântano intransitável. Isso impediu as tropas alemãs de avançar para o sul como tinham feito em 1940. Impediu também que os aliados avançassem para o norte a fim de flanquear pelo oeste as defesas alemãs. Os aliados pararam, assim, para consolidar sua vitória. Foi então que aconteceu a "Batalha da Linha Avançada".

O aspecto mais impressionante desse último contra-ataque alemão foi o seu imenso êxito. Esse êxito, por sua vez, foi devido ao fato de os aliados terem sido pegos de surpresa. Ninguém, nem mesmo os generais alemães, acreditava que o exército alemão fosse ainda capaz de opor tal resistência. Mas o marechal-de-campo Karl R. G. von Rundstedt, que comandava as forças alemãs no Ocidente, recebera uma ordem direta do Führer, contra a qual não tinha condições de argumentar. Desde os acontecimentos de julho de 1944, nenhum general da Wehrmacht era insubstituível. Os atritos entre Hitler e os generais alemães já ocorriam havia tempos. Do núcleo da guarda pessoal que Hitler tinha antes de 1933 tinham saído os "SS", abreviação de *Schutzstaffel* ou "Esquadrão de Proteção". Várias vezes Hitler prometeu à hierarquia da Wehrmacht que a SS não seria armada. Depois, descumpriu a palavra e constituiu divisões de SS, fornecendo-lhes os melhores equipamentos e nomes tonitruantes como "Totenkopf" (Cabeça da Morte), "Leibstandarte Adolf Hitler" etc. Quando os soldados da Wehrmacht hesitavam, oficiais da SS eram mandados para mantê-los na linha. A última gota, porém, foi o fato de Hitler ter nomeado a si mesmo comandante supremo das forças armadas. A Wehrmacht planejou uma revolta. Em 20 de julho, uma bomba colocada dentro de uma mala apenas feriu Hitler, que, por ter saído praticamente ileso, ficou ainda mais convicto de que o destino estava do seu lado. Depois, o general Von Witzleban e vários outros conspiradores foram brutalmente estrangulados e Hitler deteve as rédeas da guerra ainda mais firmemente em suas mãos. Foi ele quem ordenou que os alemães avançassem até o mar.

Num momento em que Bruxelas, Antuérpia e Aachen já estavam nas mãos dos aliados, o ataque empreendido por vinte e quatro divisões começou no dia 16 de dezembro e durou oito dias. Com ordens de não fazer prisioneiros, tropas da Wehrmacht e da SS ocuparam uma área de cerca de vinte e cinco mil quilômetros quadrados. Em Bastogne, a 101.ª Divisão Aerotransportada norte-americana foi cercada e teve exigida a sua rendição. Como resposta, os alemães receberam do general McAuliffe o já clássico monossílabo *"Nuts"* ("Nem pensar"). Membros do Terceiro Exército romperam o cerco de Bastogne. Em 24 de dezembro, um ataque de sete mil aviões fez parar os alemães. Mas só no começo de fevereiro os últimos dentre eles foram expulsos do solo belga.

A história da humanidade

Enquanto os aliados se fortaleciam para cruzar o Reno, tropas norte-americanas descobriram por sorte uma ponte ferroviária intacta em Remagen, ao sul do Bonn. Outras travessias, de barco, levaram o grosso do exército aliado para o outro lado do rio em março.

No leste, enquanto isso, os russos avançavam de forma lenta e constante. A Finlândia, que tomara o partido da Alemanha em 1941, sofreu um segundo ataque soviético logo depois do Dia D. No sul, o Exército Vermelho chegou à fronteira com a Romênia em março de 1944. Seguiu-se a invasão da Hungria e da Tchecoslováquia; e, com a rendição de Budapeste em fevereiro de 1945, completou-se a conquista dos Bálcãs por parte dos russos.

Em abril de 1943, o governo soviético rompera relações com o governo polonês no exílio. Na tomada de Varsóvia, em janeiro de 1945, pôde-se ver o reflexo de um novo desenho político, ainda velado. Ainda naquele mesmo mês, o Exército Vermelho cruzou o rio Oder e, a 7 de fevereiro, já estava avançando para os arredores de Berlim.

Naquele dia, Stálin estava recebendo Churchill e Roosevelt em Yalta, na Criméia. Essa foi a última conferência dos três, da qual saiu o acordo de Yalta, planos para a Alemanha e a Áustria do pós-guerra e um acordo que visava à participação soviética na guerra contra o Japão.

Eleito para o quarto mandato em 1944, Roosevelt já não estava bem de saúde quando foi a Yalta. Dois meses depois, em 12 de abril, morreu em Warm Springs, na Geórgia, e seu vice-presidente, Harry S. Truman, foi empossado naquela mesma tarde. No dia seguinte, o Exército Vermelho entrou em Viena; e na primeira reunião das Nações Unidas, realizada em San Francisco no dia 25 de abril, fez-se o anúncio de que tropas soviéticas e norte-americanas haviam se encontrado no rio Elba. Antes que a assinatura da Carta das Nações Unidas pusesse fim àquela conferência de dois meses, a guerra na Europa já havia terminado. No dia 1º de maio, o grão-almirante Karl von Dönitz anunciou que Hitler se havia suicidado em seu abrigo subterrâneo, debaixo do arruinado edifício da chancelaria em Berlim. Uma semana depois, a Alemanha rendeu-se incondicionalmente em Reims. O Dia da Vitória na Europa foi 7 de maio de 1945.

O sentimento antigermânico era forte quando Stálin reuniu-se com Truman e Churchill em Potsdam, em julho, para discutir os planos para o pós-guerra. A ira dos ingleses fora despertada sobretudo pelo súbito aparecimento, na guerra, de bombas-foguete de longo alcance lançadas pelos alemães do litoral da França, da Bélgica e da Holanda depois do Dia D. (Eram conhecidas como "armas V". O "V" era a resposta nazista ao "V de Vitória" dos aliados. Na Alemanha, significava *Vergeltung* ou "retaliação".) A União Soviética, como já dissemos, ressentia-se profundamente da deportação em massa de seus cidadãos para trabalhar como escravos na Organização Todt. O mundo inteiro indignou-se com a descoberta dos campos de concentração nazistas, onde judeus, prisioneiros políticos e todos os "inimigos do Estado" eram reunidos para morrer de doença ou de fome ou para ser executados nas eficientíssimas câmaras de gás.

Os líderes nazistas que não seguiram seu Führer na morte foram julgados por seus brutais "crimes de guerra" perante um tribunal das quatro potências constituído em Nuremberg. Um deles, Martin Bormann, nunca chegou a ser capturado e foi condenado *in absentia*. Dois morreram à espera do julgamento, três foram absolvidos, sete foram condenados à prisão perpétua e dez foram enforcados. Na véspera do enforcamento, Hermann Göring suicidou-se em sua cela.

Durante a Conferência de Potsdam, uma eleição realizada no Reino Unido guindou ao poder o líder socialista Clement Attlee. Na qualidade de novo primeiro-ministro, ele tomou o lugar de Winston Churchill na mesa de conferências. Derrotados dois dos membros do Eixo, os aliados voltaram todo o seu interesse para a guerra contra o Japão.

A possível invasão japonesa da Austrália foi evitada em 1942. Ao longo de um vasto espaço oceânico, boa parte do qual estava a mais de cinco mil quilômetros do próprio Japão, tropas norte-americanas, britânicas, australianas e filipinas deram início a um novo tipo de guerra anfíbia chamada de "pula-ilhas".

Os aliados iniciaram uma ofensiva conjunta em julho de 1943. Deixando completamente de lado certas ilhas maiores ocupadas pelo Japão, atacaram aquelas que poderiam servir de bases aéreas a partir das quais os aviões aliados pudessem estorvar as linhas japonesas de suprimentos. Dessa maneira, seria possível vencer pela fome, e sem lutas, os japoneses de muitas ilhas. Porém, uma olhadela no mapa bastará para lhe dar uma idéia da magnitude dessa operação. Mesmo que só uma em cada cem ilhas tenha sido invadida, ainda é fácil perceber por que a guerra do Pacífico ceifou tantas vidas humanas.

A ofensiva começou com a tomada da pequena Rendova, nas ilhas Salomão. No final do ano, a ilha de Bougainville e a base aérea de Munda, na ilha Nova Geórgia, já estavam conquistadas. Na Nova Guiné, Salamaua caiu, e os japoneses estavam cercados em Lae. Os aliados dirigiram-se então para as ilhas Gilbert, dando início a uma operação de cercamento.

Em 1944, os japoneses perceberam o quanto era difícil conservar o que haviam conquistado. Embora muitas dessas ilhas não passassem de atóis de coral, a posse delas era indispensável para os aliados. Num grande círculo, empreenderam-se desembarques em Kwajalein e Eniwetok, nas ilhas Marshall, e fez-se uma tentativa ousada de entrar nas Marianas. Em agosto, com a retomada da ilha de Guam, que tinha sido propositalmente deixada para trás, os aliados já dispunham de uma base a partir da qual superfortalezas podiam bombardear Kyushu, a mais meridional das ilhas do arquipélago japonês. Na costa da Nova Guiné, do sul para o norte, foram tomadas Aitape e depois Holândia, seguidas das ilhas do Almirantado e da ilha Schouten. Desembarcou-se também nas Carolinas e nas Molucas. Em 19 de outubro, o general Douglas MacArthur pôde cumprir uma promessa, desembarcando a pé em Leyte, nas Filipinas.

Enquanto isso, no continente asiático, as tropas de Chiang Kai-shek estavam obtendo vitórias e os japoneses foram expulsos da Índia. Como a estrada que ligava a Birmânia à China ainda estava em mãos nipônicas, os aliados organizaram um serviço regular de transporte aéreo de cargas entre a Índia e a capital provisória de Chiang Kai-shek em Chungking, passando por cima da "lombada". Começou então a árdua mas bem-sucedida campanha pela qual os japoneses foram expulsos da selva birmanesa.

Hendrik Willem van Loon

A última fase da guerra do Pacífico começou no final de 1944, quando a ilha de Saipan, nas Marianas, tornou-se a base de uma intensa ofensiva aérea contra alvos industriais no Japão. A tarefa não era fácil: o Japão ainda estava a mais de mil e seiscentos quilômetros de distância. Em março de 1945, uma batalha de um mês pela ilha fortificada de Iwo Jima deu aos bombardeiros norte-americanos uma base situada a mil e duzentos quilômetros de Yokohama. A isso seguiu-se, em abril, a invasão de Okinawa. Coincidindo com a derrota da Alemanha, a maior ofensiva aérea da guerra poderia ser lançada sobre cidades situadas a menos 520 quilômetros de distância. No Sudeste Asiático, enquanto isso, o almirante lorde Luís Mountbatten pôde anunciar uma vitória completa das forças britânicas, norte-americanas e chinesas sobre os japoneses, que já não gritavam "Banzai".

Já perplexos diante do número de mortes causadas pela guerra, os aliados sabiam que a invasão do Japão, se houvesse, acarretaria muitas mais. Enquanto novas tropas eram deslocadas das frentes européias para lá, a ciência entrou em cena para levar a guerra a uma conclusão rápida e terrível.

No mundo inteiro, os físicos já sabiam havia muito que o átomo não era uma entidade básica e imutável, como criam os gregos. As pesquisas sobre o problema da transformação de "matéria" em "energia" mediante a fissão ou divisão do átomo só eram obstadas pela necessidade de obter-se um material "fissionável" em quantidade suficiente para possibilitar a experimentação. Como você sabe, a fórmula básica ou fundamental sobre a qual tais experimentos seriam baseados foi levada da Alemanha para os Estados Unidos na mente do cientista alemão Albert Einstein.

Os aliados sabiam que os nazistas destinavam grandes somas em dinheiro à pesquisa atômica. Foi esse conhecimento que motivou, por exemplo, uma ousada ação inglesa para sabotar um reator de "água pesada" em Rjukan, na Noruega ocupada pelos nazistas. Cientistas como Enrico Fermi, Lisa Meitner e o próprio Einstein viram então com clareza que a descoberta da energia atômica poderia colocar uma arma poderosa nas mãos de quem a obtivesse primeiro. A urgência da questão foi evidenciada ao presidente Roosevelt; e, no maior segredo, um laboratório atômico – que se tornou uma cidade propriamente dita – foi estabelecido em Oak Ridge, no Tennessee.

Trabalhando juntos, cientistas britânicos e norte-americanos puderam testemunhar, a 16 de julho de 1945, a primeira explosão atômica já vista pelo homem. Ocorreu no deserto de White Sands, no Novo México. A 6 de agosto, outra explosão aconteceu, desta vez sobre a cidade japonesa de Hiroshima. Num único e devastador estouro, três quintos da cidade foram destruídos, milhares de pessoas morreram e outras tantas ficaram feridas. Três dias depois, uma terceira bomba atômica, ainda mais devastadora, foi lançada sobre Nagasaki.

Esses acontecimentos, aliados à declaração de guerra da União Soviética contra o Japão e à simultânea invasão da Manchúria, puseram o Japão de joelhos. Obtendo a garantia da permanência de seu imperador, Hirohito, os japoneses renderam-se formalmente a bordo do navio de guerra norte-americano "Missouri", ancorado na Baía de Tóquio. Foi o Dia da Vitória sobre o Japão, 2 de setembro de 1945.

O pesadelo da guerra global tinha acabado. Porém, quando os relatos detalhados do que tinha acontecido em Hiroshima e Nagasaki chegaram à imprensa, toda a humanidade percebeu que uma era nova e perturbadora havia começado. A nova descoberta não poderia ser conservada em segredo pelos Estados Unidos e pela Inglaterra para sempre. Qual seria o futuro do mundo agora que essa força terrível estava à disposição do homem? Para responder a essa pergunta, o mundo inteiro voltou-se para as Nações Unidas.

71
AS NAÇÕES UNIDAS
Como os Estados Unidos herdaram a liderança sobre o mundo e foram os anfitriões dos participantes de um grande experimento em relações internacionais

Certa vez, Oscar Wilde fez o seguinte gracejo: "Enquanto a guerra for vista como uma coisa má, sempre terá um fascínio. Quando for vista como uma coisa vulgar, deixará de ser tão querida." Se ele substituísse a palavra "vulgar" pela expressão "não lucrativa", teria chegado ainda mais perto da verdade. Os exércitos não marcham somente por ira, mas também por esperança: a esperança da recompensa que cabe ao vitorioso – riquezas, novos territórios, uma vida melhor ou, ironicamente, a paz. Sem essa esperança, os exércitos deixarão de marchar.

O caos provocado pela Primeira Guerra Mundial parecia ter eliminado essa esperança. Os otimistas, que a chamaram de "uma guerra para pôr fim a todas as guerras", afirmavam que uma tal carnificina mecanizada seria totalmente inviável e não compensaria nem mesmo para o vencedor. Porém, o homem é uma criatura do hábito e é tardo para aprender com os próprios erros. Vinte anos depois, outra guerra foi deflagrada. Os que a iniciaram tinham a esperança de obter uma vitória rápida, violenta e lucrativa. Mas, pelo contrário, foram derrotados, suas cidades sofreram grande destruição e seus governos foram à falência. Os vitoriosos, porém, sofreram tanto quanto os perdedores, se não mais. Grandes porções da União Soviética estavam em ruínas. A China estava dividida por conflitos internos. O Império Britânico desintegrou-se parcialmente, e o fardo da liderança mundial passou da Inglaterra para os Estados Unidos. A fim de manter

A história da humanidade

sua economia e ter parceiros com quem negociar, os Estados Unidos foram obrigados a dar apoio financeiro aos ex-aliados e aos ex-inimigos igualmente. (Esse auxílio logo serviu a outra finalidade, talvez até mais importante, mas falaremos sobre isso depois.)

O cogumelo atômico formado sobre Nagasaki não se limitou a dar um fim repentino ao sonho nipônico de uma "Esfera de Co-Prosperidade" asiática. Como um dedo apontado para o céu, parecia nos alertar de que na guerra feita com armas atômicas o vencedor nada ganharia. A alternativa estava em algum tipo de arbitragem.

Mesmo antes de lançada a bomba atômica, Winston Churchill já havia sugerido que os Estados Unidos, a Comunidade Britânica e a URSS se unissem para criar uma organização sem precedentes na história, tão inédita quanto fora a criação dos Estados Unidos da América. A situação era tão grave que, apesar do fiasco da Liga das Nações, a idéia pegou.

Prevendo o caos e a miséria que viriam no rastro da guerra, a Administração das Nações Unidas para o Socorro e a Reabilitação realizou sua primeira reunião em Atlantic City em novembro de 1943, e a segunda em Montreal no setembro seguinte. (A ANUSR ou UNRRA, como era chamada em inglês, tornou-se em 1947 a Organização Internacional para os Refugiados.)

Em abril de 1944, a constituição de uma Organização das Nações Unidas para a Reconstrução Educacional e Cultural foi proposta num encontro de ministros aliados realizado em Londres. Em Bretton Woods, em julho desse mesmo ano, quarenta e quatro nações participaram da primeira Conferência Monetária e Financeira das Nações Unidas, cujo objetivo era melhorar as condições econômicas mundiais, através da criação de um Fundo Monetário Internacional (FMI) e de um Banco Internacional de Reconstrução e Desenvolvimento (BIRD).

Por fim, depois da Conferência de Dumbarton Oaks, realizada em outubro, os "Três Grandes" publicaram uma proposta para uma organização internacional permanente que seria chamada Organização das Nações Unidas. Essa proposta foi endossada por Churchill, Roosevelt e Stálin em Yalta e elaborada em detalhes em San Francisco, no ano de 1945. A Carta das Nações Unidas previa que todas as nações amantes da paz teriam direito a representação numa Assembléia Geral e preconizava a constituição de um Conselho de Segurança mais poderoso e mais restrito, com cinco membros permanentes – os Estados Unidos, a Inglaterra, a URSS, a China e a França – e mais seis membros eleitos para mandatos de dois anos. Além disso, foram criados um Conselho Econômico e Social e um Tribunal Internacional de Justiça. Os trabalhos administrativos ficariam a cargo de um Secretariado comandado por um secretário-geral. O primeiro homem a deter esse cargo foi o norueguês Trygve Lie.

A questão de como deveriam votar os membros do Conselho de Segurança criou dificuldades desde o início. Na Conferência da Criméia, decidiu-se por fim que um voto negativo ou "veto" dado por qualquer um dos cinco membros permanentes bastaria para derrotar qualquer proposta, exceto as questões de ordem.

Fazendo um uso excessivo do poder de veto, a União Soviética manifestou desde o início a sua truculência e sua proverbial desconfiança em relação ao mundo ocidental. Ficou claro que a URSS não tinha a menor intenção de buscar uma resolução honesta dos problemas em que estava envolvida no pós-guerra. Ao passo que em 1943 a União Soviética dissolvera voluntariamente o "Comintern" – sua organização de propaganda internacional – como gesto de amizade em relação a suas "democracias irmãs", seus delegados agora lançavam contra os ex-aliados a acusação de "imperialismo econômico", buscando disfarçar assim as intenções cada vez mais imperialistas dos próprios soviéticos. Essas intenções, porém, logo se evidenciaram.

Na Conferência de Potsdam, ficou decidida a repartição da Alemanha e da Áustria. As capitais desses dois países, embora estivessem ambas dentro de zonas atribuídas aos soviéticos, foram elas mesmas divididas em quatro partes. Na época em que a URSS baixou a "Cortina de Ferro" entre seus territórios e os que estavam de posse das outras três potências de ocupação, a Inglaterra, a França e os Estados Unidos ainda tinham governos militares aquartelados em Viena e Berlim. A União Soviética não se sentiu à vontade com essa situação. A fim de obrigar os aliados a sair de Berlim, o governo soviético adotou em 1948 a política de bloquear todo o tráfego rodoviário, ferroviário e fluvial vindo do Ocidente. A resposta norte-americana a essa atitude foi a "ponte aérea", um serviço de transporte aéreo entre Frankfurt e Berlim que abastecia os setores inglês, francês e norte-americano de produtos básicos como alimento e carvão. Depois de um ano e meio de crescente tensão, durante o qual a questão foi levada à apreciação das Nações Unidas, a União Soviética pôs fim ao bloqueio em maio de 1949. Em vez de retirar-se dos países balcânicos que haviam ocupado, os soviéticos os aproximaram cada vez mais da sua própria órbita. Em 1948, por fim, através de um golpe de estado cuidadosamente planejado e levado a cabo, colocaram a Tchecoslováquia atrás da Cortina de Ferro.

Em outras partes da Europa, a truculência soviética não obteve tanto êxito. Na Itália, o rei Vitório Emanuel III abdicou em favor de seu filho Umberto. Este, por sua vez, acatou um referendo realizado em 1946 e a Itália tornou-se uma república. Em meio ao caos que reinava nesse país desiludido e empobrecido, a ameaça de um "Putsch" comunista avultava assustadoramente. Foi então que o Plano Marshall norte-americano, sob a tutela do Programa de Recuperação Européia, revelou os seus primeiros benefícios. Esse plano, sugerido pelo general George C. Marshall, que foi chefe do estado-maior durante a guerra e depois secretário de estado, tinha o objetivo de oferecer ajuda financeira aos países que não estavam sob o domínio comunista – e tornou-se assim a resposta realista dos Estados Unidos ao expansionismo soviético. Os Estados Unidos saíram da Segunda Guerra Mundial como poderosos defensores da causa da autodeterminação e, previsivelmente, tornaram-se os protetores dos países que resistiam ao domínio do totalitarismo.

A política norte-americana de "conter os soviéticos" também ajudou a deter a expansão da influência soviética na França. Depois da vitória expressiva obtida pela facção comunista nas eleições nacionais de 1946, a França entrou num estado de profunda agitação. No decorrer dos anos seguintes, vários governos subiram e caíram no país. Não obstante, foi durante essa época que se constituiu o Conselho da Europa, formado pelos países do Benelux (Bélgica, Holanda e Luxemburgo), a França, a Itália, a Inglaterra, a Irlanda e os três reinos escandinavos. Em 1950, graças ao Plano Marshall, a França já se encontrava de novo numa condição de estabilidade, de modo que já não tinha o que temer do comunismo; e apresentou o "Plano Schuman", que propunha a unificação da produção de carvão e aço da Europa ocidental. A Inglaterra, convidada a participar, manteve-se isolada.

Num dos países balcânicos, Joseph Stálin deparou com uma resistência inesperada. Sob o governo do marechal Tito, líder dos guerrilheiros durante a guerra, a Iugoslávia aparentemente contentou-se, de início, em ser apenas mais um dos satélites dos soviéticos. De repente, em 1948, Tito fez dissidência e estabeleceu-se como um ditador comunista separado da União Soviética. Embora não tenha se voltado abertamente para as potências ocidentais em busca de apoio, elas viram com bons olhos essa fissura aberta na Cortina de Ferro. No final de 1950, a Iugoslávia recebeu vultuosas quantias do Plano Marshall norte-americano.

Mais ao sul, a Grécia foi o único país europeu em que a libertação não pôs fim aos conflitos. Quando os ingleses venceram os invasores nazistas em 1944, forças de resistência pró-comunistas imediatamente atacaram os libertadores a fim de impedir a restauração da monarquia. Em 1946, um plebiscito reinstalou no trono o rei Jorge II, mas guerrilheiros antimonarquistas, auxiliados por comunistas infiltrados pelo norte, aumentaram suas depredações, entendidas como ações de protesto. Com a morte do rei Jorge, em 1947, seu irmão Paulo subiu ao trono. Nesse mesmo ano, os Estados Unidos destinaram trezentos milhões de dólares para a ajuda à Grécia, e suprimentos norte-americanos permitiram que o exército grego pusesse fim às hostilidades em 1949.

Como os sionistas insistiam na criação de um Estado judeu independente na Palestina, e a recém-formada Liga Árabe ameaçava enfrentar pelas armas tal tentativa, a Inglaterra entregou o problema às Nações Unidas em abril de 1947. Em 15 de maio de 1949, chegou ao fim o período de controle inglês sobre a Palestina e foi proclamada a nova república de Israel. Deflagrou-se imediatamente a guerra, mas a Liga Árabe não era páreo para as forças israelenses. Uma trégua temporária foi acordada pelo mediador da ONU, o conde sueco Folke Bernadotte, o mesmo homem que agira como emissário nas negociações da rendição alemã em 1945. Bernadotte foi assassinado por um extremista, e o Dr. Ralph Bunche, norte-americano, deu continuidade às negociações. Conseguiu obter um armistício entre Israel e o Egito. Pela primeira vez em dois mil anos, o povo judeu teve uma nação e uma bandeira própria. Em 1949, por votação, Israel foi aceita como membro das Nações Unidas.

Também na Índia o nacionalismo já vinha se afirmando havia muito tempo. A independência foi a única condição imposta pelos indianos aos ingleses para participar da guerra contra o Japão. Mas depois da guerra, a Liga Muçulmana, liderada por Mohammed Ali Jinnah, exigiu a criação de um Estado muçulmano separado, o Paquistão. Os hindus opuseram-se firmemente a esse plano, e a Inglaterra relutou em tomar partido. A situação chegou a um ponto crítico quando os ingleses anunciaram a iminente transferência da autoridade para "mãos indianas responsáveis" e pediram que hindus e muçulmanos chegassem a um acordo. Mas, apesar da repartição da Índia britânica nas repúblicas da Índia e do Paquistão, conflitos religiosos acompanhados de derramamento de sangue seguiram-se à retirada britânica em agosto de 1949. Mahatma Gandhi, o advogado hindu cuja doutrina da "resistência passiva" tanto contribuiu para a independência indiana, foi assassinado em 1948. Seu discípulo Pandit Nehru logo colocou a Índia numa posição de liderança dentro da Ásia. Tanto a Índia quanto o Paquistão são membros da ONU.

Em outros pontos do Oriente, o grito de guerra nipônico de "A Ásia para os asiáticos" fez reverberar vários ecos nacionalistas. Os Estados Unidos cumpriram sua promessa e deram independência às Filipinas em 1947. Nas Índias Orientais Holandesas deflagrou-se uma revolta que só terminou quando, através da intervenção da ONU, constituíram-se os Estados Unidos da Indonésia. Rebeliões semelhantes opuseram-se aos ingleses na Birmânia e na Malásia, e os franceses na Indochina viram-se envolvidos numa guerra de grande escala, travada nas selvas contra guerrilheiros bem-armados da província do Vietnã.

Não por coincidência, todas essas revoluções tinham a mesma marca, a marca do comunismo. A disseminação da influência soviética, embora momentaneamente obstada na Europa, facilitou-se no Oriente pela exploração que as populações nativas sofriam nas mãos dos impérios ocidentais. Embora tivessem muito que agradecer nos campos da medicina e da educação, os nativos, na ânsia de se livrar do jugo ocidental, não perceberam que tinham mais a perder do que a ganhar, na medida em que estavam simplesmente trocando uma forma de imperialismo por outra. O exemplo mais trágico foi o da China. Embora a guerra contra o Japão tenha temporariamente curado os antigos antagonismos políticos, a paz os fez surgir novamente. O governo reacionário e ditatorial de Chiang Kai-shek contava com o apoio de seus aliados ocidentais para manter-se no poder, mas esse apoio falhou num momento crucial. Forças comunistas comandadas pelo veterano líder Mao Tsé-tung e apoiadas pela União Soviética atacaram as forças nacionalistas em outubro de 1945. Chiang apelou aos Estados Unidos em busca de auxílio, mas teve o seu pedido negado. Foi obrigado a retroceder e por fim, em janeiro de 1949, renunciou e fugiu para a ilha de Formosa. Lá começou a construir a maior força anticomunista de toda a Ásia.

Uma vez senhores da China continental, os comunistas estabeleceram uma nova capital em Peiping. Mais tarde, suas forças invadiram a província do Tibete, no alto do Himalaia. A Índia, que parecia favorável a Mao Tsé-tung, encarou essa última atitude com grande preocupação. Na Indochina francesa, a ajuda prestada pelos comunistas chineses às tropas do Vietmin fizeram com que os franceses retirassem o seu exército das posições fronteiriças. Foi nesse contexto de perturbações que se travou a Guerra da Coréia.

Em Yalta ficou decidido que a Coréia seria dividida em duas zonas pelo paralelo 38; a do norte seria ocupada pela União Soviética e a do sul, pelos Estados Unidos. Os atritos entre essas duas potências rivais refletiram-se na violência que marcou as eleições de 1946 e 1948 na zona norte-americana. Depois da criação da República Democrática da Coréia no sul, ambos os lados mobilizaram-se para a guerra, os sul-coreanos com a ajuda de oficiais norte-americanos, os norte-coreanos com a ajuda dos soviéticos. A 25 de junho de 1950, sem aviso nem pretexto, o exército norte-coreano cruzou o paralelo 38. Pegos de surpresa, os sul-coreanos recuaram. Então, pela primeira vez, a bandeira das Nações Unidas foi para o combate. Usando o Japão como base, o general Douglas MacArthur comandou as forças da ONU na Coréia.

Com impressionante velocidade, as tropas norte-americanas na Coréia foram complementadas por outras vindas do Japão, onde faziam o serviço de ocupação, e dos Estados Unidos. Logo receberam o auxílio de contingentes da Inglaterra, da Austrália, do Canadá, das Filipinas, da França e da Turquia. As forças da ONU conseguiram repelir os norte-coreanos para além do paralelo 38 e alcançaram a fronteira da Manchúria em novembro de 1950. Então interveio a China comunista. Muito inferiores em número, as tropas da ONU retrocederam pelo mesmo caminho. No porto de Hungnam foi realizada com êxito a maior retirada de tropas desde Dunquerque, e os soldados foram desembarcados mais ao sul da península, prontos a ir de novo ao combate. O amargo inverno coreano fez mais mal às tropas chinesas do que às forças da ONU, e na primavera os chineses já se haviam retirado de novo para o norte.

Cientes agora de que o governo soviético só seria coibido em sua agressividade por uma clara demonstração de força, os Estados Unidos deram início a um programa de plena mobilização e produção militar. Ao mesmo tempo, prometeram apoio e cooperação às doze nações européias que haviam assinado o Pacto do Atlântico Norte em 1949. Quando os norte-americanos propuseram o rearmamento da Alemanha Ocidental, a França opôs-se vigorosamente. Por outro lado, Konrad Adenauer, chanceler da recém-formada república de Bonn, fez uso do forte poder de negociação da Alemanha Ocidental para insistir em que o rearmamento fosse acompanhado da plena admissão da igualdade entre a Alemanha Ocidental e as outras nações do Pacto do Atlântico.

Então, em 19 de dezembro de 1950, os doze países do Pacto do Atlântico reuniram-se em Bruxelas e nomearam o general Dwight D. Eisenhower o comandante supremo do proposto exército da Europa ocidental.

72
UMA PAZ TURBULENTA
*Como a Guerra Fria se desenvolveu na Europa
e conflitos sangrentos deflagraram-se em outros países*

A Guerra da Coréia não terminou como as guerras geralmente terminam, com uma vitória e um tratado de paz. Depois de muitos meses de um amargo e confuso conflito entre as forças das Nações Unidas e as dos comunistas, as negociações do armistício começaram em 5 de julho de 1951. As conferências arrastaram-se por mais de dois anos, durante os quais ocorriam combates intermitentes. A questão que causou mais problemas foi a da repatriação dos prisioneiros de guerra. Os representantes das Nações Unidas queriam um programa de repatriação voluntária, mas os norte-coreanos insistiam em que todos os prisioneiros fossem devolvidos a seus países de origem, quer quisessem ir, quer não. Isso teria resultado na execução de muitos milhares de comunistas dissidentes. Por fim, contudo, chegou-se a um acordo e, em 27 de julho de 1953, assinou-se um armistício formal, de tal modo que a situação política voltou a ser o que era antes do início das hostilidades.

A guerra não contou com a aprovação do povo dos Estados Unidos (que haviam fornecido a maior parte do pessoal militar para a força de paz das Nações Unidas, composta de militares de quinze países) e custou caro – bilhões de dólares foram gastos e quase dois milhões de vidas foram perdidas. O que realmente se obteve ao final? Pela primeira vez na história, um exército representante de um grupo internacional de países conseguiu reverter uma agressão militar contra um país pacífico. As

A história da humanidade

Nações Unidas passaram pela sua primeira grande prova. Para as multidões asiáticas, porém, o que aconteceu foi algo ainda maior. Essas multidões de pessoas, sujeitas por séculos à humilhação imposta pelos europeus, viram o conflito como uma vitória da China emergente sobre os desejos imperiais norte-americanos no Extremo Oriente. O poder e a influência ocidentais tinham sido frustrados por uma potência oriental, despertada de um sono de séculos. Quer para o bem, quer para o mal, das cinzas da Coréia nasceu uma força "nova" na política mundial, e as coisas nunca mais seriam as mesmas. Hoje em dia, a aguerrida nação coreana ainda é uma área dividida e potencialmente perigosa, onde nunca se concluiu um tratado de paz permanente.

Enquanto continuavam os conflitos em torno do paralelo 38, os países criadores da Organização do Tratado do Atlântico Norte levavam a cabo seus planos para proteger a Europa de um ataque comunista. Aos doze países que originalmente assinaram o pacto (Bélgica, Canadá, Dinamarca, Estados Unidos, França, Holanda, Islândia, Itália, Luxemburgo, Noruega, Portugal e Reino Unido) vieram somar-se em 1954 a Grécia, a Turquia e a Alemanha Ocidental. A guerra na Coréia fez aumentar nos Estados Unidos o medo de uma expansão russa, e foram os próprios norte-americanos que propuseram o rearmamento da Alemanha Ocidental. Os franceses, porém, mostraram-se bastante ansiosos com o rearmamento de sua recente conquistadora, e também manifestaram desagradado com a tibieza do compromisso britânico para com a organização. Apesar desses problemas internos, a União da Europa Ocidental veio à existência em 1954 como um índice da determinação dos países do Ocidente a opor-se a novas expansões soviéticas. Os russos não tinham outra alternativa senão a de alarmar-se. Contra-atacaram em 1955 mediante a criação da Organização do Pacto de Varsóvia, na tentativa de imitar o programa ocidental. Os oito membros do pacto (Albânia, Alemanha Oriental, Bulgária, Hungria, Polônia, Romênia, Tchecoslováquia e URSS) demonstraram que têm muitas diferenças de opinião em relação a diversas questões e revelaram fortes tensões internas – tensões políticas, econômicas e ideológicas. Os desacordos internos entre os membros desses dois grupos – a Otan e o Pacto de Varsóvia – não podem ocultar o fato de que a Europa está de novo, como já esteve tantas vezes, dividida em acampamentos militares. Porém, no lado da esperança, existem outras forças em operação que poderão, num futuro relativamente distante, pôr fim às altercações e querelas nacionalistas que têm sido a perdição da vida européia desde há muitos séculos.

Em 10 de agosto de 1952, foi posta em execução uma proposta desenvolvida pelos franceses Jean Monnet e Robert Schuman. Trata-se do Plano Schuman, pelo qual seis nações industriais (Bélgica, França, Itália, Luxemburgo, Holanda e Alemanha Ocidental) se unem para constituir uma Comunidade Européia do Carvão e do Aço, pondo em comum seus recursos minerais. O arranjo teve forte êxito, e as agências de cooperação formadas para supervisionar sua operação serviram de fundamento para novas modalidades de cooperação ente esses países. Em 1º de janeiro de 1958, formou-se a Comunidade Econômica Européia ou Mercado Comum Europeu. Os objetivos dessa organização são, entre outros: um plano de desenvolvimento de atividades econômicas em toda a comunidade européia mediante a eliminação das barreiras alfandegárias, o estabelecimento de um livre movimento de capital e trabalho através das fronteiras políticas e a esperança de que a cooperação econômica possa finalmente levar à unidade política. A estrutura foi um grande sucesso, muito embora o pedido de entrada da Inglaterra tenha sido vetado diversas vezes pela França. O atraso foi apenas temporário, porém, e a Inglaterra foi finalmente aceita como membro em 1971. Com toda essa cooperação econômica, a Europa ocidental se aproxima do dia em que as nações isoladas vão se esquecer de suas diferenças por uma causa comum.

Vinte anos depois da mais horrível de todas as guerras, a Europa (em boa medida graças à ajuda norte-americana) estava mais próspera do que jamais estivera antes. Ainda estava longe da unidade política completa e era obrigada a conviver com a rivalidade americano-soviética, que podia explodir a qualquer momento numa guerra atômica. Mesmo assim, a Europa ocidental estava mais otimista e mais consciente de suas responsabilidades e oportunidades do que jamais estivera. Os autocratas do século XIX, como Napoleão e Alexandre I da Rússia, sonharam em unificar a Europa mediante a conquista das outras nações, mas fracassaram. Existe agora a possibilidade de que os estadistas do século XX, eleitos pelo povo e responsáveis perante seus eleitores, consigam fazer o que seus predecessores não conseguiram. Quem ousaria comparar Robert Schuman ao grande Corso? Não obstante, quando houver um dia algo que se assemelhe a um Estados Unidos da Europa, será que o nome do primeiro não será tão famoso quanto o do segundo? Coisas mais estranhas do que essa já aconteceram.

Diz-se que, na tumba de Timur Lang (que chamamos de Tamerlão), há uma inscrição: "Se eu estivesse vivo, tremerias!" O terror que esse homem inspirava ainda em vida reverbera nesse sinistro aviso. Poucos foram os homens que, depois de Timur, usaram o medo com tanta eficácia quanto ele. Um desses homens foi Josif Vissarionovich Dzhugashvili, que o mundo chama de Stálin, o "homem de aço". Esse ex-seminarista nascido na Geórgia, perto do mar Negro, inspirava terror em milhões de pessoas quando morreu. No dia 5 de março de 1953, uma estranha morte pôs fim a seu governo de trinta anos como senhor todo-poderoso dos soviéticos, mas poucas lágrimas foram derramadas. Uma vez morto e enterrado Stálin, ocorreu o comum conflito pelo poder e Georgi Malenkov tornou-se o líder da Rússia. De lá para cá, a atitude desse país em relação ao Ocidente, e especialmente aos Estados Unidos, tem sido caracterizada por rápidas mudanças que, embora confusas e irritantes, resultaram numa melhora em relação à inflexibilidade de Stálin. Se, por um lado, o mundo tem sido mantido num estado de tensão, por outro lado está menos perigoso que antes, e podemos até começar a aventar a possibilidade de que um dia a competição e a "coexistência pacífica" virão a substituir o medo. O "degelo" que se desenvolveu na Guerra Fria não resultou em nenhuma grande concessão da União Soviética ao Ocidente, mas pôs em evidência o fato de que os soviéticos já não seguem a "linha dura" de Stálin, para quem a guerra entre eles e o Ocidente era inevitável. Parecem crer agora que vão ser capazes de dominar o mundo por meios "pacíficos", e estão dispostos a fazê-lo com instrumentos políticos e econômicos, e não militares.

Malenkov, que se dedicou a aumentar o fluxo de bens de consumo para o povo russo à custa da produção militar, foi deposto do cargo no dia 8 de fevereiro de 1955, pois sua política não era apreciada por certos elementos proeminentes do regime. Seus sucessores foram Nikolai Bulganin, marechal do exército soviético, e Nikita Khrushchev, que foi líder da União Soviética até sua deposição em 1964. Vale a pena observar que nem Malenkov nem Bulganin foram executados. Foram simplesmente "depostos". Esse fato por si reflete a mudança notável que ocorreu na Rússia depois da morte de Stálin. Por quase dez anos, Khrushchev foi um dos atores principais da cena política mundial e interpretou seu papel de forma verdadeiramente memorável (mas, às vezes, um pouco estranha). Independentemente de seus defeitos e idiossincrasias, ele foi em grande medida o responsável pelo fato de as relações entre a Rússia e os países ocidentais estarem muito melhores, ao final de seu mandato, do que jamais poderiam estar sob Stálin. Talvez tenha reconhecido que a inflexibilidade não era um atalho para o sucesso, como cria Stálin. Talvez acreditasse que o sistema comunista realmente tem a possibilidade de vencer as nações capitalistas numa concorrência econômica aberta e franca. Não sabemos o que ele pensava. Pode ter tido ainda outros motivos que nos são totalmente desconhecidos.

A primeira fenda no monolito comunista apareceu já em 1948, com a dissidência de Tito. No dia 28 de junho desse ano, a Iugoslávia foi expulsa do Cominform e todos puderam ver que nem tudo ia bem no bloco comunista. Em muitos lugares vieram à tona as inquietudes causadas sobretudo pelo sentimento nacionalista, que se opunha à diretriz soviética de que todos tivessem perfeita lealdade a Moscou. Em 17 de junho de 1953, trabalhadores de Berlim Oriental revoltaram-se contra as condições de vida em seu setor da cidade dividida. Era evidente a seus olhos o fato de que a vida em Berlim Ocidental, ocupada pelas potências ocidentais, era superior sob todos os aspectos à existência na Berlim Oriental ocupada pelos soviéticos. Com a ajuda

A história da humanidade

generosa dos Estados Unidos, os alemães ocidentais tinham realizado o milagre de reconstruir sua terra devastada e agora gozavam de um padrão de vida equivalente ao de qualquer outra nação européia; e Berlim era uma espécie de farol aceso na escuridão da Alemanha Oriental. A existência monótona e excessivamente regulamentada dos berlinenses orientais evidenciava-se e contribuía em muito para o descontentamento do povo. A revolta se deflagrou. Por vários dias, o mundo incrédulo assistiu às cenas de luta entre jovens alemães armados de pedras e gigantescos tanques russos, mas, como seria de esperar, os tanques venceram. A ordem foi restaurada, mas não o contentamento. De novo, em 28 de junho de 1956, distúrbios semelhantes ocorreram na cidade polonesa de Poznan. Ali, o antigo ressentimento contra a ocupação russa aliou-se aos protestos da Igreja Católica contra a intervenção do Estado nos assuntos religiosos; juntos, os dois fatores criaram uma situação explosiva. Depois de algumas manifestações violentas, estabeleceu-se uma trégua vacilante e a Polônia permaneceu dentro do orbe russo (muito embora seus laços com o Ocidente tenham se fortalecido muito nos últimos anos). Mas todos esses problemas ocorridos nos países satélites da Rússia ficaram em segundo plano quando eclodiu a revolta de Budapeste, no dia 24 de outubro de 1956. Milhares de húngaros comandados por Imre Nágy tomaram parte num levante que, sediado em Budapeste, sublevou o país inteiro contra os dominadores russos. O mundo perplexo viu os títeres da Rússia serem depostos de seus cargos e substituídos por revolucionários. O exército russo de ocupação recuou para observar o progresso da revolução e decidir se ela poderia ser debelada pela polícia e pelo exército húngaros. No dia 4 de novembro, os russos chegaram à conclusão de que as coisas não poderiam prosseguir no rumo que estavam tomando e o Exército Vermelho voltou a Budapeste e esmagou a revolta. Milhares de pessoas foram mortas e outras tantas foram presas, levadas para campos de concentração ou deportadas para a Sibéria. Quase duzentos e cinqüenta mil húngaros fugiram de seu país e refugiaram-se no Ocidente. A revolta, embora fracassada, mostrou claramente o grau de insatisfação que exista nos países-satélites e fez com que muita gente se perguntasse se os títeres da Europa oriental não viriam a ser mais desvantajosos do que vantajosos para a Rússia. A revolta também demonstrou que a nova política de "coexistência pacífica" do Kremlin só podia ser levada a cabo até certo ponto. Quando o antiestalinista Wladislaw Gomulka chegou ao poder em decorrência das perturbações na Polônia, Khrushchev não interveio diretamente porque via aquelas dificuldades como decorrências naturais do nacionalismo polonês, de modo que aceitou Gomulka como uma alternativa à intervenção armada. Mas na Hungria o caso era outro. Lá, a ameaça da derrocada completa do regime vermelho suscitou a ira russa. Gomulka permaneceu no poder até os levantes de 1970, ao passo que Nágy foi assassinado à traição. Assim, embora nem tudo tenha corrido bem para os russos nessa infeliz região, nenhum outro país do Leste Europeu conseguiu se libertar do domínio comunista. A Iugoslávia continua "comunista e neutra" e conserva um precário comunismo nacional; a Albânia já não é a porta-voz da China Vermelha e permanece isolada; a Polônia católica é a única nação comunista que reconhece legalmente o Mercado Comum; a Romênia tem mais laços econômicos com a França do que com os países vizinhos; e assim por diante. Mesmo assim, não existe nenhum homem e nenhum país que consiga viver à sombra do Exército Vermelho e preservar-se totalmente da influência russa, mas os acontecimentos nos países-satélites deixam claro que nem mesmo a rígida adesão aos princípios marxistas bastou para sufocar por inteiro a independência mental que torna o homem superior aos animais.

A Rússia não é o único centro do comunismo. Já falamos sobre o papel cada vez mais importante desempenhado pela China Vermelha nos assuntos internacionais depois da fuga de Chiang para Formosa em 1949. Nem os déspotas da Antiguidade nem os ditadores do mundo moderno conseguiram impor a seus povos o mesmo grau de controle que foi imposto aos chineses pelo presidente Mao e seu seguidores. A vida familiar, tão querida da civilização chinesa, foi praticamente anulada e substituída por uma lealdade cega ao Estado. Iniciou-se um programa de comunização forçada que superou em muito os esforços

A história da humanidade

que os russos haviam feito nesse sentido vinte e cinco anos antes. Os chineses começaram a participar de modo cada vez mais ativo da vida asiática. A intervenção na Coréia foi apenas a primeira de muitas aventuras semelhantes. O Tibete, há muito tempo reivindicado pelo governo chinês, foi invadido e esmagado em 1951. Territórios da Índia foram anexados em 1959 e de novo em 1962. Essas ações por parte dos chineses foram aceitas e até aplaudidas por milhões de pessoas nas áreas subdesenvolvidas do mundo, há muito tempo acostumadas com o comportamento agressivo do homem branco. A Revolução Chinesa, baseada no levante dos camponeses (ao passo que a Revolução Russa deu mais destaque ao papel do proletariado urbano), exerce sobre elas uma atração considerável. Suas necessidades e desejos são atendidos (ou pelo menos elas assim os crêem) pelas idéias e atos de Mao, e a China tornou-se um vulto da política mundial cuja importância só é excedida pela da URSS e dos Estados Unidos. Essa ascensão foi acompanhada de um sofrimento terrível. Famílias foram tiradas de suas terras, e cidades inteiras foram mudadas de lugar ou recriadas sem a menor consideração pela vida humana. Dentro do país, a oposição aos novos programas costuma acarretar a morte. Em 1958, o presidente Mao admitiu que oitocentos mil "inimigos da Revolução" tinham sido liquidados, mas os especialistas das Nações Unidas calculam que o número de execuções deve ter sido muito maior. Em 1956, Mao fez um célebre discurso no qual afirmava que a China devia "deixar que cem flores se abram, deixar que cem escolas de pensamento debatam entre si". Não previu que esse convite a uma liberdade intelectual maior resultaria em inúmeras condenações dos excessos do regime. Quando isso aconteceu, a antiga censura voltou para ficar. Mesmo à custa de muitos sofrimentos e reveses, a cara da China mudou. Uma nação cambaleante tornou-se um gigante, com tremendas dificuldades ainda a superar. Especialmente no fim da década de 1960, no período da "Revolução Cultural", a China mostrou-se fanaticamente antiocidental. Outros acontecimentos demonstraram também a existência de graves divergências entre a China e a União Soviética. Já em 1956 ficou claro que nem tudo ia bem nas relações sino-soviéticas. Os motivos desses atritos (além da diferença ideológica já mencionada) são, entre outros, a rivalidade dos dois gigantes vermelhos pela liderança do mundo comunista e a crença chinesa na inevitabilidade da guerra atômica com o Ocidente, guerra que os russos não aceitam por medo de pôr a perder o progresso industrial que a muito custo obtiveram. Já ocorreram pequenas escaramuças ao longo da fronteira, e o futuro talvez venha a assistir a um cisma definitivo entre os líderes do comunismo; porém, ainda é impossível saber se isso virá para bem ou para mal. Enquanto isso, o país em que vive um quinto da população do mundo está sofrendo um rápido processo de industrialização que, dada a quantidade praticamente ilimitada de potencial humano e recursos naturais da China, fará dela um dos líderes do mundo por ainda muitos anos. Apesar dos grandes sofrimentos e do retrocesso causado pelos excessos do Grande Salto à Frente – como foi chamado o movimento de industrialização iniciado em 1958 –, a indústria chinesa cresceu muito, incluindo o ramo de produção de armas nucleares.

Embora a China tenha finalmente se integrado às Nações Unidas, em 1971, não sabemos ainda qual será exatamente o seu destino. É certo, porém, que esse país imenso está desperto e terá um papel importante a representar no futuro da humanidade.

Outra potência levantou-se também no Extremo Oriente. Os danos sofridos pelo Japão em sua completa derrota – simbolizada pelas explosões atômicas de Hiroshima e Nagasaki – foram reparados sob a mão firme do general MacArthur. O imperador do Japão renunciou a seu caráter "divino"; a Mitsubishi e outras grandes dinastias comerciais foram dissolvidas, e uma nova constituição permitiu a formação de sindicatos fortes e instituições políticas democráticas. Não sabemos se essa democratização será permanente ou transitória.

Pela cooperação com o Ocidente, o Japão logo deu grandes passos rumo à recuperação e à expansão econômicas. Graças ao "Milagre Econômico Japonês", esse povo trabalhador e inteligente voltou a produzir bens de consumo vendidos para o mundo inteiro. Tóquio tornou-se a cidade mais populosa do mundo, e o Japão passou a ser um lugar de cruzamento e fusão do velho com o novo. As cerejeiras, os quimonos e os santuários do xintoísmo permanecem, mas, nas grandes cidades, as pitorescas casas japonesas cobriram-se de uma verdadeira floresta de antenas de televisão. Automóveis engarrafam as ruas estreitas; cartazes e anúncios de néon fazem reclame de tudo o que se possa imaginar, desde o último filme norte-americano até o mais novo automóvel da Toyota a sair das linhas de montagem japonesas. Caubóis japoneses tocam guitarra em boates, e modernas lojas de departamentos japonesas localizadas no bairro comercial de Tóquio – o Ginza – exibem gravatas inglesas e vestidos franceses nas vitrines.

É possível que as maiores mudanças tenham se processado na vida social japonesa. As mulheres desempenham papéis mais importantes nos negócios, na educação e na vida política. A moderna família democrática substitui o pai todo-poderoso. Talvez essas mudanças sejam o prelúdio de um enfraquecimento, se não da completa destruição, dos antigos valores militares que os japoneses herdaram de seu passado feudal.

A permanência dos Estados Unidos no papel de maior potência do mundo tem sido uma das realidades da cena mundial desde a capitulação do Eixo, em 1945. Com exceção da União Soviética, nenhum outro país ousou desafiar a sério o poder militar norte-americano. Prósperos como nenhum outro povo (embora componham somente um vigésimo da população mundial, os norte-americanos gozam de quase um terço da renda estimada do mundo), os cidadãos dos Estados Unidos acreditam-se incumbidos da missão de proteger o mundo livre. A participação norte-americana na Guerra da Coréia mostrou a determinação desse país de atender às exigências desse novo papel. O antigo espírito de isolamento (ou neutralidade) desapareceu definitivamente. Já em 1949, os Estados Unidos ajudaram a criar a Otan como bastião de defesa contra a expansão russa na Europa; e, assim fazendo, comprometeram-se com um envolvimento constante com os assuntos europeus. Compromisso semelhante foi assumido na Ásia quando, a 8 de setembro de 1954, foi constituída a Organização do Tratado do Sudeste Asiático (OTSA). Esse acordo, chamado às vezes de Pacto de Manila, tem como membros a Austrália, os Estados Unidos, a França, a Inglaterra, a Nova Zelândia, o Paquistão e a República das Filipinas. O pacto foi assinado só um ano depois de o conservador Dwight Eisenhower receber o comando do governo norte-americano de Harry Truman, e foi índice de que nenhuma mudança fundamental ocorrera na política exterior do país. Eisenhower, que falava em nome de um poderia militar incrível (uma vez que, em 1º de novembro de 1952, os Estados Unidos acrescentaram a seu arsenal a mais poderosa de todas as armas, a bomba de hidrogênio), deu continuidade à política de "contenção" que seus predecessores haviam inaugurado com a Doutrina Truman. Um pacto pelo qual se garantia a segurança de Formosa foi assinado em 1955, e um programa de combate às infiltrações vermelhas no Oriente Médio (a Doutrina Eisenhower) foi anunciado em 5 de janeiro de 1957. Enquanto levava a cabo esses programas cujo objetivo era deter a expansão do comunismo, Eisenhower também buscou melhorar as relações diplomáticas entre os Estados Unidos e a Rússia. No verão de 1955, encontrou-se com os líderes soviéticos numa "reunião de cúpula" realizada em Genebra, na Suíça. Mais tarde, em 1959, recebeu a primeira visita de um líder russo aos Estados Unidos, quando Nikita Khrushchev e o vice-presidente norte-americano Richard Nixon trocaram visitas. A nova compreensão resultante desses encontros se desfez no dia 5 de maio de 1960, quando um avião de espionagem norte-americano foi abatido em pleno território russo (o incidente do U-2). O modo pelo qual o governo lidou com a questão (a princípio, os Estados Unidos alegaram que a aeronave não passava de um avião de estudos meteorológicos que se desviara do curso, e essa rudimentar tentativa de disfarce foi explorada de bom grado pelo astuto Khrushchev) resultou numa considerável perda de prestígio para os Estados Unidos. O país só recuperou o "moral" em outubro de 1962, quando o novo presidente, John F. Kennedy, instituiu um bloqueio naval ao redor de Cuba para impedir que o governo soviético fornecesse mísseis "ofensivos" ao líder revolucionário cubano, Fidel Castro. O modo resoluto e corajoso pelo qual foi resolvida essa situação explosiva aumentou a confiança e a admiração mundial pelo povo norte-americano e por seu novo líder. O presidente Kennedy foi tragicamente assassinado no dia 22 de novembro de 1963, e a presidência passou às mãos de Lyndon B. Johnson.

Em 1956, só havia três países independentes na África ao sul do Saara (a Libéria, a Etiópia e a África do Sul). Dez anos depois, já havia trinta e sete. A entrada da África na cena política mundial é um fenômeno de grande importância. O grito *uhuru*, que em língua suaíli significa liberdade ou independência, ressoou por todo o continente desde o terrível levante dos Mau-Mau no Quênia britânico, que começou em 1952. O primeiro Estado africano a conquistar a independência foi a antiga colônia inglesa da Costa do Ouro, que se tornou independente com o nome de Gana no dia 6 de março de 1957. Foi logo seguida pela Guiné, pela Nigéria, pelo Gabão, pela Costa do Marfim e, no fim, por mais de trinta outros países. Em alguns países, o período de transição do *status* de colônia para o de nação independente foi marcado por uma relativa tranqüilidade (foi esse o caso da maioria das ex-colônias britânicas, onde era encorajada até certo ponto a participação dos "nativos" no governo). Em outros lugares, isso não aconteceu. A grande colônia belga do Congo, por exemplo, ganhou a independência no dia 1º de julho de 1960. Em poucas horas teve início uma revolta do exército que terminou em anarquia e em atrocidades. Os europeus fugiram para não morrer, e só a intervenção de soldados das Nações Unidas, recrutados principalmente em outras nações africanas, impediu a ocorrência de uma possível e desastrosa guerra civil. Entretanto, o novo governo congolês era tão fraco e inepto e as antigas divisões tribais no país eram tão fortes que as tensões permaneceram por vários anos. A experiência do Congo mostrou que às novas nações faltavam muitas habilidades governamentais que poderiam garantir a estabilidade política e econômica, e essa falta persistirá ainda por vários anos. Os novos países sofrem com a desunião religiosa e tribal e não dispõem de líderes instruídos e responsáveis. Com demasiada freqüência, aventureiros políticos dotados de muito carisma (aquela atração indefinível que fez o avô de Hendrik van Loon se esquecer do entranhado ódio holandês pelos franceses e seguir a bandeira de Napoleão) fizeram grande mal a suas nações por suas atitudes mal orientadas ou irrefletidas. O ditador Kwame Nkrumah, primeiro soberano de Gana, e Patrice Lumumba, o esquerdista instável que governou o Congo até ser raptado e morto seis meses depois da conquista da independência, são exemplos típicos desse tipo de liderança irresponsável. Os líderes africanos de visão mais ampla procuraram construir uma África federada; e, embora os obstáculos à realização desse projeto sejam imensos, os primeiros passos já foram dados. Em 1961, constituiu-se uma Organização Inter-Africana e Malgaxe para promover a unidade africana. Esse grupo foi sucedido em 1963 pela Organização da Unidade Africana. Os objetivos dessas organizações são promover a unidade e o desenvolvimento da África e erradicar os vestígios do colonialismo europeu. Hoje em dia, porém, a África inteira está infestada de ditaduras, corrupção e ineficiência – heranças de um colonialismo europeu que se interessou muito mais pelos ganhos econômicos do que pelo progresso social ou cultural dos povos subjugados. Em toda parte, além disso, cresce a consciência do poder dos homens de raça negra e um interesse pelos seus problemas, onde quer que se manifestem. O orgulho pela ascendência negra tem sido continuamente sublinhado por líderes como Julius Nyerere, da Tanzânia, e provoca em muitos africanos um interesse pelos problemas raciais e de direitos civis nos Estados Unidos. Não é exagero dizer que todos os movimentos nas relações raciais nos Estados Unidos são acompanhados de perto pelos habitantes de Nairobi, Lagos e Conacri. Tampouco é exagero dizer que as discórdias raciais nos Estados Unidos podem influenciar de modo definitivo o resultado da disputa soviético-americana pela influência política sobre a África negra. Como quer que esse problema seja resolvido, só nos resta esperar que os povos africanos aceitem programas prudentes, de longo prazo, para o seu próprio desenvolvimento, e não se deixem seduzir pelos esquemas utópicos que lhes são oferecidos por líderes egoístas e agitadores vindos de fora.

Também ao norte do Saara existem problemas. Muitos árabes palestinos que viviam nas terras em que se constituiu o Estado de Israel foram refugiar-se na faixa de Gaza, ao longo do mar Mediterrâneo, e na margem esquerda do rio Jordão, a Cisjordânia. Esses refugiados empobrecidos, que são obrigados a viver em condições subumanas em acampamentos provisórios, conceberam o plano de destruir Israel para poder voltar às terras que possuíam originalmente, tornando-se assim em assunto de grave preocupação para os israelenses. Com efeito, as nações árabes do Oriente Médio e da África do Norte recusaram-se a reconhecer o novo Estado judeu e juraram expulsar os israelenses de volta para o mar. O Egito (que em 1958 recebeu o novo nome de República Árabe Unida) assumiu o papel de líder do povo árabe. Quem comandou o Egito nesse processo foi Gamal Abdel Nasser, um dos líderes da revolta de 1952 que derrubou o reino corrupto do rei Farouk, de triste memória.

A primeira guerra árabe-israelense (1948) foi encerrada pela intervenção das Nações Unidas, mas as tensões continuaram a crescer no Oriente Médio. De acordo com o Egito, a Inglaterra controlou o canal de Suez por muitos anos. Em 1956, as tropas britânicas se retiraram. Nesse mesmo ano, Nasser tomou o canal e fechou-o aos navios israelenses. Israel despachou um exército para tomar o canal, e tropas inglesas e francesas desembarcaram na região a fim de mantê-lo aberto a navios de todas as nacionalidades. Na reunião das Nações Unidas, tanto os Estados Unidos quanto a União Soviética apoiaram a condenação das ações militares, e a Inglaterra, a França e Israel chamaram de volta os seus exércitos. Em recompensa pelo fato de Israel se ter retirado para dentro de suas antigas fronteiras, os Estados Unidos garantiram a passagem dos navios israelenses para o mar Vermelho pelo estreito de Tiran, que estava bloqueado.

Até sua morte, em 1970, Nasser foi o líder incontestado mundo árabe. Conseguiu recuperar o canal de Suez em 1956, tirando-o do domínio estrangeiro, e assim o seu prestígio e o seu potencial de liderança eram quase ilimitados. Depois da Guerra Egípcio-Israelense de 1956, prosseguiu a amarga disputa sobre o direito de Israel à existência, marcada por confrontos ocasionais.

Hendrik Willem van Loon

Quando os egípcios reimpuseram o bloqueio ao estreito de Tiran, os israelenses perceberam que a guerra era inevitável e tomaram a iniciativa. Poderosas forças israelenses combateram simultaneamente contra o Egito, a Jordânia e a Síria, obtendo vitórias impressionantes. Ao cabo de seis dias de combate, e com o cessar-fogo, Israel já ocupava toda a península do Sinai, a faixa de Gaza, a margem direita do canal de Suez, toda a margem esquerda do rio Jordão e as estratégicas colinas de Golan, no oeste da Síria. Depois da Guerra dos Seis Dias, os países árabes acumularam ainda mais ressentimentos e começaram a enviar guerrilheiros treinados para dentro de Israel, ao passo que os israelenses não deixavam de contra-atacar. Em 1969, enquanto a atividade dos guerrilheiros continuava, morreu o primeiro-ministro Levi Eshkol. Foi sucedido por Golda Meir, que, em sua juventude, fora professora nos Estados Unidos.

Por que o Oriente Médio é um barril de pólvora onde uma única faísca pode bastar para dar origem a um conflito que talvez venha a se transformar na temida Terceira Guerra Mundial?

No início, Israel era um país neutro e se dispunha a aceitar a ajuda não só do Ocidente como também dos comunistas. Porém, a União Soviética logo se voltou de Israel para os árabes, estendendo um olhar cobiçoso para o petróleo árabe e para a possibilidade de consolidar o seu poder naval no mar Mediterrâneo. Os Estados Unidos e muitas outras nações não querem ver transformado em realidade o sonho russo de dominar a região. Por isso, os Estados Unidos, que tentaram ajudar tanto os árabes quanto os israelenses, foram obrigados a se tornar os mais fiéis amigos de Israel entre as grandes potências.

Os árabes dizem que o petróleo costuma se misturar com sangue e areia. Infelizmente, isso é verdade. A região está dividida em dois grandes acampamentos militares; estão em jogo as grandes reservas petrolíferas da península arábica e da África do Norte, o controle do canal de Suez e o domínio militar da bacia do Mediterrâneo.

Esses países do Oriente Médio e da África têm muito em comum com seus vizinhos da Ásia e com nossos vizinhos da América Latina. Assola-os a todos o problema terrível da superpopu-

A história da humanidade

lação. Estima-se, por exemplo, que as populações da República Árabe Unida e da Costa Rica vão dobrar em menos de vinte anos, e a China acrescenta às suas massas populacionais entre quinze e vinte e cinco milhões de pessoas por ano. Todos esses países sofrem de falta de capital e de trabalhadores especializados. A diferença de padrão de vida entre as regiões subdesenvolvidas e as nações altamente industrializadas do Ocidente é imensa. Enquanto a renda *per capita* nos Estados Unidos era de mais de 3 mil dólares em meados dos anos 1960, o trabalhador boliviano ganhava em média 130 dólares por ano, e o indiano, 55 dólares por ano. O abismo que separa esses povos é evidentemente muito grande. Existem programas de ajuda a essas nações, como a Aliança para o Progresso, patrocinada pelos Estados Unidos na América Latina. Eles tentam remediar as conseqüências de séculos de exploração, mas, apesar dos altos investimentos, os problemas permanecem. Os países africanos recebem 500 milhões de dólares por ano em ajuda norte-americana, e os da América Latina recebem o dobro. Os franceses, os ingleses e os russos também contribuem com esses novos países e continuarão a disputar a influência sobre as ex-colônias. Esses novos países compreenderam muito bem as vantagens e desvantagens desse cabo-de-guerra político entre o Oriente e o Ocidente, e têm aproveitado a situação para aceitar a ajuda de ambos os lados sem se comprometer politicamente nem com um, nem com o outro. Essas nações recebem dinheiro e bens numa quantidade muito superior à que recebiam quando eram colônias, e desenrola-se perante os nossos olhos o espetáculo de ex-senhores que competem pelo amor de povos que eram praticamente seus escravos há meros dez anos.

A Europa já está quase completamente recuperada da Segunda Guerra Mundial. A Inglaterra já não é a rainha dos mares, mas ainda é uma força política na Europa, e a Comunidade Britânica é um dos grandes fatores da economia mundial. A França, que sofria com problemas internos e com a revolta das colônias em 1951, está de pé novamente. Charles de Gaulle, que ajudou a criar a Quinta República Francesa e a extrair a ordem do caos em 1958, pôs seu país de novo no rol dos mais importantes do mundo. Suas colônias conquistaram a independência – algumas por meio de revoltas sangrentas (Argélia e Indochina), outras por meio de uma separação pacífica (os membros da Comunidade Francesa, como o Chade e o Gabão) –, mas a França é poderosa outra vez. De Gaulle convenceu os franceses de que seu destino é grandioso e abriu o difícil caminho que conduz à estabilidade econômica e ao prestígio internacional. Quando De Gaulle se retirou da política, em 1969, a França já era uma das potências nucleares e agora concebe a si mesma como a líder de uma nova Europa, continente no qual tem a esperança de substituir os Estados Unidos como fator político determinante. Muitos franceses sofreram com a perda da Argélia e da Indochina, mas essas perdas tiveram de acontecer. Por causa delas, a França se tornou uma nação melhor.

Em 1963, a França e a Alemanha Ocidental assinaram um tratado de amizade. Essa declaração, assinada por De Gaulle e Konrad Adenauer, eliminou um pouco do ódio e da desconfiança acumulados há séculos. De todos os acontecimentos estranhos e maravilhosos do passado recente, este é sem dúvida um dos mais encorajadores. Talvez não seja demais esperar que outros homens e outras nações aprendam com o exemplo dessas antigas inimigas e saibam resolver suas divergências de modos outros que não a guerra.

Hoje em dia, o mundo sofre como nunca ante a ameaça da destruição total. A centelha que vai acender o fogo da Terceira Guerra pode vir de um incidente na Berlim dividida (dividida até mesmo por um muro, construído em 1961!) ou de outro confronto árabe-israelense. Pode vir de uma das batalhas periódicas entre o Paquistão e a Índia; a última vitória indiana sobre o Paquistão e a criação de Bangladesh, em 1972, certamente não fizeram diminuir o ódio entre hindus e muçulmanos. Pode vir ainda de Cuba, de Chipre ou da fronteira sino-soviética. Pode vir do Vietnã ou de outros países do Sudeste Asiático. Com tantas situações potencialmente explosivas, é evidente que a Organização das Nações Unidas não resolveu todos os problemas do mundo. Mas obteve grandes vitórias – pôs fim às hostilidades na Coréia e no Oriente Médio, descobriu a ordem no meio do caos no Congo e em Chipre e realizou muitas obras de natureza humanitária. Está longe de ser uma organização perfeita, mas ainda é, nas palavras do presidente norte-americano John Kennedy, "a última esperança do mundo".

73
O FIM DA VELHA ORDEM
À *medida que se apagam as lembranças das guerras da primeira metade do século XX, as novas gerações buscam "refrear a selvageria do homem e tornar mais suave a vida do mundo"*

Em 1971, todos os grandes líderes da Segunda Guerra Mundial – Franklin D. Roosevelt, Winston Churchill, Dwight D. Eisenhower, Charles de Gaulle e Douglas MacArthur – já estavam mortos. Nas palavras de John Fitzgerald Kennedy, tinham passado o bastão para uma nova geração nascida no século XX, temperada pela guerra e disciplinada por uma paz árdua e amarga. Essa nova geração, vigorosa e impaciente, examinava com um olhar crítico os problemas do passado.

Para muitos, no mundo inteiro, John Kennedy representava o novo ativismo e o elevado idealismo que marcaram os turbulentos anos 1960. Em janeiro de 1961, o jovem Kennedy recebeu o fardo da presidência das mãos do paternal e populariíssimo Dwight David Eisenhower. Em seu breve discurso inaugural, explicou qual seria o papel de seu país num mundo faminto e dividido. Segundo ele, os Estados Unidos haviam sido convocados para "suportar o fardo de uma batalha renhida e prolongada... contra os inimigos comuns de toda a raça humana: a tirania, a pobreza, a doença e a própria guerra". Pediu que os dois partidos opostos entre os quais se travava a Guerra Fria "começassem de novo a buscar a paz, antes que as negras forças de destruição desencadeadas pela ciência envolvessem toda a humanidade numa ruína deliberada ou acidental". Em várias outras ocasiões, disse: "É hora de pôr os Estados Unidos de novo em movimento. Podemos ser melhores, temos de ser melhores..."

A história da humanidade

Rodeado de assessores jovens e brilhantes, o presidente Kennedy vislumbrava uma "Nova Fronteira" tanto em seu país quanto no resto do mundo, e os norte-americanos deixaram-se fascinar por seu idealismo. "Não perguntem o que o país pode fazer por vocês", disse ele, "mas sim o que vocês podem fazer pelo país." Inspirados por suas palavras, milhares de jovens norte-americanos – e outros mais velhos – alistaram-se no Exército da Paz ou, na qualidade de "Cavaleiros da Liberdade", dedicaram-se a prestar ajuda ao povo pobre e iletrado do extremo sul dos Estados Unidos ou dos montes Apalaches, onde, entre outras coisas, ensinaram homens e mulheres a exercer o direito de voto que lhes cabia por serem cidadãos norte-americanos.

Para dar a seu povo mais liberdade e oportunidades iguais, o dr. Martin Luther King Jr., um jovem pastor batista negro, lutou contra a segregação nos ônibus de Montgomery (no estado do Alabama) e nas escolas, estabelecimentos comerciais e bairros residenciais de todo o país. Falou-nos do seu "sonho da igualdade de oportunidades para todos... o sonho de uma terra onde ninguém pensará que o caráter de um homem é determinado pela cor de sua pele".

A discriminação não era um problema novo. Na década de 1940, o presidente Truman levou a questão dos direitos civis à atenção do público de todo o país. Durante sua administração, um relatório histórico, denominado *To Secure These Rights*, denunciava a discriminação racial e religiosa como os dois males que frustravam a realização do ideal norte-americano de democracia. Na década de 1950, o presidente Eisenhower completou a dessegregação das forças armadas e fez valer com vigor o veredicto de dessegregação pronunciado pela Suprema Corte para uma dramática ação civil movida em Little Rock, no Arkansas.

Depois da morte prematura do presidente Kennedy, Lyndon Johnson comprometeu-se a levar a cabo os ideais políticos da Nova Fronteira. Com efeito, em seu discurso sobre o Estado da Nação, o novo presidente assegurou aos norte-americanos que, se as necessidades sociais do país fossem atendidas, surgiria a "Grande Sociedade" (*Great Society*). Nessa "Grande Sociedade", segundo o sentir do presidente Johnson, o governo federal teria a responsabilidade de lidar com problemas nacionais como a pobreza, a discriminação, as insuficiências dos serviços de atendimento médico, os problemas urbanos, e assim por diante. Em específico, era o desejo do presidente tornar mais humana a vida nas cidades, dar boa educação a todas as crianças e oportunidades de emprego para todos. Até o momento em que o sonho da Grande Sociedade foi reduzido a pó pela Guerra do Vietnã, ele conseguiu avançar um pouco rumo a suas metas, garantindo a aprovação de leis de direitos civis e direito de voto e desencadeando sua guerra contra a pobreza.

Mas a década de 1960 teve também um lado desagradável. Os assassinatos políticos do dr. King e dos irmãos Kennedy, John F. e Robert, bem como os levantes e a agitação nas universidades, sem falar em diversas guerras sangrentas na Ásia e na África, lançaram uma sombra sobre as realizações da década. A vida nas grandes cidades tornou-se, a passo acelerado, cada vez mais perigosa, desagradável e insalubre. Toneladas de poluentes foram lançados no ar e nas águas; nossa vida foi ameaçada pelos horrores das drogas e da criminalidade; cresceram a insegurança e a falta de saneamento nas favelas e nos bairros pobres.

Nos breves "mil dias" em que ocupou a presidência, John Kennedy indicou o caminho para enfrentar-se esses desafios, tanto os especificamente norte-americanos quanto os que vinham de fora. Na política exterior, criou um novo estilo para si e para seus sucessores quando disse: "Não vamos negociar por medo, mas jamais tenhamos medo de negociar." Procurou também estabelecer uma nova harmonia através de contatos pessoais com chefes de Estado. Em sua opinião, Nikita Khrushchev era "um osso duro de roer". Depois de uma conferência de dois dias realizada em Viena, o presidente Kennedy descreveu com as seguintes palavras as dificuldades que encontrou na negociação com os russos: "Nós e os soviéticos atribuímos sentidos totalmente diferentes às mesmas palavras: guerra, paz, democracia e vontade popular. Temos opiniões diferentes sobre o que é certo e o que é errado, sobre o que é um assunto interno de um país e sobre o que é uma agressão. E, acima de tudo, temos idéias totalmente diferentes sobre o pé em que está o mundo e para onde ele caminha." Mas, apesar dessas dificuldades, os Estados Unidos e a União Soviética deram um primeiro passo rumo à prevenção da guerra nuclear quando negociaram um tratado para impedir que outras nações possuíssem armas nucleares. Esse tratado era muito necessário. A China comunista e a França já estavam fabricando e testando armas nucleares, e outros países, como Israel e a Índia, pensavam em fazer o mesmo. O tratado foi negociado pela administração Johnson e aprovado pelo senado norte-americano logo depois que Richard Nixon chegou à presidência. A maioria dos países do mundo o teria assinado.

Para tornar mais lenta a corrida armamentista, que, além de monstruosamente cara, era também perigosa (segundo a teoria de que o garoto que tem uma bombinha de São João será tentado a estourá-la), as duas superpotências negociaram em 1963 o Tratado de Proibição Limitada dos Testes Nucleares, pelo qual concordaram em pôr fim ao teste de armas nucleares no ar, sob a água e no espaço sideral. Em 1968, os Estados Unidos e a União Soviética uniram-se a outros países para proibir o uso de armas nucleares no espaço. Por fim, o presidente Nixon enviou representantes a Helsinque, capital da Finlândia, para dar início às negociações chamadas SALT (*Strategic Arms Limitation Talks* – Conferência para a Limitação de Armas Estratégicas).

Nos anos 1960, homens e mulheres nascidos neste século procuraram combater antigos problemas e, em certa medida, obtiveram êxito. Não obstante, no decorrer desses mesmos anos, a humanidade tomou consciência de certos problemas gravíssimos que, no começo da década, praticamente não haviam ainda sido constatados.

74
A ESPAÇONAVE TERRA
*Temos de conservar os sistemas de sustentação
da vida na Terra; se não o fizermos, pagaremos por isso*

Na era espacial, o homem do século XX devassa o desconhecido com a mesma curiosidade e o mesmo espírito de aventura que animava seus antepassados da Era dos Descobrimentos. À semelhança dos navegantes do século XVI, os astronautas correm grandes riscos, buscam a fama, desafiam o perigo e são recompensados por serem os primeiros a contemplar a visão de novos mundos que "entram em seu espaço de conhecimento". Porém, existe uma grande diferença. Há quatro séculos, passavam-se meses, até anos, para que as descobertas se tornassem conhecidas do público em geral, mas hoje a comunicação instantânea por meio da televisão, do telégrafo e da imprensa escrita possibilita que o mundo inteiro assista ao vivo às explosivas decolagens das naves espaciais, às caminhadas de homens pelo espaço, à acoplagem de veículos espaciais e até à descida do homem na Lua.

A 12 de abril de 1961, numa espaçonave chamada "Vostok I", um russo de nome Yuri Gagárin tornou-se o primeiro ser humano a penetrar no grande domínio do espaço sideral. Desde que vive sobre este planeta, o homem sonha em dele sair para explorar os céus. Esse sonho se tornou realidade quando a nave de Gagárin chegou à altitude de 325 quilômetros da superfície terrestre, numa velocidade de mais de 27 mil quilômetros por hora. O vôo foi um marco na corrida espacial travada entre a União Soviética e os Estados Unidos, corrida que se acelerou quando

A história da humanidade

os russos lançaram seu primeiro satélite artificial, o "Sputnik I", no dia 4 de outubro de 1957. Os olhos dos homens estão agora voltados para as estrelas de um modo diferente. Quando terminou a Segunda Guerra Mundial, o ser humano ainda estava preso à Terra. Agora, o universo inteiro nos chama a ir ao seu encontro.

Quando estava voando ao redor do globo, Gherman Titov, o segundo "cosmonauta" russo a orbitar a Terra, gritou no rádio: "Sou uma águia! Sou uma águia!" O entusiasmo que ele sentiu é partilhado por muitos outros quando percebem que, apesar de convivermos com a ameaça constante de guerra nuclear, o potencial que o ser humano tem de criar o próprio destino mal começou a ser aproveitado. Estamos perto de realizar maravilhas com as quais nossos antepassados jamais sonharam. O mundo é, de fato, um lugar maravilhoso e muito perigoso.

Levar o homem à Lua foi o triunfo máximo do "Homem de Ferro", termo com que Hendrik van Loon designava a Revolução Industrial. A proeza foi realizada por homens corajosos e pela habilidade técnica da "central de controle em terra". Porém, não foram esses os únicos fatores envolvidos. A verdade é que a pequena nave, com seu sistema fechado de sustentação da vida, tinha por trás de si o gigantesco poderio industrial norte-americano. Além disso, em certo sentido, a viagem de ida e volta à Lua, realizada por Neil A. Armstrong, Edwin E. Aldrin Jr. e Michael Collins, foi motivada pelo orgulho nacional e pelas possíveis vantagens militares e comerciais de "chegar lá primeiro".

Mas, por mais empolgantes que sejam as fantásticas aventuras vividas nos céus, todos os cosmonautas e astronautas têm inevitavelmente de voltar à terra da qual saíram para se lançar no espaço.

Até há pouquíssimo tempo, nós tínhamos certeza de que os sistemas de sustentação da vida na Terra eram dotados de uma capacidade ilimitada. Depois que passamos a estudá-los, porém, constatamos consternados que estamos em profundas dificuldades. Cientistas do mundo inteiro nos avisam que, se não pararmos de maltratar esses importantíssimos sistemas, estaremos caminhando para um futuro negro. Os astronautas comparam a impressionante beleza da Terra, girando no negrume de veludo do espaço, com a fria desolação da Lua. Vista do espaço, a superfície da Terra é viva, cheia de cores incrivelmente belas – um azul vívido, um verde brilhante e um branco etéreo. Mas da terra, vistas mais de perto, nossas paisagens estão feridas e decompostas, mutiladas ao longo dos anos pelos excessos imprudentes de seus habitantes humanos.

Segundo o Gênesis, Deus disse ao homem: "Crescei e multiplicai-vos, enchei a terra e sujeitai-a; e dominai sobre os peixes do mar, e sobre os pássaros do céu, e sobre todos as coisas que se movem sobre a terra." Eis um mandamento que o homem tem cumprido fielmente, a ponto de se ver em dificuldades. Em certo sentido, toda a história da humanidade tem sido a história de como o homem mudou seu ambiente para adaptá-lo a suas crescentes necessidades físicas e espirituais. Matou veados para comer e lobos para proteger-se; derrubou florestas para abrigar-se, para plantar e obter materiais de construção; perfurou a terra em busca de combustíveis e metais; represou e desviou rios para irrigar suas terras e usou produtos químicos para combater as pragas e doenças e diminuir os trabalhos na lavoura. Ao fim e ao cabo, os esforços do homem para domar a natureza e moldá-la segundo suas próprias necessidades chegaram a afetar gravemente a ecologia terrestre. (Ecologia é a relação de todos os seres vivos com o seu ambiente e com as outras formas de vida.)

Os problemas ecológicos começaram no Jardim do Éden. Quando Adão jogou fora o primeiro miolo de maçã, começou a sujar a "boa terra". Até há pouco tempo, os recursos terrestres de água, ar e solo pareciam inexauríveis. Desde o princípio da civilização, os sistemas terrestres de sustentação da vida mantiveram o ar, a pressão e a temperatura num equilíbrio delicado, para garantir a continuidade da vida. Enquanto os homens viviam em sociedades tradicionais, suas vidas eram regidas pelos costumes e limitadas pelas ferramentas primitivas que tinham à disposição. Nessas circunstâncias, o homem simplesmente não tinha poder para destruir o ambiente terrestre em nível global. Não obstante, foi o ser humano que transformou em deserto boa parte do "Crescente Fértil" – os vales do Eufrates, do Tigre e do

A história da humanidade

Nilo, que foram os "berços da civilização" nos primórdios da história escrita. À semelhança dos primeiros colonos que se estabeleceram no Novo Mundo, os homens daquela época sempre podiam fugir das conseqüências de sua ignorância, deslocando-se para pastagens mais verdejantes e terras intocadas.

Hoje em dia, não há Jardim do Éden sobre a terra. Os dias despreocupados de inocência e abundância são coisa do passado. O poder humano é tão grande que o homem já pode destruir e com efeito está destruindo ou, pelo menos, danificando gravemente seu ambiente em escala global. Hoje colhemos o fruto amargo do desenvolvimento sem planejamento, da exploração impiedosa dos recursos naturais e da pura e simples ignorância. Regatos outrora puros e límpidos brilham agora com as cores do arco-íris, refletindo não a luz do céu depois da chuva, mas a película oleosa formada pelos efluentes neles lançados. Estamos arrasando florestas para construir estradas, asfaltando e cimentando pastagens e terras agrícolas para construir os estacionamentos de *shopping centers*, poluindo lagos e rios e perturbando o equilíbrio da vida nas águas das quais depende o bem-estar do ser humano. Há ainda uma ameaça nova e horrível, mais insidiosa e perigosa, desencadeada igualmente pelo gênio humano – o poder da energia atômica, poder não só de aniquilar, mas também de poluir e destruir a vida humana, animal e inanimada.

Os problemas ambientais estão em toda parte. Na árida planície de Castela, na Espanha, há um parque magnífico constituído de velhos carvalhos. O bosque é um dos poucos que restam da imensa floresta de carvalhos que antigamente cobria a Espanha. Sobreviveu porque era a reserva de caça dos reis de Espanha. As planícies secas e pedregosas da Espanha, bem como de toda a bacia do Mediterrâneo, são um exemplo trágico do que pode acontecer quando as pessoas ignoram a ecologia. Não só na Espanha, mas também na Grécia e na Itália, os ricos donos de ovelhas soltavam seus rebanhos pelos campos na Idade Média, rompendo assim o delicado equilíbrio da natureza. Na Índia, a cada ano, as águas poluídas causam dois milhões de mortes e cinqüenta milhões de doenças graves.

Hendrik Willem van Loon

Agora o homem está começando a compreender que praticamente todos os avanços rumo a uma vida melhor ocorreram à custa do ambiente terrestre. Os automóveis nos permitiram transpor confortavelmente distâncias curtas e longas, mas seus gases de escape envenenam o ar. Os pesticidas aumentam o rendimento das safras, e os herbicidas químicos eliminam a necessidade de um trabalho estafante, mas também poluem os rios e a atmosfera.

É impossível acabar com toda a poluição. Para que nosso ambiente natural recuperasse sua pureza original, teríamos de voltar às condições de vida da Idade da Pedra. Entretanto, o homem poderá melhorar a qualidade do meio em que vive se estiver disposto a pagar por isso. Teremos, talvez, de abrir mão do crescimento rápido; os impostos vão aumentar; e alguns dos produtos que compramos, atualmente vendidos a baixo preço à custa do meio ambiente, passarão a custar mais caro. Hoje em dia, nossa população sempre crescente e a quantidade cada vez maior de bens produzidos lançam "recursos alterados" – poluentes – no ar, nos cursos d'água e na terra num ritmo tão rápido que esses "recursos" não podem ser assimilados sem provocar efeitos nocivos.

Outro motivo de preocupação para o mundo inteiro é a população mundial. Essa população, avaliada hoje em 3,6 bilhões de pessoas, cresce num ritmo tal que fará com que esse número dobre em trinta anos. A população dos Estados Unidos, que é hoje de 205 milhões de pessoas, será de mais de 305 milhões ao cabo desse mesmo período. Se agora um terço da população mundial é mal nutrida, mora mal e se veste mal, a fome generalizada e a miséria universal afiguram-se desde já como sombrias possibilidades. O crescimento populacional deve – ou melhor, tem de – acabar logo, pois a Espaçonave Terra, à qual se agarra a humanidade, não passa de uma esfera de 12 mil e 800 quilômetros de diâmetro envolvida numa fina camada de ar e nuvens.

No século I d.C., quando Augusto era o imperador romano, a população estimada do mundo era de 250 milhões de pessoas. Mil e seiscentos anos foram necessários para que esse número se duplicasse. Atualmente, os mais de 3 bilhões de habitantes da terra serão o dobro em trinta anos, e a população estará então crescendo num ritmo de mais um bilhão a cada oito anos. Seu irmãozinho, nascido em 1972, conhecerá um mundo de 15 bilhões de habitantes se chegar aos setenta anos de idade. O neto dele talvez compartilhe a Espaçonave Terra com mais 60 bilhões de seres humanos. Mesmo agora, metade da humanidade já está com fome. A quantidade de alimentos por pessoa no planeta é hoje menor do que durante a Grande Depressão da década de 1930. Milhares de pessoas morrem todo ano de desnutrição, quando não de fome pura e simples.

Em suma, os cientistas nos avisam que, enquanto levamos nossa vida de prazeres, estamos caminhando rumo ao iminente colapso da civilização: duplicando a cada trinta anos o número de passageiros da Espaçonave Terra (a população mundial), exigindo cada vez mais de nossos limitados recursos naturais e, nesse processo, ao poluir o planeta, estamos destruindo os sistemas terrestres de sustentação da vida.

75
A TERRA COMO UMA ALDEIA GLOBAL
Como as maravilhas da ciência e da tecnologia diminuíram o tamanho de nosso planeta e irmanaram todos os homens

O que podemos dizer acerca das sombrias previsões dos cientistas que profetizam o apocalipse? Devemos relegar ao campo da ficção científica suas descobertas e avisos sobre a população e a poluição? Talvez o melhor seja lembrar que as pessoas sempre pensaram que nenhuma geração antes da sua havia visto tantos acontecimentos medonhos ou maravilhosos. Nesse particular, não somos diferentes de nossos antepassados. Acreditamos que vivemos num mundo cujas ameaças são mais terríveis e cujas promessas são maiores do que as de qualquer era passada. Esquecemo-nos de que o holocausto atômico não é mais real nem mais aterrador para nós do que as hordas de Átila para o povo assustado da Europa do século V; e que as bênçãos materiais de nossa civilização não nos parecem mais fabulosas do que pareciam as da China para os contemporâneos de Li-Po, vários séculos antes do nascimento de Cristo. Em certa ocasião, quando as nuvens da guerra se entreabriram e deixaram ver uma nesga de céu azul, Winston Churchill comentou que, talvez, no fim das contas, a humanidade logo estaria "caminhando por uma avenida larga e bem pavimentada rumo à paz e à abundância, em vez de vagar titubeante em torno das portas abertas do inferno".

Com efeito, os Estados Unidos e outros países altamente industrializados estão entrando numa era pós-industrial mais humanitária. Um número maior de pessoas se dedicam a servir aos

A história da humanidade

seus semelhantes nos campos do ensino, da medicina e da recreação. Estima-se que a renda *per capita* nas sociedades pós-industriais será cinqüenta vezes maior do que nas economias pré-industriais. No futuro, provavelmente todos terão acesso a uma renda mínima garantida e a serviços sociais básicos. Nas terras pós-industriais, a educação será um processo vitalício. No decorrer de todos os seus anos de maturidade, você provavelmente se dedicará de tempos em tempos a estudar para novas carreiras, quem sabe até quatro numa só vida. Isso será essencial, pois o maior número de horas vagas abrirá novas oportunidades para a realização pessoal.

O sucesso da missão da "Apolo 11" tornou a Lua uma colônia do ser humano. Porém, psicologicamente, foi muito mais do que isso. Hoje em dia, as pessoas crêem que não se deve permitir que nada se interponha no caminho da concretização de um mundo melhor, um mundo cujos habitantes gozem todos da "boa vida", ou seja, de mais lazer, segurança econômica, justiça social e um meio ambiente limpo e saudável. É claro que a perícia tecnológica e científica que levou o homem à Lua não é capaz de operar semelhantes milagres em seres humanos, que não podem ser programados matematicamente. Porém, muitas pessoas hoje acham que um país capaz de explorar a Lua também deve ser capaz de tornar a vida na Terra mais segura, confortável e agradável.

Hoje em dia, muitos se preocupam menos com a escassez de bens materiais e mais com a qualidade da vida que levam. A qualidade da vida é determinada pela limpeza e beleza do ambiente natural circundante e pela liberdade que a pessoa tem de dedicar-se a atividades prazerosas em suas horas de lazer, mesmo que assim ganhe menos e produza menos. Os trabalhadores gostariam de trabalhar menos horas por semana, de modo que tivessem mais horas de lazer para fazer o que gostam de fazer. Já conhecemos os muitos milagres tecnológicos da geração passada: a televisão, a exploração do espaço, a ciência da computação, a erradicação de algumas doenças e a tecnologia da era espacial.

Das muitas realizações da Revolução Industrial, o progresso da eletrônica talvez seja a mais significativa para a civilização mundial. Foi ele que tornou possível a era espacial. A partir de meados do século XIX, a voz humana foi amplificada pelo telégrafo, pelo telefone e pelo rádio até ser capaz de chegar a todas as extremidades da terra. Depois da invenção da fotografia, também imagens puderam ser comunicadas por fios elétricos, puderam ser capturadas em movimento e, por meio da televisão, puderam ser vistas instantaneamente em outros lugares. Sem as palavras de persuasão emitidas pelos alto-falantes dos rádios, o novo nacionalismo da África negra, do Sudeste Asiático e dos países árabes teria sido muito prejudicado.

Com o desenvolvimento dos satélites de telecomunicação, cujo primeiro exemplar foi o "Early Bird", de 1965, o mundo pela primeira vez pôde interligar-se inteiro pela palavra falada. Até então, o conhecimento instantâneo das últimas notícias só ocorria em pequenas aldeias. Homens de visão prevêem que a comunicação instantânea provocará de fato o surgimento de uma aldeia global e que, no fim, as fronteiras nacionais se tornarão obsoletas e desaparecerão. Os problemas de outros países serão tão conhecidos que nos parecerão problemas do nosso próprio país; as diferenças entre os homens, que geram a suspeita e a hostilidade, tenderão a diminuir. Com efeito, é possível que logo todos estejamos falando uma segunda língua, uma língua global. Os benefícios da educação, os noticiários, até mesmo sinfonias tocadas nos grandes centros urbanos poderão ser aproveitadas por todas as pessoas, do Ártico aos trópicos.

Parece claro que, embora o mundo esteja ameaçado como nunca antes, a humanidade dispõe dos meios necessários para cooperar em vista da prevenção de qualquer grande calamidade – uma nova guerra mundial, a superpopulação ou a poluição irreparável. O alarme soou nas Nações Unidas e foi transmitido pelos modernos meios de comunicação para os quatro cantos do mundo. Com coragem e determinação, o homem prevalecerá.

76
A PASSAGEM PARA A ERA DA ALTA TECNOLOGIA
A tecnologia avança e novas guerras se deflagram

As pessoas de todas as épocas tendem a afirmar que a era em que vivem é a mais dramática, instigante e difícil de toda a longa história da humanidade. A ida do homem à Lua em julho de 1969 parecia marcar um novo estágio e um novo triunfo do engenho humano. A década de 1960 foi, no todo, um período de grande otimismo; a de 1970, não. Na década de 1970 e no começo da de 1980, até mesmo nossas maiores conquistas científicas mostraram seu lado negativo. E alguns dos problemas que desde sempre afligem a humanidade recusam-se obstinadamente a desaparecer. A prevenção da guerra nuclear e a proteção do meio ambiente talvez sejam os maiores desafios já enfrentados pelo homem.

Os espantosos progressos que a ciência deu aos países tecnologicamente avançados e às pessoas que têm dinheiro suficiente parecem não ter limites. Os caríssimos programas de exploração espacial dos Estados Unidos e da União Soviética continuaram. Ambas as potências enviaram naves espaciais para os confins do universo. Em 1970, uma dramática operação de resgate ocorreu no espaço depois que a explosão de um tanque de oxigênio a bordo da nave "Apolo 13" colocou em risco a vida dos astronautas. Alguns anos depois, uma nave não-tripulada transmitiu fotos tiradas nas proximidades do planeta Saturno, revelando alguns dos segredos de seus anéis. Essas naves viajam a uma velocidade de até oitenta mil quilômetros por hora. A "Viking I"

Hendrik Willem van Loon

A corrida espacial

A história da humanidade

pousou em Marte em 1976 e enviou fotos que foram mostradas nos noticiários de televisão. Tantos satélites circulam em volta da Terra que as pessoas que aqui ficaram talvez logo tenham de se preocupar com a queda de "lixo espacial". Os progressos dos programas espaciais russo e norte-americano talvez tenham sido empreendidos com um outro objetivo: a guerra, que transformaria numa aterrorizante realidade a popular série cinematográfica *Guerra nas Estrelas* e os *videogames* computadorizados das casas de diversões eletrônicas.

De volta à terra firme, a revolução eletrônica, estágio mais recente da Revolução Industrial, modificou tremendamente a nossa vida, desde o modo como usamos os serviços bancários até o modo como cozinhamos nossos alimentos. Um computador que há vinte anos ocuparia praticamente todo o espaço de uma sala cabe hoje no seu bolso. Chegou a era do "computador pessoal". O conhecimento dos computadores ("alfabetização em informática") pode se tornar obrigatório para estudantes da faculdade, do colegial ou até mesmo de algumas escolas de primeiro grau. Os *videogames* computadorizados entraram na moda no final da década de 1970. Os aviões já são praticamente capazes de voar sozinhos. A telecomunicação instantânea e os "editores de texto" modernizaram os negócios e a educação, gerando amargas guerras econômicas entre a gigantesca IBM e suas concorrentes e entre o Japão e os Estados Unidos. Quando as pessoas pela primeira vez ouviram falar de computadores, na década de 1950, temia-se que a "era do botão" provocasse a deterioração do corpo humano por falta de atividade. Só nossos dedos se exercitariam, apertando botões. Agora, mais do que nunca, os computadores substituíram o trabalho manual em alguns campos. Robôs computadorizados quase dão realidade às antigas histórias de ficção científica, à medida que são instalados nas linhas de montagem de fábricas de automóveis em Detroit e no Japão. Poucos discordam de que os computadores contribuíram muito para tornar mais fáceis certos aspectos da nossa vida, mas os seres humanos também tiveram de pagar um preço por isso. A revolução da informática criou uma nova casta de trabalhadores de escritório formados em computação. Porém, o número de empregos na indústria diminuiu por causa do computador, o que contribuiu, em certa medida, para aumentar o desemprego em alguns setores. O computador "desumanizou" os negócios, pois reduziu o contato pessoal. Ao mesmo tempo em que aumentou muito a produtividade em certos setores, colaborou para que o poder econômico se concentrasse nas mãos de umas poucas empresas gigantes, uma vez que só as maiores têm condições de acompanhar os rápidos e dispendiosos avanços na tecnologia da computação. As que não conseguem competir acabam ficando para trás. Os progressos na eletrônica também tendem a aumentar a distância entre os países ricos e os países pobres. E certas pessoas se preocupam, não sem motivo, com o uso que o governo pode dar aos computadores – reunindo informações sobre os cidadãos com o apertar de um botão. Pode ser difícil proteger as informações computadorizadas armazenadas pelos governos, empresas, universidades e hospitais. O que acontece quando uma empresa rival ou uma potência estrangeira consegue entrar no computador de alguém? Será que as leis poderão ser reformuladas de modo que prevejam um castigo para o roubo de informações digitais, como prevê agora para o roubo de uma loja ou residência? Até hoje, o computador tem sido amigo do ser humano; mas pode também se tornar um seu inimigo se os cidadãos forem arbitrariamente sujeitos ao que um especialista chamou de "violência silenciosa" do computador.

A ciência genética progrediu de modo espantoso e permitiu que os cientistas compreendessem como nunca antes a constituição do corpo humano. Certas possibilidades são ao mesmo tempo reconfortantes e incômodas. À medida que compreendemos os genes humanos, torna-se mais possível prever quem pode herdar certas doenças dos pais ou quem vai correr mais risco de contraí-las no decorrer da vida. Ao mesmo tempo, os médicos podem determinar a constituição genética de um bebê antes de ele nascer; a descoberta do sexo do bebê e de certas deficiências mentais são só os primeiros passos. Pode ser que logo seja possível saber se um bebê será suscetível a doenças como a distrofia muscular e a hepatite. A detecção pré-natal dos defeitos genéticos fica a cada dia mais sofisticada.

A história da humanidade

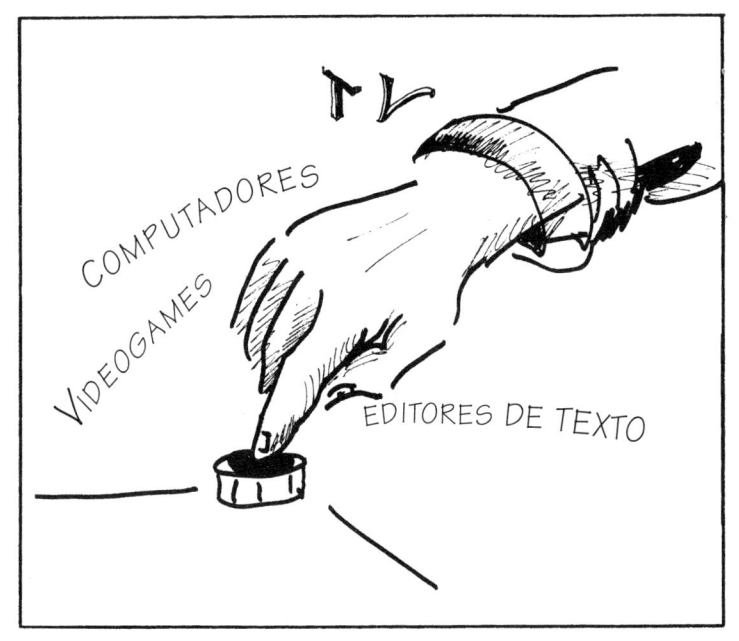

A era do botão

Não obstante, à medida que os cientistas avançam na compreensão das origens e das características genéticas das doenças que afligem a humanidade, certas questões éticas se impõem naturalmente. Por acaso os médicos devem ter permissão para alterar certos aspectos da natureza humana? As famílias não se sentiriam tentadas a provocar o aborto de um feto que, segundo o parecer dos médicos, teria alguma probabilidade de desenvolver uma doença daqui a quarenta anos, por exemplo? Um indivíduo não poderia ter a sua proposta de emprego recusada porque um cientista determinou que a sua constituição genética acusa a possibilidade da ocorrência de uma doença no futuro? A manipulação genética já produziu um rato maior do que o normal; quais alterações não poderiam ser provocadas no próprio ser humano no futuro distante?

Outros grandes avanços da ciência e da tecnologia determinaram novas ameaças. Em 1979, um vazamento de água radioativa de uma usina nuclear situada em Three Mile Island, na Pensilvânia, ameaçou a segurança de toda a vizinhança. Por vários dias os especialistas buscaram esfriar o gerador nuclear para impedir o derretimento do núcleo do reator, cujo superaquecimento poderia espalhar materiais radioativos por centenas de quilômetros quadrados de uma região densamente povoada. Os habitantes das cidades próximas esperavam ansiosos, prontos para abandonar suas casas se o desastre ocorresse. Por sorte, os especialistas conseguiram evitar a catástrofe. Porém, esse quase-acidente suscitou novos questionamentos a respeito da segurança e da praticidade da energia atômica como alternativa ao petróleo. Alguns anos depois, os planejadores do governo começaram a tentar resolver o problema de o que fazer com as usinas nucleares depois de desativadas por obsolescência, consideração que provavelmente nem sequer foi levada em conta pelos que as construíram.

A corrida armamentista nuclear representa um perigo ainda maior para o nosso planeta, tanto mais que já não envolve apenas dois países, os Estados Unidos e a União Soviética. O Reino Unido, a França e a China certamente já são capazes de mover uma guerra nuclear, como também, provavelmente, a Índia e o Paquistão (países ferrenhamente inimigos), Israel, a África do Sul e talvez a Argentina. Todo ano, os sobreviventes das explosões atômicas de Hiroshima e Nagasaki, de 1945, se reúnem para lembrar o mundo dos inacreditáveis horrores que de novo podem acontecer. Só nos resta esperar que a humanidade tenha aprendido a lição.

Nos Estados Unidos e em outros países, o meio ambiente também sofreu na década de 1970. Descobriu-se que o lançamento de substâncias tóxicas e outros dejetos nocivos em aterros sanitários localizados em muitas cidades representava grave risco para a saúde, de tal modo que muitos bairros, até cidades inteiras, tiveram de ser evacuados. Há pouco tempo, a Agência de Proteção Ambiental, originalmente criada para proteger os Estados Unidos, permitiu que as grandes empresas continuassem a poluir o meio ambiente. A "chuva ácida" criou um atrito diplomático entre o Canadá e os Estados Unidos, pois poluentes pro-

A história da humanidade

duzidos neste país estão cruzando a fronteira e depositando-se nas terras canadenses através da chuva contaminada, matando peixes e plantas em lagos distantes. Até mesmo as viagens aéreas supersônicas suscitaram um dilema entre o avanço tecnológico e as necessidades humanas. Em 1976, o primeiro avião de passageiros supersônico, o Concorde, produzido conjuntamente pelo Reino Unido e pela França, diminuiu pela metade o tempo de travessia do Atlântico. O Concorde liga Paris e Londres a Nova York e Washington num vôo de pouco mais de três horas. Porém, muitos ficaram preocupados com as conseqüências ecológicas do transporte supersônico. Além disso, o preço das passagens no Concorde é proibitivo para a maioria das pessoas. Por esses motivos, o congresso norte-americano vetou a aprovação de um financiamento para a criação de um jato supersônico norte-americano.

Os franceses foram responsáveis pelo mais impressionante avanço no transporte ferroviário. Há muito tempo que o Japão tem um "trem-bala" que interliga suas maiores cidades, mas em setembro de 1981 os franceses inauguraram seu TGV ("trem de grande velocidade"). O trem francês é ainda mais rápido do que o japonês e é capaz de deslocar-se com segurança a uma velocidade de até 350 quilômetros por hora. Com uma velocidade média de quase 240 quilômetros por hora, o TGV reduziu para menos de duas horas o tempo de viagem no trajeto de 440 quilômetros que liga Paris a Lyon, a segunda maior cidade da França. O trem transporta milhares de passageiros por dia, e sua velocidade permite uma concorrência equilibrada entre o transporte ferroviário e o aéreo.

A chuva ácida, os efluentes tóxicos e a poluição sonora são problemas relativamente novos. Durante a década de 1970, a fome, que é o problema mais antigo do mundo, continuou grave como sempre foi. No final de 1974, as reservas mundiais de cereais chegaram ao nível mais baixo em vinte e seis anos. Estimava-se então que cerca de meio bilhão de pessoas no mundo inteiro não tinham alimento suficiente para suprir suas necessidades mínimas. Cerca de dez mil pessoas morrem a cada mês na África, na Ásia e na América Latina. Segundo estimativas de espe-

Chuva ácida

cialistas, quinze milhões de pessoas estavam morrendo de fome na Bengala Ocidental. A chamada Revolução Verde havia aumentado a produtividade das safras agrícolas e a área de cultivo em muitas partes do mundo. Porém, nem essa boa notícia foi suficiente para atender às necessidades alimentares do planeta, em face do rápido crescimento populacional e das mudanças climáticas.

A população de nosso planeta continua crescendo à razão de cerca de 200 mil pessoas por dia ou 7,5 milhões por ano. Em janeiro de 1984, havia aproximadamente 4,7 bilhões de pessoas sobre a Terra. Se o crescimento continuar nesse mesmo ritmo, estima-se que a população mundial dobre até o final do século XX, que já não está tão distante. Cidades como Cingapura, Cidade do México, Calcutá e Rio de Janeiro, cujos recursos já não davam conta de sua enorme população, foram tomadas de assalto por milhares de migrantes vindos da zona rural, muitos dos quais passam a viver em favelas construídas às margens da grande metrópole. Apesar de o crescimento populacional ter diminuído um pouco nos últimos anos – na China, na Índia, na Rússia e em alguns países ocidentais, por exemplo –, os recursos alimentares continuam parcos em face de uma população sempre em expansão. Para piorar esse já terrível problema, o clima mundial começou a mudar por volta de 1970. Invernos rigorosos e secas abrasadoras tornaram-se comuns em diversas partes do globo. Certas correntes oceânicas mudaram, com resultados desastrosos. Quando as correntes afastaram-se do litoral do Peru, por exemplo, as pequenas anchovas da região foram praticamente extintas. A anchova é uma fonte de proteína para as rações de animais. O resultado final foi uma diminuição da produção de carne. Pela primeira vez em vinte anos, a produção mundial de alimentos caiu numa quantidade estimada de trinta e três milhões de toneladas.

As mudanças climáticas, por menores que pareçam quando representadas num gráfico, tiveram um efeito drástico e desastroso sobre a estação do plantio em alguns países. Da década de 1940 para cá, por exemplo, a temperatura média no mundo caiu em cerca de 0,5 grau centígrado. Essa queda de temperatura reduziu em até dez dias a época útil para o cultivo em muitos países situados nas latitudes médias da terra, que são nossas regiões mais produtivas. O trigo e o arroz, as espécies vegetais mais associadas à Revolução Verde, são também particularmente vulneráveis às mudanças climáticas. A queda da umidade reduz a produtividade agrícola. A intensificação dos ventos gelados que varrem nosso planeta de cima a baixo impediu que se formassem os ventos equatoriais úmidos que levam chuva a muitas regiões. A África ocidental e a Índia sofreram secas terríveis. Por outro lado, a crescente poluição da atmosfera pode estar causando um "efeito estufa", aquecendo certas partes da Terra. Se as gigantescas calotas de gelo polar começarem a derreter, o nível dos oceanos poderá aumentar perigosamente e a água do mar poderá submergir algumas cidades costeiras.

O crescimento populacional, as mudanças climáticas e as limitações da Revolução Verde contribuíram para aumentar a distância entre os países ricos e os países pobres. As pessoas deixaram de se referir somente às diferenças entre "Ocidente e Oriente" e passaram a mencionar também as diferenças entre "norte e sul", contrapondo os países do norte, mais ricos, aos seus vizinhos menos desenvolvidos do sul.

A fome quase precipitou um conflito global. As pessoas às vezes dão o nome de "Terceiro Mundo" aos países que não são nem industriais e capitalistas nem comunistas, muito embora vários desses países, com o passar do tempo, tenham optado por um desses dois partidos. As diferenças econômicas entre os diversos países levaram alguns economistas a subdividir em três partes o Terceiro Mundo, com sua população de dois bilhões de pessoas: o "terceiro mundo" propriamente dito, que dispõe de matérias-primas suficientes para atrair tecnologia e investimentos estrangeiros (países como o Zaire, o Marrocos e o Brasil); o "quarto mundo", que tem matérias-primas mas não tem capital (como o Peru e a República Dominicana); e o "quinto mundo", países sem matérias-primas e incapazes até mesmo de colher alimentos em quantidade suficiente para que seu próprio povo sobreviva. Esses países, como o Chade e a Etiópia, na África, e Bangladesh, na Ásia, sofreram secas terríveis durante boa parte da década de 1970. A situação deles piorou ainda mais com a ocorrência de guerras internas.

Como se tudo isso não bastasse, a recusa temporária dos países árabes de vender petróleo para o Ocidente – o embargo de outubro de 1973 – desencadeou um período em que o preço da energia subiu às alturas em boa parte do mundo. Nos dez anos seguintes, o preço da gasolina quadruplicou, e, nos Estados Unidos, subiu de cerca de 30 centavos de dólar por galão para mais de US$ 1,40, muito embora ainda fosse muito menor do que na Europa ocidental. O embargo teve efeito imediato sobre os Estados Unidos e fez com que longas filas se formassem em frente aos postos de gasolina. O limite de velocidade foi reduzido de cento e dez para noventa quilômetros por hora, para se economizar combustível. Os norte-americanos passaram a viajar menos de carro e de avião, pois também o preço das passagens aéreas aumentou com o aumento do preço do combustível. Muitas cidades e empresas estimularam os programas de "rodízios de carona", para que os motoristas partilhassem o uso e o custo da energia. Os norte-americanos, que sempre tiveram preferência

A história da humanidade

por carros grandes, passaram a comprar modelos menores e mais econômicos, dos quais um número cada vez maior era fabricado no Japão. Nos anos seguintes, as pessoas se adaptaram aos novos preços da energia e acostumaram-se a deixar suas casas e escritórios mais frios durante o inverno. Alguns norte-americanos reagiram com amargura a essas privações e culparam os países produtores de petróleo, particularmente os árabes, por essa mudança no estilo de vida norte-americano. Um especialista na crise energética observou: "Nós somos como um castelo, um garboso castelo medieval que se defende contra os ataques vindos de fora. Mas de repente descobrimos que nossa fonte de água está fora do castelo." Os ingleses descobriram petróleo no mar do Norte; o México e a Venezuela prosperaram como países produtores de petróleo, pelo menos até a queda no preço desse produto, no começo dos anos 1980. Os norte-americanos e europeus tiveram de incorporar algumas mudanças ao seu estilo de vida e passaram a invejar o petróleo que jaz sob as areias do Oriente Médio. A questão do petróleo e da energia, que pôs os Estados Unidos numa relativa desvantagem em relação à União Soviética – que tinha acesso a mais reservas –, chegou a afetar a política exterior dos presidentes norte-americanos e as decisões domésticas que as pessoas comuns tiveram de tomar para haver-se com o aumento do preço dos combustíveis e com o frio do inverno.

A Revolução Iraniana de 1978-79 desencadeou um segundo período de alta no preço do petróleo. O preço do barril subiu para mais de dez vezes o seu valor antes do embargo e da primeira alta. Mas o consumo também caiu, à medida que os norte-americanos refrearam-se no uso da energia. A participação dos Estados Unidos no consumo total de petróleo no mundo caiu de 31 por cento em 1970 para 25 por cento em 1982. Em 1983, os lares norte-americanos usavam, em média, 20 por cento a menos de energia do que antes do embargo. O governo abriu mão de seu controle sobre o setor petrolífero, o que fez aumentar a produção e deu às companhias petrolíferas um lucro enorme e inesperado. Ao mesmo tempo, a ausência de leis antipoluição permitiu que fossem queimados outros combustíveis, em específico o carvão, ainda abundante nos Estados Unidos. Em 1977, foi

Hendrik Willem van Loon

Falta de gasolina

inaugurado o oleoduto do Alasca, que custou 7,7 bilhões de dólares, para se trazer petróleo desse estado grande e rico em minerais. Ao mesmo tempo, as montadoras de automóveis mostraram-se capazes de desenvolver carros mais econômicos. Entre 1973 e 1983, o consumo médio dos automóveis caiu pela metade.

Em 1983 a oferta de petróleo foi maior do que a demanda; o preço desse produto se estabilizou e até caiu por algum tempo; certos países produtores de petróleo, mas pobres, como a Venezuela, o México e a Nigéria, que haviam recebido empréstimos consideráveis, viram-se de repente incapazes de pagar a dívida externa, o que gerou o medo de uma crise financeira internacional. Porém, os custos econômicos da escassez de petróleo permaneceram conosco. A crise do petróleo e o aumento do custo da produção de energia em geral puseram em cheque o progresso econômico em muitos países subdesenvolvidos que não possuíam suas próprias fontes de energia. Por outro lado, os países ricos em petróleo do Oriente Médio viram-se com mais dinheiro no bolso – especialmente dólares norte-americanos – do que jamais poderiam ter imaginado. As reservas de petróleo do Kuwait fizeram dele o país mais rico do mundo em renda *per capita*. Grandes propriedades imobiliárias na Europa e nos Estados Unidos foram adquiridas por árabes e pagas em dólares norte-americanos. Na visão de muitos europeus e norte-americanos, o mundo estava virado de cabeça para baixo: o Ocidente se havia tornado uma espécie de "balcão de pechinchas" para os países ricos em petróleo. A crise energética minou a confiança dos Estados Unidos e levou os norte-americanos a perguntar-se se tudo ainda era possível. A posição desse país na economia mundial também mudou. Os setores siderúrgico, automobilístico e eletrônico da economia norte-americana não conseguiram acompanhar a cerrada concorrência estrangeira; produtos japoneses e alemães, mais baratos e tecnologicamente superiores, inundaram o mercado norte-americano.

Na política exterior, nenhum outro conflito fez tanto mal à alma do povo norte-americano quanto a guerra do Vietnã. O envolvimento formal dos norte-americanos nesse conflito começou na década de 1950. Em maio de 1954, na batalha de Dien Bien Phu, as forças comunistas de Ho Chi Minh derrotaram os franceses que haviam colonizado o país. Numa conferência realizada em Genebra, na Suíça, o Vietnã foi dividido em duas partes, a do norte e a do sul, e Ho Chi Minh fundou um governo comunista no norte. Ngo Dinh Diem, apoiado pelos Estados Unidos, tornou-se o primeiro-ministro do Vietnã do Sul. Em 1955, eliminou-se a possibilidade de reunificação do país quando os Estados Unidos reiteraram a recusa de Diem de realizar eleições que poderiam ter levado a um Vietnã unido. No sul, a guerra de guerrilhas entre grupos comunistas e as forças do governo tornou-se cada vez mais uma realidade cotidiana. Vários assessores militares norte-americanos foram mortos em julho de 1959.

Quatro anos depois, o governo ditatorial de Diem enfrentou várias ondas de protestos. Quando os norte-americanos se retiraram, ele foi derrubado e executado. Seguiram-se treze governos em dezenove meses, enquanto os vietcongues – os comunistas do Vietnã do Sul – cresciam em força e popularidade na zona rural e deflagravam uma guerra total contra o governo sul-vietnamita.

O envolvimento dos Estados Unidos na guerra civil vietnamita sofreu uma forte "escalada" – uma das palavras que vieram depois a simbolizar a década de 1960. Em 1964, o presidente Lyndon Johnson pediu ao congresso que aprovasse uma resolução pela qual ele ficaria intimado a tomar "todas as medidas necessárias" no Sudeste Asiático. Ele alegava que navios norte-vietnamitas haviam atacado destróieres norte-americanos no golfo de Tonkina. Em 1965, fuzileiros navais norte-americanos foram enviados ao Vietnã. Outro golpe de estado no Vietnã do Sul, desta vez comandado pelo exército, pôs o general Nguyen Van Thieu na chefia do Estado e o marechal Nguyen Cao Ky como primeiro-ministro. No final de 1965, cerca de 150 mil soldados norte-americanos já estavam no Vietnã. Três anos depois, as forças norte-americanas nesse país já eram superiores a meio milhão de homens.

Os Estados Unidos viram-se assim envolvidos numa guerra não-declarada do outro lado do mundo, uma guerra que um número cada vez maior de cidadãos considerava desnecessária, imoral ou prejudicial e pouco lucrativa pelo seu enorme custo em vidas e em dinheiro. As primeiras mesas-redondas realizadas para discutir e protestar contra a guerra ("*teach-ins*") aconteceram em certas universidades já na primavera de 1965. Estudantes queimavam em ato de desafio seus cartões de convocação para o exército. À medida que as hostilidades foram tomando conta da zona desmilitarizada que separava o norte e o sul, em 1967, aviões norte-americanos começaram a bombardear o território norte-vietnamita. Mas nem as bombas caídas do céu nem os soldados que agiam em terra eram capazes de destruir os vietcongues, que contavam com a ajuda de tropas do norte. Em 30 de janeiro de 1968, lançaram a ofensiva do Tet, atacando praticamente todas as cidades importantes do sul. Apesar da derrota dessa ofensiva, as forças comunistas infligiram um duro golpe ao Vietnã do Sul. Provaram que eram capazes de montar uma grande campanha militar no sul, além de continuar a atacar os sul-vietnamitas e os norte-americanos à maneira guerrilheira. A

A história da humanidade

O Vietnã

ofensiva do Tet também deu ao mundo uma das mais terríveis imagens da guerra, imagem vista por milhões de pessoas na tela da televisão. O diretor da Polícia Nacional Sul-Vietnamita teve a sua imagem gravada indelevelmente em filme no momento em que dava um tiro de pistola na cabeça de um prisioneiro. Imagem ainda mais marcante foi a de uma camponesa aterrorizada levando no colo uma criança horrivelmente desfigurada por uma solução química incendiária chamada napalm, lançada em bombas pelos aviões norte-americanos.

Nos Estados Unidos, o presidente Johnson anunciou que não concorreria a um segundo mandato em 1968, e negociações de paz foram finalmente abertas em Paris por representantes dos Estados Unidos e do Vietnã do Norte. O senador Eugene McCarthy foi um dos pré-candidatos do Partido Democrata à presidência e centrava sua campanha na oposição à guerra. Richard Nixon, que derrotou Hubert Humphrey, candidato à presidência pelos democratas, dava ênfase às negociações secretas em

Paris e buscava a "vietnamização" do conflito. Porém, os protestos contra a guerra espalharam-se por todos os Estados Unidos, especialmente no outono de 1969.

Em abril de 1970, o presidente Nixon enviou tropas para o Camboja a fim de atacar as áreas de além-fronteira onde os vietcongues até então se viam relativamente seguros. Bombardeios gigantescos mataram milhares de agricultores. Nos Estados Unidos, seguiram-se ondas de protesto, especialmente entre os estudantes universitários, culminando com a morte de quatro estudantes desarmados, abatidos a tiros por membros da Guarda Nacional na Universidade de Kent State. Na primavera de 1972, os comunistas lançaram outra grande ofensiva. Nixon ordenou então que a marinha norte-americana minasse o porto de Haiphong e outros grandes portos. Porém, negociações secretas já indicavam que os Estados Unidos se retirariam do combate. Em junho de 1972, no mesmo mês em que o escândalo de Watergate começou a projetar uma enorme sombra sobre o presidente Nixon e a vida política norte-americana, a maioria dos soldados norte-americanos foram evacuados do Vietnã.

Um acordo de paz foi assinado em janeiro de 1973, mas a guerra – para os vietnamitas – estava longe de ter terminado. Ambos os lados violaram o cessar-fogo. O exército sul-vietnamita, diante do corte dos financiamentos militares norte-americanos e enfraquecido pela corrupção e pela indiferença, abandonou aos poucos as terras altas do país. Os vietcongues tomaram uma a uma as cidades do sul. Em 1975, o Vietnã do Sul caiu diante das forças comunistas. Mais uma vez, as câmeras de televisão registraram os momentos mais memoráveis dessa guerra desastrosa, enquanto civis norte-americanos e sul-vietnamitas desesperados acotovelavam-se para entrar em helicópteros e fugir de Saigon "caída" ou "libertada" (dependendo do ponto de vista – mais uma vez, a tendência do relato histórico parece depender de "de quem era o boi que foi chifrado"). No final de 1976, o Camboja e o Laos também já eram comunistas.

Terminou assim a guerra mais comprida já enfrentada pelos Estados Unidos. Mais de 56 mil norte-americanos morreram no Vietnã, bem menos do que os cerca de 1,250 milhão de vietnami-

A história da humanidade

tas mortos. O Vietnã deixou muitas cicatrizes nos Estados Unidos das décadas de 1970 e 1980. Para começar, a televisão levou a guerra para o coração dos lares norte-americanos. E o custo, em dinheiro, foi altíssimo. Foram gastos mais de 140 bilhões de dólares, uma soma que alimentou a inflação dentro do país. Os demais custos também foram grandes. A guerra colaborou para que muitos jovens do final da década de 1960 e começo da de 1970 se distanciassem da sociedade. Alguns estudantes escaparam à convocação fugindo para o Canadá, registrando sua objeção de consciência ou até mesmo enfrentando a cadeia por suas crenças de que a guerra do Vietnã, e as guerras em geral, eram injustas. As universidades norte-americanas explodiram em fúria e foram agitadas por protestos e, às vezes, pela violência. Alguns manifestantes de linha dura procuraram "trazer a guerra para dentro de casa". Uma explosão detonada por um ativista antibelicista matou um pesquisador numa universidade norte-americana em 1970. Mas a guerra tocou a consciência dos Estados Unidos. Um tenente do exército norte-americano foi acusado e condenado por genocídio em virtude de suas ações quando do massacre de civis de My Lai, ocorrido no Vietnã em 1968. O selvagem bombardeio de Natal lançado sobre o Vietnã do Norte em 1972 – pouco tempo depois de o secretário de Estado Henry Kissinger prometer, antes das eleições de novembro daquele ano, que a paz estava "próxima" – enraiveceu muitos norte-americanos. E, o que é pior, a guerra impôs grandes tensões às relações dos Estados Unidos com seus aliados. As embaixadas norte-americanas nos mais diversos países foram alvos de manifestações contra a guerra. Daniel Ellsberg, que revelou o conteúdo dos "Documentos do Pentágono" (os quais previam a participação norte-americana numa guerra travada num Camboja supostamente "neutro"), obrigou o país a confrontar-se com a moralidade da sua própria política. Não obstante, e apesar da carnificina, os cidadãos norte-americanos colaboraram para que a guerra terminasse. A experiência do Vietnã forçou os Estados Unidos a reexaminar o seu papel no mundo.

Gravemente abalada pela Guerra do Vietnã, a autoconfiança norte-americana enfraqueceu-se ainda mais com o que se convencionou chamar de escândalo de Watergate. Richard Nixon, que foi o vice-presidente de Dwight David Eisenhower de 1952 a 1960, nunca chegou a deixar completamente para trás a sua reputação de *"Tricky Dick"* ("Dick Manhoso"), formada no começo de sua vida política. Vitorioso sobre Robert Humphrey nas eleições de 1968, o republicano Nixon foi reeleito com grande maioria sobre George McGovern em 1972. Pouca gente reparou que, em junho desse ano, cinco homens tinham sido detidos enquanto instalavam aparelhos de escuta na sede do Comitê Nacional dos Democratas, situada no edifício Watergate, em Washington. O fato de esses cinco "ladrões" serem ligados à CIA e ao comitê da reeleição de Nixon pouco influenciou a eleição.

Não obstante, o julgamento dos ladrões de Watergate revelou que eles estavam "pagando o pato" por figurões do alto escalão. Quando o escândalo de Watergate chamou a atenção do público, a responsabilidade pela trama aproximou-se mais do próprio Nixon. Seu ex-conselheiro John Dean citou o presidente como um dos que conspiraram para encobrir o crime de Watergate. Veio a público que Nixon havia gravado conversas travadas em sua Sala Oval. O presidente tentou impedir que as fitas fossem examinadas e pediu ao procurador-geral Elliot Richardson que demitisse Archibald Cox, o promotor especial nomeado para o caso Watergate. Richardson recusou-se a fazê-lo e renunciou ao cargo. A tentativa desesperada de Nixon de subverter o processo judicial, conhecida como Massacre de Sábado à Noite, fez com que aumentasse a pressão para que ele renunciasse ou fosse deposto por *impeachment*. Quando as fitas finalmente foram entregues ao promotor, uma delas tinha um espaço em branco de dezoito minutos. No fim das contas, descobriu-se que a invasão do edifício Watergate era apenas a "ponta do *iceberg*", apenas mais um item numa longa série de truques sujos e atividades ilegais cometidas pelos altos funcionários da administração Nixon, que, entre outras coisas, aceitaram de grandes empresas contribuições ilegais para a campanha à reeleição. As próprias fitas revelaram um lado negro da presidência de Nixon. Alguns dos homens que o rodeavam e que haviam cometido atos ilegais, entre os quais alguns dos seus assessores mais próximos, foram condenados e mandados para a prisão. O próprio Nixon, que mentiu sobre o acontecido, renunciou coberto de vergonha em 1974, antes que o senado pudesse depô-lo por *impeachment*. Foi substituído por Gerald Ford, que pouco tempo antes havia sido nomeado vice-presidente em lugar de Spiro Agnew, o qual renunciou depois de aceitar uma condenação por sonegação do imposto de renda. Gerald Ford ofereceu a Nixon um perdão "pleno, livre e absoluto", e o ex-presidente voltou à sua fazenda, em San Clemente, Califórnia, para escrever suas memórias. A reputação da presidência norte-americana ficou manchada, mas a constituição e o povo dos Estados Unidos mostraram sua firmeza. De certo modo, Gerald Ford não parecia ter o perfil necessário para ser presidente dos Estados Unidos. Um entrevistador da televisão lhe perguntou se ele seria capaz de "crescer até ficar à altura do cargo". A confiança de muitos no sr. Ford ficou abalada quando ele ofereceu o perdão presidencial a Nixon, num momento em que alguns dos "peixes menores" do escândalo de Watergate estavam indo para a cadeia. Muito embora Ford tenha em certa medida devolvido a integridade à presidência, não foi capaz de derrotar Jimmy Carter, governador da Geórgia, nas eleições de 1976. Carter, eleito por uma coalizão de representantes do sul, dos trabalhadores e das minorias, seguia uma linha populista. Porém, também a sua reputação logo se perdeu quando ele se mostrou incapaz de lidar com crises políticas internacionais e problemas internos cada vez maiores. A confiança do público em Carter como um chefe de Estado experiente e decidido desapareceu e ele foi fragorosamente derrotado por Ronald Reagan na eleição de 1980; só ganhou em dois estados e no distrito de Colúmbia.

O presidente eleito prometeu diminuir a participação do governo na vida do país e equilibrar o orçamento federal, recuperando ao mesmo tempo a imagem poderosa do país perante a comunidade internacional e tirando os Estados Unidos do marasmo econômico. Aos olhos de alguns, porém, Reagan também não parecia ter o perfil próprio para ocupar o cargo mais importante do mundo. A eleição de um ex-ator para a presidência provou que o poder financeiro e uma imagem bem cuidada eram os fatores mais importantes para os candidatos na era da televisão.

Ao passo que, no passado, os presidentes norte-americanos levavam uma enorme vantagem sobre seus adversários quando tentavam a reeleição, nas décadas de 1960 e 1970 esse padrão começou a mudar com as derrotas do sr. Ford e do sr. Carter. O desempenho do presidente tornou-se objeto de uma análise cerrada e quase instantânea promovida pelos meios de comunicação. Cada um de seus discursos é avaliado com a mesma rapidez e a mesma paixão que caracterizam a análise do desempenho dos jogadores de beisebol na World Series norte-americana ou dos jogadores de futebol na Copa do Mundo. Não obstante, os problemas enfrentados pelos presidentes quando se candidatam à reeleição também são sinal de uma diminuição da confiança que o público deposita neles, que não têm sido capazes de suscitar no povo a mesma fé que depositava em Franklin Roosevelt, Dwight Eisenhower e John F. Kennedy.

Os direitos das mulheres passaram a ser mais respeitados na década de 1970, sobretudo nos Estados Unidos. Em 1972, o senado aprovou a Emenda de Igualdade de Direitos à constituição norte-americana, para pôr fim à discriminação por sexo. Não obstante, dez anos depois, a emenda ainda não havia sido ratificada por um número suficiente de estados para se tornar lei. Houve, porém, outras mudanças que alteraram o *status* jurídico das mulheres. Em 1973, a Suprema Corte legalizou o aborto nos primeiros meses de gravidez. Um número maior de mulheres passaram a trabalhar fora, também como advogadas, médicas, empresárias, executivas e professoras universitárias, muito embora as mulheres continuassem a receber menos do que os homens em muitos setores profissionais. Já não era tão incomum que mulheres concorressem a cargos públicos. Em 1974, Ella Grasso, de Connecticut, tornou-se a primeira mulher a ser eleita governadora sem suceder o marido. Sandra Day O'Connor foi indicada pelo presidente Reagan para ser a primeira mulher na Suprema Corte. As mulheres avançaram muito no atletismo, pois uma lei federal passou a garantir o apoio financeiro para os esportes femininos no segundo grau e nas faculdades. As tenistas Billie Jean King e Chris Evert Lloyd tornaram-se figuras de projeção nacional. Margaret Thatcher foi a primeira mulher a ser primeira-ministra da Inglaterra, com a vitória do partido conservador nas eleições de 1979. Em 1983, Sally Ride foi a primeira astronauta norte-americana a ir para o espaço. Para milhões de mulheres nos países de língua inglesa, o fato de deixarem de ser chamadas de "Miss" ou "Mrs." nas comunicações escritas – sendo essas formas de tratamento substituídas por "Ms.", para fazer um paralelo com o "Mr." dirigido aos homens – colaborou para que a mulher passasse a ser vista como uma pessoa completa, sem que fosse necessária uma referência ao seu estado conjugal. Tudo isso representou um excelente começo. Não devemos jamais nos esquecer que a história da humanidade é também a história das mulheres.

O movimento pelos direitos civis foi um dos acontecimentos mais significativos da década de 1960. Na década de 1970, os negros começaram a ser eleitos para cargos públicos, especialmente para as prefeituras de várias grandes cidades norte-americanas, como Detroit, Los Angeles e Atlanta. No vigésimo aniversário da grande "marcha sobre Washington" de agosto de 1963, durante a qual Martin Luther King pronunciou o famoso discurso "Tenho um Sonho", poucos poderiam negar que a condição dos negros norte-americanos havia melhorado significativamente. Mas ainda havia muito a ser feito. A segregação continua em muitos sistemas escolares. A decisão da Suprema Corte no caso da "discriminação invertida" sofrida por Alan Bakke, um estudante da Califórnia, representou um revés para a política de preferência para as minorias na educação e nos negócios, política essa decidida pela própria Suprema Corte. O movimento pelos direitos civis escapou de outra derrota quando fracassou a tentativa da administração Reagan de conceder privilégios fiscais às escolas que discriminam os negros. O futuro econômico dos jovens de raça negra permanece indefinido, pois ainda é entre eles que se constata a maior proporção de desempregados, num momento em que o governo cortou boa parte dos programas de seguridade social que ajudavam os pobres a subsistir.

Na década de 1970, os homossexuais começaram a exigir o direito a um tratamento justo. Apesar da reação conservadora, comunidades *gays* floresceram em muitas cidades, particularmente em Nova York e São Francisco; os *gays* também passaram a ser mais aceitos do que eram antes e encontraram meios de representação política. A vida na década de 1970 e no princípio da de 1980 refletia uma combinação de mudança e continuidade. Orquestras sinfônicas, óperas e grandes exposições artísticas trazidas da Europa e alardeadas a toque de trombeta encontraram nas maiores cidades dos Estados Unidos um público interessadíssimo. Mas a televisão, o rádio, as gravações musicais em geral e os livros campeões de vendas – tudo incrementado pelo progresso tecnológico – continuaram a ser as principais fontes de entretenimento para o povo. A televisão a cabo levou muitos canais novos a um número cada vez maior de lares norte-americanos. A recepção da televisão já não depende da topografia, do clima nem do tamanho e localização de uma antena. Alguns canais começaram a transmitir filmes de longa metragem vinte e quatro horas por dia. Ao apertar de um botão, pode-se ter acesso contínuo, a qualquer hora do dia e da noite, a uma programação de noticiários, previsão do tempo e esportes, transmitidos de longe por satélite. O desenvolvimento da eletrônica possibilitou que programas de televisão fossem gravados para ser vistos depois e criou o fenômeno do aluguel de filmes populares gravados em fitas cassete, a ser vistos a qualquer hora, em casa, com pipoca feita na cozinha ao lado. As emissoras de FM continuaram populares, em especial as que dão ênfase à música clássica (geralmente emissoras públicas) ou ao *rock-and-roll*. No final da década de 1970, o setor de gravação fonográfica começou a passar por dificuldades financeiras, em grande medida por causa do progresso espantoso das técnicas de gravação em fita, que pareciam a ponto de tornar o disco um objeto obsoleto. Os *shows* de *rock*, embora já não se assemelhassem tanto aos grandes acontecimentos do final dos anos 60 e começo dos 70 (o mais famoso dos quais foi o de Woodstock, no estado de Nova York, em 1969, ao qual compareceram centenas de milhares de pessoas), ainda eram aguardados com ansiedade pela geração mais jovem, cujas fileiras eram engrossadas por membros renitentes da geração dos anos

A história da humanidade

60, que ainda lotam uma sala de espetáculos ou um ginásio de esportes para ouvir a música de conjuntos como os Rolling Stones e The Who. O fato de Mick Jagger, cantor dos Rolling Stones, ter feito quarenta anos em 1983 não parece ter diminuído em nada o ritmo dele nem de suas legiões de fãs. Modas como a da "discomania" (música de discoteca) não duraram muito, ao mesmo tempo em que se perpetuava a nostalgia pelo *rock-and-roll* dos anos 1950. A mesma nostalgia manifesta-se no sucesso de filmes como *American Grafitti*, sobre garotos de colegial em meados da década de 1960, e *Animal House*, que conta os altos e baixos da vida de estudantes universitários na era de inocência que precedeu a guerra do Vietnã.

Essa nostalgia veio de par com uma nova geração de estudantes universitários que parecem ter deixado de lado o ativismo social do final da década de 1960. Boas notas na escola e a preocupação com a carreira numa era de ferrenha competição tornaram-se as coisas mais importantes, tudo isso numa época em que a qualidade do ensino nos Estados Unidos, sobretudo no segundo grau, parecia estar diminuindo, ou pelo menos tinha parado de progredir. Alguns declararam-se perplexos com o fim do idealismo e com a nova mentalidade expressa no *slogan* "Em Busca do Número Um" (*Looking out for Number One*). Outros argumentavam que, para construir um mundo melhor, é preciso ter mentalidade prática.

Não obstante, apesar do inevitável envelhecimento da geração dos anos 1960 e do aumento da vida média do ser humano, pelo menos no mundo desenvolvido, boa parte da nossa cultura continua girando em torno da juventude e dos jovens. Jovens atrizes como Brooke Shields e Jodie Foster simbolizaram o culto da juventude em filmes de sucesso, mas de maneira bem mais erótica e menos inocente do que Shirley Temple, quarenta anos antes. Assim como "pensar jovem" tornou-se uma máxima dos publicitários, "permanecer jovem" tornou-se uma diretriz normal de vida. O *jogging* tornou-se uma mania nacional nos Estados Unidos; muita gente levou a sério o ditado "Você é o que você come" e passou a alimentar-se de maneira mais sadia. Os chamados alimentos naturais, associados no passado aos *hippies* que davam as costas à vida comum dos norte-americanos, passaram a ser encontrados na maioria dos lares. Os cientistas progrediram consideravelmente na pesquisa das causas do câncer, esse grande assassino do século XX; alertaram-nos para o perigo do tabaco e nos lembraram de que certos alimentos consumidos normalmente há séculos, como o sal e a carne vermelha, não são necessariamente bons para a nossa saúde. Foi muito menor o progresso científico na monumental batalha pela descoberta da cura do câncer, apesar da evolução das técnicas de detecção e de uma consciência maior por parte do público.

Há alguns anos, um escritor russo escreveu um livreto intitulado *A União Soviética Sobreviverá até 1984*? Até agora, entretanto, a URSS provou-se capaz de suportar os problemas econômicos, reprimir as dissidências e sobreviver aos levantes nacionalistas nos países que dela dependem e nos que se situam dentro das suas fronteiras. A União Soviética mostrou poucos sinais de mudança durante os anos em que foi governada por Leonid Brezhnev, que morreu em 1981. A vida continuou terrível para os dissidentes. A mais famosa voz de oposição dentro da própria União Soviética, o escritor Alexander Solzhenitsyn, emigrou para os Estados Unidos como refugiado. O número de judeus que emigram da Rússia para os Estados Unidos e para Israel também aumentou. O presidente Jimmy Carter encorajou os dissidentes e, falando em nome dos direitos humanos, enviou em 1976 uma carta ao físico Andrei Sakharov na qual se comprometia a "procurar a libertação dos prisioneiros de consciência".

Embora o presidente Carter e o premiê russo Leonid Brezhnev tenham assinado o segundo Tratado de Limitação de Armas Estratégicas (SALT), em 1979, as duas superpotências não deixaram de ser inimigas declaradas. De lá para cá, apesar das muitas palavras, nenhum dos dois países comprometeu-se a sério a reduzir seu arsenal nuclear. Os norte-americanos instalaram mísseis Pershing na Europa apesar de fortes movimentos antinucleares tanto lá mesmo quanto nos Estados Unidos. E as ações dos soviéticos não inspiraram confiança nos ocidentais depois da morte de Brezhnev. Em 1979, o Exército Vermelho invadiu o vizinho Afeganistão quando a guerrilha pró-soviética deparou com uma oposição invencível nesse país pobre e montanhoso. Os soviéticos trabalharam para reprimir o sindicato Solidariedade na Polônia e envolveram-se em certos acontecimentos na África, especialmente em Angola, em Moçambique e na Etiópia. Quando, em setembro de 1983, os russos abateram um avião de passageiros coreano que saiu da rota e passou sobre a estratégica ilha de Sacalina, ao norte do Japão, a comunidade internacional protestou veementemente. Parecíamos estar à beira de uma nova Guerra Fria, sobretudo porque o Exército Vermelho começou a desempenhar um papel político de destaque na União Soviética e a questão da liderança do Politburo, com sua elite já idosa, permaneceu indecisa.

Nas décadas de 1950 e 1960, os norte-americanos em geral, e inclusive os responsáveis pela condução da política externa do país, tendiam a agregar a União Soviética e a China num único bloco de potências comunistas e hostis aos interesses do mundo livre. Depois da Guerra do Vietnã, na qual tanto a União Soviética quanto a China deram ajuda ao Vietnã do Norte e aos vietcongues, o mundo ocidental tomou consciência das muitas diferenças históricas, territoriais e ideológicas que separavam as duas potências. Na década de 1970, muitas vezes pareceu que esses dois gigantes logo estariam lutando um contra o outro, e não ambos contra os Estados Unidos.

Embora os Estados Unidos e a URSS fossem tão fortemente armados que poderiam destruir-se mutuamente em bem menos de uma hora, constataram que a força das armas por si não bastava para fazer valer a vontade nacional na cena internacional e fazer amigos pelo mundo afora. Os soviéticos sufocaram a chama da liberdade, a relativa liberdade de expressão que caracterizou a "Primavera de Praga" da Tchecoslováquia em 1968. Depois da invasão do Afeganistão em 1979, viram-se presos numa guerra travada contra guerrilheiros determinados a lutar até a morte.

Em 1980, surgiu na Polônia um movimento sindicalista chamado Solidariedade. O apoio dado pelo povo polonês ao movimento, o qual se opunha em nome da liberdade à arbitrariedade estatal, era sinal de que novas fissuras poderiam se abrir no bloco europeu oriental. As ameaças do exército soviético e a imposição da lei marcial por parte do governo polonês não foram capazes de fazer calar o grito por mais liberdade. Lech Walesa, operário de Gdansk, cidade que fora cenário de levantes antigovernistas em 1970, ganhou o Prêmio Nobel da Paz de 1983 pelo papel que desempenhou como líder do Solidariedade. Como a União Soviética, os Estados Unidos têm de reconhecer-se parcialmente responsáveis pelos problemas que a democracia sofreu em certas partes do mundo. Em 1973, o exército chileno, auxiliado e encorajado pela CIA, derrubou o presidente eleito Salvador Allende, um marxista. O governo militar que se instalou no poder inaugurou um reinado de terror, torturas e execuções. Dez anos depois, os Estados Unidos ainda davam apoio ao ditador general Pinochet nesse país infeliz. Deram apoio também a outras ditaduras na América Latina, como as da Argentina (muito embora os Estados Unidos tenham tendido a apoiar a Inglaterra na breve guerra travada entre esta e a Argentina pela posse das ilhas Malvinas, em 1982) e do Brasil. Na América Central, os Estados Unidos apoiaram regimes opressores na Guatemala e em El Salvador. Na Ásia, o apoio norte-americano colaborou para dar legitimidade e poder aos governos das Filipinas e da Coréia do Sul, encarados como repressores por boa parte do povo desses países. Depois que uma revolução de esquerda pôs fim à ditadura nicaragüense, os Estados Unidos culparam os russos e os cubanos por esse acontecimento e por outros acontecimentos semelhantes na América Central. Esse modo de agir atraiu críticas de vários aliados dos Estados Unidos, como a França e o vizinho México.

Em outubro de 1983, os Estados Unidos invadiram a minúscula ilha caribenha de Granada (de 110 mil habitantes), perto do litoral da Venezuela. Essa invasão já tinha sido planejada, mas só ocorreu para atender aos pedidos de ilhas vizinhas de que os Estados Unidos tirassem do poder uma facção esquerdista recém-empossada. Alegando que os estudantes de medicina norte-americanos residentes na ilha estavam em perigo, o presidente Reagan citou a presença de armas e assessores cubanos e soviéticos como justificativa para a invasão. Essa ação, que rece-

A história da humanidade

beu amplo apoio popular dentro dos Estados Unidos, suscitou na ONU críticas violentas por parte de mais de cem países, entre os quais alguns dos aliados mais próximos dos Estados Unidos, que deploraram a violação das leis internacionais. Na visão de alguns, a intervenção norte-americana lembrou, numa escala menor e muito menos sangrenta, a invasão soviética do Afeganistão, demonstrando assim que ambas as superpotências estavam dispostas a ignorar a opinião do resto do mundo para atingir os seus fins. Ao mesmo tempo, o governo norte-americano esforçou-se declaradamente para derrubar o governo da Nicarágua, como os soviéticos fizeram em certos países da África. Se ainda estivesse vivo, o velho Maquiavel poderia citar o provérbio: "Quanto mais as coisas mudam, mais permanecem as mesmas."

No Irã, o apoio norte-americano não bastou para manter o xá no poder em face da forte oposição sofrida por esse imperador rico e poderoso. Foi derrubado em 1979 e, antes de morrer, refugiou-se primeiro nos Estados Unidos e depois no Egito. A Revolução Iraniana levou ao poder o Aiatolá Khomeini, um líder religioso cujo objetivo era a criação de um Estado baseado no fundamentalismo islâmico. Muitos cidadãos iranianos, que odiavam e temiam a polícia secreta do xá, tiveram motivos para temer também o novo regime, particularmente se fossem comunistas ou bahais (membros de um grupo religioso).

A íntima ligação do xá com os Estados Unidos gerou no Irã um ódio tremendo pela América e pelos norte-americanos. Numa manhã de domingo do mês de novembro de 1979, uma multidão enfurecida tomou de assalto a embaixada norte-americana em Teerã e fez 150 reféns. Os iranianos mantiveram os reféns numa situação terrível por mais de um ano, enquanto o mundo assistia ao acontecimento sem nada poder fazer. Apesar do seu poder, os Estados Unidos foram incapazes de libertar os reféns. Uma tentativa de soltá-los pela força fracassou. Foram por fim libertados depois de mais de um ano de cativeiro.

Embora ainda fosse, na época, a inimiga não-declarada dos Estados Unidos no Vietnã, a China recebeu em 1972 a visita do presidente Nixon. Nos dez anos seguintes, as relações entre as duas potências melhoraram muito. O presidente Carter foi o primeiro chefe de Estado norte-americano a reconhecer oficialmente a China. Dentro deste país, a Revolução Cultural, iniciada em 1966, retardou enormemente o desenvolvimento da economia. Os jovens "guardas vermelhos" tomaram a China de assalto na tentativa de "purificá-la" dos inimigos de Mao e reeducar os intelectuais e outros potenciais inimigos, botando-os para trabalhar com a enxada. O próprio Mao, velho e de saúde cada vez mais frágil, quase nunca aparecia em público. Sua esposa Jiang Quing e a "Camarilha dos Quatro" eliminavam impiedosamente toda a oposição. Lin Biao, comandante do exército, tramou a morte de Mao, mas morreu num acidente de avião enquanto tentava fugir do país depois que a trama foi descoberta. Pode ter sido assassinado. Um grande terremoto na China pareceu augurar a queda da "dinastia" comunista, da mesma maneira que esses desastres naturais, na época das dinastias imperiais tradicionais, assinalavam o fim da aprovação de Deus (o "mandato do Céu") e a queda do imperador. Chou En-lai, o respeitado líder chinês que abriu caminho para a retomada das relações com o Ocidente, morreu em janeiro de 1976. O presidente Mao Tse-tung, um dos principais personagens do nosso século, morreu em setembro desse mesmo ano.

Por quanto tempo poderia continuar a loucura da Revolução Cultural? Dois generais, Ye Jianying e Li Xiannian, comandaram um golpe palaciano e detiveram a "Camarilha dos Quatro". Os velhos generais deram a liderança política a uma antiga vítima da Revolução Cultural, Deng Xiaoping. Em 1981, o Partido Comunista chinês admitiu que alguns erros tinham sido cometidos. Mao continuou sendo apresentado como um grande herói, mas um herói humano, falível. O novo regime tomou a peito a tarefa de desfazer boa parte dos estragos feitos entre 1966 e 1976 e conseguiu cumpri-la com grande êxito. A China continua sendo um país pobre; de cada cinco habitantes, quatro trabalham na agricultura. Quando os camponeses puderam ter mais controle sobre a terra na qual trabalhavam, a produção cresceu. A produção industrial também aumentou muito, e só a cidade de Pequim já produz mais aço do que a China inteira no começo da década de 1940. Os centros industriais da China começaram a fabricar mais bens de consumo, alguns dos quais podem ser exportados para o Ocidente. Nos últimos tempos, a televisão chinesa passou a veicular propagandas comerciais. O governo ainda tem de lidar com o gigantesco problema da superpopulação, que, da Segunda Guerra Mundial para cá, mais do que dobrou e chegou à cifra espantosa de um bilhão de pessoas. A atual liderança da China quer manter boas relações com os Estados Unidos e, ao mesmo tempo, melhorar as relações com a União Soviética. Três questões importantes ainda se interpõem no caminho de um bom relacionamento entre os Estados Unidos e a China. Os Estados Unidos continuam a dar apoio e a fornecer armas para o governo de Taiwan, a atribulada ilha ocupada pelas tropas nacionalistas derrotadas que fugiram dos exércitos de Mao em 1949. O sucessor de Chiang Kai-shek, rival de Mao durante a guerra civil chinesa, ainda se considera o governante legítimo da China. Além disso, embora os chineses queiram intensificar o comércio entre seu país e os Estados Unidos, os industriais norte-americanos se preocupam com uma possível invasão de produtos chineses fabricados a baixíssimo custo. Por fim, os chineses lamentam que o governo norte-americano proíba a exportação de determinados equipamentos tecnológicos sensíveis para a China, que poderia usá-los para fins militares. Porém, descontados esses problemas, os chineses das grandes cidades já não se surpreendem de ver turistas norte-americanos boquiabertos perante as maravilhas de uma das civilizações mais fabulosas de todos os tempos, dotada do potencial de contribuir tão significativamente para o nosso mundo quanto já o fez no passado, quando maravilhou viajantes europeus como Marco Polo e Matteo Ricci.

    O Oriente Médio se tornou o ponto mais sensível e perigoso do globo na década de 1970, fazendo aumentar a tensão entre a União Soviética e os Estados Unidos. Um permanente estado de hostilidade entre Israel e os países árabes perpetua-se em toda a região. Em 1973, seis anos depois da primeira guerra árabe-israelense, os vizinhos árabes de Israel lançaram um ataque fulminante no dia do feriado judeu do Yom Kippur. Depois de um sucesso inicial, foram fragorosamente derrotados pelas superiores forças armadas e aérea israelenses. O apoio dado a Israel pelas potências ocidentais, particularmente pelos Estados Unidos, motivou o embargo do petróleo árabe, que, como já vimos, teve conseqüências desastrosas para toda a economia mundial. Israel e o Egito finalmente começaram a discutir a possibilidade de um tratado de paz. Em 1978, o presidente egípcio Anwar Sadat e o primeiro-ministro israelense Menachem Begin assinaram o acordo de Camp David. Sadat, que visitou Israel em 1977, mereceu a inimizade perpétua de alguns Estados árabes por ter tomado parte nessas difíceis negociações. Foi assassinado em 1981. Os acordos de Camp David, orquestrados em grande medida pelo presidente Carter, fizeram com que Israel devolvesse ao Egito a península do Sinai.

Porém, ainda não chegou a hora da paz para o Oriente Médio. Os Estados árabes recusam-se a reconhecer a existência e a legitimidade do Estado de Israel, formado a partir de terras que os judeus e os árabes tinham partilhado por milênios. A questão do povo palestino ainda não foi resolvida. Cerca de 3,2 milhões de palestinos constituem um povo sem pátria, peões nos desacordos entre os Estados árabes e cidadãos de segunda classe em Israel. Centenas de milhares vivem em condições terríveis nos campos de refugiados estabelecidos na Cisjordânia e na Jordânia. Foi desse estado de desespero e pobreza que nasceu a Organização para a Libertação da Palestina. As facções mais violentas da OLP atacam Israel através do terrorismo, de tal modo que os israelenses em toda parte permanecem vulneráveis a esses ataques sangrentos.

As táticas da OLP mascaram o fato de que algo tem de ser feito em prol do povo palestino. A expansão israelense na Cisjordânia, em busca da criação do reino bíblico de Israel, continua a deslocar os palestinos para cada vez mais longe. A política de linha dura do premiê Begin, que renunciou em setembro de 1983, impede uma solução negociada. Begin, que também foi terrorista na luta contra os ingleses depois da Segunda Guerra Mundial, ordenou uma invasão do Líbano, de onde as guerrilhas palestinas conseguiam lançar ataques sobre Israel. No verão de 1982, os israelenses expulsaram boa parte dos integrantes da OLP, entre os quais seu chefe Yasser Arafat. A presença israelense permitiu uma frágil vitória das forças cristãs contra os muçulmanos no Líbano e o massacre de centenas de muçulmanos nos campos refugiados palestinos de Sabra e Shatila, cometido pelos cristãos. Infelizmente, enquanto os terroristas da OLP matam judeus e as bombas israelenses explodem sobre lares civis em Beirute, a questão palestina ainda está bem longe de ser solucionada. Ao mesmo tempo, a tragédia do Líbano continua. Essa terra duramente castigada permanece dividida entre cristãos e muçulmanos. Mesmo dentro desses dois grandes grupos religiosos existem rivalidades, e facções pequenas mas fortemente armadas brigam pelo poder apesar da presença de forças internacionais de paz. Em outubro de 1983, bombas enormes sacudiram o amanhecer e mataram mais de duzentos fuzileiros navais norte-americanos e mais de cem soldados franceses que estavam lá para tentar manter a paz. O número de baixas norte-americanas, o maior já sofrido por uma força militar norte-americana desde a Guerra do Vietnã, suscitou dúvidas sobre o papel dos Estados Unidos no Oriente Médio.

Na Europa, depois de 1970, a esquerda chegou ao poder no mundo mediterrâneo e a direita ganhou terreno no norte europeu. Uma revolução derrubou o ditador português Salazar. O generalíssimo Franco, que governava a Espanha com mão de ferro desde o fim da guerra civil em 1939, morreu em novembro de 1975, muito tempo depois de seus admirados colegas Adolf Hitler e Benito Mussolini. O prestígio pessoal e a determinação do rei Juan Carlos colaboraram para que a transição para a democracia se realizasse pacificamente nesse país sofrido, e os socialistas chegaram ao poder em 1982. Oficiais do exército fizeram reféns no parlamento e tentaram dar um golpe, que fracassou. Também a França elegeu para a presidência um socialista, François Mitterrand, em maio de 1981; sucessor de Valéry Giscard d'Estaign, Mitterrand parecia ainda mais anti-soviético do que o seu predecessor, o qual, supostamente, seria de direita. Os gaullistas perderam seu herói De Gaulle em novembro de 1970 e seu sucessor Georges Pompidou alguns anos depois; voltaram-se então cada vez mais para Jacques Chirac, o prefeito de Paris, que foi eleito presidente da França em 1995. Na Itália, os governos sucederam-se rapidamente. Operações terroristas levadas a cabo pela extrema esquerda e pela extrema direita intensificaram a instabilidade do país. Na Grécia, um golpe militar levou Jorge Papadopoulos ao poder em 1967. Em 1973, uma sublevação de estudantes universitários precedeu um novo golpe, que evoluiu para um complicado governo de tendência socialista, enquanto os Estados Unidos se preocupavam com o destino de suas bases militares nesse país estratégico.

A Igreja Católica passou por um período de mudanças. O Concílio Vaticano II, iniciado em 1962, aprovou a liberdade de discussão dentro da Igreja. Na tentativa de tornar a fé acessível a todos, decretou que a missa já não precisava ser rezada em latim, mas sim na língua de cada país. Em 1978, a fumaça que saía da tradicional chaminé do Vaticano anunciou uma notícia espantosa aos setecentos milhões de católicos do mundo inteiro: os cardeais haviam elegido o primeiro papa não-italiano em 455 anos, o cardeal polonês Karol Wojtyla, de Cracóvia. O novo papa conquistou grande popularidade pelo mundo afora, visitou mais países do que qualquer um de seus predecessores e sobreviveu a uma tentativa de assassinato em 1981. Acompanhava com particular energia os acontecimentos em seu país e foi um esteio de apoio para os homens e mulheres do sindicato Solidariedade em sua luta contra o governo comunista.

A África ainda é um continente problemático, flagelado pela pobreza, pela fome e pelas guerras civis. A guerra de independência movida por Biafra contra a Nigéria durou três anos e terminou em 1970 com dois milhões de biafrenses mortos. Um regime racista baseado na supremacia branca e na segregação perpetua-se ainda na África do Sul. Depois de uma guerra civil, a Rodésia empreendeu uma transição relativamente pacífica do governo de minoria branca para o da maioria negra e passou a chamar-se Zimbábue. Forças apoiadas pela Líbia travaram no Chade uma guerra civil contra um regime apoiado pelos Estados Unidos e pela França, antiga colonizadora do país. Em Uganda, o governo sanguinário do ditador louco Idi Amin escandalizou o mundo civilizado. O ditador foi expulso por tropas da Tanzânia em 1979.

A história da humanidade

É claro que não foram só as ditaduras que usaram de violência política contra seus cidadãos. O assassinato político continua sendo um triste sinal dos tempos; o terrorismo tornou-se um modo de vida para muitos grupos que lutam contra Estados poderosos. Aos assassinatos do presidente Kennedy, em 1963, do seu irmão Robert, em 1968, e de Martin Luther King, grande líder da luta pelos direitos civis, nesse mesmo ano, seguiram-se atentados contra a vida do candidato à presidência George Wallace em 1972 e duas tentativas de matar o presidente Gerald Ford. Tanto o papa quanto o presidente Reagan sobreviveram a atentados a bala em 1981, e boa parte do mundo lamentou a perda do ex-Beatle John Lennon, cantor da paz, abatido a tiros em Nova York, em 1980, por um homem ensandecido.

O terrorismo tornou-se uma arma terrível nas mãos de grupos violentos. Os Jogos Olímpicos, símbolos da possibilidade da cooperação internacional e da competição pacífica, realizaram-se em 1972 em Munique, na Alemanha Ocidental. Oito terroristas palestinos fortemente armados tomaram atletas israelenses como reféns e mataram onze deles quando a polícia invadiu o

Explosão de uma bomba terrorista

edifício onde estavam aquartelados. O mundo, chocado pela carnificina e perplexo diante do sangue-frio com que homens se decidiam a matar outros homens e a enfrentar a própria morte, continuou a assistir a tragédias semelhantes. Na Irlanda do Norte, a violência tornou-se cada vez maior a partir de 1969, quando o Exército Republicano Irlandês, grupo católico relegado à clandestinidade, passou a lançar ataques freqüentes e selvagens contra seus inimigos protestantes, tanto irlandeses quanto ingleses, exigindo que a Irlanda do Norte deixasse de fazer parte do Reino Unido. Grupos protestantes pagaram-lhes na mesma moeda. A década de 1970 testemunhou vários ataques sangrentos contra os judeus. Poucos são capazes de se esquecer do horrível espetáculo dos cadáveres caídos diante de uma sinagoga de Paris em 1980, ou no bairro judeu dessa mesma cidade. Terroristas armênios, protestando contra o genocídio cometido contra o povo armênio pelos turcos antes da Primeira Guerra Mundial, lançaram alguns ataques contra políticos e companhias aéreas. Na Itália, o grupo radical esquerdista Brigadas Vermelhas empreendeu uma série de ataques contra o Estado. Terroristas de direita explodiram a estação ferroviária de Bolonha, matando quase cem pessoas, e foram responsáveis por uma explosão assassina na Oktoberfest de Munique, em 1980. Os terroristas pareciam capazes de atacar praticamente em qualquer lugar, até mesmo nas proximidades do Palácio de Buckingham, em Londres, por ocasião de um desfile. Pôde-se comprovar que certas atividades terroristas tinham sua origem na Líbia e no regime do ditador Khadafi. Em 1976, os israelenses reagiram contra o terrorismo e tropas especiais resgataram 104 reféns que haviam sido levados de avião para o aeroporto de Entebe, em Uganda. Uma ou duas pessoas de coração endurecido e dispostas a morrer por uma causa que lhes parece justa são assim capazes de criar toda uma atmosfera de medo, intensificar o ódio entre povos inimigos e dificultar ainda mais a obtenção de soluções razoáveis para os problemas políticos e internacionais deste nosso mundo atribulado.

O tema da capacidade de sobrevivência do homem não é um tema novo na história da humanidade. Castigado pela crise econômica e pela deterioração do meio ambiente, vulnerável às ditaduras e ao terrorismo, preso em meio ao conflito das duas superpotências pelo poder absoluto, o povo do nosso planeta é capaz de consolar-se por saber que a humanidade sobreviveu a outros perigos no passado. Assistimos à ressurreição de várias cidades norte-americanas decadentes, como Baltimore e Detroit, e ao renascimento de alguns recursos naturais temporariamente destruídos, como o rio Tâmisa, na Inglaterra, e o lago Erie, nos Estados Unidos. Pode ser que os gigantescos desafios ambientais que enfrentamos possam ser vencidos por uma ação poderosa e determinada. Devemos buscar esperança no grande movimento contra as armas nucleares na Europa e no crescente apoio recebido pelos movimentos ecológicos nos Estados Unidos, cujo objetivo é a proteção do meio ambiente. Também podemos nos voltar para o exemplo de muitos homens e mulheres cuja coragem, integridade e profundo amor pela humanidade podemos admirar: pessoas como Jacobo Timerman, o intelectual que se opôs à perseguição dos judeus e lutou pela democracia na Argentina; Anwar Sadat, que envidou tantos esforços para unir seu país, o Egito, e levar a paz ao Oriente Médio; Madre Teresa, a pequenina freira que trabalhou por anos e anos no anonimato, cuidando dos miseráveis de Calcutá, para depois ganhar o Prêmio Nobel da Paz e chamar a atenção do mundo inteiro para as necessidades dos famintos, dos pobres e dos esquecidos no vasto subcontinente indiano e em outras plagas; Gabriel García Márquez, outro escritor que sobreviveu ao regime autoritário do Chile e ganhou o Prêmio Nobel de Literatura; o dramaturgo Athol Fugard, que saiu do mundo da segregação racial sul-africana para entreter o público com suas peças; e Lech Walesa, que conduziu o sindicato Solidariedade em sua luta pela liberdade na Polônia. Esses homens e mulheres trabalharam de forma altruísta para construir um mundo melhor. Quanto mais difíceis forem os desafios que a humanidade terá de enfrentar no futuro, tanto mais teremos de trabalhar juntos.

77
UM NOVO MILÊNIO
A nova liberdade e a interligação global

As duas últimas décadas do século XX foram marcadas por mudanças políticas drásticas, notáveis sobretudo por seu caráter pacífico, que levaram liberdade a muitos países antes sujeitos a governos autoritários. Ao mesmo tempo, mudanças tecnológicas curiosas e benéficas fizeram com que o mundo parecesse menor. É certo que alguns problemas que sempre afligiram a humanidade – a fome, as doenças, a violência e a guerra – continuam a pesar sobre as vidas de milhões de pessoas. Não obstante, com a crescente interdependência das nações e as significativas mudanças nos meios de comunicação, boa parte da humanidade tem motivos para estar otimista, quando não animada, com o futuro.

Não há dúvida de que o acontecimento mais importante das últimas décadas, e talvez desde o fim da Segunda Guerra Mundial, foi o fim do comunismo na Europa. Quando os representantes da União Soviética e dos Estados Unidos encaravam-se desconfiados nas negociações para a redução de armas nucleares realizadas em meados da década de 1980, poucas pessoas seriam capazes de imaginar que em alguns anos o comunismo na União Soviética e na Europa oriental entraria em colapso e que a própria União Soviética se desagregaria, rompida pela separação de seus satélites. De todos os fatores que colaboraram para provocar a queda do comunismo, o mais importante foi que, apesar de todas as promessas de bem-estar econômico, o comunismo simplesmente não funcionou. Além disso, a ausência de liberdade política na União Soviética e em seus pequenos satélites gerou em muita gente uma gigantesca e taciturna insatisfação.

Em 1985, Mikhail Gorbachev tornou-se secretário-geral do Partido Comunista e, portanto, líder máximo da União Soviética. Comparado a seus idosos predecessores, Gorbachev era jovem e dinâmico. Percebeu que, para o comunismo sobreviver – e ele esperava que isso acontecesse –, seria preciso implementar reformas econômicas e até políticas de grande importância. Trouxe para o governo certas pessoas de mentalidade relativamente liberal e ordenou um relaxamento da censura rígida que por tanto tempo havia estrangulado a liberdade de expressão artística e política. Pela primeira vez, um líder soviético falava abertamente que a economia soviética seria incapaz de crescer a menos que os operários e agricultores tivessem mais incentivos econômicos para trabalhar. Gorbachev anunciou o advento da *perestroika*, uma reestruturação da economia comunista para torná-la mais produtiva e fazê-la gerar mais bens de consumo. Insistindo na necessidade de uma "revolução da mente", pediu uma reabilitação da propriedade privada na União Soviética e tinha a esperança de convencer os países ocidentais a fazer investimentos por lá. Nesse meio tempo, porém, o custo da corrida armamentista contra os Estados Unidos e o florescente "mercado negro" onde bens e serviços eram comprados e vendidos ilegalmente agrilhoavam a economia soviética.

No final da década de 1980, fortes movimentos nacionalistas ganharam influência na Lituânia, na Letônia e na Estônia – os "países bálticos" do norte – e também na Ucrânia, na Geórgia e na Armênia, no vasto quadrante sul do império soviético. Em muitas partes da União Soviética, a oposição democrática recuperou a confiança, exigiu mais reformas e, em alguns casos, uniu forças com grupos nacionalistas. Ao mesmo tempo, a crise econômica dentro da União Soviética intensificou-se na mesma medida em que a produtividade diminuiu até chegar quase a zero em 1988. Isso convenceu muita gente de mentalidade reformista, tanto na Rússia quanto nos outros estados da União Soviética, que a simples reforma do sistema comunista não seria o bastante, e que era preciso lançar fora o próprio comunismo, no poder desde 1917.

Enquanto isso, Gorbachev fez visitas a Washington, Londres e Paris, com grande êxito, e foi recebido como um amigo. Começou também a retirar a União Soviética da sangrenta guerra civil que se arrastava no Afeganistão. Acima de tudo, enquanto os movimentos nacionalistas na Europa oriental cresciam na mesma proporção do descontentamento com as condições econômicas, Gorbachev deixou bem claro que a União Soviética não mandaria mais tanques e soldados para dar sustentação aos líderes comunistas da Polônia, da Alemanha Oriental e de outros Estados que quisessem reprimir seus próprios cidadãos. Manifestantes gritavam "Gorbi, Gorbi, Gorbi!" e evidenciavam assim a grande transformação que estava ocorrendo: enquanto no passado a liderança soviética representava uma perigosa ameaça para os movimentos de mudança dentro da sua esfera, agora um líder soviético era encarado como símbolo das esperanças de reforma. No verão de 1989, Gorbachev anunciou com audácia: "É inadmissível qualquer interferência nos assuntos internos e quaisquer tentativas de restringir a soberania dos Estados, quer amigos e aliados, quer outros."

Libertos da ameaça da interferência soviética, os Estados da Europa oriental rejeitaram o comunismo, um por um. Na Hungria, onde os grupos oposicionistas eram bem organizados, e na Polônia, onde eram intimamente ligados à influente Igreja Católica, os líderes comunistas buscaram um acordo. Na Hungria, líderes reformistas já haviam chegado ao poder em 1988. O governo simplesmente abandonou o comunismo e, em maio de 1989, pôs abaixo a cerca de arame farpado que definia a fronteira com a Áustria. Na Polônia, um ano antes disso, o governo começou a negociar com o Solidariedade, o grupo político de oposição que nasceu das greves e movimentos reformistas que começaram em 1980 nos estaleiros de Gdansk, uma cidade portuária. Em 1989, realizaram-se na Polônia as primeiras eleições livres desde antes da Segunda Guerra Mundial. Os candidatos apoiados pelo Solidariedade obtiveram expressiva votação, o que obrigou o governo a partilhar seu poder. Um ano depois, a era comunista na Polônia terminou. O Partido Comunista polonês mudou de nome e passou a funcionar como qualquer outro partido político.

Os ventos da mudança também chegaram rapidamente à Alemanha Oriental e à Tchecoslováquia, dois dos mais repressivos Estados comunistas. Inspirados pelas mudanças ocorridas na União Soviética, na Hungria e na Polônia, os cidadãos comuns da Alemanha Oriental começaram a exigir liberdade. Milhares "votaram com os próprios pés", fugindo para a Alemanha Ocidental em número recorde; a polícia fazia cada vez menos esforços para detê-los, muito embora o líder Erich Honecker se recusasse terminantemente a aceitar qualquer tipo de reforma. Uma visita de Gorbachev em outubro de 1989 levou às ruas mais manifestantes que gritavam seu nome. Honecker foi derrubado e substituído por um governante que anunciou que daí em diante os alemães orientais teriam o direito de viajar para o Ocidente e que o Muro de Berlim, que desde 1961 simbolizava a divisão entre os dois Estados, seria derrubado. Multidões entusiasmadas acorreram ao muro, e a polícia não pôde ou não quis impedi-las de transpô-lo para abraçar as pessoas que as esperavam do outro lado. Em poucos dias, três milhões de alemães orientais foram para a República Federal da Alemanha, a maioria deles pela primeira vez. Um poeta alemão oriental comentou: "Choro de alegria, por ter acontecido de modo tão rápido e tão simples; e de raiva, por ter demorado tanto para acontecer." Nas primeiras eleições livres realizadas na Alemanha Oriental, os conservadores favoráveis à unificação com a República Federal da Alemanha ganharam com folga. Em dezembro de 1990, as Alemanhas Oriental e Ocidental se fundiram no Estado unificado da Alemanha.

Na Tchecoslováquia, a notícia da queda do Muro de Berlim suscitou a mobilização maciça do povo comum e causou, num período de dez dias, o fim do regime comunista. Multidões entusiasmadas reuniram-se no centro de Praga, a capital, para exigir reformas e protestar contra o espancamento de manifestantes pela polícia. Sem o apoio do exército soviético, o governo comunista foi obrigado a negociar com os que exigiam eleições livres. Em dezembro de 1989, a assembléia federal, de maioria comunista, votou o fim do domínio do Partido Comunista sobre a vida política do país. Václav Havel, um jovem dramaturgo cujas obras tinham sido proibidas pelo governo e que sofrera na prisão por sua atividade política, foi eleito presidente. O movimento que Havel chamou de "Revolução de Veludo" levou a liberdade à Tchecoslováquia sem derramar praticamente nenhuma gota de sangue. Não obstante, as rivalidades entre os tchecos e os eslovacos determinaram depois a criação de dois países separados, a República Tcheca e a Eslováquia, em 1993.

Os regimes comunistas na Bulgária, na Romênia e na Albânia também ruíram no fim de 1989 num contexto de crise econômica e de aspiração popular a uma vida melhor. Na Bulgária, alguns dignitários do Partido Comunista e oficiais do exército constataram que a mudança era inevitável e se livraram do líder impiedoso que, para obter o apoio popular, quis voltar a população de etnia búlgara contra a minoria turca. Na Romênia, o corrupto Nicolau Ceausescu e sua esposa usaram a força para tentar conservar o poder enquanto aumentavam o descontentamento e as manifestações populares. Quando Ceausescu ia co-

Cai o Muro de Berlim

meçar um discurso, manifestantes vaiaram-no e a polícia romena abriu fogo contra a multidão. Ceausescu e a esposa tentaram fugir de helicóptero, mas foram capturados, julgados por um tribunal improvisado, condenados à morte e fuzilados; seus corpos congelados foram deixados no chão para ser filmados pelas câmeras de televisão. Por fim, o comunismo caiu até mesmo no país mais atrasado e isolado da Europa, a Albânia; a falta de alimentos motivou greves, levantes e a renúncia do governo comunista em junho de 1991. Também aí, a rapidez com que o comunismo ruiu foi impressionante.

O colapso repentino e dramático dos governos comunistas na Europa Oriental fez aumentar as pressões por uma mudança rápida dentro da própria União Soviética. No começo de 1990, foi permitida a formação de partidos não-comunistas e eliminaram-se as restrições à religião. Gorbachev foi eleito pelo Congresso dos Representantes do Povo para o cargo de presidente, uma posição de autoridade que já não tinha uma ligação automática com o Partido Comunista. A Rússia e diversos outros estados afirmaram o próprio direito de aprovar leis que invalidassem as leis implementadas pela União Soviética. A Lituânia foi a primeira república a declarar-se independente da URSS.

Não obstante, Gorbachev ainda acreditava que o comunismo poderia ser salvo por mais reformas. Dentro da Rússia, um reformista chamado Bóris Yeltsin, de fala dura, beberrão e cada dia mais popular, começou a desafiar a autoridade de Gorbachev, especialmente quando este, atendendo aos anseios dos comunistas de linha dura que queriam poucas mudanças ou nenhuma, pareceu se afastar do caminho das reformas, no começo de 1991. Em abril, Gorbachev mudou novamente de curso, enraivecendo ainda mais os conservadores. Aceitou então a idéia de que as repúblicas soviéticas deveriam ser autônomas, o que efetivamente poria fim à existência da União Soviética. Em agosto, personagens influentes dentro do exército, do Partido Comunista e da KGB (o serviço secreto soviético) colocaram Gorbachev em prisão domiciliar na sua casa de veraneio na Criméia. Em Moscou, Yeltsin encorajou a resistência ao golpe, e o exército permaneceu leal ao governo constituído. O fracasso do golpe acelerou o colapso da União Soviética. Gorbachev voltou a Moscou como herói e Yeltsin, presidente do parlamento russo, suspendeu o Partido Comunista. Gorbachev trouxe para o governo mais ministros reformistas, e as autoridades soviéticas reconheceram por fim a autonomia das repúblicas que haviam constituído, cada vez mais contra a vontade, a União Soviética. No final de 1991, treze das quinze repúblicas da antiga URSS já haviam declarado sua independência. No dia de Natal de 1991, Gorbachev renunciou exausto, depois de seis extraordinários anos no poder. A União Soviética já não existia.

O colapso do comunismo pôs fim à Guerra Fria e repentinamente livrou o mundo da ameaça de guerra nuclear entre os Estados Unidos e a União Soviética. Não obstante, o caminho que levava à estabilidade econômica e política não foi fácil de trilhar, nem para os Estados que compunham a União Soviética, nem para os antigos Estados comunistas da Europa oriental. A maioria desses países não tinha tradição de governo parlamentar. Além disso, a transformação das economias comunistas, controladas pelo Estado, em economias de mercado livre revelou-se extraordinariamente difícil. Não se poderia implantar uma economia de mercado sem provocar perturbações imediatas e o contínuo aumento dos preços. Assim, os preços aumentaram descontroladamente em toda parte; era esse o choque econômico que os economistas ocidentais consideravam necessário para aumentar a produção e levar mais bens de consumo para as lojas. Porém, a inflação galopante impôs uma grande penúria às pessoas comuns. Quando Yeltsin anunciou o fim do controle de preços na Rússia, em janeiro de 1992, o custo de muitos produtos essenciais já havia triplicado. Além disso, a derrocada da autoridade estatal, por mais opressora que fosse, estimulou uma onda de criminalidade e violência, e quadrilhas do submundo tiraram vantagem do caos. A liberdade teve o seu preço.

O fim do comunismo também provocou a rápida intensificação de rivalidades amargas – e, às vezes, extremamente violentas – entre povos diferentes que tinham sido obrigados a viver em relativa harmonia no período soviético. Em nenhum lugar isso aconteceu com tanta veemência quanto na Iugoslávia, onde os sérvios, os croatas e os muçulmanos da Bósnia compunham os três maiores grupos étnicos, cada qual com a sua própria religião – respectivamente, a cristã ortodoxa, a católica romana e a muçulmana. A Iugoslávia se esfacelou em grupos étnicos beligerantes; primeiro a Croácia e depois a Bósnia declararam-se independentes da Iugoslávia, onde predominavam os sérvios. Na Bósnia logo começou uma guerra civil marcada pela "limpeza étnica" e pelo genocídio. "A Europa está morrendo em Sarajevo", alertava um cartaz afixado nos muros da Alemanha, numa referência à capital da Bósnia, que estava sendo sistematicamente bombardeada pelos sérvios. Até 150 mil pessoas podem ter morrido no conflito da Bósnia, e cerca de 2,8 milhões viraram refugiadas. Por fim, em 1995, o governo norte-americano encorajou os sérvios, os croatas e os muçulmanos a assinar o acordo de paz de Dayton, cujo cumprimento deveria ser garantido por cerca de 60 mil "capacetes azuis" da ONU, um terço dos quais seriam norte-americanos. Os soldados deveriam proteger as minorias étnicas, mas em muitos casos foram obrigados a ficar de lado, assistindo ao novo fracasso de um cessar-fogo. Também em outras partes foi impossível impedir que as antigas rivalidades étnicas degenerassem em violência. Isso ocorreu particularmente em Estados habitados por minorias étnicas significativas, como a Rússia, a Romênia e a Letônia. O nacionalismo agressivo continua sendo uma ameaça na Europa oriental. As grandes instalações militares do período soviético que ficaram na Ucrânia, na Bielo-Rússia e no Cazaquistão ainda representam uma potencial ameaça à paz mundial.

Com o esfacelamento da União Soviética, os olhos do mundo passaram a voltar-se cada vez mais para os restantes Estados comunistas, sobretudo para a China. O Décimo Terceiro Congresso do Partido Comunista Chinês, realizado em 1987, chegou a uma espécie de meio-termo entre a reforma econômica moderada – diminuindo-se o controle estatal e caminhando rumo ao estabelecimento de empresas capitalistas – e a permanente oposição a qualquer tipo de reforma política. O congresso foi presidido por Deng Xiaoping, o idoso líder chinês cujo estímulo determinou a realização de significativas reformas econômicas a partir

O movimento pela democracia na China

de 1979. Entretanto, no começo de 1989, um movimento popular pelas reformas democráticas cresceu na China e particularmente em Pequim; em maio, mais de um milhão de pessoas foram para as ruas. Depois da imposição da lei marcial em 4 de junho de 1989, tropas chinesas ocuparam a Praça Tiananmen (Praça da Paz Celestial) em Pequim, esmagando o movimento pela democracia. Por um dramático instante, um único manifestante postou-se no caminho de um tanque de guerra chinês e milhões de telespectadores no mundo inteiro prenderam a respiração. Porém, a expulsão do reformista Zhao Ziyang e sua substituição por Jiang Zemin refletiu a ascendência da linha dura dentro da liderança comunista na China. No período de repressão que se seguiu, centenas de ativistas foram executados e milhares foram presos, prejudicando ainda mais as relações da China com o Ocidente.

Depois disso, os líderes ocidentais procuraram em vão por sinais de mudanças políticas significativas nesse país de 1,3 bilhão de habitantes, quase um quarto da população mundial. O comércio com o Ocidente disponibilizou bens de consumo ao público chinês, pelo menos nas grandes cidades, mas a economia teve de haver-se com a inflação alta, o desemprego e o subemprego. Um número cada vez maior de chineses se sente descontente com o autoritário regime comunista. Apesar da retumbante mensagem de Deng de que "ficar rico é uma glória", a China ainda é, em sua maior parte, um país extremamente pobre. O campo, em particular, permanece empobrecido e, de quando em quando, fica à beira da instabilidade; por causa disso, cerca de 100 milhões de pessoas passaram a acotovelar-se nas grandes cidades costeiras durante a década de 1990. Além disso, a população da China aumentou consideravelmente quando o território de Hong Kong, próspero e habitado por mais de 6 milhões de pessoas, administrado pelo governo inglês desde o século XIX, foi entregue ao governo chinês em 1997, em cumprimento de um acordo anterior. O governo comunista chinês prometeu conservar o capitalismo e a democracia em Hong Kong por um período de cinqüenta anos.

Com a ruína da União Soviética, Cuba passou a ser o único Estado comunista fora da Ásia. O líder cubano Fidel Castro continua governando o país apesar do embargo econômico norte-americano, cuja intenção é a de limitar o comércio com a ilha caribenha e levar penúria à vida do povo cubano, na esperança de movê-lo a derrubar Castro. A suspensão, em 1991, da ajuda econômica de milhões de dólares que a União Soviética fornecia todos os anos piorou a situação econômica em Cuba, piora essa que não foi compensada nem sequer pela chegada de muito dinheiro estrangeiro levado pelos turistas.

As sanções econômicas tiveram de fato um efeito importantíssimo em outras partes do mundo. Na África do Sul, o *apartheid* (a segregação garantida por lei e a desigualdade forçada dos negros) finalmente terminou por obra dos esforços heróicos de reformadores dentro do país e da crescente pressão econômica e internacional que se fez sentir sobre o governo branco. O bispo Desmond Tutu, que ganhou o Prêmio Nobel da Paz de 1984, prometera a seu povo: "Seremos livres." À medida que a violência tomava conta da África do Sul, o governo decretou a lei marcial em 1985 e orquestrou sangrentas represálias contra alguns líderes negros. Sanções econômicas internacionais foram impostas ao governo sul-africano e, com o tempo, muitas empresas venderam as filiais que tinham na África do Sul. Em junho de 1991, as leis que instituíam a segregação por raça foram anuladas. Dois anos depois, o governo branco aceitou um acordo de partilha de poder com um comitê de transição multipartidário, o que tornou possível que pela primeira vez os negros tivessem uma participação no governo. A isso seguiu-se o fim das sanções econômicas internacionais. Em 1994, nas primeiras eleições livres e universais realizadas na África do Sul, Nelson Mandela, que ficara na cadeia por vinte e sete anos como preso político, tornou-se o primeiro presidente negro desse país. Aos poucos, a África do Sul tenta superar décadas e décadas de desigualdade, bem como antiqüíssimas rivalidades tribais que degeneraram em violência.

Em várias outras partes da África, a guerra e a natureza conspiraram contra os seres humanos, a maioria dos quais vivem na pobreza. A fome e a escassez de víveres tomaram conta da Etiópia, do Chade, do Níger, do Sudão e de outros países africanos devastados pela seca na década de 1980, bem como da Somália, de Ruanda e do Zaire, dilacerados por guerras civis na década de 1990. A guerra civil de Angola terminou em 1991, mas a de Moçambique prosseguiu. As contribuições da Cruz Vermelha e doações mandadas por países mais prósperos ajudaram a diminuir um pouco esse terrível sofrimento.

Em 1992, a pedido das Nações Unidas, os Estados Unidos mandaram 20 mil soldados à Somália, no extremo leste da África. O objetivo da "Operação Restaurar a Esperança" era, na verdade, restaurar a ordem. Depois da derrubada do antigo ditador do país, grassava a guerra civil entre diferentes chefes guerreiros, guerra essa que impedia a distribuição de alimentos vindos do exterior num país onde o líder de uma das facções armadas disse: "Se você tem uma arma, você é um homem; se não tem, não é nada." As forças de paz mandadas pela ONU não conseguiram levar a cabo sua tarefa, e vários soldados foram mortos.

A África Central chamou a atenção da comunidade internacional na década de 1990. Em Ruanda, o governo foi ameaçado pela ruína econômica, pelos conflitos étnicos entre hutus e tutsis e pela formação de partidos políticos rivais. Na luta do governo

A história da humanidade

Refugiados

hutu para manter-se no poder, mais de 500 mil pessoas foram mortas e cerca de 2 milhões fugiram para o Zaire, a Tanzânia e o Burundi, países vizinhos. Milhares morreram quando uma epidemia de cólera deflagrou-se nos miseráveis acampamentos de refugiados, e muitas outras foram de novo expulsas para Ruanda pelas tropas do Zaire. O novo governo tutsi de Ruanda prendeu milhares de hutus acusados de participar dos massacres, e a ONU estabeleceu um tribunal para julgar alguns dos que foram acusados de crimes contra a humanidade. O fluxo maciço de refugiados ruandeses também contribuiu para a instabilidade do Zaire e do Burundi, que estavam enfrentando suas próprias mudanças de regimes políticos.

Felizmente, porém, em outras partes da África, nem tudo ia tão mal. Em alguns Estados, como a Zâmbia, o começo da década de 1990 trouxe mais liberdade política, o paulatino enfraquecimento do regime autoritário e o surgimento de uma nova política partidária. No Zaire, o antigo ditador Mobutu Sese Seko, que acumulara uma imensa fortuna à custa do seu país, foi tirado do poder e o Zaire mudou de nome, passando a chamar-se Congo.

Na América do Sul, pôde-se ver também uma tendência marcante ao estabelecimento de regimes democráticos, à medida que os diversos governos autoritários iam sendo substituídos por governos eleitos. Na Argentina, onde milhares de pessoas comuns tinham sido torturadas e mortas nos anos do governo militar de direita estabelecido em 1976, um conservador moderado foi eleito para a presidência em 1984. No Brasil, uma gigantesca mobilização dos cidadãos comuns precipitou o estabelecimento de um regime democrático em 1985, depois de vinte anos de governo militar. Também no Uruguai os moderados chegaram ao poder e outra ditadura militar ficou para trás. No Chile, em 1988, um plebiscito repudiou uma lei que aumentaria o tempo de mandato do governante militar do país, o general Augusto Pinochet. No Paraguai, o ditador Alfredo Stroessner, que tornara sua pequena república sul-americana um paraíso para certos criminosos de guerra nazistas, foi deposto por um golpe militar em 1990.

Na Nicarágua, os rebeldes de direita – os "Contras" – moveram uma guerra civil contra o governo "sandinista" de tendência marxista. A partir de 1985, os Contras foram financiados em parte pelos lucros obtidos da venda ilegal de armas norte-americanas para o Irã. Além de tentar derrubar o governo nicaragüense, a operação tinha por objetivo obter o apoio do Irã para a libertação dos reféns detidos por facções muçulmanas no Líbano (que foram libertados na época da Guerra do Golfo). Quando os detalhes da troca de "reféns por armas" ficaram conhecidos, em 1986, a Casa Branca negou todo e qualquer conhecimento do assunto. Entretanto, uma prolongada investigação promovida pelo congresso no ano seguinte revelou que os principais assessores do presidente estavam envolvidos. O relatório do congresso afirmava que o presidente Reagan havia "criado ou pelo menos tolerado a criação de um ambiente" favorável ao cometimento de tais atos ilegais. O escândalo pôs sob os olhos do público um presidente cada vez mais alheio à sua própria função. Vários de seus principais assessores, entre os quais o secretário de segurança nacional, foram obrigados a renunciar por causa do caso "Irã-Contras", e foram condenados criminalmente.

Em 1987, os presidentes da Costa Rica, de El Salvador, de Honduras, da Nicarágua e da Guatemala assinaram um acordo com a finalidade de pôr fim às sangrentas guerras civis na América Central. O acordo previa um cessar-fogo, eleições livres e o fim do apoio estrangeiro aos rebeldes. Em 1990, os presidentes dos Estados centro-americanos assinaram um outro acordo prevendo a desmobilização dos Contras nicaragüenses. Na Nicarágua, o poder foi transferido pacificamente para um governo não-marxista em 1990, quando Violeta Barrios de Chamorro derrotou numa eleição o presidente marxista Daniel Ortega. No Panamá, o caudilho Manuel Antônio Noriega foi vinculado ao lucrativo tráfico de drogas dentro dos Estados Unidos. Em 1990, tropas norte-americanas invadiram o país, prenderam o líder panamenho, levaram-no aos Estados Unidos e instituíram um governo mais ao seu gosto. Na Flórida, Noriega foi acusado de tráfico de drogas e condenado a passar um longo período na prisão. A prolongada guerra civil de El Salvador terminou em 1991 quando os rebeldes esquerdistas e o governo chegaram a um acordo, mas episódios esporádicos de violência continuaram a ocorrer. Na Guatemala, a guerra civil que já durava trinta e seis anos terminou com a assinatura de um acordo de paz em 1996.

Também em outras partes do mundo mudanças políticas drásticas instituíram a democracia em países cujos cidadãos havia muito penavam sob governos repressivos. Nas Filipinas, Ferdinando Marcos, originalmente eleito presidente em 1965, foi impedido de ocupar pela terceira vez a presidência em 1972. Mas, por contar com o apoio irrestrito dos Estados Unidos em virtude da importância estratégica do arquipélago para a marinha e a força aérea norte-americanas, Marcos declarou a lei marcial e depois supervisionou a aprovação de novas leis que lhe permitiram ser eleito novamente em 1981. Não obstante, a pressão pela realização de reformas crescia tanto dentro quanto fora do país, e guerrilheiros de esquerda lutavam contra as tropas do governo. O líder oposicionista Benigno Aquino foi assassinado em agosto de 1983, pouco depois de descer do avião no qual voltava a Manila depois de muitos anos de exílio. O assassinato foi planejado nos escalões mais altos do governo Marcos. Em 1986, a adversária de Marcos nas eleições presidenciais era Corazón Aquino, viúva do líder oposicionista assassinado. Acusado de fraude eleitoral, Marcos fugiu das Filipinas, que haviam sido praticamente saqueadas por ele e sua família durante décadas. O país tornou-se uma democracia viável.

Outros países passaram por tribulações semelhantes, mas que nada resolveram. No Camboja, no final da década de 1970, milhões de pessoas – literalmente – foram mortas nos "campos de extermínio" do brutal ditador Pol Pot, cujo braço armado era a guerrilha comunista do chamado Khmer Vermelho. Ainda era pequena a esperança de que a paz e a estabilidade política pudessem voltar a essa nação duramente castigada pela guerra, mesmo depois da retirada do exército vietnamita, em 1990, ao cabo de mais de uma década de ocupação. Em 1991, depois de firmado um acordo, o príncipe Norodom Sihanouk voltou à sua antiga capital de Phnom Penh como presidente. De lá para cá, num contexto de contínua instabilidade política e depois de um novo exílio forçado de Sihanouk, milhões de minas terrestres permanecem enterradas próximas à superfície, milhares das quais ainda matam e aleijam as pessoas, crianças especialmente, que têm o azar de pisar nelas.

O Oriente Médio continua sendo a região mais perigosa do mundo. Em 1980, o Irã e o Iraque começaram uma guerra que se prolongou até a assinatura de um cessar-fogo em 1988. Na década de 1980, deterioraram-se as relações norte-americanas com o Irã, cujo líder, o Aiatolá Khomeini, clamava pela ruína dos Estados Unidos, país que chamava de "o Grande Satã". Em 1985, um navio de guerra norte-americano abateu um avião de carreira iraniano, confundindo-o com um caça; 259 pessoas morreram. Porém, depois da morte do Aiatolá Khomeini, em 1989, as relações entre os Estados Unidos e o Irã aos poucos melhoraram, ao passo que as relações com o Iraque, rival do Irã, pioraram.

Enquanto a guerra entre o Irã e o Iraque se arrastou por anos, a Guerra do Golfo, de 1991, durou muito pouco. Em agosto de 1990, o ditador iraquiano Saddam Hussein ordenou a invasão do Kuwait, país vizinho e muito menor do que o Iraque. A prolongada guerra contra o Irã deixara o Iraque à beira da catástrofe econômica e devedor de grandes somas ao Kuwait e a outros Estados árabes. Saddam afirmou que a superprodução petrolífera do Kuwait estava fazendo baixar o preço do petróleo no mercado mundial. As gigantescas reservas de petróleo do diminuto vizinho foram uma tentação irresistível para o ditador.

A invasão do Kuwait pelo Iraque, condenada pela Liga Árabe, rompeu a unidade dos países árabes. Em novembro de 1990, o Conselho de Segurança da ONU autorizou uma ação militar contra o Iraque caso este não se retirasse do Kuwait até meados de janeiro. Tropas iraquianas ocuparam toda a fronteira entre o Iraque e a Arábia Saudita, aliada dos Estados Unidos, e instalaram-se no litoral do Kuwait, protegendo-se por trás de fortificações e gigantescos campos minados; corriam rumores de que o Iraque estava se preparando para a guerra química. Depois de reunir mais de quinhentos mil soldados, as forças da ONU, compostas principalmente de soldados norte-americanos e aviões de guerra mandados para o golfo Pérsico pelo presidente George Bush, começaram a desencadear ataques aéreos contra o Iraque e suas bases no Kuwait em 17 de janeiro de 1991. Os aliados logo alcançaram a supremacia aérea na região, e as forças terrestres iraquianas tombaram diante de um planejamento e um equipamento superiores. Os céus enegreceram-se com a fumaça de centenas de poços de petróleo incendiados pelas forças iraquianas em retirada. No dia 24 de fevereiro começou o ataque por terra às forças iraquianas no Kuwait e no sul do Iraque. A "Operação Tempestade no Deserto" repeliu rapidamente o exército iraquiano, que tinha sido superestimado pelos analistas tanto no que dizia respeito ao número de soldados quanto à qualidade dos armamentos. A televisão levou a guerra às salas de estar de muitos lares pelo mundo afora, como se fosse uma espécie de *videogame*. Os repórteres das grandes redes noticiavam o drama dos mísseis "Scud" iraquianos, de fabricação soviética, lançados

Hendrik Willem van Loon

A Guerra do Golfo

de bases terrestres para atingir bases militares norte-americanas e o território de Israel. Enquanto as forças aliadas perderam 340 combatentes, pelo menos 110 mil iraquianos, entre os quais muitos civis mortos nos bombardeios aéreos, perderam a vida durante a Guerra do Golfo. Em meados de março, os príncipes kuwaitianos puderam voltar a seus palácios. A Guerra do Golfo terminou com um acordo de cessar-fogo. O Iraque concordou em permitir que suas instalações militares fossem inspecionadas pelas Nações Unidas, que suspeitavam de que Saddam estivesse ocultando armas químicas e biológicas.

A Guerra do Golfo, porém, não eliminou o poder de Saddam. Ele continuou a lançar provocações contra as Nações Unidas e particularmente contra os Estados Unidos. Quando, em 1997 e 1998, se recusou a permitir a inspeção dos locais onde as armas químicas supostamente seriam produzidas e armazenadas, os Estados Unidos ameaçaram lançar ataques aéreos. Enquanto isso, um embargo comercial imposto pela ONU causou grande sofrimento ao povo do país, que continua a pagar pela megalomania de seu líder.

Também no Oriente Médio, a questão palestina há muito tempo vem envenenando as relações entre o Estado de Israel e seus vizinhos árabes. Em 1988, raiou a esperança de uma solução duradoura para o problema dos palestinos quando a Organização pela Libertação da Palestina (OLP) concordou em renunciar ao terrorismo e reconhecer o direito do Estado de Israel à existência. Nesse mesmo ano, o rei Hussein, da Jordânia, abriu mão da Cisjordânia e da faixa de Gaza, ambas ocupadas por Israel. Em 1992, Yitzhak Rabin tornou-se o primeiro-ministro de Israel quando uma coalizão de centro-esquerda chegou ao poder. Instigado por Rabin, o governo anunciou a suspensão da construção de novos assentamentos judeus nos territórios ocupados, que impediam qualquer tentativa de obter uma paz duradoura. Nesse ano, o governo israelense concedeu uma autonomia limitada aos palestinos da faixa de Gaza e da Cisjordânia. Um acordo que previa formalmente essa autonomia foi assinado em maio de 1994 e selado em Washington, em julho desse ano, por um aperto de mão entre o primeiro-ministro israelense Yitzhak Rabin e o líder palestino Yasser Arafat.

Enquanto Arafat e Rabin tentavam implementar o acordo de paz, restavam ainda muitos problemas a resolver. Arafat enfrentava a pressão dos militantes que continuavam exigindo um Estado palestino. Os ataques terroristas contra Israel aumentaram em número e em intensidade, suscitando uma resposta dura por parte dos israelenses e intensificando a oposição dos direitistas a qualquer tentativa de acordo. Então, em novembro de 1994, quando saía de uma manifestação pela paz, o primeiro-ministro Rabin foi abatido a tiros por um jovem extremista israelense. Em 1996, o conservador Benjamin Netanyahu foi eleito primeiro-ministro por uma pequena maioria, deixando indefinida a possibilidade de uma paz duradoura.

Apesar do relaxamento das tensões entre países inimigos, a facilidade de obtenção de armas, bombas e gás venenoso e a dificuldade da prevenção de atos de violência contribuíram para que se criasse no mundo um contínuo sentimento de inquietação. Os terroristas têm deflagrado suas campanhas e provocado o ferimento e a morte de muitas vítimas inocentes. Boa parte das atividades terroristas das décadas de 1980 e 1990 tiveram alguma ligação com a situação instável do Oriente Médio. Os israelenses e os judeus em geral têm estado particularmente vulneráveis a ataques terroristas. O ato terrorista mais sangrento ocorreu em 1988, quando uma bomba plantada por terroristas do Oriente Médio explodiu num Boeing 747 da Pan Am acima de Lockerbie, na Escócia, matando os 259 ocupantes do avião. Outros terroristas médio-orientais também detonaram uma bomba no subsolo do World Trade Center, em Nova York, em 1993, matando seis pessoas e ferindo muitas outras.

Os extremistas do mundo inteiro continuam a usar de violência para atingir seus objetivos. Assim, muçulmanos fundamentalistas foram responsáveis por ataques terroristas em Estados árabes onde queriam impor um governo estritamente religioso. Grupos fundamentalistas atacaram violentamente turistas estrangeiros no Egito em meados da década de 1990; na Argélia, fundamentalistas massacraram milhares de homens, mulheres e crianças para manifestar sua oposição ao secularizado governo argelino, que cancelou as eleições quando ficou claro que os fundamentalistas chegariam ao poder e constituiriam um Estado religioso. Nos Estados Unidos, apesar da queda nos índices gerais de criminalidade na década de 1990, grupos de militantes de direita, antigovernistas, lançaram vários taques extremamente violentos. Uma bomba detonada em 1995 ao lado de um edifício do governo em Oklahoma City matou 168 pessoas, entre as quais crianças que brincavam numa creche localizada no edifício. Outro ataque aconteceu num parque público em Atlanta durante os Jogos Olímpicos de 1996 e matou duas pessoas. Extremistas adversários do aborto puseram bombas em clínicas de saúde cujos médicos faziam abortos, espancaram alguns desses médicos e até atiraram em outros. Na Irlanda do Norte, extremistas continuam cometendo atos de terrorismo para tentar pôr fim às negociações de paz entre os protestantes e os católicos. Assim, a violência ocorre ainda em episódios intermitentes, apesar dos cessar-fogos que passaram a vigorar em 1994 e depois de novo em 1997, e apesar dos esforços de Tony Blair, chefe do "novo" Partido Trabalhista, para chegar a um consenso.

A penúria econômica, a guerra civil e o caos político que freqüentemente resultam das mudanças de governo aumentaram desmesuradamente o número de refugiados que cruzam fronteiras em busca de uma vida melhor em países de economia mais próspera e sociedade mais livre. Milhares de haitianos fizeram-se ao mar em barcos fragílimos, navegando as águas do Caribe, quase sempre tempestuosas e sempre infestadas de tubarões, para tentar chegar aos Estados Unidos. Curdos fugiram da repressão no Iraque e na Turquia. Albaneses embarcaram em qualquer coisa que flutuasse na tentativa de cruzar o mar Adriático e chegar à Itália. O comentário de um jornalista albanês sobre o seu país poderia ter sido pronunciado por refugiados de muitas outras partes do mundo: "Não há pão nas padarias, não há leite. O sal está em falta... Todos estão desiludidos. Não há dinheiro nem esperança." Centenas de milhares de pessoas originárias do norte da África chegaram à França e a outros países da Europa ocidental através da Espanha, fugindo da polícia e trabalhando em empregos temporários. Em 1995, quase três milhões de pessoas estavam vivendo ilegalmente nos países da Europa ocidental.

Durante a recessão econômica do começo dos anos 1990, os imigrantes presentes em certos países prósperos foram feitos de bodes expiatórios para os problemas econômicos, como o desemprego, e foram acusados de trabalhar clandestinamente em troca de salários baixíssimos. A xenofobia (o ódio aos estrangeiros) e o racismo tornaram-se mais evidentes e manifestos na Europa ocidental do que em qualquer outra época desde antes da Segunda Guerra Mundial; aumentou muito o número de votantes da extrema direita na França, na Áustria e na Alemanha, onde *skinheads* ("carecas") e extremistas de direita perpetraram vários atos de violência mortal contra os imigrantes. Nos Estados Unidos, o medo de que os imigrantes ilegais invadissem o país e sobrecarregassem os sistemas médico e educacional refletiu-se nas tentativas de limitar os serviços de bem-estar social oferecidos aos imigrantes, de impedir a educação multicultural e de impor o inglês como única língua oficial.

Não obstante, em sua maior parte, esses anos foram extremamente prósperos para a economia norte-americana. A partir de 1982, quando a bolsa de valores começou a subir sem parar, cinco anos de "dinheiro fácil" enriqueceram muitos norte-americanos. Os *yuppies* (jovens profissionais urbanos), tema de inúmeras piadas, embolsavam "dinheiro a rodo", trabalhavam em posições de alta responsabilidade financeira e gastavam ostentosamente o muito que ganhavam.

O frenesi de fusões e aquisições levou muitas grandes empresas a engolir firmas menores. Proliferaram os *junk bonds* ("títulos podres") de alto risco. Vários investidores proeminentes de Wall Street foram para a cadeia, condenados por "tráfico de informações": usavam informações confidenciais sobre os assuntos internos de várias empresas para investir e ganhar grandes somas em dinheiro. A desregulamentação da economia foi outra marca registrada dos anos 1980. A nova era de concorrência acirrada nos Estados Unidos chegou a balançar até a American Telephone and Telegraph Company; a venerável "Ma Bell" perdeu o monopólio de que gozou por décadas, e o preço dos serviços de telecomunicações para os consumidores diminuiu.

Em virtude do grande aumento dos gastos militares nos primeiros anos do governo Reagan, a dívida federal norte-americana triplicou e o déficit da balança comercial aumentava todo trimestre. As ações de Wall Street ficaram sobrevalorizadas e caíram de repente na "Segunda-Feira Negra", dia 19 de outubro de 1987. O índice Dow Jones caiu 500 pontos, ou 23 por cento, e muito investidores ficaram com medo de que viesse outra Depressão. O diretor da Bolsa de Valores de Nova York comentou em tom soturno: "De tudo que já vi, isto é que mais se parece com uma quebradeira financeira, e espero nunca mais ver nada parecido." Entretanto, a economia sobreviveu a essa tempestade e o valor das ações logo voltou a subir.

Na década de 1990, o crescimento da economia norte-americana foi estimulado pela rápida intensificação do uso da informática – uma tecnologia em boa parte nascida e criada no Vale do Silício, na Califórnia – tanto nos produtos quanto nos métodos de produção. O crescimento econômico gerou muitos empregos nos Estados Unidos, onde quase 60 por cento das mulheres adultas agora trabalham, em comparação com as cerca de 35 por cento de trinta anos atrás. Os salários das mulheres quase alcançaram os dos homens, e os esportes femininos fizeram muito progresso nas universidades e nos circuitos profissionais. Não obstante, em certas profissões, existe ainda o "telhado de vidro" que impede as mulheres qualificadas de chegar a certos cargos. Também os salários dos afro-americanos aumentaram, muito embora o desemprego entre os jovens negros e outros grupos minoritários, como os hispânicos, ainda permaneça desproporcionalmente alto.

A economia desempenhou papel decisivo nas mudanças políticas ocorridas nos Estados Unidos. Em 1992, o ex-governador do Arkansas, Bill Clinton, derrotou nas eleições presidenciais o presidente George Bush, cuja campanha foi prejudicada pela recessão econômica e pela alta do desemprego. Clinton chegou à presidência com a esperança de efetuar mudanças significativas; porém, sua tentativa de criar um plano nacional de seguro de saúde suscitou a oposição da American Medical Association (Associação dos Médicos Norte-Americanos) e de muitos cidadãos norte-americanos que temiam o custo e as restrições de um tal programa. Em 1994, uma ampla vitória republicana nas eleições para o congresso deu aos republicanos, pela primeira vez em cinqüenta anos, o controle sobre o senado e a câmara dos deputados. Não obstante, apoiado pela ascensão econômica, Clinton foi reeleito em 1996, muito embora continuasse acuado por escândalos financeiros e sexuais. O sucesso de Clinton pode ser parcialmente explicado pelo fato de ele ter adotado uma política de centro, reproduzindo às vezes as opiniões dos republicanos sobre a diminuição da participação do governo na vida do país. Em 1996, ele assinou um decreto que, em suas próprias palavras, "acaba com a previdência social tal como a conhecemos". Em 1998, o presidente Clinton entregou ao país o primeiro orçamento equilibrado em trinta anos.

A economia norte-americana não existe num vácuo. As economias de todos os países passaram a depender cada vez mais umas das outras. Em 1992, o Tratado de Maastricht foi assinado nessa cidade holandesa pelos doze países membros da Comunidade Européia (CE), bem como pela maioria dos países pertencentes à Associação Européia de Livre Comércio. Em 1994, a Áustria, a Noruega, a Suécia e a Finlândia foram formalmente convidadas a integrar-se à União Européia; os cidadãos noruegueses, em 1994 mesmo, rejeitaram o convite. O Tratado de Maastricht previa a criação de uma Área Econômica Européia que eliminaria todas as barreiras alfandegárias e, em princípio, os postos de fiscalização de fronteira. A Comunidade Européia, em meio a grandes controvérsias, assumiu um papel maior no planejamento e na coordenação econômica entre os Estados europeus e preparou a implementação de uma nova unidade monetária comum – o "euro" –, a ser introduzida no começo de 1999 e adotada irrestritamente em 2003. Enquanto isso, porém, vários setores manifestavam uma oposição considerável ao aumento da integração econômica e política entre os países da Europa. Isso aconteceu sobretudo entre os ingleses conservadores de tendência "euro-cética", que temiam que a consolidação da autoridade de Bruxelas prejudicasse a soberania britânica. Ao mesmo tempo, porém, a maior parte dos ingleses se aproximava mais do continente, não só em espírito como também na realidade física. Em 1994 foi inaugurado o *"Chunnel"*, um túnel ferroviário de quarenta e oito quilômetros entre a Inglaterra e a França, de tal modo que Londres ficou a poucas horas de viagem de Bruxelas e Paris.

Diante da concorrência da CE, o congresso norte-americano aprovou em 1992 o Acordo de Livre Comércio da América do Norte (Alcan). Com o Alcan, as restrições comerciais entre os Estados Unidos, o Canadá e o México foram sendo pouco a pouco eliminadas.

Quando os mercados e as moedas asiáticas sofreram uma forte queda, em 1997, sobretudo em Seul (Coréia do Sul) e em Cingapura, os efeitos dessa queda se fizeram sentir nas bolsas do mundo inteiro. As repercussões financeiras internacionais refletem o fato de que as economias regionais estão cada vez mais ligadas entre si. A globalização da economia internacional determinou a necessidade de se dar socorro financeiro às economias problemáticas cuja ruína poderia ter efeitos graves sobre a economia mundial. Um empréstimo de cinqüenta bilhões de dólares oferecido pelos Estados Unidos ao México em 1995 manteve à tona a periclitante economia desse país, cuja moeda, o peso, vinha caindo continuamente e arrastando consigo o risco da instabilidade política. Na Europa, ao contrário do que acontecia dos Estados Unidos, a taxa de desemprego permanece extremamente alta – quase 20 por cento na Espanha, 13 por cento na França, e não muito menos do que isso na Alemanha. O desemprego afeta especialmente os jovens, que, diante de um futuro que lhes parece incerto, acabam caindo com mais freqüência na criminalidade e no vício das drogas.

Nos últimos vinte anos do século XX, o problema do uso ilegal de drogas, tanto nos Estados Unidos quanto na Europa, superou a capacidade das autoridades, que se viram ineptas para impedir a chegada de drogas do Sudeste Asiático e da América Latina, especialmente da Colômbia. Depois da introdução do *crack* nos Estados Unidos pelos traficantes em 1985, a dependência dessa droga cresceu tanto entre a classe média quanto entre os pobres dos grandes centros urbanos, que se voltam para as drogas a fim de fugir do sentimento de desesperança gerado pelo desemprego e pela pobreza. As cruzadas nacionais movidas nos Estados Unidos contra as drogas ilegais, o aumento do orçamento reservado à fiscalização nos aeroportos e fronteiras e os programas educacionais não conseguiram atingir seus objetivos. Para um número cada vez maior de jovens, está cada vez mais difícil "simplesmente dizer *não*" às drogas ilícitas.

Além dos problemas deliberadamente criados pelos seres humanos – a guerra, a criminalidade, as drogas e o terrorismo –, a humanidade permanece vulnerável a acidentes catastróficos e calamidades naturais. Violentos terremotos mataram pelo menos 30 mil pessoas na Armênia em 1988, 10 mil na Índia em 1993 e mais de 5 mil em Kobe, no Japão, em 1995. Na Colômbia, uma erupção vulcânica desencadeou violentíssimas avalanches que soterraram mais de 25 mil pessoas em 1985.

Ao lado das calamidades naturais, acidentes catastróficos têm se abatido sobre o mundo. Em dezembro de 1984, 2.500 pessoas morreram no pior acidente industrial da história da humanidade, quando um gás venenoso vazou da fábrica de inseticidas da Union Carbide em Bhopal, na Índia. Em 1º de abril de 1986, o pior acidente nuclear da história ocorreu na usina de Chernobyl, na Ucrânia. O núcleo do reator se rompeu, espalhando dejetos contaminados e uma poeira radioativa que foi levada pelo vento para outras partes da Europa e da Ásia. "Por favor, diga ao mundo para nos ajudar", disse um radioamador. Nem a completa evacuação dos habitantes dos arredores pôde evitar muitas mortes, doenças graves e o nascimento de crianças deficientes, bem como a contaminação de certos produtos agrícolas e dos mananciais das águas.

Vazamentos de petróleo causaram danos menos mortíferos, mas igualmente prejudiciais ao meio ambiente, pondo em risco os peixes e os animais selvagens das águas e das praias. Em março de 1990, o navio petroleiro *Exxon Valdez* naufragou em Prince William Sound, no Alasca, deixando vazar 250 mil barris de petróleo nas águas do mar, naquele que foi um dos maiores desastres ecológicos da história. Outros grandes vazamentos poluíram o meio ambiente em Porto Rico e no litoral sul da Inglaterra.

Os poluentes causaram danos consideráveis à atmosfera terrestre. Fotografias tiradas por satélites revelaram a diminuição da camada de ozônio que protege a terra de alguns efeitos mais nocivos dos raios do sol. Além disso, os danos ambientais literalmente caíram do céu. A "chuva ácida", que tem origem na poluição química e industrial, vem preocupando cada vez mais os ambientalistas e cientistas. Começou a destruir florestas na Alemanha, nos Estados Unidos e no Canadá, bem como na Alemanha Oriental e na República Tcheca, que, sob o comunismo, praticamente não faziam restrições à poluição. A crescente preocupação com os danos infligidos ao meio ambiente suscitou a organização da "Cúpula da Terra", realizada no Rio de Janeiro em 1992, à qual compareceram delegados de 178 países.

Ao mesmo tempo em que os avanços da ciência e da medicina continuam a reduzir ou mesmo eliminar a ameaça representada por muitas doenças na maior parte do mundo, novas e mortíferas modalidades de doenças antigas e algumas doenças novas vêm ceifando muitas vidas humanas. Na África Central, uma epidemia do terrível vírus Ebola arrebatou milhares de vidas em 1995, lembrando os cientistas que certas doenças ainda estão além da capacidade curativa da medicina. O vírus da Aids, o qual causa uma doença crônica e fatal que destrói o sistema

A história da humanidade

Destruição do ozônio

imunológico do ser humano, foi observado pela primeira vez no começo da década de 1980 e isolado pelos cientistas em 1984. A Aids devastou a República Centro-Africana e o Zaire e se fez presente em menor escala em praticamente todos os países. No Ocidente, os homossexuais eram particularmente vulneráveis à doença; mas ela se alastrou também para a população heterossexual e não usuária de drogas. Em 1991, o superastro do basquete profissional Magic Johnson anunciou que havia contraído o HIV e estava se aposentando da vida esportiva; esse anúncio teve o salutar efeito de pôr a doença em evidência para o público do mundo ocidental. Embora muitos aidéticos sobrevivam agora por mais tempo do que antes, graças a coquetéis de medicamentos que lhes prolongam a vida, não se descobriu ainda a cura da doença.

O custo dos cuidados com a saúde e dos tratamentos médicos subiu a níveis altíssimos em praticamente todos os países. Nos Estados Unidos, em 1990, as famílias gastavam 730 bilhões de dólares por ano em atendimento e tratamento médico, o dobro do que gastavam dez anos antes; apesar disso, uma minoria expressiva – cerca de uma em cada nove famílias – não tinha plano de saúde nem acesso regular a atendimento médico. O alto custo dos serviços médicos, dos hospitais e de outros estabelecimentos de atendimento médico, e as despesas com tratamentos desnecessários, colaboraram para aumentar a tal ponto os gastos. Em países dotados de programas extensos de atendimento médico público e barato, como a França, a Inglaterra e a Suécia, os custos do sistema ameaçaram superar a capacidade orçamentária do governo.

Os notáveis avanços da ciência e da medicina também deram origem a certos problemas éticos. Em nenhum campo isso ficou tão claro quanto no da medicina genética, pela qual os cientistas identificaram genes vinculados a algumas doenças. É certo que tais pesquisas podem ser usadas para identificar e alterar genes que produziriam doenças hereditárias como a distrofia muscular ou a anemia falciforme, mas também podem ser usadas por pessoas que querem ter um filho (e abortariam, por exemplo, uma criança que tem predisposição ao câncer) ou por empregadores (que não contratariam, por exemplo, uma pessoa que tem probabilidade genética de contrair com pouca idade o mal de Alzheimer). Atitudes como essas resultariam não só em dilemas morais como em problemas jurídicos. Outras questões de ética foram suscitadas pela clonagem de uma ovelha, realizada no Reino Unido em 1997. Teme-se que os seres humanos também possam ser clonados, e a questão tem dado margem a furiosos debates.

Em comparação com o dramático pouso da primeira espaçonave sobre a Lua, em 1969, a exploração do espaço adquiriu um caráter de rotina nas décadas de 1980 e 1990. Em 1985, dois astronautas norte-americanos tornaram-se os primeiros homens a caminhar no espaço sem estar ligados à sua nave. No ano seguinte, uma tragédia abateu-se sobre o programa espacial. Em 1986, a

A história da humanidade

A clonagem de Dolly

nave Challenger explodiu no espaço setenta e três segundos depois da decolagem. Os sete tripulantes morreram e a cápsula desabou no oceano sob os olhares atônitos dos espectadores presentes no cabo Canaveral e de uma enorme audiência que acompanhava o evento pela televisão. Entre os mortos estava uma professora primária e mãe de família de New Hampshire, Christa McAuliffe, que, num gesto de publicidade do programa espacial norte-americano, fora convidada a participar da viagem.

Dois anos se passaram até que outro ônibus espacial tripulado norte-americano subisse ao espaço. Enquanto isso, à medida que o programa espacial ia recuperando credibilidade, os Estados Unidos estimularam o desenvolvimento de foguetes de uso comercial e enviaram sondas não-tripuladas para obter informações sobre as estrelas e planetas. A Voyager 2 passou perto de Urano em 1986 e, quatro anos depois, chegou a meros 4.800 quilômetros de Netuno. Em 1991, o ônibus espacial Colúmbia completou com êxito uma missão científica de onze dias em órbita para instalar um satélite de telecomunicações. Em 1997, o telescópio espacial Hubble, lançado originalmente pelo ônibus espacial Discovery, enviou à terra fotografias belíssimas dos confins mais distantes do universo, e inclusive de centenas de galáxias até então desconhecidas. Enquanto isso, em 1995, para simbolizar o fim da Guerra Fria, o ônibus espacial Atlantic e a estação espacial russa *Mir* se acoplaram no espaço. E, em 1997, uma sonda não-tripulada desceu sobre o planeta Marte.

Hendrik Willem van Loon

Para várias gerações quase habituadas à dramática exploração do espaço, a revolução das telecomunicações ocorrida ns décadas de 1980 e 1990 pareceu ainda mais notável. A televisão aproximou as diversas partes do mundo com a rápida expansão das transmissões por cabo e depois por satélite, inauguradas primeiro nos Estados Unidos e logo depois em muitos outros países. Em 1998, os Jogos Olímpicos de Inverno, realizados no Japão, foram abertos com uma apresentação da "Ode à Alegria", de Beethoven. O maestro, diante da orquestra na cidade de Nagano, regia cinco coros, situados na África do Sul, na Austrália e em três outros continentes, cujas vozes eram transmitidas instantaneamente via satélite.

Quando a televisão colaborou para diminuir a distância entre os continentes e os países, Michael Jordan, astro do basquete norte-americano, se tornou um dos homens mais conhecidos do mundo. Camisas e bonés esportivos e caríssimos tênis de marca (em geral produzidos na Ásia por trabalhadores extremamente mal pagos) passaram a ser usados por muitos jovens, tanto no Ocidente quanto nos cantos mais distantes do globo.

A partir de meados da década de 1980, o computador pessoal transformou completamente os nossos meios de geração, descoberta e comunicação de informações. Os progressos dos computadores pessoais e dos programas de computação aconteciam com tanta rapidez que, para acompanhá-los, foi preciso constituir-se um verdadeiro exército de gênios da informática e da alta tecnologia. O avanço espantoso dos *chips* aumentou exponencialmente a capacidade de memória dos computadores, que se tornaram menores e, ao mesmo tempo, mais confiáveis. O *e-mail* (correio eletrônico) possibilitou a comunicação praticamente instantânea entre pessoas de qualquer lugar do mundo, desde que tenham acesso a um computador e a uma linha telefônica, o que facilitou, por exemplo, a colaboração entre cientistas separados por grandes distâncias. A Internet pôs todo um universo de *websites* informativos à disposição de qualquer um que tenha diante de si um computador. Os estudantes começaram a "navegar na *web* para encontrar informações para seus trabalhos escolares; as universidades e faculdades esmeraram-se em pre-

A história da humanidade

parar seus *websites*; as pessoas em geral passaram a fazer pela Internet suas operações bancárias, a reservar passagens aéreas e estadias em hotéis, a comprar livros e até roupas, a acompanhar os feitos de seus times e a ler os jornais estrangeiros disponíveis na rede. Também em meados dos anos 1990, os telefones "celulares" móveis passaram a ser vistos em toda parte – nos bancos, nos ônibus, nos restaurantes e cafés (descontentando muitas vezes os demais freqüentadores) e nos automóveis.

Não obstante, a revolução da informática suscitou problemas éticos e complexas questões jurídicas, envolvendo, por exemplo, o direito à liberdade de palavra (as pessoas têm o direito de veicular pornografia pela Internet?) e o direito à privacidade. Ao mesmo tempo, ficou claro que as inovações tecnológicas e as interconexões globais pela Internet deixaram os programas mais vulneráveis aos "vírus" de computador e impuseram uma ameaça à privacidade na medida em que *hackers* inescrupulosos puderam começar a coletar informações sobre as finanças ou a vida particular, por exemplo, de qualquer um que faça uso de um computador pessoal.

No início do século XX, levavam-se semanas para viajar pelo mundo de navio, o único meio de transporte pelo qual isso era possível na época. O mundo parecia então muito grande, e os outros povos eram uma preocupação distante na mente dos ocidentais. Hoje em dia, aviões a jato nos levam rapidamente aos lugares mais recônditos, e as informações sobre a movimentação da economia japonesa e sobre as possíveis mudanças políticas na China, na Índia, no Sudeste Asiático, no Oriente Médio e em qualquer outro lugar do mundo são acessíveis e importantes para todos nós. Do mesmo modo, pessoas que no passado só interessariam ao povo de seu país adquiriram hoje em dia uma significação universal. Foi assim que muita gente pelo mundo afora buscava saber notícias da princesa Diana da Inglaterra – sobre o seu casamento com o príncipe Charles, o nascimento de seus filhos, a bulimia de que sofria e o fim de seu casamento. E todos lamentaram sua morte prematura, ocorrida num acidente de automóvel em 1997; centenas de milhões de pessoas acompanharam a sombria procissão do enterro, transmitida ao vivo para o mundo inteiro pela televisão.

Hendrik Willem van Loon

A *World Wide Web*

A notável revolução dos transportes ampliou os horizontes da humanidade; o automóvel primeiro e depois o avião superaram em importância o transporte por navio e até mesmo o transporte ferroviário, invenção do século XIX. Pode-se dizer que a revolução das comunicações teve efeitos ainda mais drásticos; à invenção do telefone sucedeu-se a do rádio, depois a da televisão, depois a do computador. O cidadão comum que vive em muitas partes do mundo no final do século XX tem à sua disposição todo um universo de informações que lhe são acessíveis através de viagens, dos noticiários de televisão e do computador pessoal. O mundo realmente ficou menor.

Enquanto isso, as condições de vida para a maioria dos seres humanos melhoraram imensamente no decorrer dos últimos cem anos. Nas últimas décadas deste século, a porcentagem da população mundial que não dispõe do suficiente para comer caiu para cerca de 25 por cento, muito embora ainda haja muita miséria na África, na Ásia e em outras partes, e ainda haja muito trabalho a fazer. Porém, à medida que os horrores do fascismo e a fracassada experiência do comunismo passam para o esquecimento na maior parte do globo, temos motivos de sobra para ter esperança e acreditar com otimismo que o primeiro século do novo milênio trará não só mais progressos da ciência e da tecnologia, mas também uma vida melhor para uma porcentagem ainda maior da população deste nosso planeta.

UMA CRONOLOGIA ANIMADA
500000 a.C.-2000 d.C.

Hendrik Willem van Loon

A história da humanidade

Hendrik Willem van Loon

A história da humanidade

Hendrik Willem van Loon

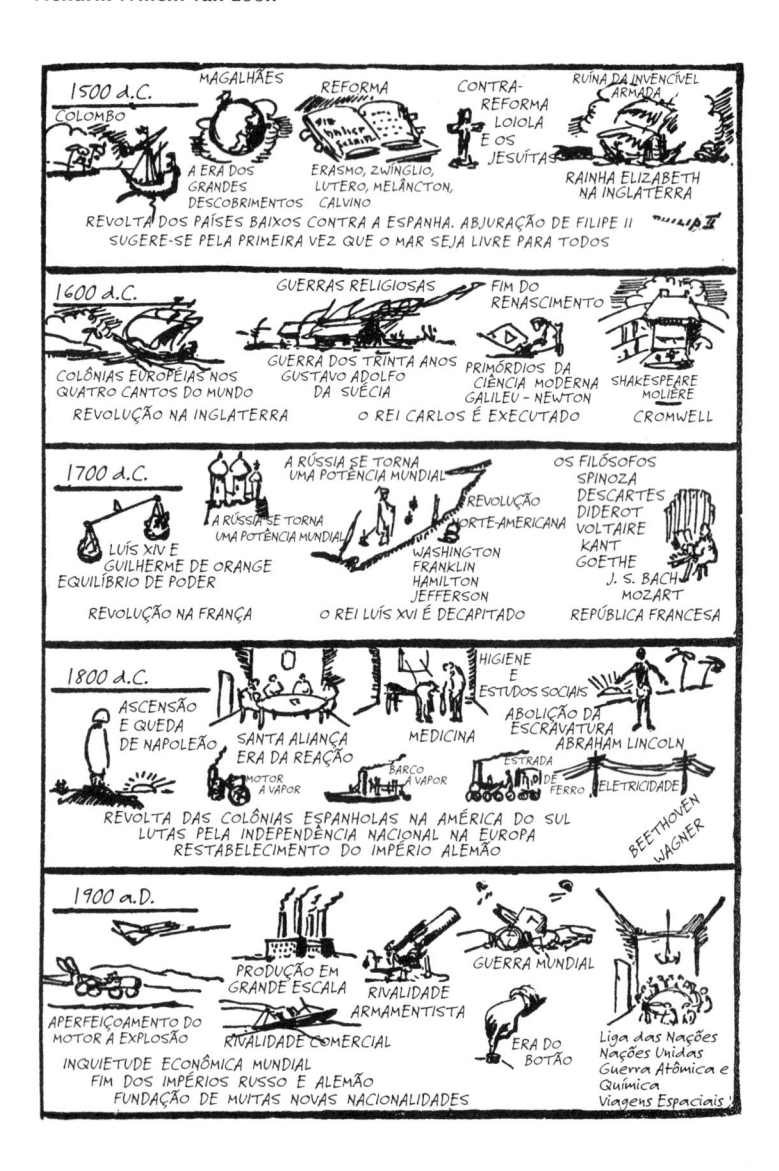

1500 d.C.
COLOMBO
MAGALHÃES
A ERA DOS GRANDES DESCOBRIMENTOS
REFORMA
ERASMO, ZWINGLIO, LUTERO, MELÂNCTON, CALVINO
CONTRA-REFORMA
LOIOLA E OS JESUÍTAS
RUÍNA DA INVENCÍVEL ARMADA
RAINHA ELIZABETH NA INGLATERRA
REVOLTA DOS PAÍSES BAIXOS CONTRA A ESPANHA. ABJURAÇÃO DE FILIPE II
SUGERE-SE PELA PRIMEIRA VEZ QUE O MAR SEJA LIVRE PARA TODOS

1600 d.C.
COLÔNIAS EUROPÉIAS NOS QUATRO CANTOS DO MUNDO
REVOLUÇÃO NA INGLATERRA
GUERRAS RELIGIOSAS
GUERRA DOS TRINTA ANOS GUSTAVO ADOLFO DA SUÉCIA
O REI CARLOS É EXECUTADO
FIM DO RENASCIMENTO
PRIMÓRDIOS DA CIÊNCIA MODERNA GALILEU – NEWTON
SHAKESPEARE MOLIÈRE
CROMWELL

1700 d.C.
LUÍS XIV E GUILHERME DE ORANGE
EQUILÍBRIO DE PODER
REVOLUÇÃO NA FRANÇA
A RÚSSIA SE TORNA UMA POTÊNCIA MUNDIAL
A RÚSSIA SE TORNA UMA POTÊNCIA MUNDIAL
REVOLUÇÃO NORTE-AMERICANA
WASHINGTON FRANKLIN HAMILTON JEFFERSON
O REI LUÍS XVI É DECAPITADO
OS FILÓSOFOS
SPINOZA DESCARTES DIDEROT VOLTAIRE KANT GOETHE J. S. BACH MOZART
REPÚBLICA FRANCESA

1800 d.C.
ASCENSÃO E QUEDA DE NAPOLEÃO
SANTA ALIANÇA ERA DA REAÇÃO
MOTOR A VAPOR
MEDICINA
BARCO A VAPOR
HIGIENE E ESTUDOS SOCIAIS
ABOLIÇÃO DA ESCRAVATURA ABRAHAM LINCOLN
ESTRADA DE FERRO
ELETRICIDADE
REVOLTA DAS COLÔNIAS ESPANHOLAS NA AMÉRICA DO SUL
LUTAS PELA INDEPENDÊNCIA NACIONAL NA EUROPA
RESTABELECIMENTO DO IMPÉRIO ALEMÃO
BEETHOVEN WAGNER

1900 a.D.
APERFEIÇOAMENTO DO MOTOR A EXPLOSÃO
PRODUÇÃO EM GRANDE ESCALA
RIVALIDADE ARMAMENTISTA
RIVALIDADE COMERCIAL
GUERRA MUNDIAL
ERA DO BOTÃO
Liga das Nações
Nações Unidas
Guerra Atômica e Química
Viagens Espaciais
INQUIETUDE ECONÔMICA MUNDIAL
FIM DOS IMPÉRIOS RUSSO E ALEMÃO
FUNDAÇÃO DE MUITAS NOVAS NACIONALIDADES

ÍNDICE REMISSIVO

Abelardo, 212-3
Abissínia, ver Etiópia
aborto, 584, 618, 626
Abu-Bakr, 140
acadianos, 34
Acordo de Livre Comércio na
  América do Norte (Alcan), 622
Acrópole, 77, 81
Adenauer, Konrad, 533, 550
Afeganistão, 588, 591
  guerra civil no, 602
Afonso XIII (Espanha), 497
África, 454, 546, 554, 571, 596,
  609-10
África do Norte, 518
África do Sul, 609-10, 628
Afrika Korps, 513, 518
Agência de Proteção Ambiental
  (EUA), 570
agricultura, 572
Aids, 624-5
Airlift (Ponte Aérea) (EUA), 529
alamanos, 127
Alarico, 127
Alasca, 624
Alba, duque de, 271
Albânia, 540, 604-5, 619
Alberto da Sardenha, 395

Alcibíades, 82
aldeia global, 562-4
Aldrin Jr., Edwin E., 557
Alemã, República Democrática
  (Alemanha Oriental), 603, 624
Alemanha, 380-3, 493-525, 624,
  619
Alemanha, República Federal da
  (Alemanha Ocidental), 550,
  603, 624
  rearmamento da, 533, 535
Alemanha Ocidental, ver
  Alemanha República Federal da
Alemão, Império, 403
Alexandre Magno, 28, 36, 83-4
Alexandre I (Rússia), 358, 367-75,
  389
Alexandre VI (papa), 239
algodão, 407
Áli, 141
Aliança para o Progresso, 549
alimentos, 573-4, 610
Allende, Salvador, 590
alquimia, 406
Alzheimer, mal de, 626
América Central, 613
América do Sul, 612-3
América Latina, 502, 549, 571

639

American Medical Association, 621
American Telephone and Telegraph Company (AT&T), 620
Américo Vespúcio, 237
Amin, Idi, 596
amorreus, 34
Ana, rainha (Inglaterra), 295
anchovas, 573
anemia falciforme, 626
Angola, 610
Aníbal, 98-107
Anschluss, 503
antepassados mais remotos, 9-12
Antíoco III, 106
Antônio, 115
ANUSR, 527
Anzio, 518
apartheid, 609-10
Apolo 11, missão da, 563
Apolo 13, 565
aqueus, 54
Aquino, Benigno, 614
Aquino, Corazón, 614
Aquino, Tomás de, 197
árabes palestinos, 547, 616-7
Arábia Saudita, 615
Arafat, Yasser, 595, 617
Área Econômica Européia, 622
arenque, pesca do, 205
Argélia, 550, 618
Argentina, 590, 612
Aristides, 76
Aristóteles, 83, 196-8, 219
Arkwright, Richard, 407-8
Armada espanhola, 273-4, 285
armas "V", 522
armas biológicas, 616
armas químicas, 615-6
Armênia, 601
armênios, 598
Armstrong, Neil A., 557

arquitetura, 439
arte, 435-48
Asdrúbal, 99
Ásia, 541, 571
assassinato político, 597
Assembléia Nacional, 346-8
assírios, 28, 35
Associação Européia de Livre Comércio, 621
Atenas, 81-2
Atlantic, 627
Atlântico, Carta do, 512, 516
Attlee, Clement, 522
Augusto, 117-8
Austrália, 544, 628
Áustria, 602, 619, 621

Bach, Johann Sebastian, 447
Bacon, Roger, 198, 228, 429
Badoglio, Pietro, 518
Bagdá, 141
Bakke, Allan, 585
Balboa, 238
Bálcãs, países dos, 379, 389, 456-7, 513, 521
Balfour, Declaração de, 491
bálticos, países, 601
Bangladesh, 550, 574
Barba-Ruiva, 167
barco a vapor, 407-8
Bastogne, 520
Beethoven, 447
Begin, Menachem, 594
Bélgica, 377, 511
Bell, Alexander Graham, 413
Bengala Ocidental, 572
Bentham, Jeremy, 421
Berlim, 529, 538-9, 550
Berlim, Muro de, 603
Bernadotte, conde Folke, 531
Bielo-Rússia, 607
Birmânia, 516, 523, 531
Bismarck, Otto von, 396, 400-3

Bizâncio, 127
Bizantino, Império, 218
  conquistado pelos turcos, 136
Blair, Tony, 618
Blanc, Louis, 426
Blitzkrieg, 508
Blücher, Gebhard von, 360
Boccaccio, Giovanni, 217
Bôeres, Guerra dos, 455
Bolívar, Simon, 386
Bolonha, Universidade de, 213
bolsas de valores, 490, 496
bomba atômica, 517, 524-5
Bonaparte, José, 386
Bonaparte, Napoleão, *ver* Napoleão I
Bonn, República de, 533
borguinhões, 127
Bormann, Martin, 522
Bósnia, 607
Brandemburgo, 315
Brasil, 379, 612, 624
Bretton Woods, Conferência de, 527
Brezhnev, Leonid, 588
Briand, Aristide, 488
Brienne, cardeal Loménie de, 344
Brigada Lincoln (Espanha), 498
Brigadas Vermelhas, 598
Britânico, Império, 471, 491, 526
Bruxelas, Conferência de, 533
Buda, 243-8
Bulganin, Nikolai, 538
Bulgária, 451, 604
bulimia, 629
Bunche, Ralph, 531
Bunsen, Robert Wilhelm, 431
Burundi, 611
Bush, George, 615 , 621
Byron, lorde George Gordon, 391

cabo Canaveral, 627
Cabot, Giovanni, 237, 285-6, 327
Cairo, Conferência do, 518
caldeus, 35
Calonne, Charles Alexandre de, 342-3
Calvino, 264, 266
Câmara Estrelada, 284
Camarilha dos Quatro, 592
Camboja, 580
Camp David, acordo de, 594
campos de concentração, 522
Canadá, 622, 624
câncer, 626
Canning, George, 387, 391
Capo d'Istria, 380
Carlos, o Calvo, 145
Carlos Magno, 143-9, 196
  coroação, 144
  divisão do império, 144-7
Carlos Martelo, 142
Carlos I (Inglaterra), 288-91
Carlos II (Inglaterra), 292
Carlos V (Sacro Imperador Romano), 255, 262, 269, 271, 322
Carlos X (França), 392
Carlos XII (Suécia), 312
Carlos XIV (Suécia), 378
Carolinas, ilhas, 523
Cartago, 88-103
  governo de, 88-9
Carter, Jimmy, 583, 588, 591
Cartwright, Edmund, 407
carvão, 575
Casablanca, Conferência de, 517
Castela, planície de, 559
Castlereagh, lorde, 372-5
Castro, Fidel, 544, 609
catástrofes naturais, 623
Catilina, 113
cavalaria, 160-2
Cavaleiros da Liberdade, 553
Cavour, conde, 397
Cazaquistão, 607
Ceausescu, Nicolau, 604

Cem Anos, Guerra dos, 282-3
César, Júlio, 112-5
Chade, 550, 574, 592, 610
Challenger, 627
Chamberlain, Neville, 505, 510
Chamorro, Violeta Barrios de, 613
Chancellor, Richard, 286, 302
Charles, Príncipe de Gales, 629
Chernobyl, acidente nuclear de, 623
Chiang Kai-shek, 518, 523, 532, 540
Chile, 590, 612
China, 499, 505-6, 523, 532, 535, 541-2, 591-3, 608-9
China Vermelha, 540-2
Chipre, 550
Chou En-lai, 592
Chrisoloras, 218-9
Chunnel, 622
Churchill, Winston, 510-1, 517-8, 521-2, 527, 552, 562
chuva ácida, 570-1, 624
Cícero, 113
cidades como Estados, as, 57-60
cinema, 487
Cingapura, 622
Cipião, Lúcio, 107
Cipião, Públio, 101, 105
Ciro, 44
Cisjordânia, 617
Cleópatra, 28, 114-5
Clinton, Bill, 621
clonagem, 626
Clóvis, 143
Cnossos, 50
Colbert, Jean-Baptiste, 322
Collins, Michael, 557
Colômbia, 623
Colombo, 229, 234-6
Colônias francesas, 329
Colônias Inglesas, 326-33

Colúmbia, 627
Cominform, 538
Comintern, 528
Comitê de Não-Intervenção, 499
Companhia Holandesa das Índias Ocidentais, 275
Companhia Holandesa das Índias Orientais, 239, 274
computadores, 567-8, 628-30
computador pessoal, 567, 628-30
Comunidade Econômica Européia (Mercado Comum Europeu), 536, 540
Comunidade Européia (CE), 622
Comunismo, 495, 501, 528-9, 532, 540-1, 600-7, 624
Concorde, 571
Confederação do Norte da Alemanha, 401
Conferência Pan-Americana (1936), 509
Conferências para a Limitação de Armas Estratégicas, 555
Confúcio, 248-53
Congo, 455, 545
Congo (Zaire), 612
Congresso de Representantes do Povo, 605
Congresso de Viena, 347-8, 384-5
conquista do Egeu, 55-6
Conrado V, 167
Conselho da Europa, 529-30
Conselho dos Dez (Veneza), 203
Constantino, 127, 134
Constantinopla, 127-8, 135, 218
Contras, 613
Coolidge, Calvin, 489
Copérnico, 234
Coréia, 492, 532-5
Coréia do Sul, 590, 622
Corredor Polonês, 507
Correggio, 442
Cortina de Ferro, 528

Costa do Marfim, 545
Costa do Ouro, 545
Costa Rica, 613
Covilham, Pedro de, 232
Cox, Archibald, 582
crack, 623
Credit-Anstalt austríaco, 491
Creta, 50-2, 514
Criméia, Conferência da, 518
Criméia, Guerra da, 398
Cristiano IV (Dinamarca), 277
Croácia, 607
Cromwell, Oliver, 291-2, 322
Cruzadas, 167-75
Cruz Vermelha, 610
Cuba, 455-6, 544, 550, 609
culto da juventude, 587
cultura popular, 585-6
cuneiformes, inscrições, 31-2
Cúpula da Terra, 624
curdos, 619
Czartoryski, Adam, 378

da Vinci, Leonardo, 224
Dante, 213-7
Danton, Georges-Jacques, 350
Darwin, Charles, 430
Dayton, Acordo de Paz de, 607
de Gaulle, Charles, 517, 549-50
de Witt, Jan, 299
Dean, John, 582
Décimo Terceiro Congresso do Partido Comunista Chinês (1987), 607
Declaração de Independência dos Estados Unidos, 334
Declaração dos Direitos do Homem, 348
Decreto de Neutralidade (EUA), 498, 503
Deng Xiaoping, 607, 609
Depressão, Grande, 489, 620
descoberta da América, 237-40

descobridores nórdicos, 235
desemprego, 609, 619, 621, 623
desregulamentação da economia, 620
Dez Mandamentos, 39
Dia D, 519
Dia da Vitória na Europa, 522
Diana, princesa (Inglaterra), 629
Dias, Bartolomeu, 232
Diem, Ngo Dinh, 577
Dien Bien Phu, 577
Dinamarca, 378, 510
dinamarquês, parlamento, 191
Direito Divino dos Reis, 289-91
direitos civis, movimento pelos (EUA), 553, 585
Discovery, 627
Disraeli, Benjamin, 456
distrofia muscular, 626
"Documentos do Pentágono", 581
doenças, 624-5
Doutrina Monroe, 387
Doutrina Truman, 544
Dow Jones, índice, 620
Drácon, 64
Dreiser, Theodore, 487
drogas ilegais, 623
Dumbarton Oaks, Conferência de, 527
Dunquerque, 511

Ebert, Friedrich, 493
Ebola, vírus, 624
ecologia, 559
economia mundial, 622
economias de mercado livre, 606
Édito de Nantes, 277
editores de texto 567-8
Eduardo VIII (Inglaterra), 498
educação multicultural, 619
efeito estufa, 573
Egeu, mar, 49-52

Egípcio-Israelense, Guerra (1956), 547
Egito, 17-28, 547-8, 618
Einstein, Albert, 503, 524
Eisenhower, Doutrina, 544
Eisenhower, Dwight D., 517, 519, 533, 544, 552-3, 582
Eixo, 499, 503, 515, 517
eletricidade, 411-2
eletrônica, 567-8, 586-7
Elisabeth I (Inglaterra), 273, 285-8, 322
Ellsberg, Daniel, 581
e-mail (correio eletrônico), 628
Emenda de Igualdade de Direitos, 584
Empréstimos e Arrendamentos, Acordo de, 512
Enciclopédia (Francesa), 339, 429
Engels, Friedrich, 426
Enghien, Duc d', 354
Equilíbrio de Poder, 297-301, 500
Era da Expressão, 221-6
Era da Razão, 350
Era dos Descobrimentos, 227-42, 556
Era Espacial, 556-7, 563, 565-7
Era Glacial, 13-16
Erasmo, 211, 258-9
Eriksen, Leif, 235
escassez de víveres, 610
escravatura, abolição da, 422-4
escravos, 66-8
escrita, invenção da, 18-21
Esfera de Co-Prosperidade, 527
Eshkol, Levi, 548
Eslováquia, 604
Espanha, 358, 497-8, 502
Esparta, 76-80
Estados Gerais (Holanda), 192, 272
Estados Unidos, 485-9, 506, 515, 517, 527, 610, 612-6, 618-24, 626-8

e a Guerra Fria, 600, 606
economia dos, 620-2
plano nacional de seguro-saúde, 621
relações com a União Soviética, 543-4, 588,-90, 600, 606
Estalingrado, 517
Estônia, 601
Etiópia, 496-7, 514, 545, 574, 610
etruscos, 91-3
Eugênia, Imperatriz, 402
euro, 622
Europa Oriental, 600, 602-6
Exército da Paz, 553
Exército Republicano Irlandês, 592
Exército Vermelho, 517, 521, 539
Expansão Colonial, 454-6
exploração do espaço, 527-8
Exxon Valdez, 624
Eyck, Jan van, 442

fábricas, 415-20
Falkland/Malvinas, ilhas, 590
Faraday, Michael, 412
Faraó, 27
Farnaces, 114
fenício, alfabeto, 41-2
fenícios, 41-2
Ferdinando e Isabel, 235
Fermi, Enrico, 524
Fernando II (Áustria), 276
Fernando VII (Espanha), 379
Feudalismo, 156-9
"Philippe Egalité", 394
Filipe da Macedônia, 83
Filipe II (Espanha), 269-71, 285, 289
Filipinas, ilhas, 238, 516, 522, 531, 544, 590, 613
Finlândia, 509, 521, 621
Fitch, John, 408-10
Florença, 204, 399

fome, 574, 610
Ford, Gerald, 583, 597
Formosa, 492, 532, 540, 544
Forster, Albert, 508
Fra Angélico, 224
França, 511, 517, 529-30, 540, 544, 549-50, 619, 622
Francisco José, 397
Franco, Francisco, 498, 595
Franco-Prussiana, Guerra, 401-2
francos, 127, 143
Franklin, Benjamin, 333, 411
Frederico Guilherme I (Prússia), 316-7
Frederico Guilherme IV (Prússia), 396
Frederico II (Hohenstaufen), 167-8
Frederico II (Prússia), 316-7
Frente Popular, 498
Fugard, Athol, 599
Fulton, Robert, 408
fuzileiros navais norte-americanos, 595

Gabão, 545, 550
Gabinete Inglês, 295
Gagárin, Yuri, 556
Galileu, 405
Gama, Vasco da, 229, 237
Gana, 546
Gand, 206
Gandhi, Mahatma, 491, 531
García Márquez, Gabriel, 599
Garibaldi, 397
Gaza, faixa de, 547-8, 617
genética, 568-9
genética, medicina, 626
Gêngis Khan, 305
genocídio, 607
Gênova, 204-6
geopolítica, 495
Geórgia, 601

Gibel al-Tarik, 141
Gilbert, ilhas, 523
Giotto, 224
Giraud, Henri, 517
girondinos, 349
Giscard d'Estaign, Valéry, 595
Godofredo de Bouillon (Bulhões), 171
godos, 127
Godunov, Bóris, 307
Golan, Colinas de, 548
Golfo, Guerra do, 612, 615-6
Gomulka, Wladyslaw, 540
Gorbachev, Mikhail, 601-3, 605-6
Göring, Hermann, 522
governo, 61-5
Grã-Bretanha, 544, 549, 622, 624, 626
Graciano, 213
Gracos, 111
Granada, 590
Grande Protesto, 290
Grande Salto à Frente, 542
Grande Sociedade, 554
Grant, Ulysses S., 424
Grasso, Ella, 584
Grécia, 53-84, 379, 389-92, 513, 530
Gregório I (Papa), 135
Gregório VII (Papa), 165-7
Grócio, 274
Guadalcanal, 517
Guam, 516, 523
Guardas Vermelhos, 592
Guatemala, 590, 613
guelfos e gibelinos, 214-5
Guericke, Otto von, 411
Guerra Árabe-Israelense (1948), 547
Guerra Civil (EUA), 423-4
Guerra Fria, 537, 552
  fim da, 606, 627

Guilherme de Orange, 393
Guilherme de Orange (o Silencioso), 271-2
Guilherme I (Alemanha), 402
Guilherme II (Alemanha), 472
Guilherme III (Inglaterra), 294-5, 300
Guilherme, o Conquistador, 153
Guiné, 545
Gustavo Adolfo, 277
Gutenberg, Joahnn, 226

Haakon VII (Noruega), 510
Hailê Selassiê I (Etiópia), 496
Haiti, 386
haitianos, 619
Hals, Frans, 442
Hamurábi, 34
Hanseática, Liga, 207
Harding, Warren G., 486
Hargreaves, James, 407
Hastings, Batalha de, 153
Haushofer, Karl, 495
Havel, Václav, 604
Heemskerk, Jacob van, 274
Hégira, 138
helenos, 54
Helsinque (Finlândia), 555
Henrique Pu-Yi, 492
Henrique IV (Alemanha), 165-6
Henrique VII (Inglaterra), 283
Henrique VIII (Inglaterra), 264, 284
Henrique, o Navegador, 230-2
heresia, 267
Hess, Rudolf, 488, 514
heterossexuais, 625
hicsos, 28
hieróglifos, 19-21
Hindenburg, Paul von, 493
Hirohito (Japão), 525, 542
Hiroshima, 525, 570
hispânicos, 621

história, ponto de vista e, 458-67
hititas, 35
Hitler, Adolf, 488, 493-9, 501, 504-5, 507-15, 520-1
HIV, 625
Ho Chi Minh, 577
Hohenstaufen, dinastia dos, 166-7
Hohenzollern, ascensão dos, 316
Holanda, submetida pela Alemanha, 511
Holandesa, República, 192, 377
homem, surgimento do, 9-17
homossexuais, 585-6, 625
Honduras, 613
Honecker, Erich, 603
Hong Kong, 609
Hoover, Herbert, 489, 501
Hubble, telescópio espacial, 627
Hudson, Henry, 275
Humphrey, Hubert, 579
Hungnam, 533
Hungria, 521, 540, 602
hunos, 127
Huss, Johannes, 221, 373
Hussein (Jordânia), 617
Hussein, Saddam, 615-6
hutus, 610-1
Huygens, 406-7

Idade Média, *ver* medieval, mundo
Igreja Católica, 596, 602
Igreja Católica Romana, 130-8, 256-8
  na Inglaterra, 281
imigrantes, 618-9
imperadores de caserna, 125
imprensa, 226
Índia, 516, 531-2, 549, 555
Índias Orientais Holandesas, 516, 531
Indochina, 549-50
Indochina francesa, 516, 531-2

indo-europeus, 44-47
Indonésia, Estados Unidos da, 531
indulgências, 260-1
industriais, acidentes, 623-4
informática, 620
Inglaterra, 152, 510-3, 530-1
Inglaterra, Batalha da, 512
Inglaterra, conquista romana da, 281
Inquisição, 265-6
Internet, 628
Irã, 591, 614
Irã-Contras, escândalo, 613
Iraniana, Revolução, 575
Iraque, 615-6, 619
Irlanda do Norte, 618
Ísis, 24
islandês, parlamento, 191-2
Israel, 491, 530-1, 548-9, 593, 616-7
Itália, 397, 495-6, 513, 518, 619
Iugoslávia, 513, 530, 540, 607
Ivã, o Terrível, 205, 307
Iwo Jima, 524

jacobinos, 349-50, 356
Jaime I (Inglaterra), 288
Jaime II (Inglaterra), 293-4
Japão, 455, 492, 505-6, 515, 522-5, 542-3, 567, 628
Jazz, Era do, 486
Jefferson, Thomas, 334
Jerusalém, 40
    tomada pelos cruzados, 171
    tomada pelos turcos, 174-5
jesuítas, 268-9, 382
Jesus Cristo, 118-23
Jiang Quing, 592
Jiang Zemin, 608
Jinnah, Mohammed Ali, 531
Joana d'Arc, 222, 283
João (Inglaterra), 189
João Paulo II (Cardeal Karol Wojtyla), 596

Johnson, Lyndon B., 545, 553-5, 578-9
Jordan, Michael, 628
Jordânia, 548
Jorge I (Inglaterra), 295
Jorge II (Grécia), 530
Jorge II (Inglaterra), 295
Jorge III (Inglaterra), 296, 333
Josefina, imperatriz, 353
judeus, 37-40, 593-4, 598
junk bonds ("títulos podres"), 620
Justiniano, 134

Karageorgevich, dinastia, 379
Kay, John, 407
Kennedy, John Francis, 544-5, 551-4, 584, 597
Kennedy, Robert, 554, 597
KGB (Serviço Secreto Soviético), 605
Khadafi, 598
Khomeini, Aiatolá, 591, 614
Khrushchev, Nikita, 540, 544, 554
King, Billie Jean, 584
King, Martin Luther, Jr., 553-4, 585, 597
Kirchhoff, 431
Kissinger, Henry, 581
Königgrätz, Batalha de, 401
Kossuth, Luís, 395
Krüdener, baronesa von, 373-4
Kurusu, Saburo, 515
Kuwait, 577, 615
Ky, Nguyen Cao, 578

Lafayette, marquês de, 391
Lagos, 546
Lao-Tsé, 252
Laplace, marquês de, 431
Lee, Richard Henry, 334
Lee, Robert E., 424
Leeuwenhoek, Antony van, 431

Lei de Plenos Poderes (Alemanha), 494
Leibniz, Gottfried Wilhelm, 405
Leipzig, Batalha de, 359
Leningrado, 515
Leônidas, 77
Leopoldo I (Bélgica), 393
Leopoldo II (Bélgica), 455
Letônia, 601, 607
Lewis, Sinclair, 487
Líbano, 594-5, 612
Libéria, 545
Líbia, 598
Lie, Trygve, 528
Liga Árabe, 530, 615
Liga das Nações, 478-9, 492, 495-7, 527
Liga Muçulmana, 531
limpeza étnica, 607
Lin Biao, 592
Lincoln, Abraham, 524
língua na Idade Média, 219
Linha Avançada, Batalha da, 519-21
Lituânia, 601, 605
lixo tóxico, 570-1
Lloyd, Chris Evert, 584
locomotivas, 410
Loiola, Inácio de, 268
Louisiana, compra da, 361
Lua, 556-7, 563, 565
   viagem à, 626-7
Lubbe, Marinus van der, 493
Luftwaffe, 508
Luís Filipe, 394-5
Luís XIII (França), 277
Luís XIV (França), 297-301, 322, 337-8
Luís XVI (França), 341-50
Luís XVIII (França), 359, 369, 392
Lumumba, Patrice, 546
Lutero, Martinho, 254, 259-63
Lyell, sir Charles, 431

Maastricht, Tratado de, 622
MacArthur, Douglas, 517, 523, 533, 542, 552
Magalhães, Fernão de, 228-9, 238
Magenta, Batalha de, 398-9
Maginot, Linha, 508-9, 511
Magna Carta, 190
Malenkov, Georgi, 537-8
mamíferos, 7-8
Manchúria, 492, 525
Mandela, Nelson, 610
Manila, Pacto de, *ver* Organização do Tratado do Sudeste Asiático
Mannerheim, Linha, 509
Maomé, 137-42
maometanos conquistam a Mesopotâmia e a Espanha, 141-2
Mao Tsé-tung, 532, 540-1, 592
Maquiavel (Niccolò Machiavelli), 223
Maratona, 75
Marcos, Ferdinando, 613-4
Maria, rainha da Escócia, 285-7
Maria Luísa, 393
Maria Teresa, 317
Maria I (Inglaterra), 284
Marianas, ilhas, 523
Mário, 111-2
Marte, 567, 627
Marx, Karl, 426-7
Mau-Mau, levante dos, 545
Maximiliano, imperador do México, 401
Mazzini, Giuseppe, 397
McAuliffe, Christa, 627
McCarthy, Eugene, 579
Médici, família, 204
medieval, mundo, 193-200
   cidades, 182-6
   cartas das cidades, 183-6

autogestão, 187-92
comércio, 201-8
Médici, Catarina de, 285
medos, 44
Mein Kampf (Hitler), 488
Meir, Golda, 548
Meitner, Lisa, 524
Memel, 507
Mercado Comum, *ver* Comunidade Econômica Européia
mercantil, sistema, 319-24
merovíngia, dinastia real, 143-4
Mesopotâmia, 29-36
Metternich, Klemens von, 367-72, 389, 391-4
México, 401, 576, 622
Micenas, 49
Michelangelo, 442
microscópio, 431
Milagre Econômico Japonês, 542
Milcíades, 75-6
Mir, 627
Mirabeau, conde de, 348
Miterrand, François, 595
Mitsubishi, 542
Moçambique, 610
Moisés, 37-40
Molotov, Vyacheslav, 507
Monnet, Jean, 536
Monte Cassino, mosteiro de, 518
Montesquieu, 339
Montez, Lola, 395
Morse, Samuel, 412-3
Moscou incendiada por Napoleão, 359
Moscou, 306-7
Mountbatten, lorde Luís, 524
Movimento Cartista, 420
Mozart, Wolfgang Amadeus, 447
mulheres:
  direitos, 584-5

esportes, 620-1
salários, 620-1
múmia egípcia, 24
música, 443-7
Mussolini, Benito, 487, 494-9, 505, 511, 518
My Lai, 58

Nações Unidas, 516, 527-35, 542, 545, 547, 550, 564, 591, 607, 610, 616
  Carta das, 513, 521, 528
Nagasaki, 525, 570
Nágy, Imre, 539-40
Nairóbi, 546
Napier, John, 405
Napoleão I (França), 149, 351-67, 378-9, 397
Napoleão III (França), 397-8, 401-3
Nasser, Gamal Abdel, 547
navegar na *web*, 628-9
nazistas, criminosos de guerra, 612
Necker, Jacques, 342, 344-5
negros, 585, 609, 621
Nehru, Pandit, 531
Nélson, lorde Horatio, 357
Netanyahu, Benjamin, 617
Netuno, 627
Newcomen, Thomas, 407
Newton, Isaac, 406, 430
Nicarágua, 591, 613
Nicolau I (Rússia), 393
Nietzsche, Friedrich, 494
Níger, 610
Nigéria, 545, 576
Nilo, vale do, 17, 22-26, 27
Nimwegen, Tratado de, 299
Nixon, Richard M., 544, 579, 582-3, 591
Nkrumah, Kwame, 546
Noriega, Manuel Antônio, 613

Normandia, 152, 519
normandos, 150-5
normandos conquistam a Inglaterra, 281-2
Noruega, 378, 510, 621
Nova Amsterdam, 275
Nova Fronteira, 553
Nova Guiné, 523
Nova York, Bolsa de, 620
Nova Zelândia, 544
Novgorod, 207
nuclear, energia, 570
nucleares, acidentes, 623
nucleares, armas, 544, 557-8, 570, 600, 607
Nuremberg, julgamento de, 522
Nyerere, Julius, 546

O'Connor, Sandra Day, 584
Oak Ridge, 525
Obrenovitch, dinastia, 379
"Ode à Alegria" (Beethoven), 628
Odoacro, 127
Okinawa, 524
Oklahoma City, atentado a bomba em, 618
Oldenbarneveldt, João de, 279
Olimpíadas de Inverno (1988), 628
Organização da Unidade Africana, 546
Organização do Pacto de Varsóvia, 535
Organização do Tratado do Atlântico Norte (Otan), 533, 535, 543
Organização do Tratado do Sudeste Asiático (OTSA), 544
Organização Inter-Africana e Malgaxe, 546
Organização pela Libertação da Palestina (OLP), 594, 616-7

Oriente Médio, 547-8, 593-5, 614-7
Ortega, Daniel, 613
Osíris, 24
Otaviano, 115-7
Oto, o Grande, 147, 164, 196
Owen, Robert, 426
Oxford, Universidade de, 213
ozônio, camada de, 624

Pacífico, descoberta do Oceano, 238
Pacto Anti-Comintern, 499
padrão-ouro, 491
Países Baixos, guerra com a Espanha, 269-72
Palestina, 40, 491, 530
Panamá, 613
Papado x Império, 163-9
Papadopoulos, Jorge, 596
papas, 131
Papin, Denis, 407
Paquistão, 531, 544, 550
Paraguai, 612
paralelo 38, 532-3
Paris, Universidade de, 213
parlamento francês, 190-1
Partido Comunista:
    chinês, 607-9
    polonês, 602
    soviético, 601, 605-6
Paulo, 119-23
Paulo I (Rússia), 358, 371
Payne, Thomas, 350
Pearl Harbor, 515-6
Pedro, o Eremita, 171
Pedro, o Grande, 308-14
Peloponeso, Guerra do, 81-2
penicilina, 516
Pepino, 144
Peregrinos, 331
perestroika, 601
Péricles, 81-2

Perry, Matthew, 492
Pershing, mísseis, 588
Pérsia, 44-5
Pérsicas, Guerras, 73-80
Pétain, Henry, 511
Petrarca, Francesco, 216-7
petróleo, 574-7, 615, 624
piano (instrumento musical), 446
Pinochet, Augusto, 590, 612
pintura, 441-2
Pio VII (Papa), 356
pirâmides, 25-26
Plano Marshall, 529-30
Platéia, Batalha de, 78
Poitiers, Batalha de, 142-3
Polo, Marco, 227, 593
Polônia, 378, 507-8, 521, 539-40, 589, 599, 602-3
poluentes, 624
poluição, 559-6, 61, 571, 573
Pompeu, 112-4
Pompidou, Georges, 595
Pôncio Pilatos, 120-2
população, 543, 548-9, 560-1, 571-2
pornografia, 629
Porto Rico, 624
Portugal, 379-80
pós-industrial, era, 562-5
Potsdam, Conferência de, 528
Prêmio Nobel da Paz (1984), 609
Preste João, 233
Primeira Guerra Mundial, 486, 500
Proclamação de Emancipação, 424
Programa de Recuperação da Europa, 529
progresso científico, 428-34
protestantes e católicos, 264-80
protestos contra a guerra, 580-1
Prússia, 315-8
ptolomaico, universo, 234

Ptolomeu, 28
Púnicas, Guerras:
  Primeira, 96
  Segunda, 97-103
  Terceira, 103
puritanos, 327, 331

Quênia, 545
Quéops, 25
Quinta Coluna, táticas de, 499, 504, 510-1
Quinta República Francesa, 549
Quinto Fábio Máximo, 98
Quisling, Vidkun, 510

Rabin, Yitzhak, 617
racismo, 546, 619
radar, 516
rádio, 630
radioatividade, 570
Rafael, 224
Ravena, 127, 214
Reagan, Ronald, 583, 597, 612, 620
redescoberta da arte, 218-9
reféns, 591
reféns norte-americanos, 591
reféns por armas, troca de, 612
Reforma, 254-80
Reforma, Projeto de, 419
reforma previdenciária (EUA), 621
refugiados, 618
Reichstadt, duque de, 363
Reichstag, 513
religião, origens da, 23-24
Rembrandt, 442
Renânia, 497
Renascimento, 209-25
República Árabe Unida, 547
República Centro-Africana, 625
Republicanos (espanhóis), 498-9

651

República tcheca, 604, 624
"Restaurar a Esperança",
  Operação, 610
"Restos" do parlamento, 291
Reunião de Cúpula (1955), 544
Revolução Cultural, 541, 592
revolução das comunicações, 600,
  628-30
Revolução Francesa, 337-51, 416
Revolução Industrial, 404-16, 557,
  563
Revolução Inglesa, 281-96
Revolução Norte-Americana,
  325-36
Revolução Verde, 572-3
Ricardo Coração de Leão, 189-90
Ricci, Matteo, 593
Richardson, Elliot, 582
Richelieu, cardeal, 277
Ride, Sally, 585
Rivera, Miguel Primo de, 497
Robespierre, 350-1
robôs, 567
rodízio de carona, 574
Rodolfo de Habsburgo, 169
Rolando, 145
Rollo, 152
Roma, 88-129
  conquista da Grécia, 105-6
  conquista da Síria, 106
  dos primórdios, 91-6
  queda de, 124-9
  escravatura, 108-9
Romano, Império, 117-29
Romênia, 389, 540, 604, 607
Rommel, Erwin, 513, 517
Rômulo Augústulo, 127
Roosevelt, Franklin D., 501, 503,
  506, 511-2, 517-8, 521, 552, 584
Roseta, Pedra de, 19
Rousseau, Jean-Jacques, 339
Ruanda, 610-1
Rumford, conde, 411

Runnymede, 189
Rurik, 303
Rússia, 302-14, 383, 541, 601, 605,
  607
  controle de preços na, 606
Russo-Japonesa, Guerra, 465
Ryswick, Tratado de, 300

sabinos, 91
sacerdotes mencionados pela
  primeira vez, 24
Sacro Império Romano, fundação
  do, 147
Sadat, Anwar, 594, 599
Sakharov, Andrei, 588
Salamina, 77
salários, 549-50, 584
Salazar, Antônio, 595
Salerno, Universidade de, 212
Salomão, ilhas, 517
sandinistas, 612
Santa Aliança, 365-76, 386-7
Santa Helena, 363
São Francisco, Conferência de,
  521, 528
Sarajevo, 457
satélites artificiais, 567
Saturno, 565
saúde, cuidados com a, 626
Savonarola, 220
Schliemann, Heinrich, 47-9
Schuman, Plano, 530, 536
Schuman, Robert, 536-7
Sebastopol, 515
Segunda Guerra Mundial, 600
Segunda-Feira Negra, 620
Segundo Front, 519
Seko, Mobutu Sese, 612
Sérvia, 457
servos, 307
Seul, 622
Shakespeare, William, 287, 433
Sicília, 395, 518

Siegfried, Linha, 509
Sila, 111-2
Silício, Vale do, 620
Sinai, Península do, 546
sino-soviéticas, relações, 542
sionistas, 491, 530-1
Síria, 548
skinheads (carecas), 619
Smuts, Jan Christian, 508
socialismo, 426-7
Solferino, Batalha de, 398
Solidariedade, 589, 596, 599, 602
Sólon, 94
Solzhenitsyn, Alexander, 588
Somália, 610
Sputnik I, 557
SS (*Schutzstaffel*), 520
Stálin, Joseph, 488, 518, 521-2, 530
Stephenson, George, 410
Stresemann, Gustav, 488, 497
Stresemann-Briand, Pacto de, 488
Stroessner, Alfredo, 612
Stuarts, 287-92
Sucessão Espanhola, Guerra da, 300
Sudão, 610
Sudeste Asiático, 550, 572
Suécia, 312, 378, 621
sueco, parlamento, 191
Suez, canal de, 497, 547
suíças, assembléias, 192
sumérios, 31-6
superpopulação, 548-9
sustentação da vida, sistemas de, 557-8, 560

Tailândia, 516
Taiwan, 593
Talleyrand, 367, 371-2, 374, 377
Tanzânia, 546, 611
Taoísmo, 249
Ta'Rifa, 230
tártaros, invasão dos, 305-7

Tchecoslováquia, 504, 521, 529, 589, 604-5
teatro, 70-2, 443
Tebas, 28
Teerã, Conferência de, 518
telefone, 413, 628-9
telefone celular, 629
telégrafo, 413
televisão, 615, 628, 630
telhado de vidro, 621
Temístocles, 76
"Tempestade no Deserto", Operação, 615
tempo, 573
Teodorico, 127
Terceiro Estado, 345-6
Terceiro Mundo, 574
Teresa, Madre, 599
Termópilas, 77
terrorismo, 596-8, 616-8, 623
Tet, ofensiva do, 578-9
Thatcher, Margaret, 585
Thieu, Nguyen Van, 578
Three Mile Island, 570
Tiananmen (Praça da Paz Celestial), 608
Tibete, 541
Tilly, Graf von, 276-7
Timerman, Jacobo, 599
Timur Lang (Tamerlão), 537
Tiran, estreito de, 548
Tito (Josip Broz), 530
Titov, Gherman, 557
Tojo, Hideki, 515
Tomás de Kempis, 259
Tonkina, Golfo de, 578
Tóquio, 543
Tories, 293-5
Toussaint l'Ouverture, 386
Trabalhista, Partido, 618
trabalhistas, reformas, 421-7
Trafalgar, 357

tráfico de informações, 620
Tratado de Proibição Limitada dos Testes Nucleares, 555
Trinta Anos, Guerra dos, 275-80
Tríplice Aliança de 1664, 299
Tróia, 47-9
Trotsky, Leon, 488
Truman, Harry S., 521-2, 544, 553
turcos, 598
Turgot, 341-2, 419
Turquia, 619
tutsis, 610
Tutu, bispo Desmond, 609

U-2, incidente do, 544
Ucrânia, 601, 607, 623
Uganda, 596, 598
Uhuru, 545
União da África do Sul, 545
União Européia, 621
União Soviética, 408, 495, 507, 509, 514-5, 517, 522, 525, 527, 543, 600-2, 605-7
colapso da, 605-7
Union Carbide, fábrica de inseticidas da (Índia), 623
universidades, agitação nas (EUA), 554
universidades, origem das, 211-3
Urano, 627
URSS, 541
Uruguai, 612

vândalos, 127
vapor, motor a, 407
Varo, 117
Varrão, 99
Vaticano, 399
Vaticano II, Concílio, 596
Vega, Lope de, 443
Velásquez, Diego, 442
Veludo, Revolução de, 604
Veneza, 174, 201-8

Venezuela, 386, 576
Vermeer, Jan, 442
Vermelho, mar, 547
Verrazano, Giovanni da, 327
Versalhes, Tratado de, 469, 475, 477, 483, 497
Vestefália, Tratado de, 275, 279
viagens, 629
Vichy, 511
vida familiar, 66-9, 540
Viena, 521, 528
vietcongue, 578-80
Vietnã, 531, 550, 554, 577-8
Viking I, 565
vikings, 152
Vitório Emanuel I (Itália), 395
Vitório Emanuel III (Itália), 518, 529
Vlassov, Andrei, 514
Voltaire, 339
Vostok I, 556
Voyager 2, 627

Walesa, Lech, 590, 599
Wallace, George, 597
Wallenstein, Albrecht von, 276-7
Washington, George, 333
Watergate, 582-3
Waterloo, Batalha de, 360
Watt James, 407
websites, 628-9
Wehrmacht, 518-20
Weimar, República de, 493-4
Wellington, duque de, 360
Whigs, 293-5
Whitney, Eli, 407
Wilberforce, William, 423
Wilson, Woodrow, 476-9
Worms, Dieta de, 262
Wycliffe, John, 221

xá do Irã, 591
xenofobia, 619

Xerxes, 78
Yalta, Acordo de, 521, 527, 532
Yeltsin, Bóris, 605-6
Ypsilanti, príncipe Alexandre, 389
yuppies, 619

Zaire, 610-2, 625
Zâmbia, 612
Zaratustra, 43
Zhao Ziyang, 608
Zimbábue, 596

Cromosete
Gráfica e editora Ltda.

Impressão e acabamento
Rua Uhland, 307 - Vila Ema
03283-000 - São Paulo - SP
Tel/Fax: (011) 6104-1176
Email: adm@cromosete.com.br